JN128773

［増補改訂］

東アジア仏教の生活規則

梵網経

――最古の形と発展の歴史――

The Scripture of the Pure Divinities' Netted [Banners] (Fanwang jing),
a Mahayana Code for Daily Life in East Asian Buddhism
The Second Edition, Revised and Enlarged

船山 徹 著

臨川書店

目次

はじめに

はじめに

東アジア諸国は大乗仏教を信仰する地域が多く，その伝統は今も残っている。大乗の教えをどのように実践するかと言えば，『法華経』『維摩経』『般若経』その他の大乗諸経典を唱えること，それらの教えを聞いて学ぶこと，大乗特有の修行――坐禅や仏・菩薩への礼拝など――がある。これらと並ぶような，大乗に特有の戒律の教え――日々の生活規範――はあるかと言えば，その代表は『梵網経』という大乗戒の経典である。『梵網経』を日々の戒律規則の法典とする伝統は過去に重視されただけなく，現在も中国・台湾・韓国・日本に残っている。

『梵網経』の教えとして特に広く知られているのは，菩薩の「十重四十八軽戒」であろう。梵網戒と言われることもある。十項目の重罪――決してしてはならぬこと――と，四十八項目の軽罪――重罪ではないが，すべきでない細かな規則――である。その詳細は本書の第二章と第三章に示す原文と和訳を参照されたい。

現代にも影響を与え続けている梵網戒は，食肉の禁止のみならず，たとい野菜であっても「五辛」と呼ばれる大蒜や葱など臭いの強い野菜を食してはならぬこと，また酒を飲んではならぬことなどを含む。日本の古い寺門に建つ「不許葷酒入山門」の文字が『梵網経』と深い因縁を有することを知る者も多いだろう。

また，本経特有の語句の中には，今でもよく用いられるものがある。たとえば「師子身中虫」という語がある。現代語で表記すれば「獅子身中の虫」。これは，他の動物との闘いに決して負けない百獣の王ライオンでも，体内に宿る虫がわが身をむしばむ危険を防ぐことはできないこと，要するに，仏教が外圧からでなく，内部から崩壊する危うさの喩えである。この語の由来は『梵網経』であると『広辞苑』が記す通り，仏法の破滅をもたらす最大の危険は仏教教団の内部にいるという意図で，「師子身中虫」は第四十八軽戒に用いられている。

　このほかにも『梵網経』由来の思想や語の中には重要なものが少なくない。本書のねらいは，現代にまで影響を及ぼす本経の成立と変遷を詳しく追跡することにある。このことを簡単に説明しておこう。

『梵網経』は上下二巻から成る。そのうち東アジア仏教徒の日々の戒律規範となった十重四十八軽戒の教えは下巻のみに現れ，その分量はどの程度の長さかと言えば，大正蔵という現在最も広く使用される大蔵経の書式によって数えると，『梵網経』下巻はわずか七頁ほどにすぎない。ところが，このわずか七頁に実に夥しい数の異文が存在する。異文とは異読ともヴァリアントとも言う。要するに異なる大蔵経の中に含まれる『梵網経』下巻の版本に，文字の相違する箇所が三百箇所以上存在する。ほぼ同じ分量について，他の経典の異文を調べると，たとえば大正蔵に収める『勝鬘経』一巻の場合，長さはほとんど同じ七頁分であるが，異文の数は七十九箇所である。実はこの数量も決して少なくはない。唐の玄奘が訳した『大般若経』六百巻について，その最初の七頁分に含まれる異文の数を大正蔵で調査すると，わずか二十四箇所である。このようにほぼ同じ長さの文字数に即して諸本の相違を調べると，『大般若』二十四箇所に対し，『勝鬘経』は七十九箇所，『梵網経』は三百箇所余りである。

　話はこれで終わらない。大正蔵に収める『梵網経』は，五種の伝統的木版大蔵経を用いて編集されており，わずか五種を用いるだけで三百箇所以上の文言の相違が生じている。しかし本経は歴史的に長期にわたって重用された結果，大正蔵で用いられた木版大蔵経五種よりも古い木版も存在するばかりか，さらに数百年早期の写本にも看過できないものが多い。本書は，『梵網経』の早期の状態から，その後一千年近くの年代幅を考慮の対象とし，可能な限り古く重要な写本と版本を精査することを目指す。結論を先取りすることになるが，本書では西暦十世紀末に史上初の木版大蔵経が中国四川で成立した時代より以前の写本をも調査対象として約二十種あまり――つまり大正蔵の編集作業の約四倍――の写本・木版の『梵網経』諸本を精査した結果，本文篇に後述する通り，大正蔵わずか七頁の分量に六百箇所以上の文言の相違を確定するに至った。

普段読まれている『大般若経』冒頭七頁に含まれる異文数二十四箇所，同じ長さの『勝鬘経』の七十九箇所に対して，本経で扱う『梵網経』約二十種は六百箇所以上の異文を含む。これを夥しい数の異文と言わずして何と呼ぶことができようか。本書ではこのような厖大な数の文字変更がなぜ『梵網経』に対して為されたか，最も古い経典の文言を確定することはできるか，後にどんな改変が生じたのか――豊富な資料を用いて，以上の点をなるべく正確に示し，その意義を考えて，『梵網経』の魅力と歴史的変遷を追求すること，これが本書のねらいである。

本書「参考文献」に示す通り，本経には多くの研究がある。本書でも先行研究の助けに導かれたところは数多い。これまでの研究者に深い敬意を示す所以である。本書執筆にあたっては口頭で受けた教えや示唆も多く反映されている。二〇一一年秋学期にはアメリカ合衆国ニュージャージー州のプリンストン大学で客員教授として大学院生のために『梵網経』を講義し，スティーヴン・F・タイザー Stephen F. Teiser 教授から数多くの助言を受けた。特に敦煌写本等の写本として残る資料を扱う際に注意すべき点を教えていただいた。また二〇一四年冬学期には同国カリフォルニア州のスタンフォード大学で客員教授として大学院生に『梵網経』を講ずる機会を再度与えられ，その際，ポール・ハリソン Paul Harrison 教授から校訂本作成の原則や注意点を教えていただいた。さらに本書第五章で取り上げた京都国立博物館所蔵の貴重な奈良朝写本梵網経を閲覧参照するにあたっては，赤尾栄慶氏の御高配にあずかった。また同僚の梶浦晉氏の惜しみない協力もいただいた。こうした恩恵をすべて反映することができたか甚だ心許ないが，ともかく本書は先行研究諸氏と右に挙げた方々の学恩の賜物であることを記し，深く感謝を表する。

第一章　『梵網経』の概略

第一節　仏教史の中の『梵網経』

東アジアでは大乗仏教が様々な局面で隆盛し発展した。日々の生活基盤となる行動規則についての根本を説く最重要の一つが『梵網経』であった。『梵網経』は菩薩として生きる人々の生活と，菩薩の思想を結ぶ経典である。生活規則には肉や酒のみならず大蒜や葱を食してはならないという独特の禁戒も含まれ，その教えは東アジアの様々な地域で今なお実際に生きている。日本では最澄（八二二年没）が「円頓戒」の説を唱え，菩薩の守るべき戒は『梵網経』の十重四十八軽戒のみで必要かつ十分であると斬新な主張を行った。本章はまず，梵網戒への導入部として，『梵網経』の主な内容・成立・年代，注釈書その他について，これまでの研究で解明されてきたことを概説し，今なお残る課題を示し，最後に本書の構成と全体的なねらいを説明する。

『梵網経』の登場

『梵網経』の初出は漢語版である。漢語版『梵網経』の原典をインドに遡ることはできない。パーリ語聖典には『ブラフマ・ジャーラ・スッタ』があり，経名は『梵・網・経』と逐語的に対応するが，内容はまったく別であり，容易に関係づけることはできない。『梵網経』にはチベット語訳があるが，それは漢語版からの訳であり，インド語原典からの訳ではない。また，ソグド語版（Yoshida 2008, 2015）およびウイグル語版（Shōgaito 2009）も研究されているが，これまた漢語版からの翻訳である。

漢語版『梵網経』が東アジア仏教史に現れたのは紀元後五世紀後半の頃であった。その後，この経典について記す「菩薩波羅提木叉後記」が南朝の経典目録である梁・僧祐撰『出三蔵記集』に収められた。以来，仏教経典目録や大蔵経において『梵網経』は後秦・鳩摩羅什の最晩年の漢訳という触れ込みで普及した。天監十八年（五一九）五月に筆写された『出家人受菩薩戒法巻第一』（ペリオ将来敦煌写本二一九六号）は，『梵網経』最初期の貴重な伝承を記し，『梵網経』の根幹をなす十波羅夷（後述）を逐語的に引用する。その後の中国仏教史を通じて『梵網経』は大乗仏教が修行者の理想像として掲げる「菩薩」（悟りに向かう偉大な存在）の守るべき戒を説く経典として重んぜられた。後述するように隋の智顗（五三八～九七）の『菩薩戒義疏』，唐の法蔵（六四三～七一二）の『梵網経菩薩戒本疏』など多くの注釈も編まれた。出家・在家の区別なく一切の菩薩を等しく扱う『梵網経』は在家者の間でも広く普及した。たとえば隋の煬帝が即位前の開皇十一年（五九一）に智顗を戒師（授戒儀礼の司会進行役）として菩薩戒を受戒した際も『梵網経』が用いられた。①

主な菩薩戒経典

菩薩戒の教えを説く経典として六朝隋唐時代の人々が主として用いたのは，『梵網経』のほか，北涼・曇無讖訳『菩薩地持経』戒品，劉宋・求那跋摩訳『菩薩善戒経』戒品，唐の玄奘訳『瑜伽師地論』菩薩地戒品であった。このうち菩薩戒の受戒に際していずれの経典に基づく受戒儀礼を行ったかについては不明な場合も少なくない。ただ，菩薩戒を受戒した皇帝の名はある程度まで分かっており，そこには『梵網経』と関係する皇帝も含まれる。すなわち元嘉八年（四三一）正月にインド僧の求那跋摩が建康に到来したとき，跋摩から菩薩戒を受戒することを希求したが，跋摩の急逝によって願いを叶えられなかった皇帝として，南朝宋（劉宋）の文帝（在位四二四～五三）がいる。受戒したことの確かな最初の皇帝は，宋の明帝（在位四六五～七二）である。その後，南朝では梁の武帝（在位五〇二～四九）・簡文帝（在位五四九～五一），陳の文帝（五五九～六六）・宣帝（在位五六八～八二），隋の文帝（在位五八一～六〇四）・煬帝（在位六〇四～一八）らが受戒し，自らを「菩薩戒弟子皇帝」――菩薩戒をうけた仏弟子である皇帝――と称した。唐代は道教が重んぜられ，仏教に最優位が置かれることはなかったが，菩薩戒を受戒した皇帝もいる。太宗（在位六二六～四九）・則天武后（在位六九〇～七〇五）・睿宗（在位七一〇～一二）。代宗（在位七六二～七九）・徳宗（在位七七九～八〇五）らが菩薩戒を受けた。授戒儀礼においては，上述の智顗や法蔵のほか，善無畏（六三七～七三五）らも戒師としてはたらいた。詳細は望月（一九四六）・岩崎（一九八九）・船山（二〇一一b）・河上（二〇一一）に詳しい。

日本への伝播

筆者は上代日本史に疎く，『梵網経』の日本初伝来時期を自ら精査できないが，先行研究によると，天平五年（七三三）には『梵網経』が伝来していたと言われる（堀池一九六八。石田一九七一，二三頁。石田一九八六，四〇頁）。早期の注釈としては秋篠寺の善珠（七二三～九七）の『梵網経略疏』四巻（『日本大蔵経』律蔵部二）が広く知られる。ただ，内容に関しては，新羅・太賢『梵網経古迹記』をその注釈の本義として，これをほとんど全文にわたって流用したとの評言もあり（石田一九七二），善珠の思想をどこに求めるべきかは評価が定まっていない。最も大部の注釈としては，鎌倉後期に東大寺で活躍した凝然（一二四〇～一三二一）の『梵網戒本疏日珠鈔』がある（唐・法蔵『梵網経菩薩戒本疏』に対する注釈。『大正蔵』六二巻）。凝然は失われた注釈をしばしば逐語的に引用するため，歴史の穴を埋める上でも貴重である。

鑑真（六八八～七六三），最澄（七六七～八二二。『顕戒論』），円仁（七九四～八六四。『顕揚大戒論』）らの活動から知られる『梵網経』の影響については石田（一九八六）などの先行研究に譲り，本書は中国早期の受容史に焦点を絞りたい。

十重四十八軽戒

大蔵経に収める『梵網経』は上下二巻からなる。上巻は，大乗仏教の掲げる「菩薩」（「悟りに向かう存在」または「悟りに向かう勇者」の意）が行うべき修行段階を四十項目に分けて説き明かす。それは修行者の「心」の内容に焦点をあて，次のような四段階各十項目の計四十項目を順に進む修行である。

一　十発趣心（修行の出発）―捨心・戒心・忍心・進心・定心・慧心・願心・護心・喜心・頂心
二　十長養心（修行の育成）―慈心・悲心・喜心・捨心・施心・好語心・利益心・同心・定心・慧心
三　十金剛心（堅固な心）――信心・念心・迴向心・達心・直心・不退心・大乗心・無相心・慧心・不壊心
四　十地（修行の完成）――体性平等地・体性善慧地・体性光明地・体性爾焔地・体性慧照地・体性華光地・体性満足地・体性仏吼地・体性華厳地・体性入仏界地

右の一覧をみれば気づくように，四十項目の中にはまったく重複する表現も含まれ，たとえば「捨心」「定心」「喜心」は各二回現れるが，それぞれを説明する具体的文面は異なる。このうち，一～三段階の計三十心は菩薩修行の準備段階を示し，第四段階は，表現は特殊だが，内実は『十地経』のような他の大乗経典にも説かれる菩薩十地を示す。とくに第三「体性光明地」は十地を説く他経の「光明地」に，第四「爾焔地」は他経の「焔慧地」に対応する。そして第九「体性華厳地」は有名な『華厳経』を想定した名称であろうと考えられる。

一方，下巻は，菩薩として悟りに至るまでの輪廻転生を通じて守るべき行為規範を二種に分けて説き示す。

第一は，決して犯すべからざる根本の禁止事項十項目である。『梵網経』中ではそれを「十戒」「十重」「十重戒」（十の重罪）などと称す。それぞれのポイントのみを略記すると以下の通りである。

一　不殺生――〔禁止〕殺人のみならず，あらゆる生物を対象とした殺害行為。
〔推奨〕他者への慈しみ（慈心）と思いやり（悲心）。従順な心（孝順心）。他者救済。

二　不偸盗――〔禁止〕他者の所持品を盗むこと。
　　　　　　〔推奨〕他者への布施。他者に安楽を与えること。
三　不婬――〔禁止〕女性に対する性交，ゆがんだ性交，近親相姦（男性菩薩を対象とする表現）。
　　　　　　〔推奨〕従順な心。衆生済度。教説付与。
四　不妄語――〔禁止〕虚言，妄言。
　　　　　　〔推奨〕真実を見（正見），真実を語る（正語）。
五　不酤酒――〔禁止〕酒の取引，とくに販売（実質上，在家菩薩を想定した禁止項目）。
　　　　　　〔推奨〕興奮や思い違いのない，沈着冷静な心を他者に起こさせる。
六　不説罪過――〔禁止〕他の菩薩が犯した過ちの非難。他者の傷口に塩を塗るような発言。
　　　　　　〔推奨〕他者への思いやり（悲心）。大乗信仰。
七　不自讃毀他――〔禁止〕自らに甘く，他者に厳しい態度。
　　　　　　〔推奨〕他者の利益となる行為。
八　不吝嗇――〔禁止〕自己の所有する物事を惜しみ，他者への施しを拒絶すること。
　　　　　　〔推奨〕あらゆる布施。財施と法施。
九　不激高――〔禁止〕他者への身体的言語的な危害。
　　　　　　〔推奨〕他者への思いやり（悲心）。
十　不誹謗三宝――〔禁止〕仏法僧の三宝に対する誹謗中傷。
　　　　　　〔推奨〕三宝への敬意。

ここから知られる通り，各項目は犯してはならない「〔禁止〕（否定的な項目）」として説かれるが，本経の場合，禁戒の内容を肯定的な表現で言い換える場合が多いので，それら積極的に行うべき行為にも着目し，「〔推奨〕」と表した。要するに菩薩戒は，単に悪い事を何もしなければよいという性質のものではなく，禁戒を守りながら，それを単なる禁止にとどまらず，積極的な菩薩行として肯定的に実践すべき規範でもある。その具体的内容については本書第三章の和訳を見ていただきたい。

梵網戒の第二の項目は，十重戒と比較すれば軽度だが，菩薩である以上やはり犯すべからざる禁戒四十八項目である。それを「四十八戒」あるいは「四十八軽戒」と呼ぶ。「四十八軽垢罪」とも表現する。その具体的内容は本書第三章の和訳を参照されたい。

以上の主要十項と副次的四十八項とをあわせて「十重四十八軽戒」と呼び，単純に「梵網戒」とも呼ぶ。東アジア大乗仏教の根幹に影響を及ぼした『梵網経』の教えは，下巻に説かれる梵網十重四十八軽戒なのであった。

第二節　偽経説と成立年代

望月信亨の偉業

『梵網経』が中国仏教史に現れ始めた初期の状況や関連文献の研究は望月信亨によって大きく進められた。望月こそ現代の梵網経研究を基礎付けた人物である。梵網経が偽経であることをほぼ確実な形で結論づけた。望月説は簡略な内容として望月（一九一七）に現れた後，詳細な論考として望月（一九三〇）が編まれ，さらに論拠に一部修正を施した最終版が望月（一九四六）として出版された。『梵網経』を日々の実践基盤とする僧侶や信徒には本経を偽経であると認めたがらない人々がいることは筆者も十分承知しているが，他方，本経の原典がインドに実在したという伝説や，鳩摩羅什が原典のごくわずか一章のみを漢語に翻訳したという伝承には問題と矛盾が多い。本経を鳩摩羅什訳の「真経」とみるのは不可能である。なお，偽経とは何かの概説として船山（二〇一三，一二一～四八頁「第五章　偽作経典の出現」）と Funayama（2015b）を参照されたい。

偽経説の根拠

『梵網経』が偽経であることを裏付ける根拠は複数ある。そのうち最も確実なのは『梵網経』の中に漢訳諸経典の文言が逐語的に二次使用されている事実である。その具体的事例は本書第四章「『梵網経』下巻の素材と注解」に【素材】として掲げた文言を見られたい。とりわけ曇無讖訳『大般涅槃経』『菩薩地持経』に逐語的に基づく文言の数量は夥しい。さらに，本経成立の上限を確定するために重要な漢訳経典に，四二一年に建康（現在の南京）で訳された求那跋摩訳『菩薩善戒経』がある（とくに第四章［32］下段）。鳩摩羅什は四〇九年頃に訳経活動を終えているから，その後に活動した曇無讖（四三三年没）や求那跋摩（訳経活動は四三一年の数ヶ月のみに限られる）の訳を逐語的に活用した形で鳩摩羅什訳が作成された可能性は皆無である。

そのほか，『梵網経』の上巻と下巻には語法に決定的相違があるため，上巻の成立に関与した人物は，下巻の編纂に関わった人とはまったく別の後人であった蓋然性が高いことも，本経が鳩摩羅什一人の訳ではあり得ないことを裏付ける。また，本書の主題である下巻ではなく，上巻に関してであるが，「捨」という仏教術語を説明する中で，インド語仏典においては決して混同することのないサンスクリット語ウペークシャー *upekṣā（心の均衡，偏りなく対象をそのまま捨て置く心）とアートマ・パリティヤーガ *ātma-parityāga（自らの一切合切を捨棄すること）という意味の「捨」を繋げて説明する箇所がある。このようなまったく異なる二種の「捨」を混同することは，どちらも同じ漢字で言い表す以上，漢字文化圏では可能であるが，サンスクリット語その他のインド語ではまったくあり得ないから，これまた本経上巻が中国成立であることを決定づける一要素である（船山二〇一一a）。

成立年代

『梵網経』が偽作された大凡の年代は，上述の望月（一九三〇）（一九四六）や，望月説を補強した大野（一九五四）や船山（一九九六）などによって，ほぼ確定的となっている。『梵網経』の成立年代は，ほぼ同時または相前後して成立した別の二経典——すなわち大蔵経中で鳩摩羅什訳として伝わる『仁王般若経』と，竺仏念訳として伝わる『菩薩瓔珞本業経』——の成立とも深く関与する。現在最も広く受け容れられている説は，三経のうち，まず最初に『仁王般若経』が北魏・太武帝による国家的仏教排斥（いわゆる「廃仏」，四四六～五二年）の頃かその直後頃に編纂され，それと同時または若干遅れて『梵網経』下巻が編纂され，さらにその後，両経を活用する第三の偽経『菩薩瓔珞本業経』が編纂されたというものである。『菩薩瓔珞本業』の内容の一部は約五〇〇年頃に建康で活躍した宝亮という学僧に知られていた形跡がある（船山一九九六，六九頁）。従ってその頃までに成立していたと考えると，『菩薩瓔珞本業経』の成立年代は約四八〇～五〇〇年頃と推定できる。それ故『梵網経』の年代は，『仁王般若経』と『菩薩瓔珞本業経』の間の時期に編纂されたと考えられることから，約四五〇年～八〇年頃の三十年間に収まる。『梵網経』の編纂地域については，南朝と北朝のいずれかを現時点で確定することはできないが，華北で成立した蓋然性を優先的とみる研究は多い。

なお，『梵網経』の成立時期を推定する際，これまでの研究には一つの過誤が繰り返されているので，注意喚起の意味で記しておきたい。それは敦煌写本（北六七一八＝閏五八＝BD二二五八）に『梵網経』が筆写され，同写本の裏に「建元年四月十三日」という紀年を有する跋文があることである。これを『梵網経』の成立年代論と結びつけたのは大野法道（一九五三）であり，氏は「建元年」を南斉の建元年間（四七九～八二）と解釈し，かつ紙表の

『梵網経』写本と関係するとした上で，『梵網経』成立の下限を南斉の建元以前と考えた。この説は長らく多くの研究に踏襲されたが，今やまったくの誤りと見なすべきことが判明している。「建元年」は南斉の年号でなく『梵網経』とも無関係で，北宋の建隆元年（九六〇）であることが最近の敦煌写本研究で明らかとなった（船山二〇一一a、一五四～五五頁参照）。右記のように本経の成立時期を約四五〇年～八〇年頃とすれば南斉以前の成立とする説自体は結果的に誤りではないが，誤った資料操作に基づく以上，今後も繰り返す過ちは避けたい。

第三節　主な注釈

『梵網経』は注釈書も多い。中国の人々が『梵網経』をどのように読み，どこに重点を置き，何を問題視し，どう解決しようとしたかを知るための基礎として，主な注釈の撰者，書名，成書年代と特徴を列挙しておこう。

（一）梁・慧皎『梵網経疏』（佚）

『梵網経』に対して最も早い注釈を著したのは梁の慧皎（四九七～五五四）である。慧皎『高僧伝』巻十四「序録」の末尾に付す僧果の跋文に，「〔慧皎〕法師，学は〔仏教の〕内外に通じ，経律を講ずるに善し。『涅槃疏』十巻、『梵網戒』等の義疏を著し，並びに世の軌（模範）と為る」（五〇・四二三上）という。この序録の概説と和訳として吉川・船山（二〇〇九、三七二頁）（二〇一〇、四三一～三七頁）がある。さらに，唐の道宣『続高僧伝』慧皎伝も，慧皎が会稽郡上虞（浙江省）の出であること，会稽の嘉祥寺に住したこと，『涅槃義疏』十巻や『梵網経疏』を著したことなどを記す（五〇・四七一中）。慧皎疏の内容・巻数・成書年は不明だが，慧皎卒年の五五四年より前に成立したのは確かである。

（二）隋・智顗説、灌頂記『菩薩戒義疏』二巻。現存（大正四〇巻）

現存する最古の注釈は隋の智顗（五三八～九七）の論述を基に弟子の灌頂（五六一～六三二）が筆記した『菩薩戒義疏』である。『梵網義記』『梵網経義記』『天台梵網義記』『菩薩戒義記』『菩薩戒経義記』『天台疏』と称することもある。本疏は単に年代的古さだけでなく，注釈に引く経文――すなわち『梵網経』の本文――が時折極めて古い形を示す点でも価値が高い。

『梵網経』の写本・版本は，十波羅夷の中に現れる定型句の明確な相違から二系統に大別できる（船山二〇一〇，二〇一四）。たとえば第一波羅夷について言えば，現在知られる最も古い経文は次の通りである。

（原文）仏告仏子，若自殺，教人殺，方便讃歎殺，見作随喜，乃至呪殺，殺**業**、殺**法**、殺**因**、殺**縁**。……

（訓読）仏は仏子に告ぐらく、若し自ら殺し、人をして殺さしめ、方便して殺すを讃歎し、作すを見て随喜し、乃至呪もて殺さば、殺の**業**、殺の**法**、殺の**因**、殺の**縁**あり。……

（和訳）仏は仏子に告げた。――もし自らの手で〔生き物を〕殺し，他人に殺すよう教唆し，手立てを講じて殺しを褒め称え，〔他人が殺しを〕するのを見てそれを喜び，果ては呪い殺すに及ぶまでのことをすれば，殺しの**行為**と，殺しの**方法**（**手立て，手段**），殺しの**直接的原因**，殺しの**間接的原因**が〔成立する〕。……

これは第一波羅夷の全文でなく，書き出し部分に過ぎないが，「～業、～法、～因、～縁」という語順の表現に注目してほしい。これが本経最古形の語順である。ところが後代の諸本にはこれを「～因、～縁、～法、～業」の語順に書換えるものが現れた。たとえば最も古い形を残す敦煌写本 BD1972.2 や最古の注釈である智顗『菩薩戒義疏』，さらに古い時代の引用を含む『出家人受菩薩戒法巻第一』（五一九年）はすべて「～業、～法、～因、～縁」の語順である。これに対し，後代の法蔵『梵網菩薩戒本疏』や現在の標準的大蔵経である大正新脩大蔵経は，書換え後の「～因、～縁、～法、～業」を示す。これは意味的にはほとんど変わらない，単なる表現形式の相違に過ぎないけれども，夥しい数の梵網経写本・版本のすべてを新旧二種に区分する決定的な指標となる（船山二〇一〇、一九一頁。船山二〇一四、八～九頁）。今，その結論のみを略記すると次の通りである。

α型＝古型	β型＝新型（約七〇〇年頃に発生し，後に優勢化）
～業～法～因～縁（第一波羅夷と第二波羅夷のみ） ～因～業～法～縁（第三波羅夷から第十波羅夷）	～因～縁～法～業（第一波羅夷から第十波羅夷すべて）

これを指標とする分類はこれまでまったくなかったが，これは決定的かつ明確な相違である。これを基礎として他の視点をも加味して緻密に分類すれば，従来不明であった『梵網経』の成立と歴史的展開に対して斬新な見方を得ることができる。注釈に即して言えば，最古の『菩薩戒義疏』はまさにα型の古い形を残している。この義疏の重要性は勿論これだけではない。本書第二章の校勘と第六章第三節に後述する通り，『菩薩戒義疏』の依拠する経文（梵網経本文）はしばしば極めて古い文言を示す。とりわけ古写本より知られる第十五軽戒の最古形の経文に基づく注釈は『菩薩戒義疏』のみであり，その他すべての注釈は更に後に書換えられた文言に基づく。この点は本疏の古さと共に古い時代の解釈法を示す点で極めて貴重である。

（三）新羅・暁公（元暁）『梵網経菩薩戒本私記』。上巻のみ現存（続蔵一、九五、一）

『梵網経菩薩戒本私記』は「暁公」の著作として現存するが，鎌倉期の凝然は本書を「新羅元暁大師〈『疏』二巻，下巻逸〉」と説明するから，「暁公」とは元暁（六一七～八六）であると凝然が理解していたことが分かる。ちなみに元暁の著した『菩薩戒本持犯要記』一巻（大正四五巻）は独立の解説書であり，注釈文献ではない。『梵網経菩薩戒本私記』を著した時点で元暁がいかなる注釈を知っていたかは興味深い。しかし上巻しか残存しないため，正確には確定しがたい。とくに智顗『菩薩戒義疏』との関係が問題である。私見によれば，元暁は『菩薩戒義疏』の説を少なくとも一部は知っていたと考えてよさそうである（船山二〇一四、五頁）。

（四）新羅・義寂『菩薩戒本疏』三巻。現存（大正四〇巻）

義寂の生卒年は不明であるが，およそ七世紀中頃～八世紀初頃であり，『菩薩戒本疏』の年代もおよそ七世紀末頃だったと想定して大きな問題はないようである。②新羅の義寂を中国仏教史の主流に置くのは憚られるが，以下の二点は他の注釈との関係から意味があろう。

第一に，義寂は智顗『菩薩戒義疏』の説を知っていた。このことは先行研究に指摘される通りである。具体的には，『菩薩戒本疏』中で義寂が「古疏」の説として挙げる内容（四〇・六六九上～中、六七五上）が『菩薩戒義疏』（四〇・五七四中～下、五七六上）と逐語的に合う。また，「旧云」（『菩薩戒本疏』四〇・六七三上，『菩薩戒義疏』四〇・五七五下）や「有云」（『菩薩戒本疏』四〇・六五七上～中、六七一下，『菩薩戒義疏』四〇・五六七中～五六八上、五七五上）として紹介される旧説は一部『菩薩戒義疏』に同定可能な文言を含む。

第二に，義寂の引く経文は，智顗『菩薩戒義疏』と同様に，α型である。ただ，紛らわしいことに大正蔵本『菩薩戒本疏』は義寂自らの疏の前に，該当する経文を掲げ，その経文はα型でなく，β型である。これは義寂と無関係な後人による付加にほかならない。つまり『菩薩戒本疏』は本来の義寂疏に含まれていなかった経文を新たに付加した「会本」（経文と注釈の合本）である。このことは船山（二〇一〇、一九四～九五頁）に指摘した。

（五）唐・勝荘『梵網経述記』二巻（一名『梵網経菩薩戒本述記』四巻）。現存（続蔵一、六〇、二）
　勝荘は唐の崇義寺に住した僧であり，活躍年代は八世紀初頭頃である。『宋高僧伝』巻四・法宝伝に付伝され，それによれば長安三年（七〇三）に洛陽の福先寺と長安の西明寺で法宝が義浄の訳場に参与した際，勝荘も共に訳出に加わった。「新羅の勝荘」（五〇・七二八下）とも言われるから，義寂同様，彼も新羅出身と分かる。

　勝荘が基づいた経文もα型である。しかし義寂『菩薩戒本疏』と同じく，注釈者本人がα型の経文を用いたにもかかわらず，現在我々が見ることのできる勝荘『梵網経述記』は，後代の何者かがβ型の経文を補った「会本」であるという紛らわしい状況を呈している（船山二〇一〇、一九四～九五頁）。
（六）唐・法蔵『梵網経菩薩戒本疏』六巻。現存（大正四〇巻）
『梵網経』の諸注釈中で参照される頻度が最も高いのは法蔵（六四三～七一二）の疏であろうか。智顗・義寂・勝荘がα型の経文に基づいて注釈したのに対し，法蔵に至り，初めてβ型の経文を用いた注釈が現れた。法蔵は中央アジア康居系の血筋であり，漢人ではなかった。法蔵の注釈には漢人とは異なる思考や特有の現実主義が見て取れるという（石井一九九六）。
（七）唐・智周『梵網経疏』（一名『梵網経菩薩戒本疏』）五巻。巻二巻三のみ現存（続蔵一、六〇、二）
　智周（六六八～七二三）は慧沼（六五〇～七一四）の弟子である。知周とも表記する。撲揚の報城寺に住したことから撲揚大師ともいう。智周の参照した経本はβ型である。智周説の先行研究に吉津（一九九一、六四〇～四七頁）がある。

（八）新羅・太賢『梵網経古迹記』三巻。現存（大正四〇巻）

新羅の太賢の正確な生卒年は不明だが，法蔵の後，八世紀中頃の人と考えられている。太賢釈は複数箇所で「法蔵師云わく」と法蔵説を引くが，基づく経本は法蔵と異なり，古いα型であった。研究に吉津（一九九一、六五八～六六四頁），英訳にMuller（2012）がある。

（九）遇栄『梵網経律燈抄』四巻（佚）

義天『新編諸宗教蔵総録』（五五・一一七三上）は「『梵網経科』一巻，『梵網経律燈抄』四巻。已上，遇栄述」という。つまり遇栄は『梵網経律燈抄』四巻と『梵網経科』一巻とを著述した。後者は「科」すなわち科文（内容梗概，シノプシス）の類であろう。北宋の与咸『梵網菩薩戒経疏註』は，遇栄の注に言及して，「栄鈔は寄帰伝を引いて云わく」云云（続蔵一、五九、四、三〇四裏下）という。遇栄は義浄『南海寄帰内法伝』を引用できる時代に属することが分かる。義浄（六三五～七一三）とまったくの同時代とみるよりは義浄より若干後代だった可能性が高い。これについては後掲（十三）道煕の項も参照されたい。

（十）唐・利渉『梵網疏』三巻（佚）

江戸期の謙順『諸宗疏鈔録』巻二に「梵網疏三巻〈唐利渉述〉」を記す（『諸宗疏鈔録』は『大日本仏教全書』仏教書籍目録第一の一二八頁を参照）。賛寧『宋高僧伝』巻十七に収める「唐京兆大安国寺利渉伝」によれば，中宗（六八三～七一〇）の頃に敬重され，開元年間（七一三～四一）に安国寺で『華厳経』を講じたという[3]。利渉の梵網経注釈に対する研究として小寺（一九七四）がある。

（十一）唐・法銑『梵網経菩薩戒疏』二巻。巻上のみ現存（続蔵一、六〇、三。恵谷一九三七）

法銑（七一八～七八）は法詵とも法銓とも書く。賛寧『宋高僧伝』巻五に「唐銭塘天竺寺法銑伝」を収める。続蔵は「巻上之下」のみを収めるが，後に恵谷隆戒（一九三七）によって「巻上之上」が発見され，その全文が出版された。続蔵本と恵谷本をあわせると上巻はすべて揃ったことになる。法銑の参照した経文はβ型である。たとえば続蔵本に第一波羅夷や第二波羅夷について「～因～縁～法～業」の語順が確かめられる（一、六〇、三・二四六裏下～二四七表上、二四八表下）。恵谷によれば，法銑は法蔵の孫弟子で，法銑疏は法蔵疏の思想を継承するという。法銑説の研究に石田（一九七二），吉津（一九九一、六五二～五八頁），中西（二〇一二）がある。

（十二）唐・明曠『天台菩薩戒疏』三巻。現存（大正蔵四〇巻）

明曠は明廣とも表記する。生卒年は不明だが，およそ七四〇～八〇〇年頃の人と想定される。湛然（七一一～八二）と同期の後輩だったと考えられている（吉津一九九一など）。本疏の成書年は大暦十二年（七七七）であることが本疏の跋に記されている。『天台菩薩戒疏』は，題下に「天台沙門明曠刪補」と記すことから，智顗『菩薩戒義疏』に基づき，その内容に削除と増補を施した注釈と見なすことができる。『菩薩戒義疏』の経文がα型だったのに対し，明曠疏はβ型である。

（十三）道熙『梵網鈔』三巻（佚）

北宋・与咸『梵網菩薩戒経疏註』に，『熙鈔』『熙抄』『熙師鈔』の名で引用される。正式の書名は確定できないが，便宜的に『梵網鈔』と仮称しておきたい。鎌倉期の凝然は『梵網経』の注釈を列挙する中で，「道熙の『鈔』三巻有り。蘊斉の『頂山記』三巻有り。与咸の『註』三巻有り。三家は並びに天台師の『疏』を解す。世に行わる」（六二・四中）という。「熈」は道熈であり，その『鈔』は智顗『菩薩戒義疏』に対する注釈だったと理解できる。与咸が諸注釈の説を列挙する際，しばしば「蔵疏」「熈鈔」「栄鈔」の順で紹介することから考えると，道熈の年代は恐らく法蔵より後であろう。問題は「栄の鈔」が何かだが，最も近似する注釈名は第九項に掲げた遇栄『梵網経律燈抄』に違いない。注釈書名の場合，「抄」「鈔」はしばしば同義に混用される。栄を遇栄と見なしてよいなら，遇栄『梵網経律燈抄』は法蔵と道熈より後であり，それ故，義浄を引用する遇栄は義浄とまったく同時代というより，やや後の人と推測するのが穏当であろう。

（十四）唐・伝奥『梵網経記』二巻。現存（続蔵一、五九、五）

伝奥を唐の宗密（七八〇～八四一）の弟子あるいは孫弟子の世代に属すると推測する研究がある（智学二〇〇六）。この注釈の研究は遅れているため不明の点が山積するが，今はとりあえず予備的考察として，伝奥の基づく経本はβ型であることを指摘するにとどめる。北宋・与咸『梵網菩薩戒経疏註』は「石壁疏」ないし「石壁」の名で伝奥に二十回近く言及する。

（十五）北宋・慧因『梵網経菩薩戒注』三巻。現存（続蔵一、六〇、三）

本注釈には慧因による「注梵網経并序」が付され，そこから紹聖三年（一〇九六）の成書と分かる。慧因の依拠した経文はβ型だったことが注釈内容から確かめられる。この注釈に関する専論はほとんどない。

（十六）北宋・蘊斉『頂山記』三巻（佚）

蘊斉について，南宋の志磐『仏祖統紀』巻十四は「法師蘊斉は銭唐の周氏なり。清弁と号す」云々とあり，「政和中に上方に復帰し方丈に居りて『頂山記』を述べ，『天台戒疏』（＝智顗『菩薩戒義疏』）を釈す。凡そ三巻なり」という（四九・二二四上～中）。これによれば，『頂山記』三巻は北宋の政和年間（一一一一～一一一八）の成立である。さらに『仏祖統紀』巻二六は与咸（次項）の著作の一つとして「『菩薩戒疏注』〈三巻。破『頂山記』〉」という（四九・二六〇中）。蘊斉『梵網頂山記』の説は直後の与咸に批判されたことが分かる。なお，続蔵に収める与咸注の現存本は八巻本であるが，それを志磐が三巻と記すのは調巻の相違にすぎない。現存本八巻も各巻末に上巻・中巻・下巻と記すから元来は三巻本である。

（十七）北宋～南宋・与咸『梵網菩薩戒経疏註』八巻。現存（続蔵一、五九、三～四）

智顗『菩薩戒義疏』に対する注釈である。先行諸注釈の説を多く引用し，経本伝承の問題にも慎重な検討を加える。与咸注は α 型と β 型の両方の経文に言及するが，彼自身の依拠した経文は α 型である。与咸注は年代的に古くないが，内容的に貴重な情報を与えてくれる。たとえば『梵網経』のキーワード「若仏子」の「若」は「如（もし）」か「汝（二人称）」かを問題とする点，夥しい異文を有す第四十七軽戒をどう考えるかを精査する点など独自の視点がある。船山（二〇一〇、二〇七頁）（二〇一一a、一三九頁）Funayama（2015a, 17–18）参照。『仏祖統紀』巻十六の伝（四九・二三一下～二三二上）によれば，与咸は南宋初の隆興元年（一一六三）に卒した。

この後も『梵網経』は注釈された。現存する主な注釈に限っても，明代には一五八七年成書の袾宏『梵網菩薩戒経義疏発隠』五巻（続蔵一、五九、四～五），一六三七年成書の智旭『梵網経合註』七巻（続蔵一、六〇、四），弘賛『梵網経菩薩戒略疏』八巻（続蔵一、六〇、五）がある。ただし本書は『梵網経』の成立と比較的早期の受容を主題とするため，注釈は与咸を下限とし，明代の注釈は検討対象から割愛する。

最後に，比較的早期中国の菩薩戒受容史を知る上で参照すべき日本の注釈について述べる。それは鎌倉後期の東大寺の沙門，凝然（一二四〇～一三二一）による『梵網戒本疏日珠鈔』五十巻である（大正蔵六二巻）。凝然注は与咸注の重要性を意識して頻繁に引用するのみならず，それ以前の他の注釈書からも逐語的かつ正確な引用を頻繁に行っている。右掲諸注釈のうち，（十）利渉の疏，（十一）法銑の疏，（十三）道熙の鈔，（十四）伝奥の記，（十六）蘊斉の記の引用など，失われて現存しない中国の古注釈の内容を知る上で『日珠鈔』は独自の価値がある。

第四節　本書の構成とねらい

新たな梵網経研究への導入部を閉じるに当たり，本書の構成とねらいを明らかにしておきたい。

第二章「『梵網経』下巻の本文――最古形と後代の書換え」は，原文を提示する。その際，本書では『梵網経』の二つの歴史的価値を視覚的に理解しやすいよう配慮する。第一は，中国で偽作された当初の形に最も近い原文――これを「最古形」と呼ぶ――を再構成して示すことである。第二は，後の中国仏教徒が長期間繰り返し読み続け実用する間に経典の文言に加えた改変を示すことである。木版成立以前の時代の『梵網経』の古写本や早期の木版の状況を明示する手段として，実際に用いた二十三種の写本・木版をそのまますべて転写することは避ける。あまりに煩瑣な情報の羅列はかえってその意義を不明確にする恐れすらあるからだ。代案として本書では，原文を短い意味のまとまり毎に区切り，《一、最古形（批判校訂版）》，《二、天平勝宝九歳写本》（七五七年），《三、房山石経唐刻》（八世紀前半頃），《四、法隆寺本》（九世紀），現存する最古の木版本として《五、高麗蔵初雕本》（十一世紀），木版印刷の中で最古形を最もよく保持するものとして《六、毘盧蔵（開元寺版）》（十二世紀），現在最も普通に用いる大正新脩大蔵経の底本となった木版として《七、高麗蔵再雕本》（十三世紀前半）――以上の七種を，見開き二頁を単位として示す。その際，七種相互の文言を視覚的に比較しやすくするため，文字に異なりのある箇所に傍線を施す。さらに，七種には含まれない二十三種すべての文字の異同に関する網羅的情報として，《一、最古形》の直後に，二十三種すべてを対象とする校勘を付し，《一、最古形》にその文字を本書で採用した根拠と共に採用しなかった文字のすべてを記述する。要するに，《一、最古形》に関しては古写本と古注釈から推定される最古形を，西洋文献学で主流の「批判校訂本（クリティカル・エディション critical edition）」として示し，その校訂に至る根拠を「校勘」（コレイション collation）として示す。校勘は，西洋文献学でいうところの「考証（クリティカル・アパラートゥス critical apparatus）」に相当する。一方，《二》～《七》は文言の選択をせず，当該写本ないし木版の文字を（たとい誤写でも）そのまま記録する。第二以下については西洋文献学でいう「原文直写無修正版（ディプロマティック・エディション diplomatic edition）」を示すのである。これは本文に変更を加えることを意図的に避ける東洋古典学の校本作成法に準拠した方法とも言える。つまり，最古形については西洋文献学で主流の批判校訂版形式で，後代の六種については東洋文献学の手法と合う，本文を変更しない形で示す。ただ，その場合も次の最低限の変更は含めるものとする。第一に，七種の比較を容易とするため，校本の《二》～《七》にも句読点を施す。第二に，同じ理由で異体字を標準化する。標準化とは，たとえば特に何も意味的相違と関係しない場合に，写本や版本における「无」「無」を「無」に統一する，「來」「来」を「來」に統一する等の類いである。

第三章「『梵網経』最古形の現代語訳――後代の主な書換えとともに」は，第二章で作成した《一、最古形》の現代語訳である。なるべく通常の日本語として読める平易な訳を目指すが，古い漢語で表記された仏教文献であるため，やむを得ず難解な仏教術語を用いる箇所もある。さらに最古形が後代に書換えられた場合には，その主な箇所に限り，書換え後の文言をも現代語訳し，注に示す。最古形と書換え後の訳を示すことによって，書換えの対象となった箇所と書換えの理由が分かるような表示を心懸ける。

第四章「『梵網経』下巻の素材と注解」は，本経の最古形の中で暗黙裏に素材として用いられた先行漢語文献を一覧表の形で示す。上段に『梵網経』最古形の本文を，下段にそれが基づいたと筆者が判断した素材を掲げる。第二章の場合と同様，素材の文言を一目瞭然たらしめるため，相当箇所に傍線を施し比較の便を図る。本章は，偽作経典（偽経）『梵網経』のいわば「ネタばらし」をする章である。先行研究で指摘されている素材もあるが，本書が初めて指摘する素材も多い。先行研究の指摘がある素材についてはその研究書・論文名を下段に明記する。

第五章「京都国立博物館蔵　天平勝宝九歳写本の録文」は，やや異質の資料篇である。「天平勝宝九歳写本」とは，第二章中で《二、天平勝宝九歳写本》（七五七年）として示した写本にほかならない。この写本は重要文化財の指定を受け，現時点では画像公開されていない貴重なものである。加えて，本写本の情報は一種類でないことにも大きな特徴がある。古写本の文言を後の別人が写本余白を用いて訂正し，その結果をも記しているため，一つの写本中に新旧二種の伝承が示されている。実際の写本は墨筆と朱筆の二色で新旧の区分を示すが，色の区別に頼らずに区別を示すため，写本で朱書された箇所は角括弧を用いて示す。本章の録文は，この写本に関する世界初の録文情報として，その意義は決して小さくないと自負する。

以上各章を通して検討した結果，新たに何が言えるかを論ずる章として，第六章「『梵網経』の思想と修正の歴史――本書の新知見」を設ける。第一章（本章）に示したこれまでの研究からは知り得なかった本書の最重要課題は，『梵網経』の最古形を復元することによってその原著者（偽作者）の意図をあぶり出すこと，そして，その後の長い歴史でいかなる書換えが行われたか，あるいは試みられたかを論じ，その結論を示すことの二点である。「はじめに」の項に書いたように，ほぼ同じ長さ（文字数）の経典に含まれる異文――文字の相違――を比べてみると，玄奘訳『大般若経』冒頭箇所の二十四箇所，求那跋陀羅訳『勝鬘経』の七十九箇所に対し，五種の版本を用いた

『梵網経』大正蔵本には三百箇所以上の異文がある。それだけでない。本書第二章に示すように，本書で扱う二十三種の古写本・石刻・木版から知られる異文の数は倍の六百六十箇所を超す。これは異例にして異様な異文の数である。『梵網経』にはなぜかくも夥しい数の異文が生まれたかという問いにどう答えるべきだろうか。

第七章「結論――『梵網経』校本の意義」は総括である。本研究は従来の研究をどう継承し，どう発展させることができたかについて筆者の結論を示し，同時に，今後の研究への提言を行う。

① 「隋煬帝於天台山顗禪師所受菩薩戒文」（『広弘明集』巻二七）と「王受菩薩戒疏」（『国清百録』巻二）は共に楊広（後の煬帝）の受戒と絡んで「戒をば名づけて孝と為し，亦た制止と名づく」（『広弘明集』大正五二・三〇五下＝『国清百録』大正四六・八〇三中）という『梵網経』下巻（大正二四・一〇〇四上）のみに出る文言を逐語的に引用する。ここから楊広の受戒では何らかの形で『梵網経』を用いたと推定可能である。

② 南宏信「新羅義寂撰『無量寿経述記』の撰述年代考」（『身延論叢』一八，二〇一三）によれば，義寂『無量寿経述記』の撰述年代は六八三年以降，六八五年以前であった可能性があるという。筆者もそれに従い，義寂『菩薩戒本疏』も同じ頃と暫定的に考えておきたい。

③ 因みに利渉の伝記研究として，牧田諦亮「唐長安大安国寺利渉について」（『東方学報』京都三一，一九六一。再録「唐長安大安国寺利渉とその勧善文」，『牧田諦亮著作集第三巻，中国仏教史研究2』，臨川書店，二〇一五）がある。ただし『梵網経』については何も触れていない。

第二章　『梵網経』下巻の本文——最古形と後代の書換え

本章は『梵網経』下巻の校本と校勘，後代の変化を原文で示す。

まず始めに，やや堅苦しい内容となるが，梵網経の写本版本の書誌学的情報を記しておこう。

本章に取り上げる諸本は，写本・石刻・木版印刷の三種に大別できる。まず主要な写本は，欄外に文字の改変を記す(B*，H*，N*，T*)。それらをあわせると，四写本から都合八種の写本情報が得られる。次に石刻本は，北京郊外に位置する房山の石経の中から特に重要な二種を本章校勘の素材とする(F，L)。第三に木版印刷本については，大正蔵校勘に用いる四種(M，P，S，Y)のほか，現存最古の木版梵網経である高麗蔵初雕本(K1)と，高麗蔵再雕本(K2)およびそれに先行する同系の木版として金蔵(J)，同じく高麗蔵再雕本と同系統で先後関係不明の単刻(京都大学谷村文庫本，Ta)，大正蔵校勘のいわゆる宋・元・明三本と同系の磧砂大蔵経(宋代～元代，Q)と明の洪武南蔵(Mn)を参照する。更に日本江戸期の折本(A)をも参照し，『梵網経』の初期の形態とその後の変容を探りたい。

『梵網経』の経本ではないが，早期の形態を知るため，さらに下記三種の文献にも着目する。

第一は，ペリオ将来敦煌写本二一九六号『出家人受菩薩戒法巻第一』(C)の末尾に引く『梵網経』十波羅夷(本経の中核)である。書写年代は梁の天監十八年(五一九)であることが跋文に記される。本写本は『梵網経』からの引用と明記しないが，文面を検討すると，六世紀初頭の建康(江蘇省南京市)で用いられた『梵網経』の逐語的引用であることが分かる。これが本経最古の写本情報である。

第二は，唐の道世撰『法苑珠林』(成書六六八年)に引用する経文である(D)。ただし本章では，その大正蔵本の文言に従う。道世当時の原文とまったく同一とは言えないが，相応に古い時代の経文なのは疑いない。

第三は，唐の慧琳撰『一切経音義』巻四五に収める梵網経下巻の語句十八箇である。収録語数は少ないが，音義の編纂された八世紀末～九世紀初頭頃の長安に流布していた経本を窺う資料である。

本章に用いるこれら諸本を略号順に排列し，短い説明を付すと次の通りである。

【本章の校勘に用いる写本・木版本・石刻本の略号一覧】

A　An'ei 安永。日本・安永四年（一七七五）初刻，寛政四年（一七九二）新刻。木版単刻。

B　Beijin 北京。中国国家図書館蔵敦煌写本 BD01972.2 号。国図二七、二七八～八六頁。七～八世紀頃。この想定年代は国図二〇〇六・附録目録一二～一三頁による。第六波羅夷の途中（本章九〇頁）から末尾の途中（二六二頁）まで現存。

B*　Bの欄外補正。補正年代不明。

C　*Chujia ren shou pusa jie fa* 出家人受菩薩戒法。ペリオ将来敦煌写本二一九六号。跋文紀年「大梁天監十八年歳次己亥（五一九）夏五月勅寫」。本写本を扱う研究として土橋（一九六八）、船山（二〇一〇）、（二〇一四）参照。

D　Daoshi 道世。（D1）道世『法苑珠林』（成書六六八年）所引『梵網経』。（D2）道世『諸経要集』所引『梵網経』。校勘に引用する語句は大正蔵本による。それ故，道世在世時の文言とまったく同一である保証はないが，七世紀長安の流布本を知るための資料として用いる。

F　Fangshan 房山。房山唐刻梵網経。八世紀初頭～中葉頃。房山石経巻二，七一号，四七九～八一頁。石刻想定年代に関する先行研究は船山（二〇一〇，一八一頁）参照。

H　Hōryūji 法隆寺。法隆寺献納宝物。東京国立博物館蔵紺紙金字梵網経。想定書写年代は平安時代九世紀。重要文化財。「e国宝」（http://www.emuseum.jp/）にて画像公開。

H*　Hの欄外補正。具体的には一箇所のみ。

J　Jin 金。金蔵広勝寺本（一一四九～七三年頃）。中華大蔵経巻二四所収。

K1　高麗蔵初雕本。一〇一一頃～八七頃。京都・南禅寺蔵。高麗（二〇一二）[1]，Funayama（2015a）。

K2　高麗蔵再雕本。一二三六～五一。

L　Liao 遼。遼代・房山石経。房山一四、六七四号、四一一～二〇頁。遼（九一六～一一二五）の石刻であるのは確実だが，正確な刻石年代は不明。

M　Ming 明。明・嘉興蔵。万暦十七年（一五八九）～康熙十五年（一六七六）。

Mn　Ming, *Hongwu Nanzang* 洪武南蔵。洪武五年（一三七二）～永楽十二年（一四一四）。

N　Nakamura Fusetsu 中村不折（一八六六～一九四三）旧蔵。東京・書道博物館蔵。磯部二〇〇五、二七二～七七頁。第五波羅夷の末（本章八八頁）から経末（二六二頁）まで現存。末尾の偈文（二六四～七〇頁）を有さない。

N*　Nの欄外補正。補正年代不明。

P　*Pilu dazang jing* 毘盧大蔵経＝開元寺版（中国福建省福州市）。紀年「建炎元年（一一二七）福州開元寺板」（宮内省一九三〇、四四頁）。＝大正蔵校勘の「宮」本。

Q　*Qisha dazang jing* 磧砂大蔵経。南宋～元頃。

S　*Sixi dazang jing* 思渓大蔵経（中国浙江省湖州市）。筆者未見。大正蔵本梵網経の脚注校勘「宋本」に従う。『縁山三大蔵総目録』「其宋本者，湖州路思溪法寶寺彫刻南宋理宗嘉熙三年（一二三九）版也」（昭和法蔵総目録第二巻・一頁中段）。

T　*Tenpyō* 天平。Tenpyō shōhō 天平勝宝九歳書写『梵網經盧舍那佛説菩薩心地本第十下巻』。京都国立博物館蔵。跋文紀年「天平勝寶九歳（七五七）三月廿五日」。重要文化財。関連研究として守屋（一九五四、一九六四)，船山（二〇一〇），廣岡（二〇一六）参照。

T* Tの欄外補正。書写年代未詳。船山（二〇一〇、一九一～九二頁）参照。

Ta Tanimura 谷村。京都大学附属図書館蔵谷村文庫『梵網經盧舍那佛説心地法門品菩薩戒本』（1-23／ホ／1貴）。翻刻年代不明。文献紹介と研究として大槻信（二〇〇三），大槻ほか（二〇一五），船山（二〇一〇、一八一頁、二〇七～〇八頁）がある。

Y Yuan 元。元・普寧寺版（中国浙江省杭州市）。筆者未見。大正蔵本梵網経の脚注校勘「元本」に従う。『縁山三大蔵総目録』「元本，杭州路南山大普寧寺藏也。自至元十四年（一二七七）至二十七年（一二九〇）而版成矣」（昭和法宝総目録第二巻・一頁中段）。

さて以上二十三種を年代順に表示すると，ほぼ次のようになろう。「／」は先後不明を表す。

C—B／N—D—F—T—H—K1—P／L—J—S—K2—Ta—Q—Y—Mn—M—A

しかし校勘結果を示す際には年代順排列は分かりにくさを残す。理由は，諸本に系統の別があるにもかかわらず，それを示せないからである。現存最古の『梵網経』木版本はK1である。そこで本書の校勘では，写本の木版の別と，木版の系統の異同を視点として，次の順に諸本を並べて校勘結果を示す。

C—B—N—D—F—T—H—≈—K1—J—K2—Ta—L—≈—P—S—Q—Y—Mn—M—≈—A

このうち，CからHの七種は，木版以前の写本時代の状況をほぼ年代順に示す。ただしNについては跋文に問題があり，Bとの先後関係を決めがたい（Funayama 2015a：8 n.17 参照）。写本の情報としては欄外訂正であるB*，N*，

T*，H*もあるが，それらの正確な年代は現段階では未詳。

K1は現存が確認されている最古の『梵網経』下巻木版本である。史上最古の木版大蔵経である開宝蔵については梵網経の現存が確認されていない。K1からLまでの五種は高麗蔵再雕本と同系統の文言を示す木版本である。別の言い方をすれば，大正蔵梵網経の各頁本文と同系統である。五種の成立年代は右に示した通りである。次にPからMまでの六種は，いわゆる江南諸蔵と同系統の文言を示す木版本である。別の言い方をすれば，大正蔵梵網経の各頁最下段の校勘で用いられた諸本と同系統である。そして最後に示したAは中国でなく，日本の木版本である。大蔵経所蔵でなく，『梵網経』の単刻であり，折本（帖装本）である。この木版は年代的にも地域的にも他と隔たりがあるが，経本中には注目すべき古い文言が示されている場合があるため，校勘末尾に付し，参照に付す。

ただし誤解なきよう付言すると，写本・版本は本章で用いるものが全てではない。敦煌写本には夥しい数の梵網経写本断片が含まれ，趙恩秀（Cho 2004），張涌泉・孟雪（二〇一五）の研究がある。房山石経には更に明刻の経本もあるが，本書では取り上げなかった。更に木版大蔵経本に関しても，本章の対象としたのは比較的早期の木版のみであり，明の永楽北蔵，清の乾隆版大蔵経（通称『龍蔵』），現代の金陵刻経処本などは考慮対象としなかった。また，日本に現存する経本に関しても，重要写本の一例を挙げるならば，正倉院中倉の八世紀の御物梵網経（堀池一九六八，正倉院二〇一四）を参照できなかったのは残念である。早期の中国木版大蔵経のうち，京都の醍醐寺に保存される東禅寺版（崇寧蔵）の経本と大津の石山寺の平安写本の存在は名高いが，参照する機会を得なかった。以上については，関連資料として醍醐寺（二〇一五）および石山寺（一九八五）を参照。

参看の叶わなかった重要な写本・版本の存在を認めざるを得ないが，ただ，比較的早期の形態を知るための基本資料に関して言えば，大半は本章で扱うことができたと密かに自負する次第である。

『梵網経』下巻の経文を掲げるに当たり，次の方針で文言の相違を表示する。

【一】経典の文言を小さな段落に区切って示し，諸本の対応箇所の相違を相互比較の便を図る。原文の区切りは，十重四十八軽戒（第一章第一節参照）を単位とする。すなわちローマ数字【Ⅰ】～【Ⅹ】は十重戒（＝十波羅夷）を示し，洋数字【1】～【48】は四十八軽戒を示す。なお，各戒の条文が長文にわたる場合は，たとえば【1-1】【1-2】のように一条をさらに細かく区切って示す。

【二】諸本の最も古い形とその後の変化を視覚的に分かりやすく示すため，七種を選び，細かく区切った経文ごとに見開き二頁で示す。七種は次の通りである。

《一、最古形》古い写本（特にB，N，T）から推定される最古形を批判校訂版として**太字**で示し，後代の諸本との相違を明瞭ならしめる。

〔校勘〕最古形を推定する根拠となる資料と異文の全てを示す。

《二、天平勝寳九歳寫本》大正蔵校勘に誤りがある箇所には★を付し，誤りがある旨を明示する。

《三、房山石經唐刻》最古形を継承しつつ，文言の書換えが始まる頃の状況を示す。

《四、法隆寺本》文言の書換えが更に増え，後代に高麗蔵再雕本の文言が始まる頃の状況を示す。

《五、高麗藏初雕本》《三》と同じ傾向の新たな変化の若干異なる状況を示す事例。

《六、毘盧藏》写本時代の経文と後代の木版大蔵経諸本をつなぐ最古の木版。

《七、高麗藏再雕本》木版大蔵経諸本の中で《一、最古形》の状況を最も色濃く伝えるもの。

経文書換え後の標準的版本。大正蔵経本の底本。

【三】これら七種を並べ示すことにより，最古形と後の変化を具体的に示す。相違を一目瞭然たらしめるため，相違する文言――異文，ヴァリアント――に丸数字で番号を付し，相違の全てを〔校勘〕に示すと共に，七種の具体的相違を示す文言に傍線を付すことにより，相互比較の便を図る。

【四】文字の相違を示す際，単に書体が異なるにすぎない場合を排除して有意味な相違を浮き上がらせるため，写本の異体字については，可能な限り標準的な字体に改めて表記する。例えば「无」「無」を区別せず「無」に統一する，「檢」「撿」を区別せず「檢」に統一するの類いである。

【五】録文中の□は写本・版本・石刻における判読不明の一字を示す。

【六】録文中の囲み字「甲」は，判読可能であるが必ずしも明瞭でない一字を示す。

【七】録文中の「／」は，その原文における改行位置を示す。ただし表示の必要がある場合のみ。

【八】原文を示す際，原資料にない句読点を補う。その際，文末を「。」で示すほか，「，」と「、」を区別する。現代中国語の表記にならい，「，」は通常の句点に相当するものとして，そして「、」は列挙を示すものとして用いる。後者は，現代中国語の頓号，現代日本語の「・」に相当する。なお現代中国語の表記では，さらにコロン（：），セミコロン（；），疑問符（？），感嘆符（！）等を用いるが，本書には用いない。

以上の凡例を踏まえ，次頁以下に，見開き二頁ごとに経文七種と校勘を掲げよう。

①《高麗大蔵経初刻本輯刊》，西南師範大学出版社・人民出版社，二〇一二，第二十冊，四三二～四五七頁。

《一、最古形（批判校訂版）》

梵網經菩薩心地品①

〔校勘〕①梵網經盧舍那佛説菩薩心地品第十下卷 T，梵網經盧舍那佛所説心地品第十 F，梵網經盧舍那佛説菩薩心地品之下〈後秦弘始三年羅什法／師譯〉H，梵網經盧舍那佛説菩薩心地品第十〈卷下〉賢／後秦龜茲國三藏鳩摩羅什譯 K1，梵網經盧舍那佛説菩薩心地戒品第十〈卷下〉／後秦龜茲國三藏鳩摩羅什譯 J，梵網經盧舍那佛説菩薩心地戒品第十〈卷下〉賢／後秦龜茲國三藏鳩摩羅什譯 K2，梵網經盧舍那佛説心地法門品菩薩戒本〈後秦三藏法師鳩摩羅什譯〉Ta，梵網經盧舍那佛説心地戒品第十〈之下〉／後秦三藏法師鳩摩羅什譯 L，佛説梵網經卷下〈九〉尅／姚秦三藏法師鳩摩羅什譯／菩薩心地品之下 P，佛説梵網經卷下　尅二／姚秦三藏法師鳩摩羅什譯／菩薩心地品之下 Q，佛説梵網經／姚秦三藏法師鳩摩羅什譯／菩薩心地品之下 Mn，佛説梵網經卷下／姚秦三藏法師鳩摩羅什譯／菩薩心地品之下 M，梵網經盧舍那佛説菩薩心地法門品第十／後秦三藏法師鳩摩羅什譯 A。

參考 a　智顗、灌頂『菩薩戒義疏』此經題名「梵網」。…品名「菩薩心地」者，亦是譬名。（四〇・五六九上）

參考 b　元曉『梵網經菩薩戒本私記』若論是經正目者，應言「梵網經菩薩心地品」。

參考 c　與咸『梵網菩薩戒經疏註』澠師『鈔』云，「訪求古藏，上卷但安總顯及品目，亦不見列『能説舍那』之號，應置去之，方應經文。經云『在第四禪，説心地法門品』，又云『心地中妙戒』，佛自唱明矣」。齊師『頂山記』云，「此亦苦無大過。今依吾祖『疏』，但云『梵網經菩薩心地品』，爲的據也」。又云，「熙師云『不可安盧舍那三字』者，此經釋迦説也。吾黨之子，何太謬乎」〈云云〉。（續藏一、五九、三、二四三葉表下）

《二、天平勝寶九歳寫本》（七五七年）
梵網經盧舍那佛説菩薩心地品第十下卷

《三、房山石經唐刻》（八世紀前半頃，石碑）
梵網經盧舍那佛所説心地品第十

《四、法隆寺本》（九世紀，寫本）
梵網經盧舍那佛説菩薩心地品之下〈後秦弘始三年羅什法師譯〉

《五、高麗藏初雕本》（十一世紀，木版）
梵網經盧舍那佛説菩薩心地品第十〈卷下〉賢　／　後秦龜茲國三藏鳩摩羅什譯

《六、毘盧藏（開元寺版）》（十二世紀，木版）
佛説梵網經卷下　／　姚秦三藏法師鳩摩羅什譯　／　菩薩心地品之下

《七、高麗藏再雕本》（十三世紀前半，木版　＝大正藏梵網經底本）
梵網經盧舍那佛説菩薩心地戒品第十卷下　／　後秦龜茲國三藏鳩摩羅什譯

《一、最古形（批判校訂版）》

爾時盧舍那佛，爲此大衆，略開百千恒河沙不可説法門中「心地」，如毛頭許。是過去一切佛已説，未來佛當説，現在佛今説。三世菩薩已學、當學、今學。我已百劫修行是心地，號吾爲盧舍那[①]。汝諸佛[②]，[③]轉我所説，與一切衆生開心地道。

〔校勘〕①盧舍那 T F K1 J K2 Ta L P S Q Y Mn M A，盧舍那佛 H。②諸佛 F T J K2 Ta L A，等請佛H，諸佛子 K1 P S Q Y Mn M。③轉 T H K1 J K2 Ta L P S Q Y Mn M A，傳 F。

《二、天平勝寶九歳寫本》（七五七年）

爾時盧舍那佛，爲此大衆，略開百千恒河沙不可説法門中心地，如毛頭許。是過去一切佛已説，未來佛當説，現在佛今説。三世菩薩已學、當學、今學。我已百劫脩行是心地，號吾爲盧舍那。汝諸佛，轉我所説，與一切衆生開心地道。

《三、房山石經唐刻》（八世紀前半頃）

爾時盧舍那佛，爲此大衆，略開百千恒河沙不可説法門中心地，如毛頭許。是過去一切佛已説，未來佛當説，現在佛今説。三世菩薩已學、當學、今學。我已百劫修行是心地，號吾爲盧舍那。汝諸佛，傳我所説，與一切衆生開心地道。

《四、法隆寺本》（九世紀）
爾時盧舍那佛，爲此大衆，略開百千恒河沙不可説法門中心地，如毛頭許。是過去一切佛已説，未來佛當説，現在佛今説。三世菩薩已學、當學、今學。我已百劫修行是心地，號吾爲盧舍那佛。汝等諸佛，轉我所説，與一切衆生開心地道。

《五、高麗藏初雕本》（十一世紀）
爾時盧舍那佛，爲此大衆，略開百千恒河沙不可説法門中心地，如毛頭許。是過去一切佛已説，未來佛當説，現在佛今説。三世菩薩已學、當學、今學。我已百劫修行是心地，號吾爲盧舍那。汝諸佛，轉我所説，與一切衆生開心地道。

《六、毘盧藏（開元寺版）》（十二世紀）
爾時盧舍那佛，爲此大衆，略開百千恒河沙不可説法門中心地，如毛頭許。是過去一切佛已説，未來佛當説，現在佛今説。三世菩薩已學、當學、今學。我已百劫修行是心地，號吾爲盧舍那。汝諸佛子，轉我所説，與一切衆生開心地道。

《七、高麗藏再雕本》（十三世紀前半）
爾時盧舍那佛，爲此大衆，略開百千恒河沙不可説法門中心地，如毛頭許。是過去一切佛已説，未來佛當説，現在佛今説。三世菩薩已學、當學、今學。我已百劫修行是心地，號吾爲盧舍那。汝諸佛，轉我所説，與一切衆生開心地道。

《一、最古形（批判校訂版）》

時蓮華①臺藏世界赫赫天光師子座②上，盧舍那佛放光光，告千華③上佛，持我「心地法門品」而去。復轉④爲千百億釋迦⑤、一切衆生，次第說我上「心地法門品」。汝等受持讀誦，一心而行。

〔校勘〕①華 TFHJPSQYMnMA，花 K1K2TaL。②座 FPHK1JK2TaLPSQYMnMA，坐 T。③華 TFHTaPSQYMnMA，花 K1JK2L。④轉 THK1JK2TaLPSQYMnMA，傳 F。⑤釋迦 THK1PSQYMnM，釋迦及 FT*JK2TaLA。

《二、天平勝寶九歲寫本》（七五七年）

時蓮華臺藏世界赫赫天光師子坐上，盧舍那佛放光光，告千華上佛，持我心地法門品而去。復轉爲千百億釋迦、一切衆生，次第說我上心地法門品。汝等受持讀誦，一心而行。

《三、房山石經唐刻》（八世紀前半頃）

時蓮華臺藏世界赫赫天光師子座上，盧舍那佛放光光，告千華上佛，持我心地法門品而去。復傳爲千百億釋迦及、一切衆生，次第說我上心地法門品。汝等受持讀誦，一心而行。

《四、法隆寺本》（九世紀）

時蓮華臺藏世界赫赫天光師子座上，盧舍那佛放光光，告千華上佛，持我心地法門品而去。復轉爲千百億釋迦、一切衆生，次第説我上心地法門品。汝等受持讀誦，一心而行。

《五、高麗藏初雕本》（十一世紀）

時蓮花臺藏世界赫赫天光師子座上盧舍那佛放光光。告千花上佛。持我心地法門品而去。復轉爲千百億釋迦、一切衆生。次第説我上心地法門品。汝等受持讀誦，一心而行。

《六、毘盧藏（開元寺版）》（十二世紀）

時蓮華臺藏世界赫赫天光師子座上，盧舍那佛放光光，告千華上佛，持我心地法門品而去。復轉爲千百億釋迦、一切衆生，次第説我上心地法門品。汝等受持讀誦，一心而行。

《七、高麗藏再雕本》（十三世紀前半）

時蓮花臺藏世界赫赫天光師子座上，盧舍那佛放光光，告千花上佛，持我心地法門品而去。復轉爲千百億釋迦及一切衆生，次第説我上心地法門品。汝等受持讀誦，一心而行。

《一、最古形（批判校訂版）》

爾時千華①上佛千百億釋迦，從蓮華②藏世界赫赫師子座③起，各各辭退，舉身放不可思議光，④光皆化無量佛，一時以無量青黃赤白華，⑤供養盧舍那佛，受持上説「心地法門品」⑥竟，各各從此蓮華⑦藏世界而沒。《續》

〔校勘〕①華 TFHJTaPSQYMnMA，花 K1K2L。②華 TFHJPSQYMnMA，花 K1K2TaL。③座 FHK1JK2TaLPSQYMnMA，坐 T。④光光 TFHJK2TaLPA，光光光 K1SQYMnM（舉身放不可思議光光，光皆化無量佛）⑤華 TFHJTaPSQYMnMA，花 K1K2L。⑥説心地法門品竟 TFHK1JK2TaA，所説心地法門品竟 PSQYMnM，□□□□門品竟 T。T*欄外注記「戒本無『所』字」。⑦華 TFHJTaPSQYMnMA，花 K1K2L。

《二、天平勝寶九歳寫本》（七五七年）

爾時千華上佛千百億釋迦，從蓮華藏世界赫赫師子坐起，各各辭退，舉身放不可思議光，光皆化無量佛，一時以無量青黃赤白華，供養□舍那佛，受持上□□□□門品竟，各各從此蓮華藏世界而沒。

《三、房山石經唐刻》（八世紀前半頃）

爾時千華上佛千百億釋迦，從蓮華藏世界赫赫師子座起，各各辭退，舉身放不可思議光，光皆化無量佛，一時以無量青黃赤白華，供養盧舍那佛，受持上説心地法門品竟，各各從此蓮華藏世界而沒。

《四、法隆寺本》（九世紀）
爾時千華上佛千百億釋迦，從蓮華藏世界赫赫師子座起，各各辭退，擧身放不可思議光，光皆化無量佛，一時以無量青黄赤白華，供養盧舍那佛，受持上説心地法門品竟，各各從此蓮華藏世界而沒。

《五、高麗藏初雕本》（十一世紀）
爾時千花上佛千百億釋迦，從蓮花藏世界赫赫師子座起，各各辭退，擧身放不可思議光光，光皆化無量佛。一時以無量青黄赤白花，供養盧舍那佛，受持上説心地法門品竟，各各從此蓮花藏世界而沒。

《六、毘盧藏（開元寺版）》（十二世紀）
爾時千華上佛千百億釋迦，從蓮華藏世界赫赫師子座起，各各辭退擧身放不可思議光，光皆化無量佛，一時以無量青黄赤白華，供養盧舍那佛，受持上所説心地法門品竟，各各從此蓮華藏世界而沒。

《七、高麗藏再雕本》（十三世紀前半）
爾時千花上佛千百億釋迦，從蓮花藏世界赫赫師子座起，各各辭退，擧身放不可思議光，光皆化無量佛，一時以無量青黄赤白花，供養盧舍那佛，受持上説心地法門品竟，各各從此蓮花藏世界而沒。

《一、最古形（批判校訂版）》

沒已，入體性虛空華①光三昧，還本原②世界閻浮提菩提樹下，從體性虛空華③光三昧出。出已，方坐金剛千光王座④，及妙光堂⑤，説十世界海⑥。復從座⑦起，至帝釋宮，説十住。復從座⑧起，至炎⑨天中，説十行。復從座⑩起，至第四天中，説十迴向。《続》

〔校勘〕①華 TFHJTaPSQYMnMA，花 K1K2L。②原 TFHK1A，源 JK2TaLPQYMnM。③華 TFHJK2TaPSQYMnMA，花 K1L。④座 HT*K1JK2TaLPQYMnMA，坐 T。⑤妙光堂 TFK1JK2TaLPSQYMnMA，光堂 H。⑥世界海 TFHJK2TaLA，世界法門海 K1PQYMnM。⑦座 FHT*K1JK2TaLPQYMnMA，坐 T。⑧復從座起 K2TaLQYMnMA，復從坐起 K1，復 TFHJP。⑨炎 TJTaSQY，焰 FHP，燄 JTaLQMnMA。⑩座 FHJK2TaLPQYMnMA，坐 TK1。

《二、天平勝寶九歳寫本》（七五七年）

沒已，入體性虛空華光三昧，還本原世界閻浮提菩提樹下，從體性虛空華光三昧出。出已，方坐金剛千光王坐，及妙光堂，説十世界海。復從坐起，至帝釋宮，説十住。復至炎天中，説十行。復從坐起，至第四天中，説十迴向。

《三、房山石經唐刻》（八世紀前半頃）

沒已，入體性虛空華光三昧，還本原世界閻浮提菩提樹下，從體性虛空華光三昧出。出已，方坐金剛千光王座，及妙光堂，説十世界海。復從座起，至帝釋宮，説十住。復至焰天中，説十行。復從座起，至第四天中，説十迴向。

《四、法隆寺本》（九世紀）

沒已，入體性虛空華光三昧，還本原世界閻浮提菩提樹下，從體性虛空華光三昧出。出已，方坐金剛千光王座，及妙光堂，說十世界海。復從座起，至帝釋宮，說十住。復至焰天中，說十行。復從座起，至第四天中，說十迴向。

《五、高麗藏初雕本》（十一世紀）

沒已，入體性虛空花光三昧，還本原世界閻浮提菩提樹下，從體性虛空華光三昧出。出已，方坐金剛千光王座，及妙光堂，說十世界法門海。復從座起，至帝釋宮，說十住。復從坐起，至炎天中，說十行。復從座起，至四天中，說十迴向。

《六、毘盧藏（開元寺版）》（十二世紀）

沒已，入體性虛空華光三昧，還本源世界閻浮提菩提樹下，從體性虛空華光三昧出。出已，方坐金剛千光王座，及妙光堂，說十世界法門海，復從座起，至帝釋宮，說十住。復至燄天中，說十行。復從座起，至第四天中，說十迴向。

《七、高麗藏再雕本》（十三世紀前半）

沒已，入體性虛空花光三昧，還本源世界閻浮提菩提樹下，從體性虛空華光三昧出。出已，方坐金剛千光王座，及妙光堂，說十世界海。復從座起，至帝釋宮，說十住。復從座起，至炎天中，說十行。復從座起，至第四天中，說十迴向。

《一、最古形（批判校訂版）》

復從座①起，至化樂天②，説十禪定③。復從座④起，至他化天，説十地。復至一禪中，説十金剛。復至二禪中，説十忍。復至三禪中，説十願。復至四禪中摩醯⑤首羅天王宮，説我本原⑥蓮華⑦藏世界盧舍那佛所説「心地法門品」。其餘千百億釋迦亦復如是，無二無別⑧，如「賢劫品」中説。

〔校勘〕①座 FHJK2TaLPQYMnMA，坐 TK1。②天 THK1JK2TaLPSQYMnMA，天中 F。③定 TFHK1JK2TaLPQYMnMA，足 S。④座 FHJK2TaLPQYMnMA，坐 TK1。⑤慧琳『一切經音義』摩醯〈許兮反。梵語也〉。（五四・六〇七中）⑥原 TFHK1A，源 JK2TaLPQYMnM。⑦華 BNTFHJK2PSQYMnMA，花 K1TaL。⑧別 FHK1JK2TaLPSQYMnMA，□ T。

《二、天平勝寶九歲寫本》（七五七年）

復從坐起，至化樂天，説十禪[定]。復從坐起，至他化天，説十地。復至一禪中，説十金剛。復至二禪中，説十忍。復至三禪中，説十願。復至四禪中摩醯首羅天王宮，説我本原蓮華藏世界盧舍那佛所説心地法門品。其餘千百億釋迦亦復如是，無二無□，[如]賢劫品中説。

《三、房山石經唐刻》（八世紀前半頃）

復從座起，至化樂天中，説十禪定。復從座起，至他化天，説十地。復至一禪中，説十金剛。復至二禪中，説十忍。復至三禪中，説十願。復至四禪中摩醯首羅天王宮，説我本原蓮華藏世界盧舍那佛所説心地法門品。其餘千百億釋迦亦復如是，無二無別，如賢劫品中説。

《四、法隆寺本》（九世紀）
復從座起，至化樂天，說十禪定。復從座起，至他化天，說十地。復至一禪中，說十金剛。復至二禪中，說十忍。
復至三禪中，說十願。復至四禪中摩醯首羅天王宮，說我本原蓮華藏世界盧舍那佛所說心地法門品。其餘千百億釋
迦亦復如是，無二無別，如賢劫品中說。

《五、高麗藏初雕本》（十一世紀）
復從坐起，至化樂天，說十禪定。復從坐起，至他化天，說十地。復至一禪中，說十金剛。復至二禪中，說十忍。
復至三禪中，說十願。復至四禪中摩醯首羅天王宮，說我本原蓮花藏世界盧舍那佛所說心地法門品。其餘千百億釋
迦亦復如是，無二無別，如賢劫品中說。

《六、毘盧藏（開元寺版）》（十二世紀）
復從座起，至化樂天，說十禪定。復從座起，至他化天，說十地。復至一禪中，說十金剛。復至二禪中，說十忍。
復至三禪中，說十願。復至四禪中摩醯首羅天王宮，說我本源蓮華藏世界盧舍那佛所說心地法門品。其餘千百億釋
迦亦復如是，無二無別，如賢劫品中說。

《七、高麗藏再雕本》（十三世紀前半）
復從座起，至化樂天，說十禪定。復從座起，至他化天，說十地。復至一禪中，說十金剛。復至二禪中，說十忍。
復至三禪中，說十願。復至四禪中摩醯首羅天王宮，說我本源蓮花藏世界盧舍那佛所說心地法門品。其餘千百億釋
迦亦復如是，無二無別，如賢劫品中說。

《一、最古形（批判校訂版）》

爾時釋迦①，從初②現蓮華③藏世界，東方來入天宮中④，説『魔受化經』已，下生南閻浮提迦夷羅國。母名摩耶，父字白淨，吾名悉達，七歳出家，三十成道，號吾爲釋迦牟尼佛，於寂滅道場坐金剛華⑤光王座⑥，乃至摩醯首羅天王宮，其中次第十住處所説。

〔校勘〕①釋迦 FHK1JPSQYA，釋□ T，釋迦牟尼佛 K2TaLMnM。②從初 FHK1JK2TaLPSQYMnMA，從□ T，復從初 H。③華 TFHJK2TaPSQYMnMA，花 K1L。④東方來入天宮中 HK1PQYMnMA，□□□□宮中 T，東方來入天王宮中 FJK2TaL。⑤華 TFHJK2TaPSQYMnMA，花 K1L。⑥王座 FT*K1JK2TaLYMnMA，王坐 T，座 HPSQ。

《二、天平勝寶九歳寫本》（七五七年）

爾時釋□，從□現蓮華藏世界，□□□□□宮中，説魔受化經已，下生南閻浮提迦夷羅國。母名摩耶，父字白淨，吾名悉達，七歳出家，三十成道，號吾爲釋迦牟尼佛，於寂滅道場坐金剛華光坐，乃至摩醯首羅天王宮，其中次第十住處所説。

《三、房山石經唐刻》（八世紀前半頃）

爾時釋迦，從初現蓮華藏世界，東方來入天王宮中，説魔受化經已，下生南閻浮提迦夷羅國。母名摩耶，父字白淨，吾名悉達，七歳出家，三十成道，號吾爲釋迦牟尼佛，於寂滅道場坐金剛華光王座，乃至摩醯首羅天王宮，其中次第十住處所説。

《四、法隆寺本》（九世紀）

爾時釋迦，復從初現蓮華藏世界，東方來入天宮中，説魔受化經已，下生南閻浮提迦夷羅國。母名摩耶，父字白淨，吾名悉達，七歳出家，三十成道，號吾爲釋迦牟尼佛，於寂滅道場坐金剛華光座，乃至摩醯首羅天王宮，其中次第十住處所説。

《五、高麗藏初雕本》（十一世紀）

爾時釋迦，從初現蓮花藏世界，東方來入天宮中，説魔受化經已，下生南閻浮提迦夷羅國。母名摩耶，父字白淨，吾名悉達，七歳出家，三十成道，號吾爲釋迦牟尼佛，於寂滅道場坐金剛花光王座，乃至摩醯首羅天王宮，其中次第十住處所説。

《六、毘盧藏（開元寺版）》（十二世紀）

爾時釋迦，從初現蓮華藏世界，東方來入天宮中，説魔受化經已，下生南閻浮提迦夷羅國。母名摩耶，父字白淨，吾名悉達，七歳出家，三十成道，號吾爲釋迦牟尼佛，於寂滅道場坐金剛華光座，乃至摩醯首羅天王宮，其中次第十住處所説。

《七、高麗藏再雕本》（十三世紀前半）

爾時釋迦牟尼佛，從初現蓮花藏世界，東方來入天王宮中，説魔受化經已，下生南閻浮提迦夷羅國。母名摩耶，父字白淨，吾名悉達，七歳出家，三十成道，號吾爲釋迦牟尼佛，於寂滅道場坐金剛花光王座，乃至摩醯首羅天王宮，其中次第十住處所説。

《一、最古形（批判校訂版）》

時佛觀諸大梵天王網羅幢，因爲説，無量世界猶如網孔，一一世界各各不同，別異無量①，佛教門亦復如是。《続》

〔校勘〕①別異無量 T F K1 J K2 Ta L P S Q Y Mn M A，別異量 H，別異〈無〉量 H*。

《二、天平勝寶九歳寫本》（七五七年） 時佛觀諸大梵天王網羅幢，因爲説，無量世界猶如網孔，一一世界各各不同，別異無量，佛教門亦復如是。

《三、房山石經唐刻》（八世紀前半頃） 時佛觀諸大梵天王網羅幢，因爲説，無量世界猶如網孔，一一世界各各不同，別異無量，佛教門亦復如是。

《四、法隆寺本》（九世紀） 時佛觀諸大梵天王網羅幢，因爲説，無量世界猶如網孔，一一世界各各不同，別異〈無〉量，佛教門亦復如是。

《五、高麗藏初雕本》（十一世紀） 時佛觀諸大梵天王網羅幢，因爲説，無量世界猶如網孔，一一世界各各不同，別異無量，佛教門亦復如是。

《六、毘盧藏（開元寺版）》（十二世紀）　時佛觀諸大梵天王網羅幢，因爲説，無量世界猶如網孔，一一世界各各不同，別異無量，佛教門亦復如是。

《七、高麗藏再雕本》（十三世紀前半）　時佛觀諸大梵天王網羅幢，因爲説，無量世界猶如網孔，一一世界各各不同，別異無量，佛教門亦復如是。

參考ａ　智顗、灌頂智顗『菩薩戒義疏』「經稱『梵網』者，欲明諸佛教法不同，猶如梵王網目」。（四〇・五六三上）

參考ｂ　「此經題名「梵網」，上卷文言，「佛觀大梵天王因陀羅網千重文綵，不相障閡，爲説無量教門亦復如是」。莊嚴梵身，無所障閡，從譬立名。總喩一部所證參差不同，如梵王網也」。（四〇・五六九上）

參考ｃ　與咸『梵網菩薩戒經疏註』
「因陀羅」者，應云網羅幢因。以帝釋之網在殿，梵王之網在幢，上卷云「幢因」，非因陀羅網也。寫者之誤。此由梵王既到佛所，佛因觀見網目分明，不相障礙，故可爲喩，諸佛世界各各不同，互融互攝，即之立名也。又「梵」者，淨也。以此淨網向生死海，摝人天魚，可濟彼岸，因之立名，意在此也。弁諸梵天，非今文意。（續藏一、五九、三、二六〇表上～下）

《一、最古形（批判校訂版）》

吾今來此世界八千反①，爲此娑婆世界，坐金剛座②，乃至摩醯首羅天王宮，爲是③中一切大衆，略開心地④竟⑤，復從天王宮⑥下，至閻浮提菩提樹下，爲此地上一切衆生、凡夫、癡闇⑦之人，說本⑧盧舍那佛心地中初發心中常所誦一戒⑨光明。《續》

〔校勘〕①反　T H K1 P Q Y Mn M A，返　F J K2 Ta L。②金剛座　H K1 P S Q，金剛坐　T，金剛華光王座　F J K2 Ta Mn M A，金剛花光王座　T* L。③爲是　T K1 K2 P S Q Y Mn M A，是　F H J Ta L。④心地　T F H K1 J P Q A，心地法門　Ta L Mn M，心地法門品　K2。⑤竟　T H K1 J K2 Ta L P S Q Y Mn M A，境　F。⑥天王宮　F H T* K2 Ta L P Q Y Mn M A，天宮　T J。⑦癡闇　T F H K1 J K2 Ta P Q Mn A，癡暗　L M。★M大正藏校勘は誤り。⑧說本　T F H J Ta L A，說我本　K1 K2 P Q Y Mn M。⑨一戒　T F H K1 J K2 Ta L Q Y Mn M A，一切戒　P。

《二、天平勝寶九歲寫本》（七五七年）

吾今來此世界八千反，爲此娑婆世界，坐金剛坐，乃至摩醯首羅天王宮，爲是中一切大衆，略開心地竟，復從天宮下，至閻浮提菩提樹下，爲此地上一切衆生、凡夫、癡闇之人，說本盧舍那佛心地中初發心中常所誦一戒光明。

《三、房山石經唐刻》（八世紀前半頃）

吾今來此世界八千返，爲此娑婆世界，坐金剛華光王座，乃至摩醯首羅天王宮，是中一切大衆，略開心地境，復從天王宮下，至閻浮提菩提樹下，爲此地上一切衆生、凡夫、癡闇之人，說本盧舍那佛心地中初發心中常所誦一戒光明。

《四、法隆寺本》（九世紀）

吾今來此世界八千反，爲此娑婆世界，坐金剛座，乃至摩醯首羅天王宮，是中一切大衆，略開心地竟，復從天王宮下，至閻浮提菩提樹下，爲此地上一切衆生、凡夫、癡闇之人，説本盧舍那佛心地中初發心中常所誦一戒光明。

《五、高麗藏初雕本》（十一世紀）

吾今來此世界八千反，爲此娑婆世界，坐金剛座，乃至摩醯首羅天王宮，爲是中一切大衆，略開心地竟，復從天王宮下，至閻浮提菩提樹下，爲此地上一切衆生、凡夫、癡闇之人，説我本盧舍那佛心地中初發心中常所誦一戒光明。

《六、毘盧藏（開元寺版）》（十二世紀）

吾今來此世界八千反，爲此娑婆世界，坐金剛座，乃至摩醯首羅天王宮，爲是中一切大衆，略開心地竟，復從天王宮下，至閻浮提菩提樹下，爲此地上一切衆生、凡夫、癡闇之人，説我本盧舍那佛心地中初發心中常所誦一切戒光明。

《七、高麗藏再雕本》（十三世紀前半）

吾今來此世界八千返，爲此娑婆世界，坐金剛花光王座，乃至摩醯首羅天王宮，爲是中一切大衆，略開心地法門品竟，復從天王宮下，至閻浮提菩提樹下，爲此地上一切衆生、凡夫、癡闇之人，説我本盧舍那佛心地中初發心中常所誦一戒光明。

《一、最古形（批判校訂版）》

金剛寶戒是一切佛本原①，一切菩薩本原②，佛性種子。一切衆生③，皆有佛性。一切意識色心④，是情是心，皆入佛性戒中，當當當有因故⑤，有當當常住法身⑥。如是十波羅提木叉，出於世界。是法戒是三世一切衆生頂戴受持。吾今當爲此大衆，重説「十無盡藏戒品」⑦，一切衆生戒本原⑧，自性清淨。

〔校勘〕①一切佛本原 FHK1A，一切佛本源 JK2TaLPQYMnM，一□本原 T。②本原 FHK1PA，本源 JK2TaLPQYMnM，□□ T。③一切衆生 FHK1JK2TaLPQYMnMA，一□□□ T。④意識 FHK1JK2TaLPQYMnMA，□□ T。⑤當當當有因 T，當當常有因 FHT*K1JK2TaPQYMnMA。⑥有當當 HT*K1K2PSQYMnA，有當 T，當當 FJTaLM。⑦一切 THK1P，是一切 FT*JK2TaLQYMnMA。⑧本原 TFHK1A，本源 JK2TaLPQYMnM。

《二、天平勝寶九歳寫本》（七五七年）金剛寶戒是一□本原，一切菩薩□□，佛性種子。一□□□，皆有佛性。一切□□色心，是情是心，皆入佛性戒中，當當當有因故，有當當常住法身。如是十波羅提木叉，出於世界。是法戒是三世一切衆生頂戴受持。吾今當爲此大衆，重説十無盡藏戒品，一切衆生戒本原，自性清淨。

《三、房山石經唐刻》（八世紀前半頃）金剛寶戒是一切佛本原，一切菩薩本原，佛性種子。一切衆生，皆有佛性。一切意識色心，是情是心，皆入佛性戒中，當當常有因故，當當常住法身。如是十波羅提木叉，出於世界。是法戒是三世一切衆生頂戴受持。吾今當爲此大衆，重説十無盡藏戒品，是一切衆生戒本原，自性清淨。

《四、法隆寺本》（九世紀）　金剛寶戒是一切佛本原，一切菩薩本原，佛性種子。一切衆生，皆有佛性。一切意識色心，是情是心，皆入佛性戒中，當當常有因故，有當當常住法身。如是十波羅提木叉，出於世界。是法戒是三世一切衆生頂戴受持。吾今當爲此大衆，重説十無盡藏戒品，一切衆生戒本原，自性清淨。

《五、高麗藏初雕本》（十一世紀）　金剛寶戒是一切佛本原，一切菩薩本原，佛性種子。一切衆生，皆有佛性。一切意識色心，是情是心，皆入佛性戒中，當當常有因故，有當當常住法身。如是十波羅提木叉，出於世界。是法戒是三世一切衆生頂戴受持。吾今當爲此大衆，重説十無盡藏戒品，一切衆生戒本原，自性清淨。

《六、毘盧藏（開元寺版）》（十二世紀）　金剛寶戒是一切佛本源，一切菩薩本源，佛性種子。一切衆生，皆有佛性。一切意識色心，是情是心，皆入佛性戒中，當當常有因故，有當當常住法身。如是十波羅提木叉，出於世界。是法戒是三世一切衆生頂戴受持。吾今當爲此大衆，重説十無盡藏戒品，一切衆生戒本源，自性清淨。

《七、高麗藏再雕本》（十三世紀前半）　金剛寶戒是一切佛本源，一切菩薩本源，佛性種子。一切衆生，皆有佛性。一切意識色心，是情是心，皆入佛性戒中，當當常有因故，有當當常住法身。如是十波羅提木叉，出於世界。是法戒是三世一切衆生頂戴受持。吾今當爲此大衆，重説十無盡藏戒品，是一切衆生戒本源，自性清淨。

《一、最古形（批判校訂版）》

我今盧舍那，方坐蓮華①臺②，周帀千華③上，復現千釋迦。
一華④百億國，一國一釋迦，各坐菩提樹，一時成佛道。⑤

〔校勘〕①華 THJPSQYMnMA，花 K1K2TaL。②『菩薩戒義疏』「方坐蓮華」下句明依報。……「臺」者，中也。（大正四〇・五七〇上）③華 THJTaPSQYMnMA，花 K1K2L。④華 THJTaPSQYMnMA，花 K1K2L。⑤D『法苑珠林』我今盧舍那，方坐蓮華臺，周匝千華上，復現千釋迦。一華百億國，一國一釋迦，各坐菩提樹，一時成佛道。如經所云，千華千佛，即以一葉爲一華故，一華千葉，千佛現世。（五三・四三二中）

《二、天平勝寶九歳寫本》（七五七年）

我今盧舍那，方坐蓮華臺，周匝千華上，復現千釋迦。
一華百億國，一國一釋迦，各坐菩提樹，一時成佛道。

《三、房山石經唐刻》（八世紀前半頃）

〈五言〉我今盧舍那，方坐蓮華臺，周迊千華上，復現千釋迦。
一華百億國，一國一釋迦，各坐菩提樹，一時成佛道。

《四、法隆寺本》（九世紀）

我今盧舍那，方坐蓮華臺，周帀千華上，復現千釋迦。
一華百億國，一國一釋迦，各坐菩提樹，一時成佛道。

《五、高麗藏初雕本》（十一世紀）

我今盧舍那，方坐蓮花臺，周帀千花上，復現千釋迦。
一花百億國，一國一釋迦，各坐菩提樹，一時成佛道。

《六、毘盧藏（開元寺版）》（十二世紀）

我今盧舍那，方坐蓮華臺，周帀千華上，復現千釋迦。
一華百億國，一國一釋迦，各坐菩提樹，一時成佛道。

《七、高麗藏再雕本》（十三世紀前半）

我今盧舍那，方坐蓮花臺，周帀千花上，復現千釋迦。
一花百億國，一國一釋迦，各坐菩提樹，一時成佛道。

《一、最古形（批判校訂版）》

如是千百億，盧舍那本身，千百億釋迦，各接微塵衆。
倶來至我所，聽我誦佛戒。甘露門則①開。是時千百億，

〔校勘〕①則 TFHK1K2PQY，即 JTaLMnMA。

《二、天平勝寶九歳寫本》（七五七年）

如是千百億，盧舍那本身，千百億釋迦，各接微塵衆。
倶來至我所，聽我誦佛戒。甘露門則開，是時千百億，

《三、房山石經唐刻》（八世紀前半頃）

如是千百億，盧舍那本身，千百億釋迦，各接微塵衆。
倶來至我所，聽我誦佛戒，甘露門則開，是時千百億，

《四、法隆寺本》（九世紀）

如是千百億，盧舍那本身，千百億釋迦，各接微塵衆。

倶來至我所，聽我誦佛戒，甘露門則開，是時千百億，

《五、高麗藏初雕本》（十一世紀）

如是千百億，盧舍那本身，千百億釋迦，各接微塵衆。

倶來至我所，聽我誦佛戒，甘露門則開，是時千百億，

《六、毘盧藏（開元寺版）》（十二世紀）

如是千百億，盧舍那本身，千百億釋迦，各接微塵衆。

倶來至我所，聽我誦佛戒，甘露門則開，是時千百億，

《七、高麗藏再雕本》（十三世紀前半）

如是千百億，盧舍那本身，千百億釋迦，各接微塵衆。

倶來至我所，聽我誦佛戒，甘露門則開，是時千百億，

《一、最古形（批判校訂版）》

還至①本道場，各坐菩提樹，誦我本師戒，十重四十八。
戒如明日月，亦如瓔珞②珠。微塵菩薩衆③，由是成正覺④。
是盧舍那誦，我亦⑤如是誦。汝新學菩薩⑥，頂戴受持戒⑦。
受持是戒已，轉授⑧諸衆生。諦聽我正誦，佛法中戒藏，

〔校勘〕①至 F T* K1 J K2 Ta L P Q Y Mn M A，去 T。②瓔珞 H K1 J K2 Ta L P S Q Y Mn M A，□珞 T。③衆 H K1 J K2 Ta L P S Q Y Mn M A，□ T。④由是成正覺 H K1 J K2 Ta L P S Q Y Mn M A，□是成□□ T。⑤亦 H K1 J K2 Ta L P S Q Y Mn M A，□ T。⑥薩 H K1 J K2 Ta L P S Q Y Mn M A，□ T。⑦頂戴受持戒 H K1 J K2 Ta L P S Q Y Mn M A，□□受□□ T。⑧授 T F H J K2 Ta L P S Q Y Mn M A，受 K1。

《二、天平勝寶九歲寫本》（七五七年）　還去本道場，各坐菩提樹，誦我本師戒，十重四十八。戒如明日月，亦如□珞珠。微塵菩薩□，□是成□□。是盧舍那誦，我□如是誦。汝新學菩□，□□受□□。受持是戒已，轉授諸衆生。諦聽我正誦，佛法中戒藏。

《三、房山石經唐刻》（八世紀前半頃）　還至本道場，各坐菩提樹，誦我本師戒，十重四十八。戒如明日月，亦如瓔珞珠。微塵菩薩衆，由是成正覺。是盧舍那誦，我亦如是誦。汝新學菩薩，頂戴受持戒。受持是戒已，轉授諸衆生。諦聽我正誦，佛法中戒藏。

《四、法隆寺本》（九世紀）還至本道場，各坐菩提樹，誦我本師戒，十重四十八。戒如明日月，亦如瓔珞珠。微塵菩薩衆，由是成正覺。是盧舍那誦，我亦如是誦。汝新學菩薩，頂戴受持戒。受持是戒已，轉授諸衆生。諦聽我正誦，佛法中戒藏。

《五、高麗藏初雕本》（十一世紀）還至本道場，各坐菩提樹，誦我本師戒，十重四十八。戒如明日月，亦如瓔珞珠。微塵菩薩衆，由是成正覺。是盧舍那誦，我亦如是誦。汝新學菩薩，頂戴受持戒。受持是戒已，轉受諸衆生。諦聽我正誦，佛法中戒藏。

《六、毘盧藏（開元寺版）》（十二世紀）還至本道場，各坐菩提樹，誦我本師戒，十重四十八。戒如明日月，亦如瓔珞珠。微塵菩薩衆，由是成正覺。是盧舍那誦，我亦如是誦。汝新學菩薩，頂戴受持戒。受持是戒已，轉授諸衆生。諦聽我正誦，佛法中戒藏。

《七、高麗藏再雕本》（十三世紀前半）還至本道場，各坐菩提樹，誦我本師戒，十重四十八。戒如明日月，亦如瓔珞珠。微塵菩薩衆，由是成正覺。是盧舍那誦，我亦如是誦。汝新學菩薩，頂戴受持戒。受持是戒已，轉授諸衆生。諦聽我正誦，佛法中戒藏。

《一、最古形〔批判校訂版〕》

波羅提木叉。大衆心諦信，汝是當成佛，我是已成佛。常作如是信，戒品已具足。一切有心者，皆應攝佛戒。衆生受佛戒，即入諸佛位，位同大覺已，眞是諸佛子。大衆皆恭敬，至心聽我誦。

〔校勘〕無

《二、天平勝寶九歲寫本》〔七五七年〕

波羅提木叉，大衆心諦信。汝是當成佛，我是已成佛。常作如是信，戒品已具足，一切有心者，皆應攝佛戒。衆生受佛戒，即入諸佛位。位同大覺已，眞是諸佛子。大衆皆恭敬，至心聽我誦。

《三、房山石經唐刻》〔八世紀前半頃〕

波羅提木叉，大衆心諦信。汳是當成佛，我是已成佛。常作如是信，戒品已具足，一切有心者，皆應攝佛戒。衆生受佛戒，即入諸佛位。位同大覺已，眞是諸佛子。大衆皆恭敬，至心聽我誦。

《四、法隆寺本》（九世紀）

波羅提木叉，大衆心諦信。汝是當成佛，我是已成佛。常作如是信，戒品已具足，一切有心者，皆應攝佛戒。衆生受佛戒，即入諸佛位。位同大覺已，眞是諸佛子。大衆皆恭敬，至心聽我誦。

《五、高麗藏初雕本》（十一世紀）

波羅提木叉，大衆心諦信。汝是當成佛，我是已成佛。常作如是信，戒品已具足，一切有心者，皆應攝佛戒。衆生受佛戒，即入諸佛位。位同大覺已，眞是諸佛子。大衆皆恭敬，至心聽我誦。

《六、毘盧藏（開元寺版）》（十二世紀）

波羅提木叉，大衆心諦信。汝是當成佛，我是已成佛。常作如是信，戒品已具足，一切有心者，皆應攝佛戒。衆生受佛戒，即入諸佛位。位同大覺已，眞是諸佛子。大衆皆恭敬，至心聽我誦。

《七、高麗藏再雕本》（十三世紀前半）

波羅提木叉，大衆心諦信。汝是當成佛，我是已成佛。常作如是信，戒品已具足，一切有心者，皆應攝佛戒。衆生受佛戒，即入諸佛位。位同大覺已，眞是諸佛子。大衆皆恭敬，至心聽我誦。

《一、最古形（批判校訂版）》

爾時釋迦牟尼佛，初坐菩提樹下，成無上覺①。初結菩薩波羅提木叉，孝順父母、師僧、三寶，孝順至道之法，孝名爲戒②，亦名制止，即③口放無量光明。是時百萬億④大衆、諸菩薩、十八梵⑤、六欲天子、十六大國王合掌，至心聽佛誦一切佛大戒⑥。

〔校勘〕①覺 TFHK1K2PQYMnM，覺已 JTa，正覺已 LA。②孝名爲戒 FHT*K1JK2TaLQYMnMA，孝名戒 T，孝〈名爲〉戒 P。③即 FHTP，佛即 T*K1JK2TaLMnMA，即佛 SQY。④『菩薩戒義疏』「是時百億」下，後戒。叙大衆願聞也。（四〇・五七〇下）⑤十八梵 FHK1，十八梵天 TJK2TaLPQYMnMA。『菩薩戒義疏』佛爲三。一、總叙「大衆」，二、別叙四衆。一、「菩薩」，二、「十八梵」，三、「六欲天」，四、「十六國王」。……（四〇・五七〇下）⑥佛大戒 TP，佛大乘戒 FT*K1JK2TaLSQY，諸佛大乘戒 HMnMA。

《二、天平勝寶九歳寫本》（七五七年）

爾時釋迦牟尼佛，初坐菩提樹下，成無上覺。初結菩薩波羅提木叉，孝順父母、師僧、三寶，孝順至道之法。孝名戒，亦名制止，即口放無量光明。是時百萬億大衆、諸菩薩、十八梵天、六欲天子、十六大國王合掌，至心聽佛誦一切佛大戒。

《三、房山石經唐刻》（八世紀前半頃）

爾時釋迦牟尼佛，初坐菩提樹下，成無上覺。初結菩薩波羅提木叉，孝順父母、師僧、三寶，孝順至道之法。孝名爲戒，亦名制止，即口放無量光明。是時百萬億大衆、諸菩薩、十八梵、六欲天子、十六大國王合掌，至心聽佛誦一切佛大乘戒。

《四、法隆寺本》（九世紀）
爾時釋迦牟尼佛，初坐菩提樹下，成無上覺。初結菩薩波羅提木叉，孝順父母、師僧、三寶，孝順至道之法。孝名爲戒，亦名制止。佛即口放無量光明。是時千百萬億大衆、諸菩薩、十八梵、六欲天子、十六大國王合掌，至心聽佛誦一切諸佛大乘戒。

《五、高麗藏初雕本》（十一世紀）
爾時釋迦牟尼佛，初坐菩提樹下，成無上覺。初結菩薩波羅提木叉，孝順父母、師僧、三寶，孝順至道之法。孝名爲戒，亦名制止。佛即口放無量光明。是時百萬億大衆、諸菩薩、十八梵天、六欲天子、十六大國王合掌，至心聽佛誦一切佛大乘戒。

《六、毘盧藏（開元寺版）》（十二世紀）
爾時釋迦牟尼佛，初坐菩提樹下，成無上覺。初結菩薩波羅提木叉，孝順父母、師僧、三寶，孝順至道之法。〈孝名〉爲戒，亦名制止，即口放無量光明。是時百萬億大衆、諸菩薩、十八梵天、六欲天子、十六大國王合掌，至心聽佛誦一切佛大戒。

《七、高麗藏再雕本》（十三世紀前半）
爾時釋迦牟尼佛，初坐菩提樹下，成無上覺。初結菩薩波羅提木叉，孝順父母、師僧、三寶，孝順至道之法。孝名爲戒，亦名制止。佛即口放無量光明。是時百萬億大衆、諸菩薩、十八梵天、六欲天子、十六大國王合掌，至心聽佛誦一切佛大乘戒。

《一、最古形（批判校訂版）》

佛告①諸菩薩言，我今半月半月，自誦諸佛法戒。汝②等一切發心菩薩亦誦③，乃至十發趣、十長養④、十金剛、十地諸菩薩亦誦⑤。是故戒光從口出⑥，有緣非無因故。光光⑦非青黃赤白黑，非色非心⑧，非有非無，非因果法。諸佛之本原⑨，行菩薩⑩之根本，是大衆諸佛子之根本。是⑪故大衆諸佛子應受持，應誦⑫善學。

〔校勘〕①佛告 THJK2TaLMnMA，告 FK1PSQY。②汝 FHT*K1JK2TaLPQYMnMA，法 T。③菩薩亦誦 TFHK1JK2TaLPSMnM，菩薩亦言 QY，菩薩 A。④養 HK1JK2TaLPSQYMnMA，□ T。⑤諸菩薩亦誦 HK1JK2TaLPSQYMnMA，諸□□□誦 T。⑥出 HK1JK2TaLPSQYMnMA，□ T。⑦光光非 HK1JK2TaLPSQYMnMA，□□□ T。⑧非色非心 HK1JK2TaLPSQYMnMA，非色心法 T，非色非心法 T*，非色 F。⑨諸佛之本原 TFHK1J，是諸佛之本源 K2TaLPSQYMnMA。⑩行菩薩 TK1PSQY，行菩薩道 FHT*JTaLMnMA，菩薩 K2。⑪是故 FHT*JK2TaLMnMA，是 TK1PSQY。⑫應誦 THP，應讀誦 FT*K1JK2TaLQA，應讀誦應 MnM。★P大正藏校勘は誤り。

《二、天平勝寶九歳寫本》（七五七年）　佛告諸菩薩言，我今半月半月，自誦諸佛法戒。法等一切發心菩薩亦誦，乃至十發趣、十長□、十金剛、十地諸□□□誦。是故戒光從口□，有緣非無因故。□□□青黃赤白黑，非色心法，非有非無，非因果法。諸佛之本原，行菩薩之根本，是大衆諸佛子之根本。是大衆諸佛了應受持，應誦善學。

《三、房山石經唐刻》（八世紀前半頃）　告諸菩薩言，我今半月半月，自誦諸佛法戒。汝等一切發心菩薩亦誦，乃至十發趣、十長養、十金剛、十地諸菩薩亦誦。是故戒光從口出，有緣非無因故。光光非青黃赤白黑，非色，非有非無，非因果法。諸佛之本原，行菩薩道之根本，是大衆諸佛子之根本。是故大衆諸佛子應受持，應讀誦善學。

《四、法隆寺本》（九世紀）　佛告諸菩薩言，我今半月半月，自誦諸佛法戒。汝等一切發心菩薩亦誦，乃至十發趣、十長養、十金剛、十地諸菩薩亦誦。是故戒光從口出，有縁非無因故。光光非青黄赤白黒，非色非心，非有非無，非因果法。諸佛之本原，行菩薩道之根本，是大衆諸佛子之根本。是故大衆諸佛子應受持，應誦善學。

《五、高麗藏初雕本》（十一世紀）　告諸菩薩言，我今半月半月，自誦諸佛法戒。汝等一切發心菩薩亦誦，乃至十發趣、十長養、十金剛、十地諸菩薩亦誦。是故戒光從口出，有縁非無因故。光光非青黄赤白黒，非色非心，非有非無，非因果法。諸佛之本原，行菩薩之根本，是大衆諸佛子之根本。是大衆諸佛子應受持，應讀誦善學。

《六、毘盧藏（開元寺版）》（十二世紀）　告諸菩薩言，我今半月半月，自誦諸佛法戒。汝等一切發心菩薩亦誦，乃至十發趣、十長養、十金剛、十地諸菩薩亦誦。是故戒光從口出，有縁非無因故。光光非青黄赤白黒，非色非心，非有非無，非無因果法。是諸佛之本源，行菩薩之根本，是大衆諸佛子之根本。是大衆諸佛子應受持，應誦善學。

《七、高麗藏再雕本》（十三世紀前半）　佛告諸菩薩言，我今半月半月，自誦諸佛法戒。汝等一切發心菩薩亦誦，乃至十發趣、十長養、十金剛、十地諸菩薩亦誦。是故戒光從口出，有縁非無因故。光光非青黄赤白黒，非色非心，非有非無，非因果法。是諸佛之本源，菩薩之根本，是大衆諸佛子之根本。是故大衆諸佛子應受持，應讀誦善學。

《一、最古形（批判校訂版）》

佛子①，諦聽，若受佛戒者，國王、王子、百官、宰相、比丘、比丘尼、十八梵②、六欲天③、庶民④、黃門、婬男、婬女、奴婢、八部、鬼神、金剛神、畜生乃至變化人，但解法師言⑤，盡受得戒，皆名第一清淨者。

〔校勘〕①佛子 F H K1 J K2 Ta L P S Q Y Mn M A，諸佛子 T。②十八梵 F H K1，十八梵天 T J K2 Ta L P S Q Y Mn M A。③六欲天 T K1 P S Q Y，六欲天子 F T* J K2 Ta L Mn M A。④庶民 H T K1 J K2 Ta L P S Q Y Mn M A，庶人 F T*。⑤言 T，語 F H T* K1 J K2 Ta P S Q Y Mn M A，語者 L。

《二、天平勝寶九歳寫本》（七五七年）諸佛子，諦聽，若受佛戒者，國王、王子、百官、宰相、比丘、比丘尼、十八梵天、六欲天、庶民、黃門、婬男、婬女、奴婢、八部、鬼神、金剛神、畜生乃至變化人，但解法師言，盡受得戒，皆名第一清淨者。

《三、房山石經唐刻》（八世紀前半頃）佛子，諦聽，若受佛戒者，國王、王子、百官、宰相、比丘、比丘尼、十八梵、六欲天子、庶人、黃門、婬男、婬女、奴婢、八部、鬼神、金剛神、畜生乃至變化人，但解法師語，盡受得戒，皆名第一清淨者。

者。

《四、法隆寺本》（九世紀）佛子，諦聽，若受佛戒者，國王、王子、百官、宰相、比丘、比丘尼、十八梵、六欲天、庶民、黄門、婬男、婬女、奴婢、八部、鬼神、金剛神、畜生乃至變化人，但解法師語，盡受得戒，皆名第一清淨者。

《五、高麗藏初雕本》（十一世紀）佛子，諦聽，若受佛戒者，國王、王子、百官、宰相、比丘、比丘尼、十八梵、六欲天、庶民、黄門、婬男、婬女、奴婢、八部、鬼神、金剛神、畜生乃至變化人，但解法師語，盡受得戒，皆名第一清淨者。

《六、毘盧藏（開元寺版）》（十二世紀）佛子，諦聽，若受佛戒者，國王、王子、百官、宰相、比丘、比丘尼、十八梵天、六欲天、庶民、黄門、婬男、婬女、奴婢、八部、鬼神、金剛神、畜生乃至變化人，但解法師語，盡受得戒，皆名第一清淨者。

《七、高麗藏再雕本》（十三世紀前半）佛子，諦聽，若受佛戒者，國王、王子、百官、宰相、比丘、比丘尼、十八梵天、六欲天子、庶民、黄門、婬男、婬女、奴婢、八部、鬼神、金剛神、畜生乃至變化人，但解法師語，盡受得戒，皆名第一清淨者。

《一、最古形（批判校訂版）》

佛告諸佛子言，有十重波羅提木叉。若受菩薩戒，不誦此戒者，非①菩薩，非佛種子。我亦如是誦，一切菩薩已學，一切菩薩當學，一切菩薩今學。我已②略説波羅提木叉③相貌，應當學④，敬心奉持⑤。⑥

〔校勘〕①非 FHK1JK2TaLPSQYMnMA，非是 T。②我已 TFK1PSQYMnM，已 HJK2TaLA。③波羅提木叉 TJK1PQ，波羅提叉 F，菩薩波羅提木叉 HK2TaLMnMA。★P大正藏校勘は誤り。④應當學 TFK1JTaMnMA，是事應當學 HK2LPSQY。⑤敬心奉持 FHK1K2TaLPSQYMnMA，〈敬心〉奉持 J，敬心奉持諸[大][衆]我已説戒經序今問[諸]大衆是中清淨不〈如是三説〉／諸大衆是□□□清淨□然故□[事][如]是持諸大衆是中波羅夷法半月半月戒經中説 T。⑥D『法苑珠林』佛告諸菩薩言。我今半月半月，自誦諸佛法戒。汝等一切菩薩，乃至十地諸菩薩亦誦。是戒諸佛之本原，行菩薩之根本。若受戒者，國王、王子、百官、宰相、比丘、比丘尼、十八梵天、六欲天、庶民、黄門、婬男、婬女、奴婢、八部、鬼神、金剛神、畜生乃至變化人，但解法師言，盡受得戒。皆名第一清淨者。佛告諸佛子言。有十重波羅提木叉。若受菩薩戒，不誦此戒者，非菩薩，非佛種子。我亦如是誦，一切菩薩已學，一切菩薩當學，一切菩薩今學。已略説波羅提木叉相貌。應當學，敬心奉持。（五三・九三七上）

《二、天平勝寶九歳寫本》（七五七年）

佛告諸佛子言，有十重波羅提木叉。若受菩薩戒，不誦此戒者，非是菩薩，非佛種子。我亦如是誦，一切菩薩已學，一切菩薩當學，一切菩薩今學。我已略説波羅提木叉相貌，應當學，敬心奉持。諸[大][衆]，我已説戒經序。今問，[諸]大衆是中清淨不〈如是三説〉。諸大衆是□□□清淨□然故□[事][如]是持。諸大衆，是中波羅夷法，半月半月，戒經中説。

《三、房山石經唐刻》（八世紀前半頃）

佛告諸佛子言，有十重波羅提木叉。若受菩薩戒，不誦此戒者，非菩薩，非佛種子。我亦如是誦，一切菩薩已學，一切菩薩當學，一切菩薩今學。我已略說波羅提叉相貌。應當學，敬心奉持。

《四、法隆寺本》（九世紀）

佛告諸佛子言，有十重波羅提木叉。若受菩薩戒，不誦此戒者，非菩薩，非佛種子。我亦如是誦，一切菩薩已學，一切菩薩當學，一切菩薩今學。已略說菩薩波羅提木叉相貌。是事應當學，敬心奉持。

《五、高麗藏初雕本》（十一世紀）

佛告諸佛子言，有十重波羅提木叉。若受菩薩戒，不誦此戒者，非菩薩，非佛種子。我亦如是誦，一切菩薩已學，一切菩薩當學，一切菩薩今學。我已略說波羅提木叉相貌。應當學，敬心奉持。

《六、毘盧藏（開元寺版）》（十二世紀）

佛告諸佛子言，有十重波羅提木叉。若受菩薩戒，不誦此戒者，非菩薩，非佛種子。我亦如是誦，一切菩薩已學，一切菩薩當學，一切菩薩今學。我已略說波羅提木叉相貌。是事應當學，敬心奉持。

《七、高麗藏再雕本》（十三世紀前半）

佛告諸佛子言，有十重波羅提木叉。若受菩薩戒，不誦此戒者，非菩薩，非佛種子。我亦如是誦，一切菩薩已學，一切菩薩當學，一切菩薩今學。已略說菩薩波羅提木叉相貌。是事應當學，敬心奉持。

《一、最古形（批判校訂版）》【Ⅰ】

佛告佛子①，若自殺，教人殺，方便讚歎殺②，見作隨喜，乃至呪殺，殺業、殺法、殺因、殺緣③。乃至一切有命者，不得故殺。是菩薩應起常住慈悲心、孝順心，方便救護④，而自恣心⑤快意殺生⑥，是菩薩波羅夷罪⑦。

〔校勘〕①佛告佛子 DTFHK1PSQ，佛告諸佛子 J，佛言佛子 HK1JK2TaLPSQYMnM，佛言若佛子 A，菩薩 C。②方便 CDFK2TaLPSQ，方便殺 THK1JMnMA。③殺業殺法殺因殺緣 CDTK1PQ，殺業殺報殺因殺緣 SY，殺因殺緣殺法殺業 FHT*JK2TaLMnMA。［參考］『菩薩戒義疏』「殺業」已下，三重中第二成業之相也。……「殺法」謂刀劍坑弶等。皆有法體，故稱爲法。「殺因」、「殺緣」者，親疎二途。（四〇・五七一下）④救護 CDTPSQ，救護一切衆生 FHK1JK2TaLMnMA。⑤而自恣心 CDTK1K2PQ，而反自恣心 HTaLMA，□□□恣心 F，而反恣心 SYMn。慧琳『一切經音義』恣心〈咨肆反。『説文』，恣，縦心也。從心次聲〉。（五四・六〇七中）⑥殺生 CDTHK1PSQY，殺生者 FK2TaLMnMA。⑦C菩薩若自殺，教人殺，方便讚嘆殺，見作隨喜，乃至呪殺，殺業、殺法、殺因、殺緣。乃至一切有命者，不得故殺。是菩薩應起常住慈悲心、孝從心、方便救護，而自恣心快意殺生，是菩薩波羅夷罪。D『法苑珠林』佛告佛子，若自殺，教人殺，方便讚歎殺，見作隨喜，乃至呪殺，殺業、殺法、殺因、殺緣。乃至一切有命者，不得故殺。是菩薩應起常住慈悲心、孝順心，方便救護，而自恣心快意殺生，是菩薩第一波羅夷罪。（五三・九三七上～中）

《二、天平勝寶九歲寫本》（七五七年）佛告佛子，若自殺，教人殺，方便殺，讚歎殺，見作隨喜，乃至呪殺，殺業、殺法、殺因、殺緣。乃至一切有命者，不得故殺。是菩薩應起常住慈悲心、孝順心，方便救護，而自恣心快意殺生，是菩薩波羅夷罪。

《三、房山石經唐刻》（八世紀前半頃）佛告佛子，若自殺，教人殺，方便讚歎殺，見作隨喜，乃至呪殺，殺因、殺縁、殺法、殺業。乃至一切有命者，不得故殺。是菩薩應起常住慈悲心、孝順□、□便救護一切衆□，□□□恣心快意殺生，是菩薩波羅夷罪。

《四、法隆寺本》（九世紀）佛告佛子，若自殺，教人殺，方便殺，讚歎殺，見作隨喜，乃至呪殺，殺因、殺縁、殺法、殺業。乃至一切有命者，不得故殺。是菩薩應起常住慈悲心、孝順心，方便救護一切衆生，而反自恣心快意殺生，是菩薩波羅夷罪。

《五、高麗藏初雕本》（十一世紀）佛告佛子，若自殺，教人殺，方便讚歎殺，見作隨喜，乃至呪殺，殺業、殺法、殺因、殺縁。乃至一切有命者，不得故殺。是菩薩應起常住慈悲心、孝順心，方便救護一切衆生，而自恣心快意殺生，是菩薩波羅夷罪。

《六、毘盧藏（開元寺版）》（十二世紀）佛告佛子，若自殺，教人殺，方便讚歎殺，見作隨喜，乃至呪殺，殺業、殺法、殺因、殺縁。乃至一切有命者，不得故殺。是菩薩應起常住慈悲心、孝順心，方便救護，而自恣心快意殺生，是菩薩波羅夷罪。

《七、高麗藏再雕本》（十三世紀前半）佛言佛子，若自殺，教人殺，方便讚歎殺，見作隨喜，乃至呪殺，殺因、殺縁、殺法、殺業。乃至一切有命者，不得故殺。是菩薩應起常住慈悲心、孝順心，方便救護一切衆生，而自恣心快意殺生者，是菩薩波羅夷罪。

注釋「若佛子」

［1］智顗、灌頂『菩薩戒義疏』

文爲三別。先標人，謂「若佛子」。第二序事，謂中間所列。三結罪，名「波羅夷」。（四〇・五七一中）

［2］法藏『梵網經菩薩戒本疏』

初中，言「佛子」者，釋有總有別。總中有二義。一、從佛法生，謂發菩提心，受菩薩戒，得佛法分，名爲「佛子」，如人從父母生，得彼體分，一名爲人子。此則佛是能生，子是所生。二、子是因義，謂以修佛行能生佛果，名爲「佛子」，如種子生果等。此即子是能生，佛是所生。從果爲名。此二皆佛之子，故依主釋［tatpuruṣa］。何故爾者。若不從佛生，無以成佛故。（四〇・六一二）

［3］法銑『梵網經菩薩戒疏』

「若」者，『善見論』云「若者總名，不屬一人」注。隨有佛法具戒之徒，皆持犯法，言「佛子」者，從佛口生，從法化生，得佛法分，名爲佛子。今此文中，以受佛戒，名入佛位，即是戒從佛生，名爲「佛子」。（續藏一、六〇、三、二四六裏上）

注　僧伽跋陀羅譯『善見律毘婆沙』（二四・七一六中）

［4］明曠『天台菩薩戒疏』
初言「若佛子」者，通指之辭，謂發菩提心，受菩薩戒，從佛法生，通名「佛子」。（四〇・五八七下～五八八上）

［5］與咸『梵網菩薩戒經疏註』
一一皆云「若」者，『篇韻』訓汝也，如也。今對告之人，佛欲與之説其戒法，必先提起是人，令其聳聽，當爲汝説，應訓汝也。餘之「若」字，如云「若受菩薩戒」等，即應訓如也。（續藏一、五九、三、二六九裏下）

［6］弘贊『梵網經菩薩戒略疏』
「若」是設況之詞。一本無「若」字。即是的指一人非也。（續藏一、六〇、五、四〇一裏上）

［7］書玉『梵網經菩薩戒初津』
「若」乃設況之辭，謂設或有人。（續藏一、九五、一、二九裏上）

《一、最古形（批判校訂版）》【Ⅱ】

若佛子，自盗，教人盗，方便盗①，盗業、盗法、盗因、盗縁②。呪盗乃至鬼神③、有主物④、劫賊物，一切財物，一針一草，不得故盗。而菩薩常生⑤佛性孝順⑥、慈悲心，常助一切人，生福生樂，而反更盗人物⑦，是⑧菩薩波羅夷罪。⑨

〔校勘〕①盗 CDTFHK1K2PSQ，盗呪盗 T*TaLMnMA，呪盗 J。②盗業盗法盗因盗縁 CDTK1PQ，盗業盗報盗因盗縁 SY，盗因盗縁盗法盗業 FHT*JK2TaLMnMA。③呪盗乃至 CDTHK1K2PSQY，乃至 FTaLMnMA。④有主物 K1PSQMnMA，有主 CDTFHJK2TaL。⑤常生 PSQY，生 D，應生 CTFHK1JK2TaLMnMA。⑥孝順 DK1K2，孝從 C，孝順心 TFHJPSQTaLMnMA。⑦人物 CDTPSQY，人財物 HT*K1，人財物者 FK2TaLMnMA。⑧是 CDTFHK1K2PSQYMnMA，犯 J。⑨C菩薩若自盗，教人盗，方便盗，盗業、盗法、盗因、盗縁。呪盗乃至鬼神、有主、劫賊物，一切賊物，一針一草，不得故盗。而菩薩應生佛性孝從、慈悲心，常助一切人，生福生樂。而反更盗人物，是菩薩波羅夷罪。D『法苑珠林』若佛子，自盗，教人盗，方便盗，盗業、盗法、盗因、盗縁。呪盗乃至鬼神、有主、劫賊物，一切財物，一鍼一草，不得故盗。而菩薩生佛性孝順、慈悲心，常助一切人，生福生樂。而反更盗人物，是菩薩第二波羅夷罪。（五三・九三七中）

《二、天平勝寶九歳寫本》（七五七年）若佛子，自盗，教人盗，方便盗，盗業、盗法、盗因、盗縁。呪盗乃至鬼神、有主、劫賊物，一切財物，一針一草，不得故盗。而菩薩應生佛性孝順心、慈悲心，常助一切人，生福生樂，而反更盗人物，是菩薩波羅夷罪。

《三、房山石經唐刻》（八世紀前半頃）若佛子，自盗，教人盗，方便盗，盗因、盗縁、盗法、盗業。乃至鬼神、有主、劫賊物，一切財物，一針一草，不得故盗。而菩薩應生佛□□順心、慈悲□，□□□切人，生福生樂，而反更盗人財物者，是菩薩波羅夷罪。

《四、法隆寺本》（九世紀）若佛子，自盗，教人盗，方便盗，盗因、盗縁、盗法、盗業。呪盗乃至鬼神、有主、劫賊物，一切財物，一針一草，不得故盗。而菩薩應生佛性孝順心、慈悲心，常助一切人，生福生樂，而反更盗人財物，是菩薩波羅夷罪。

《五、高麗藏初雕本》（十一世紀）若佛子，自盗，教人盗，方便盗，盗業、盗法、盗因、盗縁。呪盗乃至鬼神、有主物、劫賊物，一切財物，一針一草，不得故盗。而菩薩應生佛性孝順、慈悲心，常助一切人，生福生樂，而反更盗人財物，是菩薩波羅夷罪。

《六、毘盧藏（開元寺版）》（十二世紀）若佛子，自盗，教人盗，方便盗，盗業、盗法、盗因、盗縁。呪盗乃至鬼神、有主物、劫賊物，一切財物，一針一草，不得故盗。而菩薩常生佛性孝順心、慈悲心，常助一切人，生福生樂，而反更盗人物，是菩薩波羅夷罪。

《七、高麗藏再雕本》（十三世紀前半）若佛子，自盗，教人盗，方便盗，盗因、盗縁、盗法、盗業。呪盗乃至鬼神、有主、劫賊物，一切財物，一針一草，不得故盗。而菩薩應生佛性孝順、慈悲心，常助一切人，生福生樂，而反更盗人財物者，是菩薩波羅夷罪。

《一、最古形（批判校訂版）》【Ⅲ】

若佛子，自婬，教人婬，—乃至一切女人，不得故婬—，婬因、婬業、婬法、婬縁①。乃至畜生女、諸天鬼神女，及非道行婬。而菩薩應生②孝順心，救度一切衆生，淨法③與人，而反更起一切人婬，不擇畜生，乃至母、女、姉妹④、六親行婬，無慈悲心⑤，是菩薩波羅夷罪。⑥

〔校勘〕①婬因婬業婬法婬縁 CDTK1PSQY，婬因婬縁婬法婬業 FHT*JK2TaLMnMA。②應生 CTHK1JK2TaLPSQYMnMA，應□ F，生 D。③淨法 CDFHT*K1JK2TaLPSQYMnMA，法 T。④母女姉妹 TFJK2TaLQMnMA，母姉妹 K1，母姉 P。★P大正藏校勘は誤り。⑤心 CDTHK1PSQY，心者 FK2TaLMnMA。⑥C菩薩若自婬，教人婬，乃至一切女人，不得故婬，婬因、婬業、婬法、婬縁。乃至畜生女、諸天鬼神女及非道行婬。而菩薩應生孝從心，救度一切衆生，淨法与人。而反更起一切人婬，不択畜生，乃至母、姉、六親行婬，無慈悲心，是菩薩波羅夷罪。D『法苑珠林』若佛子，自婬，教人婬，乃至一切女人，不得故婬，婬因、婬業、婬法、婬縁。乃至畜生女、諸天鬼神女，及非道行婬。而菩薩生孝順心，救度一切衆生，淨法与人。而反更起一切人婬，不択畜生，乃至母、姉、六親行婬，無慈悲心，是菩薩第三波羅夷罪。（五三・九三七中）

《二、天平勝寶九歳寫本》（七五七年） 若佛子，[自][婬]，[教]人婬，乃[至]一切□□，□□[故]婬，婬因、婬業、婬法、婬縁。乃至畜生女、諸天鬼神女，及非道行婬。而菩薩應生孝順心，救度一切衆生，法與人，而反更起一切人婬，不擇畜生，乃至母女姉妹、六親行婬，無慈悲心，是菩薩波羅夷罪。

《三、房山石經唐刻》（八世紀前半頃） 若佛子，自婬，教人婬，乃至一切女人，不得故婬，婬因、婬縁、婬法、婬業。乃至畜生女、諸天鬼神女，[及][非][道][行]□。□[菩][薩][應]□[孝]□□，[救]度一切衆生，[淨]法[與]人，而反更起一切人婬，不擇畜生，乃至母女姉妹、六親行婬，無慈悲心者，是菩薩波羅夷罪。

《四、法隆寺本》（九世紀）　若佛子，自婬，教人婬，乃至一切女人，不得故婬，婬因、婬縁、婬法、婬業。乃至畜生女、諸天鬼神女，及非道行婬。而菩薩應生孝順心，救度一切衆生，淨法與人，而反更起一切人婬，不擇畜生，乃至母女姉妹、六親行婬，無慈悲心，是菩薩波羅夷罪。

《五、高麗藏初雕本》（十一世紀）　若佛子，自婬，教人婬，乃至一切女人，不得故婬，婬因、婬業、婬法、婬縁。乃至畜生女、諸天鬼神女，及非道行婬。而菩薩應生孝順心，救度一切衆生，淨法與人，而反更起一切人婬，不擇畜生，乃至母姉妹、六親行婬，無慈悲心，是菩薩波羅夷罪。

《六、毘盧藏（開元寺版）》（十二世紀）　若佛子，自婬，教人婬，乃至一切女人，不得故婬，婬因、婬業、婬法、婬縁。乃至畜生女、諸天鬼神女，及非道行婬。而菩薩應生孝順心，救度一切衆生，淨法與人，而反更起一切人婬，不擇畜生，乃至母姉、六親行婬，無慈悲心，是菩薩波羅夷罪。

《七、高麗藏再雕本》（十三世紀前半）　若佛子，自婬，教人婬，乃至一切女人，不得故婬，婬因、婬縁、婬法、婬業。乃至畜生女、諸天鬼神女，及非道行婬。而菩薩應生孝順心。救度一切衆生，淨法與人，而反更起一切人婬，不擇畜生，乃至母女姉妹、六親行婬，無慈悲心者，是菩薩波羅夷罪。

《一、最古形（批判校訂版）》【Ⅳ】

若佛子，自妄語，教人妄語，方便妄語，妄語因、妄語業、妄語法、妄語縁①。乃至不見言見，見言不見，身心妄語。而菩薩常生正語②，亦生衆生③正語、正見，而反更起一切衆生邪語、邪見業④，是菩薩波羅夷罪。⑤

〔校勘〕①妄語因妄語業妄語法妄語縁 CDTK1PSQY，妄語因妄語縁妄語法妄語業 FHT*JK2TaLMnMA。②正語 CDTPSQYMnM，正語正見 FHT*K1JK2TaLA。③衆生 CDTFPSQ，一切衆生 HK1JK2TaLMnMA。★P大正藏校勘は誤り。④邪見業 CTPSQ，邪見邪業 DHT*K1，邪見邪業者 FJK2TaLMnMA。⑤C菩薩若自妄語，教人妄語，方便妄語，妄語因、妄語業、妄語法、妄語縁。乃至不見言見，見言不見，身心妄語。而菩薩常生正語，亦生衆生正語正見。而反更起一切衆生耶語、耶見業，是菩薩波羅夷罪。D『法苑珠林』若佛子，自妄語，教人妄語，方便妄語，妄語因、妄語業、妄語法、妄語縁。乃至不見言見，見言不見，身心妄語。而菩薩常生正語，亦生衆生正語正見。而反更起一切衆生邪語、邪見、邪業，是菩薩第四波羅夷罪。（五三・九三七中）

《二、天平勝寶九歳寫本》（七五七年）若佛子，自妄語，教人妄語，方便妄語，妄語因、妄語業、妄語法、妄語縁。乃至不見言見，見言不見，身心妄語。而菩薩常生正語，亦生衆生正語、正見，而反更起一切衆生耶語、耶見業，是菩薩波羅夷罪。

《三、房山石經唐刻》（八世紀前半頃）若佛子，自妄語，教人妄語，方便妄語，□語因、□□□、□□法、妄語□。□至不見言見，見言不見，身心妄語。而菩薩常生正語、正見，亦生衆生正語、正見，而反更起一切衆生邪語、邪見、邪業者，是菩薩波羅夷罪。

《四、法隆寺本》（九世紀）若佛子，自妄語，教人妄語，方便妄語，妄語因、妄語縁、妄語法、妄語業。乃至不見言見，見言不見，身心妄語。而菩薩常生正語、正見，亦生一切衆生正語、正見，而反更起一切衆生耶語、耶見、耶業，是菩薩波羅夷罪。

《五、高麗藏初雕本》（十一世紀）若佛子，自妄語，教人妄語，方便妄語，妄語因、妄語法、妄語業、妄語縁。乃至不見言見，見言不見，身心妄語。而菩薩常生正語、正見，亦生一切衆生正語、正見。而反更起一切衆生邪語、邪見、邪業，是菩薩波羅夷罪。

《六、毘盧藏（開元寺版）》（十二世紀）若佛子，自妄語，教人妄語，方便妄語，妄語因、妄語業、妄語法、妄語縁。乃至不見言見，見言不見，身心妄語。而菩薩常生正語，亦生衆生正語、正見，而反更起一切衆生邪語、邪見業，是菩薩波羅夷罪。

《七、高麗藏再雕本》（十三世紀前半）若佛子，自妄語，教人妄語，方便妄語，妄語因、妄語縁、妄語法、妄語業。乃至不見言見，見言不見，身心妄語。而菩薩常生正語、正見，亦生一切衆生正語、正見，而反更起一切衆生邪語、邪見、邪業者，是菩薩波羅夷罪。

《一、最古形（批判校訂版）》【V】

若佛子，自酤酒，教人酤酒，酤酒因、酤酒業、酤酒法、酤酒縁。① 一切酒不得酤，是酒起罪因縁。② 而菩薩應生一切衆生明達之慧，而反更生衆生顚倒心，③ 是菩薩波羅夷罪。④

〔校勘〕①酤酒因酤酒業酤酒法酤酒縁 CDTK1PSQY，酤酒因酤酒縁酤酒法酤酒業 FHT※JK2TaLMnMA。②N開始「而菩薩……」。③衆生顚倒心 CNDTK1PSQ，衆生倒心 D，一切衆生顚倒之心 HJ，一切衆生顚倒之心者 FK2TaLMnMA。④C菩薩若自酤酒，教人酤酒，酤酒因、酤酒業、酤酒法、酤酒縁。一切酒，不得酤。是酒起罪因縁。而菩薩應生一切衆生明達之慧。而反更生衆生顚倒心，是菩薩波羅夷罪。D『法苑珠林』若佛子，自酤酒，教人酤酒，酤酒因、酤酒業、酤酒法、酤酒縁。一切酒，不得酤。是酒起罪因縁。而菩薩應生一切衆生明達之慧。而反更生衆生顚倒心，是菩薩第五波羅夷罪。（五三・九三七中）

《二、天平勝寶九歲寫本》（七五七年）

若佛子，自酤酒，教人酤酒，酤酒因、酤酒業、酤酒法、酤酒縁。□切酒不得故酤，是酒起罪因縁。而菩薩應生一切衆生明達□□，□□□生衆生顚倒□，是菩薩波羅夷罪。

《三、房山石經唐刻》（八世紀前半頃）

若佛子，自酤酒，教□酤□，□□因、□酒□、酤□□、□□業。一切酒不得酤，是酒起罪因縁。而菩薩應生一切衆生明達之慧，而反更生衆生顚倒之心者，是菩薩波羅夷罪。

《四、法隆寺本》（九世紀）
若佛子，自酤酒，教人酤酒，酤酒因、酤酒縁、酤酒法、酤酒業。一切酒不得酤酒，是酒起罪因縁。而菩薩應生一切衆生明達之慧，而反更生一切衆生顛倒之心，是菩薩波羅夷罪。

《五、高麗藏初雕本》（十一世紀）
若佛子，自酤酒，教人酤酒，酤酒因、酤酒業、酤酒法、酤酒縁。一切酒不得酤，是酒起罪因縁。而菩薩應生一切衆生明達之慧，而反更生衆生顛倒心，是菩薩波羅夷罪。

《六、毘盧藏（開元寺版）》（十二世紀）
若佛子，自酤酒，教人酤酒，酤酒因、酤酒業、酤酒法、酤酒縁。一切酒不得酤，是酒起罪因縁。而菩薩應生一切衆生明達之慧，而反更生衆生顛倒心，是菩薩波羅夷罪。

《七、高麗藏再雕本》（十三世紀前半）
若佛子，自酤酒，教人酤酒，酤酒因、酤酒縁、酤酒法、酤酒業。一切酒不得酤，是酒起罪因縁。而菩薩應生一切衆生明達之慧，而反更生一切衆生顛倒之心者，是菩薩波羅夷罪。

《一、最古形（批判校訂版）》【Ⅵ】

若佛子，口自説①出家、在家菩薩、比丘、比丘尼②罪過，教人説罪過，罪過因、罪過業、罪過法、罪過縁③。而菩薩聞外道惡人及二乘惡人説佛法中非法④非律，常生悲心⑤，教化是惡人輩，令生大乘善信。而菩薩反更自説佛法中罪過⑥，是菩薩波羅夷罪。⑦

〔校勘〕①口自説 CNDTHK1PSQYMnMA，自説 FJK2TaL。②B 開始「罪過…」。③罪過因罪過業罪過法罪過縁 CBNDTK1PSQY，罪過因罪過縁罪過法罪過業 FHT*JK2TaLMnMA。④非法 BNFHT*K1JK2TaLQMnMA，罪過非法 T。⑤悲心 BNTFHK1JK2TaLQ，慈心 MnMA。⑥罪過 CBNDTHK1PSQ，罪過者 B*K2TaLMnMA，罪過者 FJ。⑦C 菩薩若口自説出家、在家菩薩、比丘、比丘尼罪過，教人説罪過，罪過因、罪過業、罪過法、罪過縁。而菩薩聞外道惡人及二乘惡人説佛法中非法律非，常生悲心，教化是惡人輩，令生大乘善信。而菩薩及（反）更自説佛法中罪過，是菩薩波羅夷罪。　D『法苑珠林』若佛子，口自説出家、在家菩薩、比丘、比丘尼罪過，教人説罪過，罪過因、罪過業、罪過法、罪過縁。而菩薩聞外道惡人及二乘惡人説佛法中非法非律，常生悲心，教化是惡人輩，令牛大乘善信。而菩薩反更自説佛法中罪過，是菩薩第六波羅夷罪。（五三・九三七中）

《二、天平勝寶九歳寫本》（七五七年）　若佛子，口自説出家、在家菩薩、比丘、比丘尼罪過，教人説罪過，罪過因、罪過業、罪過法、罪過縁。而菩薩聞外道惡人及二乘惡人説佛法中罪過非法非律，常生悲心，教化是惡人輩，令生大乘善信。而菩薩反更自説佛法中罪過，是菩薩波羅夷罪。

《三、房山石經唐刻》（八世紀前半頃）若佛子，自説出家、在家菩薩、比丘、□□尼罪□，□□□罪□，□□□、□□縁、罪過法、罪過業。而菩薩聞外道惡人及二乘惡人説佛法中非法非律，常生悲心，教化是惡人輩，令生大乘善信。而菩薩反更自説佛法中罪過者，□□□□□□□。

《四、法隆寺本》（九世紀）若佛子，口自説出家、在家菩薩、比丘、比丘尼罪過，教人説罪過，罪過因、罪過縁、罪過法、罪過業。而菩薩聞外道惡人及二乘惡人説佛法中非法非律，常生悲心，教化是惡人輩，令生大乘善信。而菩薩反更自説佛法中罪過，是菩薩波羅夷罪。

《五、高麗藏初雕本》（十一世紀）若佛子，口自説出家、在家菩薩、比丘、比丘尼罪過，教人説罪過，罪過因、罪過業、罪過法、罪過縁。而菩薩聞外道惡人及二乘惡人説佛法中非法非律，常生悲心，教化是惡人輩，令生大乘善信。而菩薩反更自説佛法中罪過，是菩薩波羅夷罪。

《六、毘盧藏（開元寺版）》（十二世紀）若佛子，口自説出家、在家菩薩、比丘、比丘尼罪過，教人説罪過，罪過因、罪過業、罪過法、罪過縁。而菩薩聞外道惡人及二乘惡人説佛法中非法非律，常生悲心，教化是惡人輩，令生大乘善信。而菩薩反更自説佛法中罪過，是菩薩波羅夷罪。

《七、高麗藏再雕本》（十三世紀前半）若佛子，自説出家、在家菩薩、比丘、比丘尼罪過，教人説罪過，罪過因、罪過縁、罪過法、罪過業。而菩薩聞外道惡人及二乘惡人説佛法中非法非律，常生悲心，教化是惡人輩，令生大乘善信。而菩薩反更自説佛法中罪過者，是菩薩波羅夷罪。

《一、最古形（批判校訂版）》【Ⅶ】

若佛子，口自讚①毀他，亦教人自讚毀他，毀他因、毀他業、毀他法、毀他縁②。而菩薩代③一切衆生，受加毀辱，惡事自向己，好事與他人④。若自揚己德，隱他人好事，他人⑤受毀者，是菩薩波羅夷罪⑥。

〔校勘〕①若佛子口自讚 BDTHK1PSQYMnMA，菩薩若口自讚 C，若佛子口自讚歎 N，若佛子自讚 FJK2TaL，F 不明。②毀他因毀他業毀他法毀他縁 CBNDTK1PSQY，毀他因毀他縁毀他法毀他業 FHT*JK2TaLMnMA。③代 CBNDK1P，常代 T，應代 FHJK2TaLSQYMnMA，常應代 T*。④他人 CBTFHK1JK2TaLPSQMnMA，他人惡事 N。⑤他人 CBNT，令他人 CDFHT*K1JK2TaLPSQYMnMA，他令人 B*。⑥C菩薩若口自讚毀他，亦教人自讚毀他，毀他因、毀他業、毀他法、毀他縁。而菩薩代一切衆生，受加毀辱，惡事自向己，好事與他人。若自揚己德，隱他人好事，他人受毀辱者，是菩薩波羅夷罪。D『法苑珠林』若佛子，口自讚毀他，亦教人自讚毀他，毀他因、毀他業、毀他法、毀他縁。而菩薩代一切衆生，受加毀辱，惡事自向己，好事與他人。若自揚己德，隱他人好事，令他人受毀者，是菩薩第七波羅夷罪。（五三・九三七下）

《二、天平勝寶九歳寫本》（七五七年）

若佛子，口自讚毀他，亦教人自讚毀他，毀他因、毀他業、毀他法、毀他縁。而菩薩常代一切衆生，受加毀辱，惡事自向己，好事與他人。若自揚己德，隱他人好事，他人受毀者，是菩薩波羅夷罪。

《三、房山石經唐刻》（八世紀前半頃）

若佛子，自讚□他，亦教入自讚毀他，毀他因、毀他縁、毀他法、毀他業。而菩薩應伐一切衆生，受加毀辱，惡事自向己，好事與他人。若自揚己德，隱他人好事，令他人受毀□□□□□□□罪。

《四、法隆寺本》（九世紀）

若佛子，口自讚毀他，亦教人自讚毀他，毀他因、毀他縁、毀他法、毀他業。而菩薩應代一切衆生，受加毀辱，惡事自向己，好事與他人。若自揚己徳，隱他人好事，令他人受毀者，是菩薩波羅夷罪。

《五、高麗藏初雕本》（十一世紀）

若佛子，自讚毀他，亦教人自讚毀他，毀他因、毀他業、毀他法、毀他縁。而菩薩代一切衆生，受加毀辱，惡事自向己，好事與他人。若自揚己徳，隱他人好事，令他人受毀者。是菩薩波羅夷罪。

《六、毘盧藏（開元寺版）》（十二世紀）

若佛子，口自讚毀他，亦教人自讚毀他，毀他因、毀他業、毀他法、毀他縁。而菩薩代一切衆生，受加毀辱，惡事自向己，好事與他人。若自揚己徳，隱他人好事，令他人受毀者，是菩薩波羅夷罪。

《七、高麗藏再雕本》（十三世紀前半）

若佛子，自讚毀他，亦教人自讚毀他，毀他因、毀他縁、毀他法、毀他業。而菩薩應代一切衆生，受加毀辱，惡事自向己，好事與他人。若自揚己徳，隱他人好事，令他人受毀者，是菩薩波羅夷罪。

《一、最古形（批判校訂版）》【Ⅷ】

若佛子，① 自慳，教人慳，慳因、慳業、慳法、慳緣。② 而菩薩見一切貧窮人來乞者，隨前人所須，一切給與。而菩薩惡心、③ 瞋心，乃至不施一錢、一針、④ 一草，有求法者，不⑤ 爲說一句、一偈、一微塵許法，而反更罵辱，⑥ 是菩薩波羅夷罪。⑦

〔校勘〕①若佛子 DBNTHK1JK2TaLPSQYMnMA，菩薩若 C，□ F。②慳因慳業慳法慳緣 CBNDTK1PSQY，慳因慳緣慳法慳業 FHT*JK2TaLMnMA。③惡心 CBNDTK1PSQ，以惡心 FHB*JK2TaLMnMA。④針 CBNTHK1JK2TaLPSQYMnMA，鍼 D。⑤不 CBNDTFHK1JK2TaLPSQYMnMA，而不 B*。⑥罵辱 CBNDTHK1PSQY，罵辱者 BBFJK2TaLMnMA，□□□ F。⑦C菩薩若自慳，教人慳，慳因、慳業、慳法、慳緣。而菩薩見　切貧窮人來乞者，隨前人所須，一切給與。而菩薩惡心、瞋心，乃至不施一錢、一針一草，有求法者，不爲說一句、一偈、一微塵許法，而反更罵辱，是菩薩波羅夷罪。D『法苑珠林』「若佛子，自慳，教人慳，慳因、慳業、慳法、慳緣。而菩薩見一切貧窮人來乞者，隨前人所須，一切給與。而菩薩惡心、瞋心，乃至不施一錢、一鍼一草，有求法者，不爲說一句一偈一微塵許法，而反更罵辱，是菩薩第八波羅夷罪。（五三・九三七下）

《二、天平勝寶九歲寫本》（七五七年）若佛子，自慳，教人慳，慳因、慳業、慳法、□緣。□菩薩見一切貧窮人來乞者，隨前人所須，一切給與，而菩薩惡心、瞋心，乃至不施一錢、一針、一草，有求法者，不爲說一句、一偈、一微塵許法，而反更罵辱，是菩薩波羅夷罪。

《三、房山石經唐刻》（八世紀前半頃）□□□，□□，□人慳，慳因、慳緣、慳法、慳業。而菩薩見一切貧窮人來乞者，隨前人所須，一切給與。而菩薩以惡心、瞋心，乃至不施一錢、一針、一草，有求法者，不爲說一句、一偈、一□塵許法，□反□□□□，是菩薩波羅夷罪。

《四、法隆寺本》（九世紀）若佛子，自慳，教人慳，慳因、慳縁、慳法、慳業。而菩薩見一切貧窮人來乞者，隨前人所須，一切給與。而菩薩以悪心、瞋心，乃至不施一錢、一針、一草，有求法者，不爲説一句、一偈、一微塵許法，而反更罵辱，是菩薩波羅夷罪。

《五、高麗藏初雕本》（十一世紀）若佛子，自慳，教人慳，慳因、慳業、慳法、慳縁。而菩薩見一切貧窮人來乞者，隨前人所須，一切給與。而菩薩悪心、瞋心，乃至不施一錢、一針、一草，有求法者，不爲説一句、一偈、一微塵許法，而反更罵辱，是菩薩波羅夷罪。

《六、毘盧藏（開元寺版）》（十二世紀）若佛子，自慳，教人慳，慳因、慳業、慳法、慳縁。而菩薩見一切貧窮人來乞者，隨前人所須，一切給與。而菩薩悪心、瞋心，乃至不施一錢、一針、一草，有求法者，不爲説一句、一偈、一微塵許法，而反更罵辱，是菩薩波羅夷罪。

《七、高麗藏再雕本》（十三世紀前半）若佛子，自慳，教人慳，慳因、慳縁、慳法、慳業。而菩薩見一切貧窮人來乞者，隨前人所須，一切給與。而菩薩以悪心、瞋心，乃至不施一錢、一針、一草，有求法者，不爲説一句、一偈、一微塵許法，而反更罵辱者，是菩薩波羅夷罪。

《一、最古形（批判校訂版）》【Ⅸ】

若佛子，①自瞋，教人瞋，瞋因、瞋業、瞋法、瞋縁。②而菩薩應生一切衆生中善根無諍之事，常生悲心，③而反更於一切衆生中，乃至於非衆生中，以惡口罵辱，加以手打，及以刀杖，④意猶⑤不息，前人求⑥悔，善言懺謝，猶瞋不解，⑦是菩薩波羅夷罪。⑧

〔校勘〕①若佛子 BNDTFHK1JK2TaLPSQYMnMA，菩薩若 C。 ②瞋因瞋業瞋法瞋縁 CBNDTK1PSQY，瞋因瞋縁瞋法瞋業 FHT*JK2TaLMnMA。 ③悲心 CBNDTFK2P，慈悲心 K1SQMnM，悲心孝順心 H。慈悲心孝順心 JTaLA。 ④杖 CBNDFHK1JK2TaLMnA，仗 TPSQYM。 ⑤猶 BNTHK1JK2TaLLPSQYMnMA，由 F。 ⑥求 CBNDFHT*K1JK2TaLPSQYMnMA，未 T。 ⑦不解 CBNDTHK1Q，不解者 FB*JK2TaLPSYMnMA。 ⑧C菩薩若自瞋，教人瞋，瞋因、瞋業、瞋法、瞋縁。而菩薩應生一切衆生中善根無諍之事，常生悲心。而反更於一切衆生中，乃至非衆生中，以惡口罵辱，加以手打，及以刀杖，意猶不息，前人求悔，善言懺謝，猶瞋不解，是菩薩波羅夷罪。 D『法苑珠林』若佛子，自瞋，教人瞋，瞋因、瞋業、瞋法、瞋縁。而菩薩應生一切衆生中善根無諍之事，常生悲心。而反更於一切衆生中，乃至於非衆生中，以惡口罵辱，加以手打，及以刀杖，意猶不息，前人求悔，善言懺謝，猶瞋不解，是菩薩第九波羅夷罪。
（五三・九三七下）

《二、天平勝寶九歳寫本》（七五七年） 若佛子，自瞋，教人瞋，瞋因、瞋業、瞋法、瞋縁。而菩薩應生一切衆生中善根無諍之事，常生悲心，而反更於一切衆生中，乃至於非衆生中，以惡口罵辱，加以手打，及以刀仗，意猶不息，前人未悔，善言懺謝，猶瞋不解，是菩薩波羅夷罪。

《三、房山石經唐刻》（八世紀前半頃）若佛子，自瞋，教人瞋，瞋因、瞋縁、瞋法、瞋業。而菩薩應生一切衆生中善根無諍之事，常生悲心，而反更於一切衆生中，乃至於非衆生中，以惡口罵辱，加以□□，□□刀杖，意由不息，前人求悔，善言懺謝，猶瞋不解者，是菩薩波羅夷罪。

《四、法隆寺本》（九世紀）若佛子，自瞋，教人瞋，瞋因、瞋縁、瞋法、瞋業。而菩薩應生一切衆生善根無諍之事，常生悲心、孝順心，而反更於一切衆生中，乃至於非衆生中，以惡口罵辱，加以手打，及以刀杖，意猶不息，前人求悔，善言懺謝，猶瞋不解，是菩薩波羅夷罪。

《五、高麗藏初雕本》（十一世紀）若佛子，自瞋，教人瞋，瞋因、瞋業、瞋法、瞋縁。而菩薩應生一切衆生中善根無諍之事，常生慈悲心，而反更於一切衆生中，乃至於非衆生中，以惡口罵辱，加以手打，及以刀杖，意猶不息，前人求悔，善言懺謝，猶瞋不解，是菩薩波羅夷罪

《六、毘盧藏（開元寺版）》（十二世紀）若佛子，自瞋，教人瞋，瞋因、瞋業、瞋法、瞋縁。而菩薩應生一切衆生中善根無諍之事，常生悲心，而反更於一切衆生中，乃至於非衆生中，以惡口罵辱，加以手打，及以刀仗，意猶不息，前人求悔，善言懺謝，猶瞋不解，是菩薩波羅夷罪。

《七、高麗藏再雕本》（十三世紀前半）若佛子，自瞋，教人瞋，瞋因、瞋縁、瞋法、瞋業。而菩薩應生一切衆生中善根無諍之事，常生悲心，而反更於一切衆生中，乃至於非衆生中，以惡口罵辱，加以手打，及以刀杖，意猶不息，前人求悔，善言懺謝，猶瞋不解者，是菩薩波羅夷罪。

《一、最古形（批判校訂版）》【X】

若佛子①，自謗三寶，教人謗三寶，謗因、謗業、謗法、謗縁②。而菩薩見外道及以惡人一言謗佛音聲，如三百鉾刺心，況口自謗，不生信心、孝順③心，而反更助惡人④、邪⑤見人謗⑥，是菩薩波羅夷罪。⑦

〔校勘〕①若仏子 BNDTFHK1JK2TaLPSQYMnMA，菩薩若 C。 ②謗因謗業謗法謗縁 CBNDTK1PSQY，謗因謗縁謗法謗業 FT*JK2TaLMnMA。 ③孝順 BNDTFHK1JK2TaLPSQYMnMA，孝從 C。 ④惡人 CBNDTFK1JK2TaLPSQYMnMA，一切悪人 H。 ⑤邪 CDK1JK2TaLPSQYMnMA，耶 BNTH。 ⑥謗 CBNDTHK1PSQY，謗者 FB*JK2TaLMnMA。 ⑦C菩薩若自謗三寶，教人謗三寶，謗因、謗業、謗法、謗縁。而菩薩見外道及以惡人一言謗佛音聲，如三百鉾刺心。況口自謗不生信心、孝從心。而反更助惡人、耶見人謗，是菩薩波羅夷罪。 D『法苑珠林』若佛子，自謗三寶，教人謗三寶，謗因、謗業、謗法、謗縁。而菩薩見外道及以惡人一言謗佛音聲，如三百鉾刺心，況口自謗不生信心、孝順心，而反更助惡人，邪見人謗，是菩薩第十波羅夷罪。（五三・九三七下）

《二、天平勝寶九歳寫本》（七五七年）

若佛子，自謗[三]寶，教人謗三寶，因レ謗、謗業、謗法、謗縁。[而]菩薩見外及レ道以惡[人][一][言][謗]□音聲，如三百鉾刺[心]，況口自謗，□□信心、[孝]順心，而反更助惡人、耶見人謗，是菩薩波羅夷罪。

《三、房山石經唐刻》（八世紀前半頃）

若佛子，自謗三寶，教人謗三寶，謗因、謗縁、謗法、謗業。而菩薩見外道及以惡人一言謗[佛][音]□，如三百鉾刺[心]，□□□□，[不]生信心、孝順心，而反更助惡人、邪見人謗者，是菩薩波羅夷罪。

《四、法隆寺本》（九世紀）

若佛子，自謗三寶，教人謗三寶，謗因、謗縁、謗法、謗業。而菩薩見外道及以悪人一言謗佛音聲，如三百鉾刺心，況口自謗，不生信心、孝順心，而反更助一切悪人、耶見人謗，是菩薩波羅夷罪。

《五、高麗藏初雕本》（十一世紀）

若佛子，自謗三寶教人謗三寶。謗因、謗業、謗法、謗縁。而菩薩見外道及以悪人一言謗佛音聲，如三百鉾刺心，況口自謗，不生信心、孝順心，而反更助悪人、邪見人謗，是菩薩波羅夷罪。

《六、毘盧藏（開元寺版）》（十二世紀）

若佛子，自謗三寶，教人謗三寶，謗因、謗業、謗法、謗縁。而菩薩見外道及以悪人一言謗佛音聲，如三百鉾刺心，況口自謗，不生信心、孝順心，而反更助悪人、邪見人謗，是菩薩波羅夷罪。

《七、高麗藏再雕本》（十三世紀前半）

若佛子，自謗三寶，教人謗三寶，謗因、謗縁、謗法、謗業。而菩薩見外道及以悪人一言謗佛音聲，如三百鉾刺心，況口自謗，不生信心、孝順心，而反更助悪人、邪見人謗者，是菩薩波羅夷罪。

《一、最古形（批判校訂版）》

善學諸人者①，是菩薩十波羅提木叉應當學②。於中不應一一犯如③微塵許，何況具足犯十戒。若有犯者，不得現身發菩提心④，亦失國王位、轉輪王位⑤，亦失比丘、比丘尼位，（続）

〔校勘〕①善學諸人 B N F H K1 P S Q，如是善學諸人 T，善學諸仁 T* J K2 Ta L Mn M A，若善學請人 D。②應當學 D T F H K2 P S Q Y Mn M A，戒應當 F，應當 B N K1 J Ta L。③如 B F H T* K1 J K2 Ta L P S Q Y Mn M A，如是 N T。④不得現身發菩提 B H T* J K2 Ta L P S Q Y Mn M A，不得現身發菩薩 N T K1，不□□現身□菩薩 F。⑤轉 B N T H K1 J K2 Ta P S Q Y Mn M A，亦失轉 F，失轉 L。

《二、天平勝寶九歳寫本》（七五七年）

如是善學諸人者，是菩薩十波羅提木叉應當學。於中不應一一犯如是微塵許，何況具足犯十戒。若有犯者，不得現身發菩薩心，亦失國王位、轉輪王位，亦失比丘、比丘尼位，

《三、房山石經唐刻》（八世紀前半頃）

善學諸人者，是菩薩十波羅提木叉戒戒應當。於中不應一一犯如微塵許，何況具足犯十戒。若有犯者，不□□現身□菩薩心，亦失國王位，亦失轉輪王位，亦失比丘、比丘尼位，

《四、法隆寺本》（九世紀）

善學諸人者，是菩薩十波羅提木叉應當學。於中不應一一犯如微塵許，何況具足犯十戒。若有犯者，不得現身發菩提心，亦失國王位、轉輪王位，亦失比丘、比丘尼位，

《五、高麗藏初雕本》（十一世紀）

善學諸人者，是菩薩十波羅提木叉應當學。於中不應一一犯如微塵許，何況具足犯十戒。若有犯者，不得現身發菩提心，亦失國王位、轉輪王位，亦失比丘、比丘尼位，

《六、毘盧藏（開元寺版）》（十二世紀）

善學諸人者，是菩薩十波羅提木叉應當學。於中不應一一犯如微塵許，何況具足犯十戒。若有犯者，不得現身發菩提心，亦失國王位、轉輪王位，亦失比丘、比丘尼位，

《七、高麗藏再雕本》（十三世紀前半）

善學諸仁者，是菩薩十波羅提木叉應當學。於中不應一一犯如微塵許，何況具足犯十戒。若有犯者，不得現身發菩提心，亦失國王位、轉輪王位，亦失比丘、比丘尼位，

《一、最古形（批判校訂版）》

失①十發趣②、十長養、十金剛、十地、佛性常住③妙果，一切皆墮④三惡道中，二劫、三劫⑤不聞父母、三寶名字。以是不應一一犯。汝等一切諸菩薩⑥今學、當學、已學，《續》

〔校勘〕①失 BNK1J，亦失 TFHB*JK2TaLPSQYMnMA。②趣 BNFHT*K1JK2TaLPSQYMnMA，赴 T。③常住 BNTFK1JK2TaLPSQYMnMA，常位 H。④皆墮 BNTPSQ，皆失墮 FHB*T*K1JK2TaLMnMA。★P大正藏校勘は誤り。⑤二劫三劫 NTFHB*K1JK2TaLPSQYMnMA，若一劫二劫三劫 B。⑥［參考］「汝等一切諸菩薩，□□一□諸菩薩」F。

《二、天平勝寶九歲寫本》（七五七年）

亦失十發赴、十長養、十金剛、十地、佛性常住妙果，一切皆墮三惡道中，二劫、三劫不聞父母、三寶名字。以是不應一一犯。汝等一切諸菩薩今學、當學、已學，

《三、房山石經唐刻》（八世紀前半頃）

亦失十發趣、十長養、十金剛、十地、佛性常住妙果，一切皆失墮三惡道中，二劫、三劫不聞父母、三寶名字。以是不應一一□。□□一□諸菩薩今學、當學、已學，

《四、法隆寺本》（九世紀）
亦失十發趣、十長養、十金剛、十地、佛性常位妙果，一切皆失墮三惡道中，二劫、三劫不聞父母、三寶名字。以是不應一一犯。汝等一切諸菩薩今學、當學、已學，

《五、高麗藏初雕本》（十一世紀）
亦失十發趣、十長養、十金剛、十地、佛性常住妙果，一切皆失墮三惡道中，二劫、三劫不聞父母、三寶名字。以是不應一一犯。汝等一切諸菩薩今學、當學、已學，

《六、毘盧藏（開元寺版）》（十二世紀）
亦失十發趣、十長養、十金剛、十地、佛性常住妙果，一切皆墮三惡道中，二劫、三劫不聞父母、三寶名字。以是不應一一犯。汝等一切諸菩薩今學、當學、已學，

《七、高麗藏再雕本》（十三世紀前半）
亦失十發趣、十長養、十金剛、十地、佛性常住妙果，一切皆失墮三惡道中，二劫、三劫不聞父母、三寶名字。以是不應一一犯。汝等一切諸菩薩今學、當學、已學，

《一、最古形（批判校訂版）》

是①十戒應當學，敬心奉持②。「八萬威儀品」當廣明③④。

佛告諸菩薩言，已説十波羅提木叉竟。四十八輕今當説⑤。

〔校勘〕①是 BNTHPSQY Mn M，如是 F B* T* K1 J K2 Ta L A。②奉持 NTFHB* K1 J K2 Ta L P S Q Y Mn M A，奉 B。③八萬威儀品當廣明 NDTFHK1 K2 L P S Q Y Mn M A，〈八萬威儀品當廣明〉J Ta，八萬威儀品當明 B。〔參考〕『菩薩戒義疏』「八萬威儀品當説」。④D 道世『法苑珠林』若善學諸人者，是菩薩十波羅提木叉應當學。於中不應一一犯，如微塵許。何況具足犯十戒。若有犯者，不得現身發菩提心。亦失國王位、轉輪王位，亦失比丘、比丘尼位，失十發趣、十長養、十金剛、十地、佛性常住妙果。一切皆失墮三悪道中，二劫三劫不聞父母、三宝名字。以是不應一一犯。汝等一切諸菩薩，今學、當學、已學。是十戒應當學，敬心奉持。「八萬威儀品」，當廣明。（五三・九三七下～九三八上）⑤四十八輕今當説 BNFHT* K1 J K2 Ta L P S Q Y Mn M A，今問諸大衆是中清淨不〈如是三説〉／諸大衆是中清淨默然故是事如是持佛告諸菩薩布薩諸大衆是四十八輕法半月半月戒經今當説 T。

《二、天平勝寶九歳寫本》（七五七年）

是十戒應當學，敬心奉持。八萬威儀品當廣明。

佛告諸菩薩言，已説十波羅提木叉竟。今問，諸大衆是中清淨不〈如是三説〉。諸大衆，是中清淨，默然故是事□是持。佛告，諸菩薩布薩諸大衆，是四十八輕法，半月半月戒經今當説。

《三、房山石經唐刻》（八世紀前半頃）

是十戒應當學，敬心奉持。八萬威儀品當廣明。

佛告諸菩薩言，已説十波羅提木叉竟。四十八輕今當説。

《四、法隆寺本》（九世紀）
是十戒應當學，敬心奉持。八萬威儀品當廣明。
佛告諸菩薩言，已説十波羅提木叉竟。四十八輕今當説。

《五、高麗藏初雕本》（十一世紀）
如是十戒應當學，敬心奉持。八萬威儀品當廣明。
佛告諸菩薩言，已説十波羅提木叉竟。四十八輕今當説。

《六、毘盧藏（開元寺版）》（十二世紀）
是十戒應當學，敬心奉持。八萬威儀品當廣明。
佛告諸菩薩言，已説十波羅提木叉竟。四十八輕今當説。

《七、高麗藏再雕本》（十三世紀前半）
如是十戒應當學，敬心奉持。八萬威儀品當廣明。
佛告諸菩薩言，已説十波羅提木叉竟。四十八輕今當説。

《一、最古形（批判校訂版）》【1-1】

若佛子，①欲受國王位時、受轉輪王位時、百官受位時，應先受菩薩戒。一切鬼神救護王身、百官之身，諸佛歡喜。既得戒已，生②孝順心③、恭敬心，見上座④、和上⑤、阿闍梨、大同學⑥，（続）

〔校勘〕①若佛子 BNTFHK1JLPSQYMnMA，佛言若佛子 K2，佛言佛子 Ta。②生 BNFHK1JK2TaLPSQYMnMA，應生 T。③孝順心 BFHTK1JK2TaLPSQYMnMA，孝順 N。④上座 FHK1JK2LPSQYMnMA，上坐 BNT，尚座 Ta。⑤和上 BNTHK1K2PSQY，和尚 FJTaLMnMA。⑥大同學 BN，大同學同見同行者 TFHK1JK2TaLP，大同學同見同行者應起 B*，大德同學同見同行者 SQYMnMA。一〇八頁〔校勘〕①参照。

《二、天平勝寶九歲寫本》（七五七年）

若佛子，欲受國王位時、受轉輪王位時、百官受位時，應先受菩薩戒。一切鬼神救護王身、百官之身，諸佛歡喜。
既得戒已，應生孝順心、恭敬心，見上坐、和上、阿闍梨、大同學、同見同行者，

《三、房山石經唐刻》（八世紀前半頃）

若佛子，欲受國王位時、受轉輪王□□、□官受位時，應先受菩薩戒。一切鬼神救護王身、百官之身，諸佛歡喜。
既得戒已，生孝順心、恭敬心，見上座、和尚、阿闍梨、大同學、同見同行者，應起承迎，禮拜問訊，

《四、法隆寺本》（九世紀）

若佛子，欲受國王位時、受轉輪王位時、百官受位時，應先受菩薩戒。一切鬼神救護王身、百官之身，諸佛歡喜。

既得戒已，生孝順心、恭敬心，見上座、和上、阿闍梨、大同學、同見同行者，應起承迎，禮拜問訊，

《五、高麗藏初雕本》（十一世紀）

若佛子，欲受國王位時、受轉輪王位時、百官受位時，應先受菩薩戒。一切鬼神救護王身、百官之身，諸佛歡喜。

既得戒已，生孝順心、恭敬心，見上座、和上、阿闍梨、大同學、同見同行者，應承迎，禮拜問訊，

《六、毘盧藏（開元寺版）》（十二世紀）

若佛子，欲受國王位時、受轉輪王位時、百官受位時，應先受菩薩戒。一切鬼神救護王身、百官之身，諸佛歡喜。

既得戒已，生孝順心、恭敬心，見上座、和上、阿闍梨、大同學、同見同行者，

《七、高麗藏再雕本》（十三世紀前半）

佛言，若佛子，欲受國王位時、受轉輪王位時、百官受位時，應先受菩薩戒。一切鬼神救護王身、百官之身，諸佛歡喜。既得戒已，生孝順心、恭敬心，見上座、和上、阿闍梨、大同學、同見同行者，應起承迎，禮拜問訊，

《一、最古形（批判校訂版）》【1-2】

不起迎禮拜，①一一不如法，——供養以自賣身、國城、男女、七寶、百物，而供給之——，若不爾者，犯輕垢罪。②

〔校勘〕① 不起迎禮拜 BN，不起承迎禮拜 B*P，而菩薩反生憍心癡心慢心不起迎禮 T，而菩薩反生憍心癡心慢心不起迎送禮拜 D，應起承迎禮拜問訊而菩薩反生憍心癡心慢心不起承迎禮拜問訊 T*，應起承迎禮拜問訊而菩薩反生憍心慢心癡心瞋心不起承迎禮拜 HJMnMA，應起承迎禮拜問訊而菩薩反生憍心癡心慢心不起承迎禮拜 F，應承迎禮拜問訊而菩薩反生憍心癡心慢心不起承迎禮拜 K1LSY，應起承迎禮拜問訊而菩薩反生憍心慢心癡心不起承迎禮拜 K2，應起承迎禮拜問訊而菩薩反生憍心癡心慢心瞋心不起承迎禮拜 TaQ。② D『法苑珠林』若佛子，太子欲受國王位時、受轉輪王位時、百官受位時，應先受菩薩戒。一切鬼神救護王身、百官之身，諸佛歡喜。既得戒已，生孝順心、恭敬心，見上座、和尚、阿闍梨、大同學、同見同行者，而菩薩反生憍心、癡心、慢心，不起迎送禮拜，一一不如法。若欲供養時，以自賣身、國城、男女、七寶、百物，而供給之，若不爾者，犯輕垢罪。（五三・九三九下～九四〇上）

《二、天平勝寶九歲寫本》（七五七年）

而菩薩反生憍心、癡心、慢心，不起迎禮拜，一一不如法，供養以自賣身、國城、男女、七寶、百物，而供給之，若不爾者，犯輕垢罪。

《三、房山石經唐刻》（八世紀前半頃）

而菩薩反生憍心、癡心、慢心，不起承迎禮拜，一一不如法，供養以自賣身、國城、男女、七寶、百物，而供給之，若不爾者，犯輕垢罪。

《四、法隆寺本》（九世紀）

而菩薩反生憍心、慢心、癡心、瞋心，不起承迎禮拜，一一不如法，供養以自賣身、國城、男女、七寶、百物，而供給之，若不爾者，犯輕垢罪。

《五、高麗藏初雕本》（十一世紀）

而菩薩反生憍心、慢心、瞋心，不起承迎禮拜，一一不如法，供養以自賣身、國城、男女、七寶、百物，而供給之，若不爾者，犯輕垢罪。

《六、毘盧藏（開元寺版）》（十二世紀）

不起承迎禮拜，一一不如法，供養以自賣身、國城、男女、七寶、百物，而供給之，若不爾者，犯輕垢罪。

《七、高麗藏再雕本》（十三世紀前半）

而菩薩反生憍心、慢心、癡心，不起承迎禮拜，一一不如法，供養以自賣身、國城、男女、七寶、百物，而供給之，若不爾者，犯輕垢罪。

《一、最古形（批判校訂版）》【2】

若佛子，故飲酒，而生酒①過失無量②。若自身手過酒器，與人飲酒者，五百世無手，何況自飲③。不得教一切人飲，及一切衆生飲酒，況自飲酒④。若故自飲，教人飲⑤，犯輕垢罪。

〔校勘〕①生酒　BNTFHK1JK2TaLPSQYMnM，酒生　A。②無量　BNHT*K1JK2TaLPSQYMnMA，無量罪　T，無量威儀　F。③D『法苑珠林』若自身手過酒器與人飲酒者，五百世中無手，何況自飲。不得教一切人飲及　切衆生飲酒，況自飲酒。（五三・九七二中＝D『諸經要集』五四・一五七中〜下）④飲酒況自飲酒　BNDTFK2LPSQY，飲酒況自飲酒一切酒不得飲　HK1SQYMnMA，飲酒　Ta。⑤教人飲　BNPSQ，教人飲者　FHB*K1JK2TaLMnMA，若教人飲者　T。

《二、天平勝寶九歲寫本》（七五七年）

若佛子，故飲酒，而生酒過失無量罪。若自身手過酒器，與人飲酒者，五百世無手，何況□飲。不得教一切人飲，及一切衆□飲酒，況自飲酒。若故自飲，若教人飲者，犯輕垢罪。

《三、房山石經唐刻》（八世紀前半頃）

若佛子，故飲酒，而生酒過失無量威儀。若自身手過酒器，與人飲酒者，五百世無手，何況□飲。不得教一切人飲，及一切衆生飲酒，況自飲酒。若故自飲，教人飲者，犯輕垢罪。

《四、法隆寺本》（九世紀）

若佛子，故飲酒，而酒生過失無量。若自身手過酒器，與人飲酒者，五百世無手，何況自飲。不得教一切人飲，及一切衆生飲酒，況自飲酒。一切酒，不得飲。若故自飲，教人飲者，犯輕垢罪。

《五、高麗藏初雕本》（十一世紀）
若佛子，故飲酒，而生酒過失無量。若自身手過酒器，與人飲酒者，五百世無手，何況自飲。不得教一切人飲，及一切衆生飲酒，況自飲酒。一切酒，不得飲。若故自飲，教人飲，犯輕垢罪

《六、毘盧藏（開元寺版）》（十二世紀）
若佛子，故飲酒，而生酒過失無量。若自身手過酒器，與人飲酒者，五百世無手，何況自飲。不得教一切人飲，及一切衆生飲酒，況自飲酒。若故自飲，教人飲，犯輕垢罪。

《七、高麗藏再雕本》（十三世紀前半）
若佛子，故飲酒，而生酒過失無量。若自身手過酒器，與人飲酒者，五百世無手，何況自飲。不得教一切人飲，及一切衆生飲酒，況自飲酒。若故自飲，教人飲者，犯輕垢罪。

參考ａ　義寂『菩薩戒本疏』「『而生酒過失無量罪』者，雖非性惡，而能開性惡，故云『過失無量』」。（四〇・六七一下）
參考ｂ　智周『梵網經菩薩戒本疏』「『若佛子故飯（飲）酒而生酒過失無量善』者，……今初、舉犯過者，而此經本傳來既久，有本云『故飯（飲）酒而生酒過失無量』，又有本云加一『善』字，云『失無量善』〈學者應知〉。今依『失無量善』本釋之，言『故飲酒』者，簡癡犯無故也。『失無量善』者，以過多多故，一切善失也。（續藏一、六〇、二、一六八裏下～一六九表上）

《一、最古形（批判校訂版）》【3】

若佛子，故食肉，——一切肉①不得食——，斷②大慈悲性③種子，一切衆生見而捨去。是故④一切菩薩不得食一切衆生肉。食肉得無量罪。若故食⑤，犯輕垢罪。

〔校勘〕①肉 BNTFK1JK2TaLPSQYMnM，衆生肉 HA。②斷 BNTFK1JK2TaLPSQY，夫食肉者斷 HMnMA。③慈悲性 BNTFHJK2TaL，慈悲佛性 B*K1SQYMnMA，慈〈悲佛〉性 P。④是故 BNHFK1JK2TaLPSQYMnMA，[是] 故 T。⑤若故食 NTK1，故食 B，若故食者 TFHB*JK2TaLPSQYMnMA。

《二、天平勝寶九歲寫本》（七五七年）

若佛子，故食肉，一切肉不得食，斷大慈悲性種子，一切衆生見而捨去。故一切菩薩不得食一切衆生肉。食肉得無量罪。若故食者，犯輕垢罪。

《三、房山石經唐刻》（八世紀前半頃）

若佛子，故食肉，一切肉不得食，斷大慈悲性種子，一切衆生見而捨去。是故一切菩薩不得食一切[衆]□[肉]。食肉得無量罪。若故食者，犯輕垢罪。

《四、法隆寺本》（九世紀）

若佛子，故食肉，一切衆生肉不得食。夫食肉者，斷大慈悲性種子，一切衆生見而捨去。故一切菩薩不得食一切衆生肉。食肉得無量罪。若故食者，犯輕垢罪。

《五、高麗藏初雕本》（十一世紀）

若佛子，故食肉，一切肉不得食，斷大慈悲佛性種子，一切衆生見而捨去。故一切菩薩不得食一切衆生肉。食肉得無量罪。若故食，犯輕垢罪

《六、毘盧藏（開元寺版）》（十二世紀）

若佛子，故食肉，一切肉不得食，斷大慈悲佛性種子，一切衆生見而捨去。故一切菩薩不得食一切衆生肉。食肉得無量罪。若故食者，犯輕垢罪。

《七、高麗藏再雕本》（十三世紀前半）

若佛子，故食肉，一切肉不得食，斷大慈悲性種子，一切衆生見而捨去。是故一切菩薩不得食一切衆生肉。食肉得無量罪。若故食者，犯輕垢罪。

《一、最古形（批判校訂版）》【4】

若佛子，不得食五辛。大蒜①、革葱②、慈葱、蘭葱、興渠③，是五種④，一切食中不得食。故食者⑤，犯輕垢罪。

〔校勘〕①慧琳『一切經音義』「大蒜」〈蘇亂反。顧野王，所謂葫蒜者，爲大蒜也。『説文』，葷菜，從艸祘聲。葫音胡。祘音同上〉。（五四・六〇七中）②慧琳『一切經音義』革荵〈上，庚戹反。『爾雅』云，茖，山荵也。『郭注』云，今山中多有此菜，細莖大葉也。『説文』，從艸從格省聲也〉。（五四・六〇七中）③革葱慈葱蘭葱興渠 BNFHK1JK2Ta，革荵慈荵蘭荵興渠 T，茖荵慈荵蘭荵興渠 L，革葱慈葱蘭葱興蕖 QYM，茖葱慈葱蘭葱興渠 A，茖葱慈葱蘭葱興蕖 Mn，韮薤興蕖 P。★P大正藏校勘は誤り。　慧琳『一切經音義』興渠〈梵語，阿魏藥也〉。（五四・六〇七中）④五種 BNTFK1JK2TaLPSQYMn M，五種物 B*，五辛 HA。⑤故食者 BN，若故食者 TFHB*K1JK2TaLPSQYMnMA。

《二、天平勝寶九歳寫本》（七五七年）

若佛子，不得食五辛。大蒜、革葱、慈葱、蘭葱、興渠，是五種，一切食中不得食。若故食者，犯輕垢罪。

《三、房山石經唐刻》（八世紀前半頃）

若佛子，不得食五辛。大蒜、革葱、慈葱、蘭葱、興渠，是五種，一切食中不得食。若故食者，犯輕垢罪。

《四、法隆寺本》（九世紀）

若佛子，不得食五辛。大蒜、革葱、慈葱、蘭葱、興渠，是五辛，一切食中不得食。若故食者，犯輕垢罪。

《五、高麗藏初雕本》（十一世紀）

若佛子，不得食五辛。大蒜、革葱、慈葱、蘭葱、興渠，是五種，一切食中不得食。若故食者，犯輕垢罪。

《六、毘盧藏（開元寺版）》（十二世紀）

若佛子，不得食五辛。大蒜、革葱、韮、薤、興蕖，是五種，一切食中不得食。故食者，犯輕垢罪。

《七、高麗藏再雕本》（十三世紀前半）

若佛子，不得食五辛。大蒜、革葱、慈葱、蘭葱、興蕖，是五種，一切食中不得食。若故食者，犯輕垢罪。

《一、最古形（批判校訂版）》【5】

若佛子，一切①衆生犯八戒、五戒、十戒、毀禁②、七逆、八難，一切犯戒罪，應教懺悔。而菩薩不教懺悔，同③住同僧利養，而共布薩④，一衆住説戒，而不舉其罪，⑤教悔過者，犯輕垢罪。

〔校勘〕①一切 BN，見一切 TFHB*K1JK2TaLPSQYMnMA。②五戒十戒毀禁 BNHTK1JK2TaLPSYMnM，毀禁 F。③同 BNTHK1PSYMnMA，共 FJK2TaL。④共布薩一衆住 BNTFTaL，共布薩同一衆住 K1JK2PSQYMnM，共布薩同一衆 A，共布薩 H。★P大正藏校勘は誤り。⑤教 BNFJK2TaL，不教 HB*K1PSYMnMA，教令 T。

《二、天平勝寶九歲寫本》（七五七年）

若佛子，見一切衆生犯八戒、五戒、十戒、毀禁、七逆、八難，一切犯戒罪，應教懺悔。而菩薩不教懺悔，同住同僧利養，而共布□[一]衆住□戒，而不舉其罪，教令悔過者，犯□□罪。

《三、房山石經唐刻》（八世紀前半頃）

若佛子，見一切衆生犯八戒、毀禁、七逆、八難，[一]□□[戒]罪，應教懺悔。而菩薩不教懺悔，共住同僧利養，而共布薩一衆生説戒，而不舉其罪，教悔過者，犯輕垢罪。

《四、法隆寺本》（九世紀）

若佛子，見一切衆生犯八戒、五戒、十戒、毀禁、七逆、八難，一切犯戒罪，應教懺悔。而菩薩不教懺悔，同住同僧利養，而共布薩説戒，而不擧其罪，不教悔過者，犯輕垢罪。

《五、高麗藏初雕本》（十一世紀）

若佛子，見一切衆生犯八戒、五戒、十戒、毀禁、七逆、八難，一切犯戒罪，應教懺悔。而菩薩不教懺悔，同住同僧利養，而共布薩同一衆住説戒，而不擧其罪，不教悔過者，犯輕垢罪。

《六、毘盧藏（開元寺版）》（十二世紀）

若佛子，見一切衆生犯八戒、五戒、十戒、毀禁、七逆、八難，一切犯戒罪，應教懺悔。而菩薩不教懺悔，同住同僧利養，而共菩薩同一衆住説戒，而不擧其罪，不教悔過者，犯輕垢罪。

《七、高麗藏再雕本》（十三世紀前半）

若佛子，見一切衆生犯八戒、五戒、十戒、毀禁、七逆、八難，一切犯戒罪，應教懺悔。而菩薩不教懺悔，共住同僧利養，而共布薩同一衆住説戒，而不擧其罪，教悔過者，犯輕垢罪。

《一、最古形（批判校訂版）》【6-1】

若佛子，見大乘法師、大乘同見同行①來入僧坊、舍宅、城邑，若百里②、千里來者，即迎來③送去，禮拜供養，日日三時供養，日食三兩金④，百味飲食、牀座⑤，供事法師，一切所須，盡給與之，常請法師三時說法，（續）

〔校勘〕①同見同行 BN，同見同行者 TB*，同學同見同行 FHK1JK2TaLPSQYMnMA，同學同見同行者 T*。②若百里 BTFHN*K1JK2TaLPSQYMnMA，若里 N。③迎來 BNP，起迎來 HTB*K1JK2TaLSQYMnMA，□迎來 F。④金 BNTFHK1JK2TaLPSQYMnMA，黄金 B*。⑤牀座 HPSQYMA，床坐 BNT，床座 K1Mn，床坐衣藥 B*，床座醫藥 FHK2，牀座醫藥 JTaL，床坐醫藥 T*。

《二、天平勝寶九歲寫本》（七五七年）

若佛子，見大乘法師、大乘同見同行者來入僧坊、舍宅、城邑，若百里、千里來者，即起迎來送去，禮拜供養，日日三時供養，日食三兩金，百味飲食、床坐，供事法師，一切所須，盡給與之，常請法師三時說法，

《三、房山石經唐刻》（八世紀前半頃）

若佛子，見大乘法師、大乘同學同見同行來入僧坊、舍宅、城邑，若百里、千里□者，□起迎來送去，禮拜供養，日日三時供養，日食三兩金，百味飲食、床座、醫藥，供事法師，一切所須，盡給與之，常請法師三時說法，

《四、法隆寺本》（九世紀）
若佛子，見大乘法師、大乘同學同見同行來入僧坊、舍宅、城邑，若百里、千里來者，即起迎來送去，禮拜供養，日日三時供養，日食三兩金，百味飲食、牀座、醫藥，供事法師，一切所須，盡給與之，常請法師三時說法，

《五、高麗藏初雕本》（十一世紀）
若佛子，見大乘法師、大乘同學同見同行來入僧坊、舍宅、城邑，若百里、千里來者，即起迎來送去，禮拜供養，日日三時供養，日食三兩金，百味飲食、床座，供事法師，一切所須，盡給與之，常請法師三時說法，

《六、毘盧藏（開元寺版）》（十二世紀）
若佛子，見大乘法師、大乘同學同見同行來入僧坊、舍宅、城邑，若百里、千里來者，即迎來送去，禮拜供養，日日三時供養，日食三兩金，百味飲食、牀座，供事法師，一切所須，盡給與之，常請法師三時說法，

《七、高麗藏再雕本》（十三世紀前半）
若佛子，見大乘法師、大乘同學同見同行來入僧坊、舍宅、城邑，若百里、千里來者，即起迎來送去，禮拜供養，日日三時供養，日食三兩金，百味飲食、床座、醫藥，供事法師，一切所須，盡給與之，常請法師三時說法，

《一、最古形（批判校訂版）》【6-2】【7-1】

日日三時禮拜，不生瞋心、患惱之心，爲法滅身請法①。若不爾者，犯輕垢罪。②
若佛子，一切處有講法毘尼③經律，大宅舍中④講法處⑤，是新學菩薩持⑥經律卷，至法師所，《続》

〔校勘〕①請法 BNTFHJTaL，請法不懈 K1K2PSQYMnMA。②D『法苑珠林』若佛子，見大乘法師、同見同行來入僧坊、舍宅、城邑，若百里、千里來者，即迎來、送去、禮拜、供養，日日三時供養，日食三兩金、百味飲食、床座，供養法師，一切所須，盡給與之，常請法師三時説法，日日三時禮拜，不生瞋心、患惱之心，爲法滅身請法。若不爾者，犯輕垢罪。（五三・四六四上～中＝D『諸經要集』五四・一四中）③法毘尼 BNTFHK1JTaLPSQYMnMA，毘尼 K2。④中 BNTFK1JK2TaLPSQMnM，中有 HB*A。⑤處 THK1JK2TaLPQYMnMA，之[處] F。⑥持 BNP，應持 TFHB*K1JK2TaLSQYMnMA。★P大正藏校勘は誤り。

《二、天平勝寶九歳寫本》（七五七年）

日日三時禮拜，不生瞋心、患惱之心，爲法滅身請法。若不爾者，犯輕垢罪。
若佛子，一切處有講法毘尼經律，大宅舍中講法處，是新學菩薩應持經律卷，至法師所，

《三、房山石經唐刻》（八世紀前半頃）

日日[三]□□□，□[生][瞋][心]、患惱之心，爲法滅身請法。若不爾者，犯輕垢罪。
若佛子，一切處有講法毘尼經律，大宅舍中講法之[處]，是新學菩薩應持經律卷，至法師所，

《四、法隆寺本》（九世紀）

日日三時禮拜，不生瞋心、患惱之心，爲法滅身請法。若不爾者，犯輕垢罪。

若佛子，一切處有講法毘尼經律，大宅舍中有講法處，是新學菩薩應持經律卷，至法師所，

《五、高麗藏初雕本》（十一世紀）

日日三時禮拜，不生瞋心、患惱之心，爲法滅身請法不懈。若不爾者，犯輕垢罪。

若佛子，一切處有講法毘尼經律，大宅舍中講法處，是新學菩薩應持經律卷，至法師所，

《六、毘盧藏（開元寺版）》（十二世紀）

日日三時禮拜，不生瞋心、患惱之心，爲法滅身請法不懈。若不爾者，犯輕垢罪。

若佛子，一切處有講法毘尼經律，大宅舍中講法處，是新學菩薩持經律卷，至法師所，

《七、高麗藏再雕本》（十三世紀前半）

日日三時禮拜，不生瞋心、患惱之心，爲法滅身請法不懈。若不爾者，犯輕垢罪。

若佛子，一切處有講毘尼經律，大宅舍中講法處，是新學菩薩應持經律卷，至法師所，

《一、最古形（批判校訂版）》【7—2】【8】

聽受諮問，若山林樹下、僧地①房中，一切説法處，悉至聽受。若不至彼聽受者②，犯輕垢罪。

若佛子，心背大乘常住經③律，言非佛説，而受持二乘聲聞④外道惡見、一切禁戒、⑤邪見經律者，犯輕垢罪。

〔校勘〕①僧地　BNFHK1JK2TaLPSQYMnMA，僧　T。　②聽受者　BNFHK1JK2TaLPSQYMnM，聽受諮問者　TA。　③經　BNTHK1JK2TaLPSQYMnMA，輕　F。　④二乘聲聞　BNTHK1JK2TaPSQYMnMA，二乘　FL。　⑤邪　FJK2TaLPSQYMnMA，耶　BNTH。

《二、天平勝寶九歲寫本》（七五七年）

聽受諮問，若山林樹下、僧房中，一切説法處，悉至聽受。若不至彼聽受者，犯輕垢罪。

若佛子，心背大乘常住經律，□非佛説，而受持二乘聲聞外道惡見、一切禁戒、耶見經律者，犯輕垢罪。

《三、房山石經唐刻》（八世紀前半頃）

聽受諮問，若山林樹下、僧地房中，一□説法處，悉至聽受。若不至彼聽受者，犯輕垢罪。

若佛子，心背大乘常住經律，言非佛説，而受持二乘外道惡見、一□禁戒、邪見經律者，犯輕垢罪。

《四、法隆寺本》（九世紀）
聽受諮問，若山林樹下、僧地房中，一切説法處，悉至聽受。若不至彼聽受諮問者，犯輕垢罪。
若佛子，心背大乘常住輕律，言非佛説，而受持二乘外道惡見、一切禁戒、耶見經律者，犯輕垢罪。

《五、高麗藏初雕本》（十一世紀）
聽受諮問，若山林樹下、僧地房中，一切説法處，悉至聽受。若不至彼聽受者，犯輕垢罪。
若佛子，心背大乘常住經律，言非佛説，而受持二乘聲聞外道惡見、一切禁戒、邪見經律者，犯輕垢罪。

《六、毘盧藏（開元寺版）》（十二世紀）
聽受諮問，若山林樹下、僧地房中，一切説法處，悉至聽受。若不至彼聽受者，犯輕垢罪。
若佛子，心背大乘常住經律，言非佛説，而受持二乘聲聞外道惡見、一切禁戒、邪見經律者，犯輕垢罪。

《七、高麗藏再雕本》（十三世紀前半）
聽受諮問，若山林樹下、僧地房中，一切説法處，悉至聽受。若不至彼聽受者，犯輕垢罪。
若佛子，心背大乘常住經律，言非佛説，而受持二乘聲聞外道惡見、一切禁戒、邪見經律者，犯輕垢罪。

《一、最古形（批判校訂版）》【9】

若佛子，一切①疾②病人供養③如佛無異。八福田中，看病福田，第一④福田。若父母、師僧⑤、弟子病⑥，諸根不具，百種病苦惱⑦，皆養⑧令差。而菩薩以瞋恨心不至⑨僧房中⑩、城邑、曠野、山林、道路中，見病不救濟者⑪，犯輕垢罪。

〔校勘〕①一切 BNT，見一切 FHT*K1JK2TaLPSQYMnMA。②疾病 BNTFHJK2TaLPQYMnM，病 K1。③供養 BNTK1P，應供養 T*JLSQY，常應供養 FHB*K2TaMnMA。④第一 BNTFK1JK2TaLPSQYMnM，是第一 HA。⑤師僧 NTFHB*K1JK2TaLPSQYMnMA，師 B。⑥病 BNTFHK1JLPSQYMnMA，疾病 K2Ta。⑦苦惱 BNTFHK1K2PSQYMnMA，苦 JTaL。⑧養 BNTFK1JK2TaL，供養 HPSQYMnMA。⑨瞋恨心不至 BNTFH，惡心瞋心恨心不至 JTaL，惡心瞋恨不至 K2，瞋恨心不看乃至 K1PSQYMnMA。⑩僧房中 BNTFK1JK2TaLPSQYMnM，僧房 HA。⑪不救濟 BNTFHK1JTaLPSQYMnMA，不救 T*K2。

《二、天平勝寶九歳寫本》（七五七年） 若佛子，一切疾病人供養如佛無異。八福田中，看病福田，第一福田。若父母、師僧、弟子病，諸根不具，百種病苦惱，皆養令差。而菩薩以瞋恨心不至僧房中、城邑、曠野、山林、道路中，見病不救濟者，犯輕垢罪。

《三、房山石經唐刻》（八世紀前半頃） 若佛子，見一切疾病人，常應供養如佛無異。八福田中，看病福田，第一福田。若父母、師僧、弟子病，諸根不具，百種病苦惱，皆養令差。而菩薩以瞋恨心不至僧□□、城邑、曠野、山林、道路中，見病不救濟者，犯輕垢罪。

《四、法隆寺本》（九世紀）若佛子，見一切疾病人，常應供養如佛無異。八福田中，看病福田，是第一福田。若父母、師僧、弟子病，諸根不具，百種病苦惱，皆供養令差。而菩薩以瞋恨心不至僧房、城邑、曠野、山林、道路中，見病不救濟者，犯輕垢罪。

《五、高麗藏初雕本》（十一世紀）若佛子，見一切病人，供養如佛無異。八福田中，看病福田，第一福田。若父母、師僧、弟子病，諸根不具，百種病苦惱，皆養令差。而菩薩以瞋恨心不看乃至僧房中、城邑、曠野、山林、道路中，見病不救濟者，犯輕垢罪。

《六、毘盧藏（開元寺版）》（十二世紀）若佛子，見一切疾病人，供養如佛無異。八福田中，看病福田，第一福田。若父母、師僧、弟子病，諸根不具，百種病苦惱，皆供養令差。而菩薩以瞋恨心不看乃至僧房中、城邑、曠野、山林、道路中，見病不救濟者，犯輕垢罪。

《七、高麗藏再雕本》（十三世紀前半）若佛子，見一切疾病人，常應供養如佛無異。八福田中，看病福田，第一福田。若父母、師僧、弟子疾病，諸根不具，百種病苦惱，皆養令差。而菩薩以惡心瞋恨不至僧房中、城邑、曠野、山林、道路中，見病不救者，犯輕垢罪。

《一、最古形（批判校訂版）》【10-1】

若佛子，不得畜一切刀杖、闘戰弓箭、鉾斧之具、①惡網羅、②殺生之器，一切不得畜。而菩薩乃至殺父母尚不加報，況殺③一切衆生。④若故畜刀杖，⑤犯輕垢罪。

〔校勘〕①刀杖闘戰弓箭鉾斧之具 B，刀杖闘戰弓箭鉾斧之具及 B*，刀杖闘戰弓箭鉾相斧之具 N，刀仗闘戰弓箭鉾斧之具 T，刀仗弓箭鉾斧闘戰之具 T*LSQYMnM，刀杖弓箭鉾斧闘戰之具 FHK1K2A，刀仗弓箭矛斧闘戰之具 J，刀仗弓箭矛斧闘戰之具 Ta，刀杖闘戰弓箭鉾〈斧闘戰之〉具 P。★P大正藏校勘は誤り。②惡網羅 BNTFK1JK2TaL，惡羅網 PS，及惡網羅 B*T*J，及惡羅網 QYMnM，及惡網羅羂 HA（及惡網羅罥＝A）。③殺 BNTFHK1JTaLPSQYMnMA，餘 K2。④衆生 BNTFK1JK2TaLPSQYA，衆生不得畜殺衆生具 HMnM。⑤畜刀杖 BNK1，畜刀仗 TPSQY，畜刀杖者 B*，畜刀仗者 FT*，畜者 HMnMA，稸一切刀杖者 J，畜一切刀杖者 K2，稸一切刀仗等者 TaL。★M大正藏校勘は誤り。

《二、天平勝寶九歳寫本》（七五七年）

若佛子，不得畜一切刀仗、闘戰弓箭、鉾斧之具、惡網羅、殺生之器，一切不得畜。而菩薩乃至殺父母尚不加報，況殺一切衆生。若故畜刀仗，犯輕垢罪。

《三、房山石經唐刻》（八世紀前半頃）

若佛子，不得畜一切□伎、弓箭、鉾斧闘戰之具，及惡網羅、殺生之器，一切不得畜。而菩薩乃至殺父母尚不加報，況殺一切衆生。若故畜刀仗者，犯輕垢罪。

《四、法隆寺本》（九世紀）

若佛子，不得畜一切刀杖、弓箭、鉾斧鬪戰之具，及惡網羅羂、殺生之器。一切不得畜。而菩薩乃至殺父母尚不加報，況殺一切衆生，不得畜殺衆生具。若故畜者，犯輕垢罪。

《五、高麗藏初雕本》（十一世紀）

若佛子，不得畜一切刀杖、弓箭、鉾斧鬪戰之具，及惡網羅、殺生之器。一切不得畜。而菩薩乃至殺父母尚不加報，況殺一切衆生。若故畜刀杖，犯輕垢罪。

《六、毘盧藏（開元寺版）》（十二世紀）

若佛子，不得畜一切刀杖、鬪戰弓箭、鉾斧鬪戰之具，及惡羅網、殺生之器。一切不得畜。而菩薩乃至殺父母尚不加報，況殺一切衆生。若故畜刀仗，犯輕垢罪。

《七、高麗藏再雕本》（十三世紀前半）

若佛子，不得畜一切刀杖、弓箭、鉾斧鬪戰之具，及惡網羅、殺生之器。一切不得畜。而菩薩乃至殺父母尚不加報，況餘一切衆生。若故畜一切刀杖者，犯輕垢罪。

《一、最古形（批判校訂版）》【10－2】【11】

如是十戒應當學，敬心奉持。下「六六品」中廣開①。佛言②，佛子③，爲利養④、惡心故，通國使命，軍陣合會，興師相殺⑤無量衆生。而菩薩不得⑥入軍⑦中往來，況故⑧作國賊，若故作者，犯輕垢罪。

〔校勘〕①下六六品中廣開　BN，下六品廣開　T，下六品中當開明　T*，下六品中廣明　HSQ，下六度品廣明　K1，下六品中當廣開　F，〈下六品中當廣明〉　J Ta，下六品中當廣明　K2 L A，下六度品中廣開　P，下六度品中廣明　Y Mn M。〔參考〕『菩薩戒義疏』「如下六品所明」。②佛言佛子　BNT K1 J K2 Ta L P S Q Y Mn M，若佛子　F H A。③爲　BNTFHJL，不得爲　K1 K2 Ta P S Q Y Mn M A。④養　BNFH K1 J K2 Ta L P S Q Y Mn M A，養　T。⑤興師相殺　BNT，興師相伐殺　F H B* T* K1 J K2 P S Y Mn M A，興師相仗殺　Q，興兵相伐殺　Ta L。⑥不得　BNT K1 J K2 Ta L，尚不得　HP S Q Y Mn M A。⑦入軍　NTH K1 J K2 Ta L P S Q Y Mn M A，入陣　B，入軍陣　B*。⑧故　BNTFHJ K2 Ta L P S Q Y Mn M A，當故　K1。

《二、天平勝寶九歳寫本》（七五七年）

如是十戒應當學，敬心奉持。如下六品廣開。

佛言，佛子，爲利養、惡心故，通國使命，軍陣合會，興師相殺無量衆生。而菩薩不得入軍中往來，況故作國賊，

若故作者，□輕垢罪。

《三、房山石經唐刻》（八世紀前半頃）

如是十戒應當學，敬心奉持。下六品中廣開。

若□□，爲利養、惡心故，通國使命，軍陣合會，興師相伐殺無量衆生。而菩薩不得入軍中往來，況故作國賊，若

故作者，犯輕垢罪。

《四、法隆寺本》（九世紀）
如是十戒應當學，敬心奉持。下六品中廣開。
若佛子，爲利養、惡心故，通國使命，軍陣合會，興師相伐殺無量衆生。而菩薩尚不得入軍中往來，況故作國賊，
若故作者，犯輕垢罪。

《五、高麗藏初雕本》（十一世紀）
如是十戒應當學，敬心奉持。下六度品當廣明。
佛言，佛子，不得爲利養、惡心故。通國使命，軍陣合會，興師相伐殺無量衆生。而菩薩不得入軍中往來，況當故
作國賊，若故作者，犯輕垢罪。

《六、毘盧藏（開元寺版）》（十二世紀）
如是十戒應當學，敬心奉持。下六度品中廣開。
佛言，佛子，不得爲利養、惡心故，通國使命，軍陣合會，興師相伐殺無量衆生。而菩薩尚不得入軍中往來，況故
作國賊，若故作者，犯輕垢罪。

《七、高麗藏再雕本》（十三世紀前半）
如是十戒應當學，敬心奉持。下六品中當廣明。
佛言，佛子，不得爲利養、惡心故，通國使命，軍陣合會，興師相伐殺無量衆生。而菩薩不得入軍中往來，況故作
國賊，若故作者，犯輕垢罪。

《一、最古形（批判校訂版）》【12】

若佛子，故販賣良人、奴婢、六畜，市易官材①、板木、盛死之具，尚不故作，況教人作，②犯輕垢罪。

〔校勘〕①官 BNF，棺 THK1JK2TaLPSQYMnMA。②尚不故作況教人作 BNTK1，尚不故作況教人作若故作者 B*SY，故自作教人作 T*，若故自[作]□[人]作[教][人]作者 F，尚不應自作況教人作若故自作教人作者 HMA，尚不應自作況教人作若故自作教人作 Mn，若故自作教人作者 JTaL，尚不自作況教人作若故作者 K2。

《二、天平勝寶九歳寫本》（七五七年）

若佛子，故販賣良人、奴婢、六畜，市易棺材、板木、盛死之具，尚不故作，況教人作，犯輕垢罪。

《三、房山石經唐刻》（八世紀前半頃）

若佛子，故販賣良人、奴婢、六畜，市易官材、板木、盛死之具。若故自[作]，□[人]作，[教][人]作者，犯輕垢罪。

《四、法隆寺本》（九世紀）

若佛子，故販賣良人、奴婢、六畜，市易棺材、板木、盛死之具，尚不應自作，況教人作。若故自作，教人作者，犯輕垢罪

《五、高麗藏初雕本》（十一世紀）
若佛子，故販賣良人、奴婢、六畜，市易棺材、板木、盛死之具，尚不故作，況教人作，犯輕垢罪。

《六、毘盧藏（開元寺版）》（十二世紀）
若佛子，故販賣良人、奴婢、六畜，市易棺材、板木、盛死之具，尚不故作，況教人作，犯輕垢罪。

《七、高麗藏再雕本》（十三世紀前半）
若佛子，故販賣良人、奴婢、六畜，市易棺材、板木、盛死之具，尚不自作，況教人作。若故作者，犯輕垢罪。

《一、最古形（批判校訂版）》【13】

若佛子，以惡心①，無事謗他良人、善人②、法師、師僧、國王、貴人，言犯七逆、十重，父母③、兄弟④、六親中，應生孝順心、慈心⑤，而反更加於逆害，墮不如意處⑥，犯輕垢罪。

〔校勘〕①以惡心 BNTK1PQ，以惡心故 FHB*JK2TaLSYMnMA。★P大正藏校勘は誤り。②良人善人 BNTFK1JK2TaLPSQYMnMA，良善人 H。③父母 BNTHPSQYMnMA，於父母 FK1JK2TaL。④兄弟 BNTFK1JK2TaLPSQYMnMA，兄第 H。⑤慈心 BNFK1，慈悲心 THB*JK2TaLPSQYMnMA。⑥處 BNTHK1PQ，處者 FB*JK2TaLSYMnMA。

《二、天平勝寶九歲寫本》（七五七年）

若佛子，以惡心，無事謗他良人、善人、法師、師僧、國王、貴人，言犯七逆、十重，父母、兄弟、六親中，應生孝順心、慈悲心，而反更加於逆害，墮不如意處，犯輕垢罪。

《三、房山石經唐刻》（八世紀前半頃）

若佛子，以惡心故，無事謗他良人、善人、法師、師僧、國王、貴人，言犯七逆、十重，於父母、兄弟、六親中，應生孝順心、慈心，而反更加於逆害，墮不如意處者，犯輕垢罪。

《四、法隆寺本》（九世紀）

若佛子，以惡心故，無事謗他良善人、法師、師僧、國王、貴人，言犯七逆、十重，父母、兄第、六親中，應生孝順心、慈悲心，而反更加於逆害，墮不如意處，犯輕垢罪。

《五、高麗藏初雕本》（十一世紀）

若佛子，以惡心，無事謗他良人、善人、法師、師僧、國王、貴人，言犯七逆、十重，於父母、兄弟、六親中，應生孝順心、慈悲心，而反更加於逆害，墮不如意處，犯輕垢罪。

《六、毘盧藏（開元寺版）》（十二世紀）

若佛子，以惡心，無事謗他良人、善人、法師、師僧、國王、貴人，言犯七逆、十重，父母、兄弟、六親中，應生孝順心、慈悲心，而反更加於逆害，墮不如意處，犯輕垢罪。

《七、高麗藏再雕本》（十三世紀前半）

若佛子，以惡心故，無事謗他良人、善人、法師、師僧、國王、貴人，言犯七逆、十重，於父母、兄弟、六親中，應生孝順心、慈悲心，而反更加於逆害，墮不如意處者，犯輕垢罪。

《一、最古形（批判校訂版）》【14】

若佛子，以惡心故，放大火，燒①山林，燒野②，四月乃至九月放火，若燒④他人家③屋宅、城邑、僧房、田木⑤及鬼神、官物——一切有主物⑥，不得故燒——，犯輕垢罪⑦。

〔校勘〕①燒 BNTFHK1JK2TaLPSQYMnMA，焚燒 T。②燒野 BN，曠野田 B*，曠野 TFHK1JK2TaLSQYMnMA，野田 P。③家 BNTFHK1JK2TaLPSQYMnMA，居家 B*。③若燒 BNTHK1JK2TaLPSQYMnMA，燒 F。④木 BNFHT*K1JK2TaLPSQYMnMA，林 T。⑥有主物 BNTFHK1JK2TaLSQYMnMA，有王物 P。

〔參考〕『菩薩戒義疏』「一切有生物」謂有生命也。有言「『生』，誤。應言『有主物』」。若燒有主物，何但四月九月。當知作「有生」也。（四〇・五七六上）⑦犯輕垢罪 BNTK1，若故燒者犯輕垢罪 FHT*JK2TaLPSQYMnMA。

《二、天平勝寶九歲寫本》（七五七年）

若佛子，以惡心故，放大火，焚燒山林、曠野，四月乃至九月放火，若燒他人家屋宅、城邑、僧房、田林及鬼神、官物，一切有主物，不得故燒，犯輕垢罪。

《三、房山石經唐刻》（八世紀前半頃）

□佛子，以惡心故，放大火，燒山林、曠野，四月乃至九月放火，燒他人家屋宅、城邑、僧房、田木及鬼神、官物，一切有主物，不得故燒，若故燒者，犯輕垢罪。

《四、法隆寺本》（九世紀）

若佛子，以惡心故，放大火，燒山林、曠野，四月乃至九月放火，若燒他人家屋宅、城邑、僧房、田木及鬼神、官物，一切有主物，不得故燒，若故燒者，犯輕垢罪。

《五、高麗藏初雕本》（十一世紀）

若佛子，以惡心故，放大火，燒山林、曠野，四月乃至九月放火，若燒他人家屋宅、城邑、僧房、田木及鬼神、官物，一切有主物，不得故燒，犯輕垢罪。

《六、毘盧藏（開元寺版）》（十二世紀）

若佛子，以惡心故，放大火，燒山林、野田，四月乃至九月放火，若燒他人家屋宅、城邑、僧房、田木及鬼神、官物，一切有王物，不得故燒，若故燒者。犯輕垢罪。

《七、高麗藏再雕本》（十三世紀前半）

若佛子，以惡心故，放大火，燒山林、曠野，四月乃至九月放火，若燒他人家屋宅、城邑、僧房、田木及鬼神、官物，一切有主物，不得故燒，若故燒者，犯輕垢罪。

《一、最古形（批判校訂版）》【15―1】

若佛子，自佛弟子及外道、①六親、一切善知識，應一一教受②持大乘經律中教解義理，③使發菩提心，發十心，起金剛心，④一一⑤解其次第法用。⑥《續》

〔校勘〕①自佛弟子及外道　B* K1 J L P S Q Y，自佛弟子及外道人　F T* K2，自佛弟子有外道人　H，自佛子外道人　N，自佛子及外道人　B N*，自佛弟子及外道悪人　T Ta Mn M A。『菩薩戒義疏』「自佛弟子」，謂内衆。「外道」，謂外衆。「六親」、「善知識」，通内外。（四〇・五七六上）②受　B N K1 J K2 Ta L A，授　P S Q Y Mn M。③中教　B N T P S Q，中應教　F H T* J K2，教　K1 Mn M，應教　Ta L A。④發十心起金剛心　B N，十心養心十金剛心　B*，十發趣心十金剛心　T，十發趣心十長養心十金剛心　F H T* K1 J Ta L P S Q Y Mn M A，十發心十長養心十金剛心　K2。⑤一一　B N T F K1，於三十心中一一　H P S Q Y Mn M A，三十心中一一　J K2 Ta L。⑥次第法用　B N T F H K1 J K2 Ta L P S Q Y Mn M A，義理次第法用　B*。

《二、天平勝寶九歳寫本》（七五七年）若佛子，自佛弟子及外道悪人、六親、一切善知識，應一一教受持大乘經律中教解義□，使發菩提心、十發趣心、十金剛心，一一解□次第法用。

參考a　智顗、灌頂『菩薩戒義疏』「十心」者，十發趣心。「起金剛心」，謂十金剛。略不説「十長養」。（四〇・五七六中）

參考b　與咸『梵網菩薩戒經疏註』熙鈔云，「『略不説』下，舊經本闕」。（續藏一、五九、四、二九九葉裏上段）

參考c　凝然『梵網戒本疏日珠鈔』濕鈔云，「『略不説』下，舊經本闕」〈已上〉。（六二・一九五中）

《三、房山石經唐刻》（八世紀前半頃）若佛子，自佛弟子及外道人、□□、□□善知識，應一一教受持大乘經律應教解義理，使發菩提心、十發趣心、十長養心、十金剛心，一一解其次第法用。

《四、法隆寺本》（九世紀）若佛子，自佛弟子有外道人、六親、一切善知識，應一一教受持大乘經律，應教解義理，使發菩提心、十發趣心、十長養心、十金剛心，於三十心中一一解其次第法用。

《五、高麗藏初雕本》（十一世紀）若佛子，自佛弟子及外道、六親、一切善知識。應一一教受持大乘經律，教解義理，使發菩提心、十發趣心、十長養心、十金剛心，一一解其次第法用。

《六、毘盧藏（開元寺版）》（十二世紀）若佛子，自佛弟子及外道、六親、一切善知識，應一一教授持大乘經律，教解義理，使發菩提心、十發趣心、十長養心、十金剛心，於三十心中一一解其次第法用。

《七、高麗藏再雕本》（十三世紀前半）若佛子，自佛弟子及外道人、六親、一切善知識，應一一教受持大乘經律，應教解義理，使發菩提心、十發心、十長養心、十金剛心，三十心中一一解其次第法用。

《一、最古形（批判校訂版）》【15−2】

而菩薩以惡心、瞋心，橫教二乘聲聞戒經律①、外道邪見論等②，犯輕垢罪。

〔校勘〕①二乘聲聞戒經律 BNTK1，二乘聲聞經律 FT*JTaLPSQYMnMA，二乘聲聞戒經律論 H，他二乘聲聞戒經律 B*，他二乘聲聞經律 K2。 ②外道邪見論等 FK1JK2TaLPSQYMnMA，外道耶見論等 TH，外道耶見誨等 BN，外道耶見論等者 B*。

《二、天平勝寶九歲寫本》（七五七年）

而菩薩以惡心、瞋心，橫教二乘聲聞戒經律、外道耶見論等，犯輕垢罪。

《三、房山石經唐刻》（八世紀前半頃）

而菩薩以惡心、瞋心，橫教二乘聲聞經律、外道邪見論等，犯輕垢罪。

《四、法隆寺本》（九世紀）

而菩薩以惡心、瞋心，橫教二乘聲聞戒經律論、外道耶見論等，犯輕垢罪。

《五、高麗藏初雕本》(十一世紀)

而菩薩以惡心、瞋心，橫教二乘聲聞戒經律、外道邪見論等，犯輕垢罪。

《六、毘盧藏(開元寺版)》(十二世紀)

而菩薩以惡心、瞋心，橫教二乘聲聞經律、外道邪見論等，犯輕垢罪。

《七、高麗藏再雕本》(十三世紀前半)

而菩薩以惡心、瞋心，橫教他二乘聲聞經律、外道邪見論等，犯輕垢罪。

《一、最古形（批判校訂版）》【16―1】

若佛子，應好心①先學大乘威儀經律，廣開解義味，見②後新學菩薩有百里③、千里來求④大乘經律，應如法爲説一切苦行，若燒身、燒臂、燒指，―若不燒身⑤、指供養諸佛⑥，非出家菩薩―，乃至餓虎、狼口，師子口中⑦、一切餓鬼，悉應捨身肉、手足，（續）

〔校勘〕①好心　BNTHK2PSQYMnMA，以好心　FB*K1JTaL。②見　BNHK1JK2TaLPSQYMnMA，利見　B*。③百里　BNTFK1JLPSQY，從百里　HK2TaMnMA。④來求　BTFHK1JK2TaLPQYMnMA，來者　N。⑤身指　BNTP，身臂指　FHB*T*K1JK2TaLSQYMnMA。⑥諸佛　BNTHFK1JK2TaLPSQYMnMA，諸佛者　B*。⑦餓虎狼口師子口中　BNTK1PSQY，餓虎狼師子口中　B*，餓虎狼師子　FHJK2TaLMnMA。

《二、天平勝寶九歳寫本》（七五七年）若佛子，應好心先學大乘威儀經律，廣開解義味，見後新學菩薩有百里、千里來求大乘經律，應如法爲説一切苦行，若燒身、燒臂、燒指，若不燒身、指供養諸佛，非出家菩薩，乃至餓虎、狼口、師子口中、一切餓鬼，悉應捨身肉、手足，

《三、房山石經唐刻》（八世紀前半頃）□佛子，應以好心先學大乘威儀經律，廣開解義味，見後新學菩薩有百里、千里來求大乘經律，應如法爲説一切苦行，若燒身、燒臂、燒指，若不燒身、臂、指供養諸佛，非出家菩薩，乃至□虎狼、師子、一切餓鬼，悉應捨身肉、手足，

《四、法隆寺本》（九世紀）　若佛子，應好心先學大乘威儀經律，廣開解義味，見後新學菩薩有從百里、千里來求大乘經律，應如法爲説一切苦行，若燒身、燒臂、燒指，若不燒身、臂、指供養諸佛，非出家菩薩，乃至餓虎狼、師子、一切餓鬼，悉應捨身肉、手足，

《五、高麗藏初雕本》（十一世紀）　若佛子，應以好心先學大乘威儀經律，廣開解義味，見後新學菩薩有百里、千里來求大乘經律，應如法爲説一切苦行，若燒身、燒臂、燒指，若不燒身、臂、指供養諸佛，非出家菩薩，乃至餓虎狼口、師子口中、一切餓鬼，悉應捨身肉、手足，

《六、毘盧藏（開元寺版）》（十二世紀）　若佛子，應好心先學大乘威儀經律，廣開解義味，見後新學菩薩有百里、千里來求大乘經律，應如法爲説一切苦行，若燒身、燒臂、燒指，若不燒身、指供養諸佛，非出家菩薩，乃至餓虎狼口、師子口中、一切餓鬼，悉應捨身肉、手足，

《七、高麗藏再雕本》（十三世紀前半）　若佛子，應好心先學大乘威儀經律，廣開解義味，見後新學菩薩有從百里、千里來求大乘經律，應如法爲説一切苦行，若燒身、燒臂、燒指，若不燒身、臂、指供養諸佛，非出家菩薩，乃至餓虎狼、師子、一切餓鬼，悉應捨身肉、手足，

參考　注釋「若不燒身、指供養諸佛，非出家菩薩」

義寂『菩薩戒本疏』

文中「應以好心先學大乘威儀經律，廣開解義味」者，爲無倒教他。先當自正學。如此經及『善戒經』『決定毘尼』『菩薩地持』等，即是「大乘威儀經律」也。「見後新學菩薩」下，正辨爲他無倒説法，於中有二。初説苦事，以試其心。後説正法，以開其解。爲欲知其大志，故説苦事以試心，爲欲發其大行，故説正法以開解。説苦事中，以二事試之。一燒身以供諸佛。二捨形以救餓苦。説法中亦二。一次第説法。二令開神解。次第爲説者，麤淺易悟者先説，深隱難解者後説。（四〇・六七五下）

明曠『天台菩薩戒疏』

先令爲説苦行，意在使其重法輕生。非謂即捨身、命，燒身、臂、指。若即捨身，法爲誰説。（四〇・五九二中）

勝莊『梵網經菩薩戒本述記』

「非出家菩薩者」自下兩釋。一云，若不燒身等供養諸佛，即非出家，亦非菩薩。一云，在家菩薩燒身乃至身命，非出家菩薩能行是事。所以者何。非威儀故，爲護聖教利益有情，故不燒身。據新學菩薩，故作是説。菩薩燒身、捨身，即是極之辭。未必一切要須捨身，方成菩薩。（續藏一、六〇、二、一三五葉裏下）

《一、最古形（批判校訂版）》【16-2】

而供養之，後①一一次第，爲説正法，使心開意解。而菩薩爲利養故②，應答不答，倒説經律，文字無前無後③，謗三寶説④，犯輕垢罪。

〔校勘〕①後 BNTJK2，然後 FHB*T*K1TaLPSQYMnMA。②爲利養故 BNTFHJK2TaLPA，爲利養故爲名聞故 K1SQYMnM。③無前無後 BNFHT*K1JK2TaLPSQYMnMA，無前後 T。④説 BNTHK1PSQY，説者 FB*K2TaLMnMA。

《二、天平勝寶九歳寫本》（七五七年）

而供養之，後一一次第，爲説正法，使心開意解。而菩薩爲利養故，應答不答，倒説經律，文字無前後，謗三寶説，犯輕垢罪。

《三、房山石經唐刻》（八世紀前半頃）

而供養之，然後一一次第，爲説正法，使心開意解。而菩薩爲利養故，應答不答，倒説經律，文字無前無後，謗三寶説者，犯輕垢罪。

《四、法隆寺本》（九世紀）
而供養之，然後一一次第，爲説正法，使心開意解。而菩薩爲利養故，應答不答，倒説經律，文字無前無後，謗三寶説，犯輕垢罪

《五、高麗藏初雕本》（十一世紀）
而供養之，然後一一次第，爲説正法，使心開意解。而菩薩爲利養故，應答不答，倒説經律，文字無前無後，謗三寶説，犯輕垢罪

《六、毘盧藏（開元寺版）》（十二世紀）
而供養之，然後一一次第，爲説正法，使心開意解。而菩薩爲利養故，應答不答，倒説經律，文字無前無後，謗三寶説，犯輕垢罪。

《七、高麗藏再雕本》（十三世紀前半）
而供養之，後一一次第，爲説正法，使心開意解。而菩薩爲利養故，應答不答，倒説經律，文字無前無後，謗三寶説者，犯輕垢罪。

《一、最古形（批判校訂版）》【17】

若佛子，自爲飲食、錢物①、利養、名譽②故，親近國王、王子、大臣、百官，恃作③形勢④，乞索、打拍、牽挽、橫取錢物⑤，一切求利，名爲惡求多求⑥。教他人求，都無慈心，無孝順心⑦，犯輕垢罪。

〔校勘〕①錢物 BTK1JK2TaL，錢財 NHPSQYMnMA。②『一切經音義』名譽〈餘庶反。『毛詩傳』云，譽，聲美也。賈逵曰，譽，稱也。『國語』，以聲曰譽。『說文』，譽字，從言與聲也〉。（五四・六〇七中）③恃作 BNTHK1JK2TaLPSQYMnMA，倚侍 F。④形勢 BNHK1JK2TaLPSQYMnMA，刑勢 T。⑤錢物 BNTHK1JK2TaLA，錢財 PSQYMnM。⑥惡求多求 BHN*K1JK2TaLPSQYMnMA，惡求□求 T，求多求 N。⑦無孝順心 BNTHK1PSQY，無孝順心者 B*K2TaLMnMA，無教順心者 J，孝順心 F。

《二、天平勝寶九歲寫本》（七五七年）

若佛子，自爲飲食、錢物、利養、名譽故，親近國王、王子、大臣、百官，恃作刑勢，乞索、打拍、牽挽、橫取錢物，一切求利，[名]爲惡求□求。教[他]□求，都無慈心，無孝順心，犯輕垢[罪]。

《三、房山石經唐刻》（八世紀前半頃）

若佛子，自爲飲食、錢物、利養、名譽故，親近國王、王子、大臣、百官，倚侍形勢，乞索、打拍、牽挽、橫取錢物，一切求利，名爲惡求多求。教他人求，都無慈[心]、孝順心，犯輕垢罪。

《四、法隆寺本》（九世紀）

若佛子，自爲飲食、錢財、利養、名譽故，親近國王、王子、大臣、百官，恃作形勢，乞索、打拍、牽挽、橫取錢物，一切求利，名爲惡求多求。教他人求，都無慈心，無孝順心，犯輕垢罪。

《五、高麗藏初雕本》（十一世紀）

若佛子，自爲飲食、錢物、利養、名譽故，親近國王、王子、大臣、百官，恃作形勢，乞索、打拍、牽拋、橫取錢物，一切求利，名爲惡求多求。教他人求，都無慈心，無孝順心，犯輕垢罪。

《六、毘盧藏（開元寺版）》（十二世紀）

若佛子，自爲飲食、錢財、利養、名譽故，親近國王、王子、大臣、百官，恃作形勢，乞索、打拍、牽挽、橫取錢財，一切求利，名爲惡求多求。教他人求，都無慈心，無孝順心，犯輕垢罪。

《七、高麗藏再雕本》（十三世紀前半）

若佛子，自爲飲食、錢物、利養、名譽故，親近國王、王子、大臣、百官，恃作形勢，乞索、打拍、牽挽、橫取錢物，一切求利，名爲惡求多求。教他人求，都無慈心，無孝順心者，犯輕垢罪。

《一、最古形（批判校訂版）》【18】

若佛子，學誦戒者①，日日②六時，持菩薩戒，解其義理、佛性之性。而菩薩不解一句、一偈③戒律因緣，詐言能解者，即爲自欺誑，亦欺④他人，一一不解一切法，而⑤爲他人作師受⑥戒者，犯輕垢罪⑦。

〔校勘〕①學誦戒者 BFT*JK2TaL，學誦戒 TP，學誦戒日 N，應學十二部經誦戒者 HA，應學十二部經誦戒 K1PSQYMnM。②日日 BNHK1PSQYMnMA，日夜 TFJK2TaL，若日夜 T*。〔參考〕『菩薩戒義疏』「日日六時」，晝夜各三。③一偈 BNTFJK2TaLPSQY，一偈及 HK1MnMA。④欺 BNTK1，欺誑 FHB*T*JK2TaLPSQYMnMA。⑤而 BNFT*JK2LP，不知而 THK1TaMnMA，知而 SQY。⑥受 BNFK1PSQYM，授 THJK2TaLMnA。⑦輕垢罪 BNTFHK1K2TaLPQYMnMA，輕〈垢罪〉J。

《二、天平勝寶九歲寫本》（七五七年）

若佛子，學誦戒，日夜六時，持菩薩戒，解其義理、佛性之性。而菩薩不解一句、一偈戒律因緣，詐言能解者，即爲自欺誑，亦欺他人，一一不解一切法不知，而爲他人作師授戒者，犯輕垢罪。

《三、房山石經唐刻》（八世紀前半頃）

若佛子，學誦戒者，日夜六時，持菩薩戒，解其義理、佛性之性。而菩薩不解一句、一偈戒律因緣，詐言能解者，即爲自欺誑，亦欺誑他人，一一不解一切法，而爲他人作師受戒者，犯輕垢罪。

《四、法隆寺本》（九世紀）

若佛子，應學十二部經誦戒者，日日六時，持菩薩戒，解其義理、佛性之性。而菩薩不解一句、一偈及戒律因縁，詐言能解者，即爲自欺誑，亦欺誑他人，一一不解一切法不知，而爲他人作師授戒者，犯輕垢罪。

《五、高麗藏初雕本》（十一世紀）

若佛子，應學十二部經誦戒，日日六時，持菩薩戒，解其義理、佛性之性。而菩薩不解一句、一偈及戒律因縁，詐言能解者，即爲自欺誑，亦欺他人，一一不解一切法不知，而爲他人作師受戒者，犯輕垢罪。

《六、毘盧藏（開元寺版）》（十二世紀）

若佛子，學誦戒，日日六時，持菩薩戒，解其義理、佛性之性。而菩薩不解一句、一偈戒律因縁，詐言能解者，即爲自欺誑，亦欺誑他人，一一不解一切法，而爲他人作師受戒者，犯輕垢罪。

《七、高麗藏再雕本》（十三世紀前半）

若佛子，學誦戒者，日夜六時，持菩薩戒，解其義理、佛性之性。而菩薩不解一句、一偈戒律因縁，詐言能解者，即爲自欺誑，亦欺誑他人，一一不解一切法，而爲他人作師授戒者，犯輕垢罪。

《一、最古形（批判校訂版）》【19】

若佛子，以惡心，持戒比丘①手捉香爐，行菩薩行，而鬪過②兩頭，謗欺賢人，無惡不造③，犯輕垢罪④。

〔校勘〕①以惡心持戒比丘 BN，以惡心故見持戒比丘 FHB*T*K1JK2TaLPSQYMnMA，以惡心見持戒比丘 T。②鬪過 BN，鬪□ B*，鬪遘 TA，鬪構 H，鬪搆 JK2TaLPSQYMnM，鬪訟 K1。『菩薩戒義疏』「過」字，或作「遇」字。文語以「鬪」言値遇二邊。皆消文。或言應作「遘」字，文誤也。（四〇・五七六下）義寂『菩薩戒本疏』「鬪過兩頭」者，聞此彼過，向彼此説，故云「鬪過」。或經作「遘」字，謂彼此言「鬪」而相「遘」。或經作「過」，義亦同也。隨字訓釋，義皆無妨，不應輒改作也。（四〇・六七六中）〔比較參照〕凝然『梵網戒本疏日珠鈔』六二・一九九中）。與咸『梵網菩薩戒經疏註』經文無『過』字，亦無『遇』字。想古本必有以「遘」字爲「過」字者，或爲「遇」字者，故有此文。既已改之，反閑其文。「遘」，或作「訟」字者，非。（續藏一、五九、四、三〇〇裏下）③不造 BNTHK1K2PSQY，不造者 FJTaLMnMA。④犯輕垢罪 BNTFHK1JTaLPQYMnMA，若故作者犯輕垢罪 K2。

《二、天平勝寶九歲寫本》（七五七年）

若佛子，以惡心，見持戒比丘手捉香爐，行菩薩行，而鬪過兩頭，謗欺賢人，無惡不造，犯輕垢罪。

《三、房山石經唐刻》（八世紀前半頃）

若佛子，以惡心故，見持戒比丘手捉香爐，行菩薩行，而鬪搆兩頭，謗欺賢人，無惡不造者，犯輕垢罪。

《四、法隆寺本》（九世紀）
若佛子，以惡心故，見持戒比丘手捉香爐，行菩薩行，而鬪搆兩頭，謗欺賢人，無惡不造，犯輕垢罪。

《五、高麗藏初雕本》（十一世紀）
若佛子，以惡心故，見持戒比丘手捉香爐，行菩薩行，而鬪訟兩頭，謗欺賢人，無惡不造，犯輕垢罪。

《六、毘盧藏（開元寺版）》（十二世紀）
若佛子，以惡心故，見持戒比丘手捉香爐，行菩薩行，而鬪搆兩頭，謗欺賢人，無惡不造，犯輕垢罪。

《七、高麗藏再雕本》（十三世紀前半）
若佛子，以惡心故，見持戒比丘手捉香爐，行菩薩行，而鬪搆兩頭，謗欺賢人，無惡不造。若故作者，犯輕垢罪。

《一、最古形（批判校訂版）》【20-1】

若[①]**佛子，以慈心故，行**[②]**放生業**[③]**。一切男子是我父，一切女人是我母，我生生無不從之受生，故六道衆生皆是我父母，而殺而食者，即殺我父母，亦殺我故身。一切地水是我先身，一切火風是我本體，故常行放生，生生受生**[④]**。**《続》

〔校勘〕①D『法苑珠林』若佛子，以慈心故，令（明本作「行」）放生業。一切男子是我父，一切女人是我母，我生生無不從之受生，故六道衆生皆是我父母，而殺食者，即殺我父母，亦殺我故身。一切地水是我先身，一切火風是我本體，故常行放生，生生受生。…（五三・七八〇中～下 ＝D『諸經要集』五四・七一中）②行 BNTFHK1JK2TaLPQYMnMA，令 D。③業 BNDTFHJK2TaLA，業應作是念 K1PSQYMnM。④放生生受生 BTF，放生生□受生 N，放生業生生受生 B*PSQYMnM，放生生生受生常住之法教人放生 HK2TaLA，放生教人放生生生受生 K1，放生教人故生生生受生 J。

《二、天平勝寶九歳寫本》（七五七年）

若佛子，以慈心故，行放生業。一切男子是我父，一切女人是我母，我生生無不從之受生，故六道衆生皆是我父母，而殺而食者，即殺我父母，亦殺我故身。一切地水是我先身，□切火風是我本體，故常行放生，□生受生。

《三、房山石經唐刻》（八世紀前半頃）

若佛子，以慈心故，行放生業。一切男子是我父，一切女人是我母，我生生無不從之受生，故六道衆生皆是我父母，而殺而食者，即殺我父母，亦殺我故身。一切地水是我先身，一切火風是我本體，故常行放生，生生受生。

《四、法隆寺本》（九世紀）
若佛子，以慈心故，行放生業。一切男子是我父，一切女人是我母，我生生無不從之受生，故六道衆生皆是我父母，而殺而食者，即殺我父母，亦殺我故身。一切地水是我先身，一切火風是我本體，故常行放生，生生受生，常住之法，教人放生。

《五、高麗藏初雕本》（十一世紀）
若佛子，以慈心故，行放生業，應作是念，一切男子是我父，一切女人是我母，我生生無不從之受生，故六道衆生皆是我父母，而殺而食者，即殺我父母，亦殺我故身。一切地水是我先身，一切火風是我本體，故常行放生，教人放生，生生受生。

《六、毘盧藏（開元寺版）》（十二世紀）
若佛子，以慈心故，行放生業，應作是念，一切男子是我父，一切女人是我母，我生生無不從之受生，故六道衆生皆是我父母，而殺而食者。即殺我父母，亦殺我故身。一切地水是我先身，一切火風是我本體，故常行放生業，生生受生。

《七、高麗藏再雕本》（十三世紀前半）
若佛子，以慈心故，行放生業。一切男子是我父，一切女人是我母，我生生無不從之受生，故六道衆生皆是我父母，而殺而食者，即殺我父母，亦殺我故身。一切地水是我先身，一切火風是我本體，故常行放生，生生受生，常住之法，教人放生。

《一、最古形（批判校訂版）》【20-2】

①若見世人殺畜生時，應方便救護，解其苦難，常教化講説菩薩戒，救度衆生。若父母、兄弟死亡之日，②請法師③講菩薩戒經律，④福資其亡者，⑤得見諸佛，生人天上。若不爾者，⑥犯輕垢罪。⑦如是十戒應當學，敬心奉持，如「滅罪品」中明一一戒。⑧

〔校勘〕①D『法苑珠林』《承前》若見世人殺畜生時，應方便救護，解其苦難，常教化講説菩薩戒，救度衆生。若父母、兄弟死亡之日，請法師講菩薩戒經律，追福資其亡者，得見諸佛，生人天上。若不爾者，犯輕垢罪。（五三・七八〇中～下＝D2『諸經要集』五四・七一中）②兄弟死亡之日 BNFT*K1JK2TaLPSQYMnMA，兄第死亡之日 H，兄弟死亡七日 T。③請法師 BNDTK1PSQY，請師 N，應請法師 FHB*JK2TaLMnMA。④經律 BNDTHK1PSQYMnMA，經 FT*JK2TaL。⑤福資其亡者 BNK1PSQY，追福資其亡者 DT，福資亡者 FHT*JK2TaLMnMA。⑥若不爾者 BNTHK1JK2TaLPSQYMnMA，而新學菩薩若不爾者 F。⑦如 BNFHT*K1JK2TaLPSQYMnMA，知 T。⑧如滅罪品中明一一戒 BNP，如滅罪品中已明一一戒 TK1，如滅罪品中廣明一一戒相 HT*K2LM，〈如滅罪品中廣明一一戒相〉JTa，如滅罪品中廣明一一戒 FHSQY，如滅罪品中廣明一一戒相 MnMA。

《二、天平勝寶九歳寫本》（七五七年）若見世人殺畜生時，應方便救護，解其苦難，常教化講説菩薩戒，救度衆生。若父母、兄弟死亡七日，請法師講菩薩戒經律，追福資其亡者，得見諸佛，生人天上。若不爾者，犯輕垢罪。／知是十戒應當學，敬心奉持，如滅罪品中已明一一戒。

《三、房山石經唐刻》（八世紀前半頃）若見世人殺畜生時，應方便救護，解其苦難，常教化講説菩薩戒，救度衆生。若父母、兄弟死亡之日，應請法師講菩薩戒經，福資亡者，得見諸佛，生人天上。而新學菩薩若不爾者，犯輕垢罪。／如是十戒應當學，敬心奉持，如滅罪品中廣明一一戒。

《四、法隆寺本》（九世紀）　若見世人殺畜生時，應方便救護，解其苦難，常教化講説菩薩戒，救度衆生。若父母、兄第死亡之日，應請法師講菩薩戒經律，福資亡者，得見諸佛，生人天上。若不爾者，犯輕垢罪。／如是十戒應當學，敬心奉持，如滅罪品中廣明一一戒。

《五、高麗藏初雕本》（十一世紀）　若見世人殺畜生時，應方便救護，解其苦難，常教化講説菩薩戒，救度衆生。若父母、兄弟死亡之日，請法師講菩薩戒經律，福資其亡者，得見諸佛，生人天上。若不爾者，犯輕垢罪。／如是十戒應當學，敬心奉持，如滅罪品中廣已明一一戒。

《六、毘盧藏（開元寺版）》（十二世紀）　若見世人殺畜生時，應方便救護，解其苦難，常教化講説菩薩戒，救度衆生。若父母、兄弟死亡之日，請法師講菩薩戒經律，福資其亡者，得見諸佛，生人天上。若不爾者，犯輕垢罪。／如是十戒應當學，敬心奉持，如滅罪品中明一一戒。

《七、高麗藏再雕本》（十三世紀前半）　若見世人殺畜生時，應方便救護，解其苦難，常教化講説菩薩戒，救度衆生。若父母、兄弟死亡之日，應請法師講菩薩戒經，福資亡者，得見諸佛，生人天上。若不爾者，犯輕垢罪。／如是十戒應當學，敬心奉持，如滅罪品中廣明一一戒相。

《一、最古形（批判校訂版）》【21】

佛言，佛子①，以瞋報瞋②，以打報打，若③殺父母、兄弟④、六親，不得加報。若國主爲他人殺者，亦不得加報。殺生報生，不順孝道，尚不畜⑤奴婢，打拍罵辱，日日起三業，口罪無量，況故作七逆之罪，而出家菩薩⑥無慈報訓⑦，乃至六親⑧，故作者⑨，犯輕垢罪。

〔校勘〕①佛言佛子 BNTFK1JK2TaLPSQYMnM，若佛子 HA。②以 BNFTHJTaL，不得以 K1K2PSQYMnM。③若 BNTHK1JK2TaLPSQYMnMA，見 F。④弟 BNTFK1JK2TaLPSQYMnMA，第 H。⑤［參考］『菩薩戒義疏』「尚不應畜」下，第二擧況。⑥而出家菩薩 BNTHK1K2TaPSQYMnMA，而菩薩 FT*JL。⑦無慈報訓 BNHM，無慈報讎 TFJK2TaL，無慈心報訓 K1PSQYMnM，無慈心報讎 A。慧琳『一切經音義』報讎〈授周反。『毛詩』云「無言不讎」，『鄭箋』，憎惡也。顧野王，怨憾也。『尚書』云，「虐我則讎」。『説文』，從言雔，音同上〉。（五四・六〇七中）⑧六親 BNHTK1P，六親中 B*T*JK2TaLSQYMnMA。⑨故作者 BNT，故作報者 T*SQYMnM，故報者 HJK2TaLA，故作 P，若故作者 B*，報故作者 K1。

《二、天平勝寶九歳寫本》（七五七年）

佛言，佛子，以瞋報瞋，以打報打，若殺父母、兄弟、六親，不得加報。若國主爲他人殺者，亦不得加報。殺生報生，不順孝道，尚不畜奴婢，打拍罵辱，日日起三業，口罪無量，況故作七逆之罪，而出家菩薩無慈報讎，乃至六親。故作者，犯輕垢罪。

《三、房山石經唐刻》（八世紀前半頃）

佛言，佛子，以瞋報瞋，以打報打，見殺父母、兄弟、六親，不得加報。若國主爲他人殺者，亦不得加報。殺生報生，不順孝道，尚不畜奴婢，打拍罵辱，日日起三業，口罪無量，況故作七逆之罪，而菩薩無慈報讎，乃至六親中。故報者，犯輕垢罪。

《四、法隆寺本》（九世紀）

若佛子，以瞋報瞋，以打報打，若殺父母、兄第、六親，不得加報。若國主爲他人殺者，亦不得加報。殺生報生，不順孝道，尚不畜奴婢，打拍罵辱，日日起三業，口罪無量，況故作七逆之罪，而出家菩薩無慈心報訓，乃至六親。故報者，犯輕垢罪。

《五、高麗藏初雕本》（十一世紀）

佛言，佛子，不得以瞋報瞋，以打報打，若殺父母、兄弟、六親，不得加報。若國主爲他人殺者，亦不得加報。殺生報生，不順孝道，尚不畜奴婢，打拍罵辱，日日起三業，口罪無量，況故作七逆之罪，而出家菩薩無慈心報讎，乃至六親。報故作者，犯輕垢罪。

《六、毘盧藏（開元寺版）》（十二世紀）

佛言，佛子，不得以瞋報瞋，以打報打，若殺父母、兄弟、六親，不得加報。若國主爲他人殺者，亦不得加報。殺生報生，不順孝道，尚不畜奴婢，打拍罵辱，日日起三業，口罪無量，況故作七逆之罪，而出家菩薩無慈心報訓，乃至六親。故作，犯輕垢罪。

《七、高麗藏再雕本》（十三世紀前半）

佛言，佛子，不得以瞋報瞋，以打報打，若殺父母、兄弟、六親，不得加報。若國主爲他人殺者，亦不得加報。殺生報生，不順孝道，尚不畜奴婢，打拍罵辱，日日起三業，口罪無量，況故作七逆之罪，而出家菩薩無慈報讎，乃至六親中。故報者，犯輕垢罪。

《一、最古形（批判校訂版）》【22】

若佛子，始出家，①未有所解，而自恃②聰明有智，或③高貴、年宿，或恃大姓、高門、大解、大福④、饒財、七寶⑤，以此憍慢而不諮受先學法師經律。其法師者，或小姓、年少、卑門、貧窮⑥、諸根不具，而實有德，一切經律盡解。而新學菩薩不得觀法師種姓⑦，而不來諮受法師第一義諦者，犯輕垢罪。

〔校勘〕①始出家 BP，初始出家 T H K1 J K2 L S Q Y Mn M A，如出家 N。〔參考〕『菩薩戒義疏』言「始出家」者，染法未深，多有自學。②自恃 B N T H K1 J K2 Ta L P S Q Y Mn M A，自猗恃 B*。〔參考〕『菩薩戒義疏』「自恃聰明」者，於餘事有知。③或 B N F H P Q，或恃 T K1 J K2 Ta L Mn M A。④大福 B N J K2 Ta L，□ T，大福大富 H A，大富 K1 P S Q Y Mn M。⑤七寶 B N H T J K2 Ta L P S Q Y Mn M A，七寶具足 K1。⑥貧窮 B N T K1 J K2 Ta L P S Q Y，貧窮下賤 H Mn M A。⑦種姓 B N F H T* K1 J K2 Ta L P S Q Y Mn M A，種姓惡過 T。

《二、天平勝寶九歳寫本》（七五七年）若佛子，初始出家，未有所解，而自恃聰明有智，或恃高貴、年宿，或[恃]大姓、高□、大解、大□、饒財、七寶，以此憍慢□□□受[先]學法師[經]律。其法師者，或小姓、年少、卑門、貧窮，諸根不具，而實有德，一切經律盡解。而新學菩薩不得觀法師種姓，惡過，而不來諮受法師第一義諦者，犯輕垢罪。

《三、房山石經唐刻》（八世紀前半頃）[若]佛子，初始出家，未[有][所][解]，而自恃聰明有智，或高貴、年宿，或恃大姓、高門、大解、大福、饒財、七寶，以此憍慢而不諮受先學法師經律。其法師者，或小姓、年少、[卑]門、貧窮，諸根不具，而實有德，一切經律盡解。而新學菩□[不][得][觀]法師種姓，而不來諮受法師第一義諦者，犯輕垢罪。

《四、法隆寺本》（九世紀）若佛子，初始出家，未有所解，而自恃聰明有智，或高貴、年宿，或恃大姓、高門、大解、大福、大富、饒財、七寶，以此憍慢而不諮受先學法師經律。其法師者，或小姓、年少、卑門、貧窮、下賤、諸根不具，而實有徳，一切經律盡解。而新學菩薩不得觀法師種姓，而不來諮受法師第一義諦者，犯輕垢罪。

《五、高麗藏初雕本》（十一世紀）若佛子，初始出家，未有所解，而自恃聰明有智，或恃高貴、年宿，或恃大姓、高門、大解、大富、饒財、七寶具足，以此憍慢而不諮受先學法師經律。其法師者，或小姓、年少、卑門、貧窮、諸根不具，而實有徳，一切經律盡解。而新學菩薩不得觀法師種姓，而不來諮受法師第一義諦者，犯輕垢罪。

《六、毘盧藏（開元寺版）》（十二世紀）若佛子，始出家，未有所解，而自恃聰明有智，或高貴、年宿，或恃大姓、高門、大解、大富、饒財、七寶，以此憍慢而不諮受先學法師經律。其法師者，或小姓、年少、卑門、貧窮、諸根不具，而實有徳，一切經律盡解。而新學菩薩不得觀法師種姓，而不來諮受法師第一義諦者，犯輕垢罪。

《七、高麗藏再雕本》（十三世紀前半）若佛子，初始出家，未有所解，而自恃聰明有智，或恃高貴、年宿，或恃大姓、高門、大解、大福、饒財、七寶，以此憍慢而不諮受先學法師經律。其法師者，或小姓、年少、卑門、貧窮、諸根不具，而實有徳，一切經律盡解。而新學菩薩不得觀法師種姓，而不來諮受法師第一義諦者，犯輕垢罪。

《一、最古形（批判校訂版）》【23−1】

若佛子，佛滅度後，欲好心①受菩薩戒時，於佛②、菩薩形像前自誓受戒，當③七日佛前懺悔，得見好相，便得戒④。若不得好相時⑤，以二七、⑥三七乃至一年，要得好相⑦。得好相已，便得佛、菩薩形像前受戒。若不得好相，雖佛像前受戒，⑧不得戒。若現前先受菩薩戒法師前受戒時，不須要見好相。《続》

〔校勘〕①欲好心 FH，欲心好心 BNTK2，欲以好心 T*K1JTaLPSQYMnMA。★M大正藏校勘は誤り。②佛 BNTFK1JK2TaLPSQYMnMA，諸佛 H。③當 BNTFK1JK2TaLPSQYMnM，當以 HA。④戒 BNTFK1JK2TaLPSQYMnMA，受戒 HB*T*。⑤好相時以 BNTPSQY，好時 T*，好相時應以 FHK1，好相應 JK2TaLA，好相時應 MnM。⑥三七 BNTFHK1JK2TaLPSQYMnMA，三七日 B*。⑦C方便二＝梵網經乃云，「自誓受戒，當七日佛像前懺悔，乃至二七、三七、乃至一年，要須得相」。⑧不 BNTFK1JK2TaLPSQYMnM，不名 HT*A。

《二、天平勝寶九歳寫本》（七五七年）　若佛子，佛滅度後，欲心好心受菩薩戒時，於佛、菩薩形像前自誓受戒，當七日佛前懺悔，得見好相，便得戒。若不得好相時，以二七、三七乃至一年，要得好相。得好相已，便得佛、菩薩形像前受戒。若不得好相，雖佛像前受戒，不得戒。若現前先受菩薩戒法師前受戒時，不須要見好相。

《三、房山石經唐刻》（八世紀前半頃）　若佛子，佛滅度後，欲好心受菩薩戒時，於佛、菩薩形像前自誓受戒，當七日佛前懺悔，得見好相，便得戒。若不得好相時，應以二七、三七乃至一年，要得好相。得好相已，便得佛、菩薩形像前受戒。若不得好相，雖佛像前受戒，不得戒。若現前先受菩薩戒法師前受戒時，不須要見好相。

《四、法隆寺本》（九世紀）若佛子，佛滅度後，欲好心受菩薩戒時，於諸佛、菩薩形像前自誓受戒，當以七日佛前懺悔，得見好相，便得受戒。若不得好相時，應以二七、三七乃至一年，要得好相。得好相已，便得佛、菩薩形像前受戒。若不得好相，雖佛像前受戒，不名得戒。若現前先受菩薩戒法師前受戒時，不須要見好相。

《五、高麗藏初雕本》（十一世紀）若佛子，佛滅度後，欲以好心受菩薩戒時，於佛、菩薩形像前自誓受戒，當七日佛前懺悔，得見好相，便得戒。若不得好相時，應以二七、三七乃至一年，要得好相。得好相已，便得佛、菩薩形像前受戒。若不得好相，雖佛像前受戒，不得戒。若現前先受菩薩戒法師前受戒時，不須要見好相。

《六、毘盧藏（開元寺版）》（十二世紀）若佛子，佛滅度後，欲以好心受菩薩戒時，於佛、菩薩形像前自誓受戒，當七日佛前懺悔，得見好相，便得戒。若不得好相時，以二七、三七乃至一年，要得好相。得好相已，便得佛、菩薩形像前受戒。若不得好相，雖佛像前受戒，不得戒。若現前先受菩薩戒法師前受戒時，不須要見好相。

《七、高麗藏再雕本》（十三世紀前半）若佛子，佛滅度後，欲心好心受菩薩戒時，於佛、菩薩形像前自誓受戒，當七日佛前懺悔，得見好相，便得戒。若不得好相，應二七、三七乃至一年，要得好相。得好相已，便得佛、菩薩形像前受戒。若不得好相，雖佛像前受戒，不得戒。若現前先受菩薩戒法師前受戒時，不須要見好相。

《一、最古形（批判校訂版）》【23-2】

①是法師，②師師相授故，不須好相。是以法師前受戒，即得戒。以生重心故③，便得戒。若千里內無能授④戒師，得佛、菩薩形像前受得戒⑤，而要見好相。若法師⑥自猗解經律⑦、大乘學戒，與國王、太子⑧、百官以爲善友，而新學菩薩來問若經義、律義，輕心、惡心、慢心，⑨不好答問者，言而惡心⑩，犯輕垢罪⑪。

〔校勘〕①是 BNTFK1PSQY，何以故是 HJTaLMnMA，何以故以是 K2。②師師 BFHT*K1JK2TaLPSQYMnMA，師 NT。③以生重心 BNTK1JK2L，已生至重心 F，以生至重心 TaPSQYMnMA，以生生至重心 H。『菩薩戒義疏』二、「師師相授」，不假見相。「生重心故」。（四〇・五七七上）④授 NTK1JK2TaLPSQYMnMA，受 BFH。⑤受得戒 BNTF，自誓受戒 HK1TaPSQYMnMA，受戒 JK2L。〔參考〕『菩薩戒義疏』若千里內無師，於佛像前自誓受，必須見好相，方得。⑥自猗 HB*，自綺 T，自倚 FT*K1JK2LPSQYMnMA，身猗 N，□猗 B。⑦經律 NTFHK1JK2TaLPSQYMnMA，經戒 B。⑧太子 BNTFHJK2TaLPSQYMnMA，大子 K1。⑨不好 BNT，不一一好 FHB*K2TaPSQYMnMA，一一不好 T*K1JL。⑩者言而惡心 BNTK1，者 FHT*JK2TaLPSQYMnMA。⑪罪 BNTFK1JK2TaLPSQYMnMA，羅 H。

《二、天平勝寶九歲寫本》（七五七年）是法師，師相授故，不須好相。是以法師前受戒，即得戒。以生重心故，便得戒。若千里內無能授戒師，得佛、菩薩形像敌受得戒，而要見好相。若法師自綺解經律、大乘學戒，與國王、太子、百官以爲善友，而新學菩薩來問若經義、律義，輕心、惡心、慢心，不好答問者，言而惡心，犯輕垢罪。

《三、房山石經唐刻》（八世紀前半頃）是法師，師師相授□，不須好相。是以法師前受戒，即得戒。已生至重心故，便得戒。若千里內無能受戒師，得佛、菩薩形像前受得戒，而要見好相。若法師自倚解經律、大乘學戒，與國王、太子、百官以爲善友，而□□□薩來問若經□、律義，輕心、惡心、慢心，一一不好答問者，犯輕垢罪。

《四、法隆寺本》（九世紀）何以故。是法師，師師相授故，不須好相。是以法師前受戒，即得戒。以生生至重心故，便得戒。若千里内無能受戒師，得佛、菩薩形像前自誓受戒，而要見好相。若法師自猗解經律、大乘學戒，與國王、太子、百官以爲善友，而新學菩薩來問若經義、律義，輕心、惡心、慢心，不一一好答問者，犯輕垢羅。

《五、高麗藏初雕本》（十一世紀）是法師，師師相授故，不須好相。是以法師前受戒，即得戒。以生重心故，便得戒。若千里内無能授戒師，得佛、菩薩形像前自誓受戒，而要見好相。若法師自倚解經律、大乘學戒，與國王、大子、百官以爲善友，而新學菩薩來問若經義、律義，輕心、惡心、慢心，不一一好答問者，言而惡心，犯輕垢罪。

《六、毘盧藏（開元寺版）》（十二世紀）是法師，師師相授故，不須好相。是以法師前受戒，即得戒。以生至重心故，便得戒。若千里内無能授戒師，得佛、菩薩形像前自誓受戒，而要見好相。若法師自倚解經律、大乘學戒，與國王、太子、百官以爲善友，而新學菩薩來問若經義、律義，輕心、惡心、慢心，不一一好答問者，犯輕垢罪。

《七、高麗藏再雕本》（十三世紀前半）何以故。以是法師，師師相授故，不須好相。是以法師前受戒，即得戒。以生重心故，便得戒。若千里内無能授戒師，得佛、菩薩形像前受戒，而要見好相。若法師自倚解經律、大乘學戒，與國王、太子、百官以爲善友，而新學菩薩來問若經義、律義，輕心、惡心、慢心，不一一好答問者，犯輕垢罪。

《一、最古形（批判校訂版）》【24】

若佛子，有佛經律大乘法①、正見、正性、正法身，而不能勤學修習，而捨②七寶，反學邪見，─二乘、外道俗典、阿毘曇、雜論③、書④、記─，是斷佛性、障道因縁，非行菩薩道者。故作⑤，犯輕垢罪。

〔校勘〕①大乘法 BNTFHK1JTaLPSQYMnMA，大乘正法 K2。〔參考〕『菩薩戒義疏』「有佛經律大乘法」者，通學菩薩藏。②捨 BNFHK1JK2TaLPSQYMnMA，不捨 T。③雜論 BNFHK1JK2TaLPSQYMnMA，雜律 T。④書記 BNTFK1JK2TaLPSQY，一切書記 HMnMA。⑤道者故作 NTPSQ，道□故作 B，道故作者 B*T*，道者若故作者 K1MnA，道若故作者 FHJK2TaLYM。

《二、天平勝寶九歳寫本》（七五七年）

若佛子，有佛經律大乘法、正見、正性、正法身，而不能懃學脩習，而不捨七寶，反學耶見、二乘、外道俗典、阿毘曇、雜律、書、記，是斷佛性，鄣道因縁，非行菩薩道者。故作，犯輕垢罪。

《三、房山石經唐刻》（八世紀前半頃）

若佛子，有佛經律大乘法、正見、正性、正法身，而不能勤學修習，而捨七寶，反學邪見、二乘、外道俗典、阿毘曇、雜論、書、記，□□□□，[障][道][因]□，[非]行菩薩道。若故作者，犯輕垢罪。

《四、法隆寺本》（九世紀）

若佛子，有佛經律大乘法、正見、正性、正法身，而不能懃學修習，而捨七寶，反學耶見、二乘、外道俗典、阿毘曇、雜論、一切書、記，是斷佛性，障道因緣，非行菩薩道。若故作者，犯輕垢罪。

《五、高麗藏初雕本》（十一世紀）

若佛子，有佛經律大乘法、正見、正性、正法身，而不能勤學修習，而捨七寶，反學邪見、二乘、外道俗典，阿毘曇、雜論、書、記，是斷佛性，障道因緣，非行菩薩道者。若故作者，犯輕垢罪。

《六、毘盧藏（開元寺版）》（十二世紀）

若佛子，有佛經律大乘法、正見、正性、正法身，而不能勤學修習，而捨七寶，反學邪見、二乘、外道俗典、阿毘曇、雜論、書、記，是斷佛性，障道因緣，非行菩薩道者。故作，犯輕垢罪。

《七、高麗藏再雕本》（十三世紀前半）

若佛子，有佛經律大乘正法、正見、正性、正法身，而不能勤學修習，而捨七寶，反學邪見、二乘、外道俗典，阿毘曇、雜論、書、記，是斷佛性，障道因緣，非行菩薩道。若故作者，犯輕垢罪。

《一、最古形（批判校訂版）》【25】

若佛子，佛滅後，①爲説法主，②爲僧房主、③教化主、④坐禪主、行來主，應生慈心，善和鬪訟，⑤善守三寶物，莫無⑥度用，如自己有。而反亂衆鬪諍，恣心用三寶物，⑦犯輕垢罪。

〔校勘〕①滅後 B K2，滅度後 N T F H K1 J Ta L P S Q Y Mn M A。②爲説法主 B T F J K2 Ta L P S Q Y Mn M A，爲説法主爲法主 N，爲説法主爲行法主 H T* K1。③爲僧房主 B N T F K1 K2 P S Q Y Mn，爲僧坊主 H J Ta L M A。④教化主 B N T F H K1 J K2 Ta L P A，爲教化主 P S Q Y Mn M。⑤鬪訟 B N T F H K1 J K2 Ta L A，鬪諍 P S Q Y Mn M。『菩薩戒義疏』「善和諍訟」謂如法滅諍。⑥莫無 B N T H K1 J K2 Ta L P S Q Y Mn M A，莫自無 F。⑦用三寶物 B N T H K1 P S Q Y，用三寶物者 B* J K2 Ta L Mn M A，□□□□ F。

《二、天平勝寶九歳寫本》（七五七年）

若佛子，佛滅度後，爲説法主，爲僧房主、教化主、坐禪主、行來主，應生慈心，善和鬪訟，善守三寶物，莫無度用，如自己有。而反亂衆鬪諍，恣心用三寶物，犯輕垢罪。

《三、房山石經唐刻》（八世紀前半頃）

若佛子，佛滅度後，爲説法主，爲僧房主、教化主、坐禪主、行來主，應生慈心，善和鬪訟，善守三寶物，莫自無度用，如自己有。而反亂鬪諍，恣心□□□□，犯輕垢罪。

《四、法隆寺本》（九世紀）

若佛子，佛滅度後，爲説法主，爲行法主，爲僧坊主、教化主、坐禪主、行來主，應生慈心，善和鬪訟，善守三寶物，莫無度用，如自己有。而反亂衆鬪諍，恣心用三寶物，犯輕垢罪。

《五、高麗藏初雕本》（十一世紀）

若佛子，佛滅度後，爲説法主，爲行法主，爲僧房主、教化主、坐禪主、行來主，應生慈心，善和鬪訟，善守三寶物，莫無度用，如自己有。而反亂衆鬪諍，恣心用三寶物，犯輕垢罪。

《六、毘盧藏（開元寺版）》（十二世紀）

若佛子，佛滅度後，爲説法主，爲僧房主，爲教化主、坐禪主、行來主，應生慈心，善和鬪諍，善守三寶物，莫無度用，如自己有。而反亂衆鬪諍，恣心用三寶物，犯輕垢罪。

《七、高麗藏再雕本》（十三世紀前半）

若佛子，佛滅後，爲説法主，爲僧房主、教化主、坐禪主、行來主，應生慈心，善和鬪訟，善守三寶物，莫無度用，如自己有。而反亂衆鬪諍，恣心用三寶物者，犯輕垢罪。

《一、最古形（批判校訂版）》【26-1】

若佛子，先住僧房中住，①後見客菩薩比丘來入僧房、舍宅、城邑、②國王宅舍中，③乃至夏坐安居處及大會中，④先住僧應迎來送去，⑤飲食供養，房舍、臥具、繩床，⑥事事給與。若無物，應賣自身⑦及⑧男女身肉賣，⑨供給所須，悉⑩與之。《続》

〔校勘〕①先住僧房 BNTFK1PSQY，先住僧坊 H，先在僧房 T*K2，先在僧坊 JTaLMnMA。②後見 BTFHJK2TaLA，後見有 H，又見 NK1PS，若見 QYMnM。③國王 BNTFK1JK2LPSQY，若國王 HTaMnMA。④處 BNTFHK1JK2TaLPSQYMnMA，處所 B*。⑤先住僧 TFHK1JK2TaLPSQYMnMA，住僧 BN，是先住僧 B*。⑥繩床 BTFK1K2，繩牀 NA，繩床木床 B*Mn，繩牀木牀 HJTaLPSQYM。⑦賣自身 BNTFHK1K2PSQYMnMA，自賣身 B*JTaL。⑧及 BNTFHK1JLQYMnMA，及以 K2Ta。⑨男女身肉賣 BNTK1，男女身 FB*T*MnM，男女 JK2TaL，男女身應割自身肉賣 PSQY，男女身割自身肉賣 HA。⑩悉 BNTPSQY，悉以 FHT*JK2LMnMA，悉給 K1，盡給 Ta。

《二、天平勝寶九歲寫本》（七五七年）　若佛子，先住僧房中住，後見客菩薩比丘來入僧房、舍宅、城邑、國王宅舍中，乃至夏坐安居處及大會中，先住僧應迎來送去，飲食供養，房舍、臥具、繩床，事事給與。若無物，應賣自身及男女身肉賣，供給所須，悉與之。

《三、房山石經唐刻》（八世紀前半頃）　若佛子，先在僧房中住，後見客菩薩比丘來入僧房、舍宅、城邑、國王宅舍中，乃至夏坐安居處及大會中，先住僧應迎來送去，飲食供養，房舍、臥具、繩床，事事給與。若無物，應自賣身及男女身，供給所須，悉以與之。

《四、法隆寺本》（九世紀）若佛子，先住僧坊中住，後見有客菩薩比丘來入僧房、舍宅、城邑，若國王宅舍中，乃至夏坐安居處及大會中，先住僧應迎來送去，飲食供養，房舍、臥具、繩牀、木牀，事事給與。若無物，應賣自身及男女身，割自身肉賣，供給所須，悉以與之。

《五、高麗藏初雕本》（十一世紀）若佛子，先在僧房中住，又見客菩薩比丘來入僧房、舍宅、城邑、國王宅舍中，乃至夏坐安居處及大會中，先住僧應迎來送去，飲食供養，房舍、臥具、繩床，事事給與。若無物，應賣自身及男女，割身肉賣，供給所須，悉給與之。

《六、毘盧藏（開元寺版）》（十二世紀）若佛子，先住僧房中住，又見客菩薩比丘來入僧房、舍宅、城邑、國王宅舍中，乃至夏坐安居處及大會中，先住僧應迎來送去，飲食供養，房舍、臥具、繩牀、木牀，事事給與。若無物，應賣自身及男女身，應割自身肉賣，供給所須，悉與之。

《七、高麗藏再雕本》（十三世紀前半）若佛子，先在僧房中住，後見客菩薩比丘來入僧房、舍宅、城邑、國王宅舍中，乃至夏坐安居處及大會中，先住僧應迎來送去，飲食供養，房舍、臥具、繩床，事事給與。若無物，應賣自身及以男女，供給所須，悉以與之。

《一、最古形（批判校訂版）》【26―2】

若有檀越來①，請衆僧、客僧有利養分，僧房主應次第差客僧受請。而先住僧獨受請，而不②差客僧③，房主④得無量罪，畜生無異，非沙門，非釋種性⑤，犯輕垢罪⑥。⑦

〔校勘〕①檀越來 TFK1JK2LYMnMA，檀起來 H，檀越主來 PSQ。②而不 BNTFHK1JTaLPSQYMnMA，不 K2，者而不 B*。③客僧 BNTFK1JK2TaLPSQY，客僧者 HMnMA。④房主 BNTFHK1，坊主 L，僧房主 K2PSQY，僧坊主 JTaMnMA。⑤種性 BNTFHPS，種姓 K1JK2LQYMnMA。⑥犯輕垢罪 BNHK1JLPTSQYMnMA，犯輕垢□ F，犯故作者犯輕垢罪 K2Ta。⑦D 道世『諸經要集』若有檀越來請衆僧，客僧有利養分，僧房主應次第差客僧受請，而先住僧獨受，而不差客僧，房主得無量罪，畜生無異，非沙門，非釋種姓，犯輕垢罪。（五四・四一上）

《二、天平勝寶九歲寫本》（七五七年）

若有檀越來，請衆僧、客僧有利養分，僧房主應次第差客僧受請。而先住僧獨受請，而不差客僧，房主得無量罪，畜生無異，非沙門，非釋種性，犯輕垢罪。

《三、房山石經唐刻》（八世紀前半頃）

若有檀越來，請衆僧、客僧有利養分，僧房主應次第差客僧受請。而先住僧獨受請，而不差客僧，房主得無量罪，畜生無異，非沙門，非釋種性，犯輕垢□。

《四、法隆寺本》（九世紀）

若有檀起來，請衆僧、客僧有利養分，僧房主應次第差客僧受請，而先住僧獨受請，而不差客僧者，房主得無量罪，畜生無異，非沙門，非釋種性，犯輕垢罪。

《五、高麗藏初雕本》（十一世紀）

若有檀越來，請衆僧、客僧有利養分，僧房主應次第差客僧受請，而先住僧獨受請，而不差客僧，房主得無量罪，畜生無異，非沙門，非釋種姓，犯輕垢罪。

《六、毘盧藏（開元寺版）》（十二世紀）

若有檀越主來，請衆僧、客僧有利養分，僧房主應次第差客僧受請，而先住僧獨受請，而不差客僧，僧房主得無量罪，畜生無異，非沙門，非釋種性，犯輕垢罪。

《七、高麗藏再雕本》（十三世紀前半）

若有檀越來，請衆僧、客僧有利養分，僧房主應次第差客僧受請，而先住僧獨受請，不差客僧，僧房主得無量罪，畜生無異，非沙門，非釋種姓。若故作者，犯輕垢罪。

《一、最古形（批判校訂版）》【27】

若佛子，一切不得受別請，利養入己。而此①利養②屬十方僧，而別受請，即取③十方僧物入己。八福田④，諸佛、聖人、一一⑤師僧、父、母、病人物，自己用故⑥，犯輕垢罪。⑦

〔校勘〕①而此 BTHK1JK2TaPSQYMnMA，此 NL。 ②利養 BNFHT*K1JK2TaLPSQMnMA，利養物 T。 ③即取 BNTFK1JK2TaLPSQMnM，即是取 HA。 ④八福田 BNTK2，八福田中 FT*K1JLPSQYMnM，及八福田 B*，及八福田中 HTaA。 ⑤一一 BNTFHJK2TaLPSQYMnMA，若一一 K1。 ⑥用故 BNTK1K2PSQYMnMA，用者 FHT*JTaL。 ⑦D 道世『法苑珠林』若佛子。一切不得受別請，利養入己。而此利養屬十方僧，而別受請，即取十方僧物，入己用者，犯輕垢罪。（五三・六〇八中）

《二、天平勝寶九歲寫本》（七五七年）

若佛子，一切不得受別請，利養入己。而此利養物屬十方僧，而別受請，即取十方僧物入己。八福田，諸佛、聖人、一一師僧、父、母、病人物，自己用故，犯輕垢罪。

《三、房山石經唐刻》（八世紀前半頃）

[若][佛]子，一切不得受別請，利養入己。而此利養屬十方僧，而別受請，即取十方僧物入己。及八福田中，諸佛、聖人、一一師僧、父、母、病人物，自己用者，犯輕垢罪。

《四、法隆寺本》（九世紀）

若佛子，一切不得受別請，利養入己。而此利養屬十方僧，而別受請，即是取十方僧物入己。及八福田中，諸佛、聖人、一一師僧、父、母、病人物，自己用故，犯輕垢罪。

《五、高麗藏初雕本》（十一世紀）

若佛子，一切不得受別請，利養入己。而此利養屬十方僧，而別受請，即取十方僧物入己。八福田中，諸佛、聖人，若一一師僧、父、母、病人物，自己用故，犯輕垢罪。

《六、毘盧藏（開元寺版）》（十二世紀）

若佛子，一切不得受別請，利養入己。而此利養屬十方僧，而別受請，即取十方僧物入己。八福田中，諸佛、聖人、一一師僧、父、母、病人物，自己用故，犯輕垢罪。

《七、高麗藏再雕本》（十三世紀前半）

若佛子，一切不得受別請，利養入己。而此利養屬十方僧，而別受請，即取十方僧物入己。八福田，諸佛、聖人、一一師僧、父、母、病人物，自己用故，犯輕垢罪。

《一、最古形（批判校訂版）》【28】

若佛子，有出家菩薩、在家菩薩及一切檀越，請僧福田，求願之時，應入僧房，問知事人，「今欲次第請者」，即得十方賢聖僧①，而世人別請百②羅漢、菩薩僧，不如僧次一凡夫僧。若別請僧者，是外道法。七佛無別請法，不順孝道。③若故別請僧者，犯輕垢罪。

〔校勘〕①今欲次第請者　BNTFJK2TaL，今欲請僧求願知事報言次第請者　HK1PSQYMnMA。②百　BN，五百　TFHB*K1JK2TaLPSQYMnMA。③D 道世『法苑珠林』若有出家、在家、一切檀越請僧福田求願之時，應入僧房，問知事人今欲次第請者，即得十方賢聖僧，而世人別請五百羅漢、菩薩僧、不如僧次一凡夫僧。若別請僧者，是外道法。七佛無別請法，不順孝道。若故別請僧者，犯輕垢罪。（五三・六〇八中）

《二、天平勝寶九歲寫本》（七五七年）

若佛子，有出家菩薩、在家菩薩及一切檀越，請僧福田，求願之時，應入僧房，問知事人，今欲次第請者，即得十方賢聖僧，而世人別請五百羅漢、菩薩僧、不如僧次一凡夫僧。若別請僧者，是外道法。七佛無別請法，不順孝道。若故別請僧者，犯輕垢罪。

《三、房山石經唐刻》（八世紀前半頃）

若佛子，有出家菩薩、在家□□□一切檀越，請僧福田，求願之時，應入僧房，問知事人，今欲次第請者，即得十方賢聖僧，而世人別請五百羅漢、菩薩僧、不如僧次一凡夫僧。若別請僧者，是外道法。七佛無別請法，不順孝□。□故別請僧者，犯輕垢罪。

《四、法隆寺本》（九世紀）
若佛子，有出家菩薩、在家菩薩及一切檀越，請僧福田，求願之時，應入僧坊，問知事人，今欲請僧求願，知事報言，次第請者，即得十方賢聖僧，而世人別請五百羅漢、菩薩僧、不如僧次一凡夫僧。若別請僧者，是外道法。七佛無別請法，不順孝道。若故別請僧者，犯輕垢罪。

《五、高麗藏初雕本》（十一世紀）
若佛子，有出家菩薩、在家菩薩及一切檀越，請僧福田，求願之時，應入僧房，問知事人，今欲請僧求願，知事報言，次第請者，即得十方賢聖僧，而世人別請五百羅漢、菩薩僧、不如僧次一凡夫僧。若別請僧者，是外道法。七佛無別請法，不順孝道。若故別請僧者，犯輕垢罪。

《六、毘盧藏（開元寺版）》（十二世紀）
若佛子，有出家菩薩、在家菩薩及一切檀越，請僧福田，求願之時，應入僧房，問知事人，今欲請僧求願，知事報言，次第請者，即得十方賢聖僧，而世人別請五百羅漢菩薩僧。不如僧次一凡夫僧。若別請僧者。是外道法。七佛無別請法。不順孝道。若故別請僧者，犯輕垢罪。

《七、高麗藏再雕本》（十三世紀前半）
若佛子，有出家菩薩、在家菩薩及一切檀越，請僧福田，求願之時，應入僧房，問知事人，今欲次第請者，即得十方賢聖僧，而世人別請五百羅漢、菩薩僧、不如僧次一凡夫僧。若別請僧者，是外道法。七佛無別請法，不順孝道。若故別請僧者，犯輕垢罪。

《一、最古形（批判校訂版）》【29】

若佛子，以惡心故，①爲利養，②販賣男女色，自手作食，③自磨自舂，占相男女，解夢吉凶，是男是女，呪術、工巧、調鷹方法，和④百種毒藥、千種毒藥、蛇毒、生金銀蠱毒，⑤都無慈心，⑥犯輕垢罪。⑦

〔校勘〕①惡心 B N T F K1 J K2 Ta L P S Q Y Mn M A，慈心 H。②爲利養 B N T H K1 Ta P S Q Y Mn M A，爲利養故 J K2 L。③自手 B N T H K1 J K2 Ta L P S Q Y Mn M A。〔參考〕『菩薩戒義疏』二「手自作食」，通精道俗。④和 B N T P，和合 F H B* T* K1 J K2 Ta L S Q Y Mn M A。⑤金銀蠱毒 B N T* K1 J K2 P S Q Y，金銀蠱毒 T，金銀毒蠱毒 F H L Mn M A。⑥無慈心 B N T F K1 P S Q Y，無慈愍心 H，無慈心若故作者 J K2 L，無慈心無孝順心若故作者 Ta，無慈愍心無孝順心若故作者 Mn，無慈惘心無孝順心若故作者 M A。⑦D『法苑珠林』若佛子，以惡心故，爲利養，販賣男女財色，自手作食，自磨自舂，占相吉凶，呪術、工巧、調鷹方法，和合毒藥，都無慈心，犯輕垢罪。（五三・九四二中）

《二、天平勝寶九歲寫本》（七五七年）

若佛子，以惡心故，爲利養，販賣男女色，自手作食，自磨自舂，占相男女，解夢吉凶，是男是女，呪術、工巧、調鷹方法，和百種毒藥、千種毒藥、蛇毒，生金銀蠱毒，都無慈心，犯輕垢罪。

《三、房山石經唐刻》（八世紀前半頃）

若佛子，以惡心故，爲利養，販賣男女色，自手作食，自磨自舂，占相男女，解夢吉凶，是男是女，呪術、工巧、調鷹方法，和合百種毒藥、千種毒藥、蛇毒，生金銀毒、蠱毒，都無慈心。若故作者，犯輕垢罪。

《四、法隆寺本》（九世紀）
若佛子，以慈心故，爲利養，販賣男女色，自手作食，自磨自舂，占相男女，解夢吉凶，是男是女，呪術、工巧、調鷹方法，和合百種毒藥、千種毒藥、蛇毒，生金銀毒、蠱毒，都無慈愍心，犯輕垢罪。

《五、高麗藏初雕本》（十一世紀）
若佛子，以惡心故，爲利養，販賣男女色，自手作食，自磨自舂，占相男女，解夢吉凶，是男是女，呪術、工巧、調鷹方法，和合百種毒藥、千種毒藥、蛇毒，生金銀蠱毒，都無慈心，犯輕垢罪。

《六、毘盧藏（開元寺版）》（十二世紀）
若佛子。以惡心故，爲利養，販賣男女色。自手作食，自磨自舂，占相男女，解夢吉凶，是男是女，呪術、工巧、調鷹方法，和百種毒藥、千種毒藥、蛇毒，生金銀蠱毒，都無慈心，犯輕垢罪。

《七、高麗藏再雕本》（十三世紀前半）
若佛子。以惡心故，爲利養故，販賣男女色，自手作食，自磨自舂，占相男女，解夢吉凶，是男是女，呪術、工巧、調鷹方法，和合百種毒藥、千種毒藥、蛇毒，生金銀蠱毒，都無慈心。若故作者，犯輕垢罪。

《一、最古形〈批判校訂版〉》【30】

若佛子，以惡心，①自身謗三寶，詐現親附，口便説空，行在有中，爲②白衣統③致男女交會，婬色縛著④，於六齋日、年三長齋月⑤，作殺生、劫盜，破齋⑥犯戒者，犯輕垢罪。

⑦是十戒應當學，敬心奉持，「制戒品」中廣解⑧。

〔校勘〕①以惡心 BNPSQYMnM，以惡心故 TFHB*K1JK2TaLA。②爲 BNTFK1JK2TaLPSQYMnM，經理白衣爲 HA。③統 BNK1，通 TFHJK2TaLPSQYMnMA。④縛著 BNTFK1JK2LPSQY，作諸縛著 HB*MnMA，作諸縛着 Ta。⑤齋月 BNFHK1JK2TaLPSQYMnMA，齋 T。⑥破齋 BNTHK1JK2TaLPSQYMnMA，破 F。⑦是 BNTPSQY，如是 FHB*T*K1JK2TaLMnMA。〔參考〕『菩薩戒義疏』「如是十戒」，第三總結也。⑧制戒品中廣解 BFHT*K1K2LQMnM，制戒品廣解 P，〈制戒品中廣解〉JTa，制品中廣解 N，如制戒品中廣解 T，制戒品中廣明 A。

★P大正藏校勘は誤り。

《二、天平勝寶九歳寫本》〈七五七年〉若佛子，以惡心故，自身謗三寶，詐現親附，口便説空，行在有中，爲白衣通致男女交會，婬色縛著，於六齋日、年三長齋，作殺生、劫盜，破齋犯戒者，犯輕垢罪。／是十戒應當學，敬心奉持，如制戒品中廣解。

《三、房山石經唐刻》〈八世紀前半頃〉若佛子，以惡心故，自身謗三寶，詐現親附，口便説空，行在有中，爲白衣通致男女交會，婬色縛著，於六齋日、年三長齋月，作殺生、劫盜，破犯戒者，犯輕垢罪。／如是十□□□，□心奉持，制戒品中廣解。

《四、法隆寺本》（九世紀）若佛子，以惡心故，自身謗三寶，詐現親附，口便說空，行在有中，經理白衣，爲白衣通致男女交會，婬色作諸縛著，於六齋日、年三長齋月，作殺生、劫盜，破齋犯戒者，犯輕垢罪。／如是十戒應當學，敬心奉持，制戒品中廣解。

《五、高麗藏初雕本》（十一世紀）若佛子，以惡心故，自身謗三寶，詐現親附，口便說空，行在有中，爲白衣統致男女交會，婬色縛著，於六齋日、年三長齋月，作殺生、劫盜，破齋犯戒者，犯輕垢罪。／如是十戒應當學，敬心奉持，制戒品中廣解。

《六、毘盧藏（開元寺版）》（十二世紀）若佛子，以惡心，自身謗三寶，詐現親附，口便說空，行在有中，爲白衣通致男女交會，婬色縛着，於六齋日、年三長齋月，作殺生、劫盜，破齋犯戒者，犯輕垢罪。／是十戒應當學，敬心奉持，制戒品廣解。

《七、高麗藏再雕本》（十三世紀前半）若佛子，以惡心故，自身謗三寶，詐現親附，口便說空，行在有中，爲白衣通致男女交會，婬色縛著，於六齋日、年三長齋月，作殺生、劫盜，破齋犯戒者，犯輕垢罪。／如是十戒應當學，敬心奉持，制戒品中廣解。

《一、最古形（批判校訂版）》【31】

佛言，佛子，佛滅度後惡世中①，若見②外道、一切惡人、劫賊賣佛、菩薩、父母形像，販賣③經律，販賣比丘、比丘尼，亦賣發心菩薩道人④，或爲官使，與一切人作奴婢者。而菩薩見是事已，應慈心⑤方便救護，處處教化，取物贖佛、菩薩形像及比丘、比丘尼⑥、一切經律。若不贖者，犯輕垢罪。⑦

〔校勘〕①惡世中 BNTK1PSQY，於惡世中 FHT*JK2TaLMnMA。②若見 BFHTN*K1JK2TaLPQYMnMA，見 N。③販賣 BNTFK1JK2TaLPSQY，及賣 HMnMA。④發心菩薩道人 BNTK1K2PSQYMnM，發心菩薩 JTaL，發菩提心菩薩 F，發菩提心菩薩道人 HA。⑤應慈心 BNTPSQY，應慈悲心 M，應生慈心 FB*T*K1JK2TaL，應生慈悲心 HMnMA。⑥比丘尼 BNTPSQYMnM，比丘尼發心菩薩 FHT*K1JK2TaLA。⑦D『法苑珠林』若以惡心，自謗三寶，詐現親附，口僞說空，行在有中，若見外道，一切惡人、劫賊賣佛、菩薩、父母形像，販賣經律，販賣僧尼，而菩薩見是事已，方便教化贖之。若不贖者，犯輕垢罪。（五三・九四二中）

《二、天平勝寶九歲寫本》（七五七年）佛言，佛子，佛滅度後惡世中，若見外道、一切惡人、劫賊賣佛、菩薩、父母形像，販賣經律，販賣比丘、比丘尼，亦賣發心菩薩道人，或爲官使，與一切人作奴婢者。而菩薩見是事已，應生慈心，方便救護，處處教化，取物贖佛、菩薩形像及比丘、比丘尼、一切經律。若不贖者，犯輕垢罪。

《三、房山石經唐刻》（八世紀前半頃）佛言，佛子，佛滅度後，於惡世中，若見外道、一切惡人、劫賊賣佛、菩薩、父母形像，販賣經律，販賣比丘、比丘尼，亦賣發菩提心菩薩，或爲官使，與一切人[作]□□[者]。[而]□[薩][見]是[事]已，應生慈心，方便救護，處處教化，取物贖佛、菩薩形像及比丘、比丘尼、發心菩薩、一切經律。若不贖者，犯輕垢罪。

《四、法隆寺本》（九世紀）佛言，佛子，佛滅度後，於惡世中，若見外道、一切惡人、劫賊賣佛、菩薩、父母形像及賣經律，販賣比丘、比丘尼，亦賣發菩提心菩薩道人，或爲官使，與一切人作奴婢者。而菩薩見是事已，應生慈悲心，方便救護，處處教化，取物贖經，贖佛、菩薩形像及比丘、比丘尼、發心菩薩、一切經律。若不贖者，犯輕垢罪。

《五、高麗藏初雕本》（十一世紀）佛言，佛子，佛滅度後惡世中，若見外道、一切惡人、劫賊賣佛、菩薩、父母形像販賣經律，販賣比丘、比丘尼，亦賣發心菩薩道人，或爲官使，與一切人作奴婢者。而菩薩見是事已，應生慈心方便救護，處處教化，取物贖佛、菩薩形像及比丘、比丘尼、發心菩薩、一切經律。若不贖者。犯輕垢罪

《六、毘盧藏（開元寺版）》（十二世紀）佛言，佛子，佛滅度後惡世中，若見外道、一切惡人、劫賊賣佛、菩薩、父母形像，販賣經律，販賣比丘、比丘尼，亦賣發心菩薩道人，或爲官使，與一切人作奴婢者。而菩薩見是事已，應慈心方便救護，處處教化，取物贖佛、菩薩形像及比丘、比丘尼、一切經律。若不贖者，犯輕垢罪。

《七、高麗藏再雕本》（十三世紀前半）佛言，佛子，佛滅度後，於惡世中，若見外道、一切惡人、劫賊賣佛、菩薩、父母形像，販賣經律，販賣比丘、比丘尼，亦賣發心菩薩道人，或爲官使，與一切人作奴婢者。而菩薩見是事已，應生慈心，方便救護，處處教化，取物贖佛、菩薩形像及比丘、比丘尼、發心菩薩、一切經律。若不贖者，犯輕垢罪。

《一、最古形（批判校訂版）》【32】

若佛子，不得畜①刀杖②、弓箭，販賣③輕稱④、小斗，因官形勢，取人財物，害心繫縛，破壞成功，長養猫狸⑤猪狗。若故養⑥者，犯輕垢罪。⑦

〔校勘〕①畜 BNTFHK1K2PSQYMnM，稸 JTaL，販賣 A。②杖 BK1A，仗 NTFHJK2TaLPSQYMnM。③販賣 BNFHK1JK2TaLPSQYMnM，畜 A。④稱 BTHPSY，秤 NFK1JK2TaLMnMA。〔參考〕慧琳『一切經音義』寶生論卷第二「『於稱』〈出證反。『爾雅』云，稱，謂平輕重之具也。『廣雅』云，稱，度也。『鄭注考工記』云，稱猶等也。『考聲』，正作稱。『説文』，從禾爯聲。作秤，俗字也〉」。（五四・六四五上）⑤猫狸 BFHK1JK2TaLPSQYMnMA，狐狸 NT。⑥養 BNFHT*K1PSQYMnMA，養畜 T，作 JK2TaL。⑦D『法苑珠林』若佛子，不得畜刀杖弓箭，販賣輕稱、小斗，因官形勢，取人財物，害心繫縛，破壞成功，長養猫狸猪狗。若故養者，犯輕垢罪」（五三・九四二上～中）

《二、天平勝寶九歲寫本》（七五七年）

若佛子，不得畜刀仗、弓箭，販賣輕稱、小斗，因官形勢，取人財物，害心繫縛，破壞成功，長養[狐]狸猪狗。若故養畜者，犯輕垢罪。

《三、房山石經唐刻》（八世紀前半頃）

若佛子，不得畜刀仗、弓箭，販賣輕秤、小斗，因官形[勢]，□[人]□□，□[心][繫]縛，破壞成功，長養猫狸猪狗。若故養者，犯輕垢罪。

《四、法隆寺本》（九世紀）
若佛子，不得畜刀仗、弓箭，販賣輕稱、小斗，因官形勢，取人財物，害心繫縛，破壞成功，長養猫狸猪狗。若故養者，犯輕垢罪。

《五、高麗藏初雕本》（十一世紀）
若佛子，不得畜刀杖、弓箭，販賣輕秤、小斗，因官形勢，取人財物，害心繫縛，破壞成功，長養猫狸猪狗。若故養者，犯輕垢罪。

《六、毘盧藏（開元寺版）》（十二世紀）
若佛子，不得畜刀杖、弓箭，販賣輕稱、小斗，因官形勢，取人財物，害心繫縛，破壞成功，長養猫狸猪狗。若故養者，犯輕垢罪。

《七、高麗藏再雕本》（十三世紀前半）
若佛子，不得畜刀仗、弓箭，販賣輕秤、小斗，因官形勢，取人財物，害心繫縛，破壞成功，長養猫狸猪狗。若故作者，犯輕垢罪。

《一、最古形（批判校訂版）》【33-1】

若佛子，以惡心故，觀一切男女等鬪、①軍陣兵鬪、②劫賊等鬪，③亦不得聽吹貝、鼓角、琴瑟、箏笛、箜篌、歌叫、④伎樂⑤之聲，不聽⑥摴蒲、⑦圍碁、波羅塞⑧戲、⑨彈碁、⑩六博、⑪擲石、投壺、⑫八道行成，⑬《続》

〔校勘〕①鬪 BNTHK1JK2TaLPSQYMnMA，鬪戰 F。 ②兵鬪 BNTK1PSQY，兵將 FT*JK2TaLMnMA，兵□B*，兵馬 H。 ③等 BNTFHJK2TaLPSQYMnMA，者 K1。 ④歌叫 BNTFHK1K2PQYMnMA，歌嗷 JTaL。 ⑤伎樂 BNTFHK1K2PQYMn，技樂 JTaL，妓樂 MA。 ⑥不聽 BTK1PSQY，不得 NHT*JK2TaLMnMA，不□F。 ⑦慧琳『一切經音義』摴蒱〈楮居反。『藝經』云，摴蒱，戲名也。『考聲』云，散也。『封禪書』，舒也。『説文』，從手慮聲。『戒本』作「樗」，通用也〉。（五四・六〇七中） ⑧塞 BNTFHJTaLSQYMnMA，賽 K1K2P。 ⑨戲 BNTFHK1JK2TaLPSMnMA，戰 QY。 ⑩碁 BTFHK1JK2LPSQYMnM，棊 NTaA。 慧琳『一切經音義』彈棊〈上，達丹反。『廣雅』，彈，拼也。顧野王云，凡皷動物，曰彈。『説文』，從弓單聲。下，忌箕反。顧野王云，棊，所以行弈者也。『方言』，愽也。呉楚之間，或謂之棊。圍棊謂之弈也。『考聲』云，棊，方木爲之也。『説文』，從木其聲。或從石作碁，通用〉。（五四・六〇七中） ⑪六博 BNT，六博拍毱 HB*T*PSQYMnMA，六博拍擲 K1，六博拍毬 FJK2TaL。 慧琳『一切經音義』拍毬〈上，烹陌反。『廣雅』云，拍，擊也。『釋名』，拍，搏也。以手搏其上也。『説文』，從手白聲。下音求〉。（五四・六〇七中） ⑫投壺 BNTK2，投壺牽道 FHT*K1JTaLPSQYMnMA。 慧琳『一切經音義』投壺〈扈呉反。器名也。『文字典説』云，受一斗五升，高一尺二寸，此投壺器也。其法具在『禮記』疏文。案，壺有多種，並腹大而頸小，口圓。大者，腹方，受一斛，酒壺也。又有水壺、唾壺等是也。『説文』云，昆吾圖器也。象形字〉。（五四・六〇七中） ⑬行成 NTFPSQY，行城 BHK1JK2TaLMnMA。

《二、天平勝寶九歲寫本》（七五七年） 若佛子，以惡心故，觀一切男女等鬪、軍陣兵鬪、劫賊等鬪，亦不得聽吹貝、鼓角、琴瑟、箏笛、箜篌、歌叫、伎樂之聲，不聽摴蒲、圍碁、波羅塞戲、彈碁、六博、擲石、投壺、八道行成，

《三、房山石經唐刻》（八世紀前半頃）　若佛子，以惡心故，觀一切男女等闘戰、軍陣兵將、劫賊等闘，亦不得聽吹貝、鼓角、琴瑟、箏笛、箜篌、歌叫、伎樂之聲，不□□□、圍碁、波羅塞戲、彈碁、六博、拍毬、擲石、投壺、牽道、八道行城，

《四、法隆寺本》（九世紀）　若佛子，以惡心故，觀一切男女等闘、軍陣兵馬、劫賊等闘，亦不得聽吹貝、鼓角、琴瑟、箏笛、箜篌、歌叫、伎樂之聲，不得摴蒱、圍碁、波羅塞戲、彈碁、六博、拍鞠、擲石、投壺、牽道、八道行城，

《五、高麗藏初雕本》（十一世紀）　若佛子，以惡心故，觀一切男女等闘、軍陣兵闘、劫賊者闘，亦不得聽吹貝、鼓角、琴瑟、箏笛、箜篌、歌叫、伎樂之聲，不聽摴蒱、圍碁、波羅賽戲、彈碁、六博、拍掬、擲石、投壺、牽道、八道行城，

《六、毘盧藏（開元寺版）》（十二世紀）　若佛子，以惡心故，觀一切男女等闘、軍陣兵闘、劫賊等闘，亦不得聽吹貝、鼓角、琴瑟、箏笛、箜篌、歌叫、伎樂之聲，不聽摴蒱、圍碁、波羅賽戲、彈碁、六博、拍毱、擲石、投壺、牽道、八道行成，

《七、高麗藏再雕本》（十三世紀前半）　若佛子，以惡心故，觀一切男女等闘、軍陣兵將、劫賊等闘，亦不得聽吹貝、鼓角、琴瑟、箏笛、箜篌、歌叫、伎樂之聲，不得摴蒱、圍碁、波羅賽戲、彈碁、六博、拍毬、擲石、投壺、八道行城，

《一、最古形（批判校訂版）》【33—2】

抓鏡①、芝草②、楊枝、鉢盂、髑髏，而作卜筮③，不作④盜賊使命，一一不得⑤。若故作者，犯輕垢罪。⑥

〔校勘〕①抓鏡 BNTFHK1，爪鏡 JK2TaLPSMnMA，瓜鏡 QY。②芝草 BNTFHK1PS，蓍草 JK2TaLQYMnMA。③筮 FK1JK2TaLPSQYMnMA，莁 BNTH。④不作 BNTK1PSQY，不得作 HT*JK2TaLMnMA，不得故作 F。⑤不得 BNTP，不得作 FHT*K1JK2TaLQMnMA。⑥D『法苑珠林』＝若佛子，以惡心故，觀一切男女、軍陣等鬪，亦不得聽諸音樂、雜戲、摴蒱，作賊使命。若故作者，犯輕垢罪。（五三・九四二中）

《二、天平勝寶九歲寫本》（七五七年）

抓鏡、芝草、楊枝、鉢盂、髑髏，而作卜莁，不作盜賊使命，一一不得。若故作者，犯輕垢罪。

《三、房山石經唐刻》（八世紀前半頃）

抓鏡、芝草、楊枝、鉢盂、髑髏，而作卜筮，不得故作盜賊使命，一一不得作。若故作者，犯輕垢罪。

《四、法隆寺本》（九世紀）

抓鏡、芝草、楊枝、鉢盂、髑髏，而作卜莁，不得作盗賊使命，一一不得作。若故作者，犯輕垢罪。

《五、高麗藏初雕本》（十一世紀）

抓鏡、芝草、楊枝、鉢盂、髑髏，而作卜筮，不作盗賊使命，一一不得作。若故作者。犯輕垢罪

《六、毘盧藏（開元寺版）》（十二世紀）

爪鏡、芝草、楊枝、鉢盂、髑髏，而作卜筮，不作盗賊使命，一一不得。若故作者，犯輕垢罪。

《七、高麗藏再雕本》（十三世紀前半）

爪鏡、蓍草、楊枝、鉢盂、髑髏，而作卜筮，不得作盗賊使命，一一不得作。若故作者，犯輕垢罪。

《一、最古形（批判校訂版）》【34】

若佛子，護持禁戒，行住坐臥，日夜六時①，讀誦是戒②，猶如金剛，如帶持浮囊欲渡③大海，如草繫比丘，常生大乘信④，自知我是未成之佛，諸佛是已成之佛，發菩提心，念念不去心。若起一念二⑤乘、外道心者，犯輕垢罪。

〔校勘〕①日夜　B N T F K1 J K2 Ta L P S Q Y Mn M A，日 H。②戒　B T F H K1 J K2 L P S Q Y Mn M A，經戒 N。③渡 N T F Ta P S Q Y M A，度 B H K1 J K2 L Mn。④大乘信　B N T* K1 P S Q Y，大乘善信 F H B* J K2 Ta L Mn M A，大乘善住 T。⑤二乘　B T F H K1 J K2 L P S Q Y Mn M A，三乘 N。

《二、天平勝寶九歳寫本》（七五七年）

若佛子，護持禁戒，行住坐臥，日夜六時，讀誦是戒猶如金剛，如帶持浮囊欲渡大海，如草繫比丘，常生大乘善住，自知我是未成之佛，諸佛是已成之佛，發菩提心，念念不去心。若起一念二乘、外道心者，犯輕垢罪。

《三、房山石經唐刻》（八世紀前半頃）

若佛子，護持禁戒，行住坐臥，日夜六□，□誦是戒，猶如金剛，如帶持浮囊欲渡大海，如草繫比丘，常生大乘善信，自知我是未成之佛，諸佛是已成之佛，發菩提心，念念不去心。若起一念二乘、外道心者，犯輕垢罪。

《四、法隆寺本》（九世紀）
若佛子，護持禁戒，行住坐臥，日六時，讀誦是戒，猶如金剛，如帶持浮囊欲度大海，如草繫比丘，常生大乘善信，自知我是未成之佛，諸佛是已成之佛，發菩提心，念念不去心。若起一念二乘、外道心者，犯輕垢罪。

《五、高麗藏初雕本》（十一世紀）
若佛子，護持禁戒，行住坐臥，日夜六時，讀誦是戒，猶如金剛，如帶持浮囊欲度大海，如草繫比丘，常生大乘信，自知我是未成之佛，諸佛是已成之佛，發菩提心，念念不去心。若起一念二乘、外道心者，犯輕垢罪。

《六、毘盧藏（開元寺版）》（十二世紀）
若佛子，護持禁戒，行住坐臥，日夜六時，讀誦是戒，猶如金剛，如帶持浮囊欲渡大海，如草繫比丘，常生大乘信，自知我是未成之佛，諸佛是已成之佛，發菩提心，念念不去心。若起一念二乘、外道心者，犯輕垢罪。

《七、高麗藏再雕本》（十三世紀前半）
若佛子，護持禁戒，行住坐臥，日夜六時，讀誦是戒，猶如金剛，如帶持浮囊欲度大海，如草繫比丘，常生大乘善信，自知我是未成之佛，諸佛是已成之佛，發菩提心，念念不去心。若起一念二乘、外道心者，犯輕垢罪。

《一、最古形（批判校訂版）》【35】

若佛子，常應發①一切願――孝順父母、師僧②，願得好師③、同學④善知識⑤，常教我大乘經律⑥，十發趣、十長養、十金剛、十地使我開解，如法修行，堅持佛戒――。寧捨身命，念念不去心。若一切菩薩不發是願者，犯輕垢罪。

〔校勘〕①發 B H K1 J K2 Ta L J P S Q Y Mn M A，入 N，念 T，□ F。②師僧 H K1 P S Q Y Mn M A，師□ B，師衆 T，師僧衆 N，師僧三寶 F B* T* J K2 Ta L。③好師 B N F H K1 J K2 Ta L P S Q Y Mn M A，□師 T，好師僧 B*。④同學 B N T F H J K2 Ta L P S Q Y Mn M A，同師學 K1。⑤善知識 B N T H K1 P S Q Y Mn M A，善有知識 B* T*，善友知識 F J K2 Ta L。⑥大乘經律 N T F H B* K1 J K2 Ta L P S Q Y Mn M A，大乘經 B。

《二、天平勝寶九歲寫本》（七五七年）

若佛子，常應念一切願，孝順父母、師衆，願得□師、同學善知識，常教我大乘經律，十發□、十長養、十金剛、十地使我開解，如法脩行，堅持佛戒。寧捨身命，念念不去心。若一切菩薩不發是願者，犯輕垢罪。

《三、房山石經唐刻》（八世紀前半頃）

若佛子，常□□一切□，孝順父母、師僧、三寶，願得好師、同學善友、知識，常教我大乘經律，十發趣、十長養、十金剛、十地使我開解，如法修行，堅持佛戒。寧捨身命，念念不去心。若一切菩薩不發是願者，犯□□□。

《四、法隆寺本》（九世紀）

若佛子，常應發一切願，孝順父母、師僧，願得好師、同學善知識，常教我大乘經律，十發趣、十長養、十金剛、十地使我開解，如法修行，堅持佛戒。寧捨身命，念念不去心。若一切菩薩不發是願者，犯輕垢罪。

《五、高麗藏初雕本》（十一世紀）

若佛子，常應發一切願，孝順父母、師僧，願得好師、同師學善知識，常教我大乘經律，十發趣、十長養、十金剛、十地使我開解，如法修行，堅持佛戒。寧捨身命，念念不去心。若一切菩薩不發是願者，犯輕垢罪。

《六、毘盧藏（開元寺版）》（十二世紀）

若佛子，常應發一切願，孝順父母、師僧，願得好師、同學善知識，常教我大乘經律，十發趣、十長養、十金剛、十地使我開解，如法修行，堅持佛戒。寧捨身命，念念不去心。若一切菩薩不發是願者，犯輕垢罪。

《七、高麗藏再雕本》（十三世紀前半）

若佛子，常應發一切願，孝順父母、師僧、三寶，願得好師、同學善友、知識，常教我大乘經律，十發趣、十長養、十金剛、十地使我開解，如法修行，堅持佛戒。寧捨身命，念念不去心。若一切菩薩不發是願者，犯輕垢罪。

《一、最古形（批判校訂版）》【36-1】

若佛子，發①十大願已，持佛禁戒，作是願言。寧以此身投熾然②猛火、大坑、刀山，終不毀犯三世諸佛經律，與一切女人作不淨行。

復作是願，「寧以熱鐵羅網，千重周帀③纏身，終不④破戒之身受於⑤信心檀越一切衣服」。《續》

〔校勘〕①發 BNTFK1JK2TaLPSQYMnM，發是 HA。 ②熾然 BTFK1JK2TaLPSQYMnMA，熾燃 N，大熾然 B*，於熾然 H。 ③周帀 BTFHK2TaLPSQYMnMA，周迊 NJ，周遍 K1。 ④不 BNT，不以 FHB*T*K1JK2TaLPSQY，不以此 MnMA。 ⑤受於 BNTHK1JK2TaLPSQYMnMA，受 B*，□□ F。

《二、天平勝寶九歲寫本》（七五七年）

若佛子，發十大願已，持佛禁戒，作是願言。寧以此身投熾然猛火、大坑、刀山，終不毀犯三世諸佛經律，與一切女人作不淨行。

復作是願。寧以熱鐵羅網，千重周帀纏身，終不破戒之身受於信心檀越一切衣服。

《三、房山石經唐刻》（八世紀前半頃）

□□子，發十大願已，持佛禁戒，作是願言。寧以此身投熾然猛火、大坑、刀山，終不毀犯三世諸佛經律，與一切女人作不淨行。

復作是願。寧以熱鐵羅網，千重周帀纏身，終不以破戒之□□□□□□一切衣服。

《四、法隆寺本》（九世紀）
若佛子，發是十大願已，持佛禁戒，作是願言。寧以此身投於熾然猛火、大坑、刀山，終不毀犯三世諸佛經律，與一切女人作不淨行。
復作是願。寧以熱鐵羅網，千重周匝纏身，終不以破戒之身受於信心檀越一切衣服。

《五、高麗藏初雕本》（十一世紀）
若佛子。發十大願已，持佛禁戒，作是願言。寧以此身投熾然猛火、大坑、刀山，終不毀犯三世諸佛經律，與一切女人作不淨行。
復作是願。寧以熱鐵羅網，千重周遍纏身，終不以破戒之身受於信心檀越一切衣服。

《六、毘盧藏（開元寺版）》（十二世紀）
若佛子，發十大願已，持佛禁戒，作是願言。寧以此身投熾然猛火、大坑、刀山，終不毀犯三世諸佛經律，與一切女人作不淨行。
復作是願。寧以熱鐵羅網，千重周匝纏身，終不以破戒之身受於信心檀越一切衣服。

《七、高麗藏再雕本》（十三世紀前半）
若佛子，發十大願已，持佛禁戒，作是願言。寧以此身投熾然猛火、大坑、刀山，終不毀犯三世諸佛經律，與一切女人作不淨行。
復作是願。寧以熱鐵羅網，千重周匝纏身，終不以破戒之身受於信心檀越一切衣服。

《一、最古形（批判校訂版）》【36-2】

復作是願，「寧以此口呑熱鐵丸①、大流猛火②，經百千劫，終不③破戒之口食④信心檀越百味飲食⑤」。
復作是願，「寧以此身臥大猛火羅網、熱鐵地上，終不⑥破戒之身受⑦信心檀越百種床坐⑧」。
復作是願，「寧以此身受三百鉾⑨刺身⑩，終⑪不破戒之身受⑫信心檀越百味醫藥」。《続》

〔校勘〕①鐵丸 BNTK1，鐵丸及 FHB*JK2TaLPSQYMnMA。②猛火 BFHT*K1JK2TaLSQYMnMA，火 NTP。★P大正藏校勘は誤り。③不 BNT，不以 FT*K1JK2TaLPSQY，不以此 HMnM。④食 BNTFK1JK2TaLPSQYMnM，貪於 HA。⑤飲食 NBTFHK1JK2TaLSQYMnMA，食 P。⑥不 BNT，不以 FT*K1JK2TaLPSQY，不以此 HMnMA。⑦受 BNTK1JK2TaLPSQYMnM，受於 HA。□□ F。⑧床坐 BT，牀座 NFHJTaLMA，床座 K1K2PSQYMn。⑨鉾 BNTFHK1K2PSQYMnM，矛 JTaLA。⑩刺身 BNP，刺經 T，刺心 T*，刺身一劫二劫 H，刺身經一劫二劫 FK1SQYMnMA，刺經一劫二劫 JK2TaL。★P大正藏校勘は誤り。⑪不 BNT，不以 FK1JK2TaLPSQY，不以此 HMnMA。⑫受 BNTK1JK2TaLPSQYMnM，受於 FHA。

《二、天平勝寶九歳寫本》（七五七年）

復作是願。寧以此口呑熱鐵丸、大流火，經百千劫，終不破戒之口食信心檀越百味飲食。
復作是願。寧以此身臥大猛火羅網、熱鐵地上，終不破戒之身受信心檀越百種床坐。
復作是願。寧以身受三百鉾刺經，終不破戒之身受信心檀越百味醫藥。

《三、房山石經唐刻》（八世紀前半頃）

復作是願。寧以此口呑熱鐵丸及大流猛火，經百千劫，終不以破戒之口食信心檀越百味飲食。
復作是願。寧以此身臥大猛火羅網、熱鐵地上，終不以破戒□□□□□□越百種牀座。
復作是願寧。以此身受三百鉾刺身，經一劫二劫，終不以破戒之身受於信心檀越百味醫藥。

《四、法隆寺本》（九世紀）

復作是願。寧以此口呑熱鐵丸及大流猛火，經百千劫，終不以此破戒之口食於信心檀越百味飲食。
復作是願。寧以此身臥大流猛火羅網、熱鐵地上，終不以此破戒之身受於信心檀越百種牀座。
復作是願。寧以此身受三百鉾刺身，一劫二劫，終不以此破戒之身受於信心檀越百味醫藥。

《五、高麗藏初雕本》（十一世紀）

復作是願。寧以此口呑熱鐵丸、大流猛火，經百千劫，終不以破戒之口食信心檀越百味飲食。
復作是願。寧以此身臥大猛火羅網、熱鐵地上，終不以破戒之身受信心檀越百種床座。
復作是願。寧以此身受三百鉾刺身，經一劫二劫，終不以破戒之身受信心檀越百味醫藥。

《六、毘盧藏（開元寺版）》（十二世紀）

復作是願。寧以此口呑熱鐵丸及大流火，經百千劫，終不以破戒之口食信心檀越百種味食。
復作是願。寧以此身臥大猛火羅網、熱鐵地上，終不以破戒之身受信心檀越百種床座。
復作是願。寧以此身受三百鉾刺身，終不以破戒之身受信心檀越百味醫藥。

《七、高麗藏再雕本》（十三世紀前半）

復作是願。寧以此口呑熱鐵丸及大流猛火，經百千劫，終不以破戒之口食信心檀越百味飲食。
復作是願。寧以此身臥大猛火羅網、熱鐵地上，終不以破戒之身受信心檀越百種床座。
復作是願。寧以此身受三百鉾刺，經一劫二劫，終不以破戒之身受信心檀越百味醫藥。

《一、最古形（批判校訂版）》【36―3】

復作是願，「寧以此身投熱鐵鑊千劫①，終不破戒之身②③受信心檀越千種房舍、屋宅、園林、田地」。
復作是願，「寧以鐵鎚④打碎此身，從頭至足，令如微塵，終不以此破戒之身⑤受信心檀越恭敬、禮拜」。
復作是願，「寧以百千熱鐵刀鉾挑⑦其兩目，終不破戒心⑧視⑨他好色」。《続》

〔校勘〕①鑊千劫 BNTPSQY，鑊經百千劫 FHB*T*K1JK2TaLMnMA。②不破戒之身 NT，不破戒身 B，不以破戒之身 FB*T*JK2TaLPSQY，不以此破戒之身 HK1MnMA。③受 BNTK1JK2TaLPSQYMnM，受於 FHA。④鎚 BFHT*JK2TaLQYMnMA，錐 N，磓 T，槌 K1，椎 PS。⑤不以此 BNTHK1MnMA，不以 FJK2TaLPSQY。⑥受 BNTK1JK2TaLPSQYMnM，受於 FHA。⑦慧琳『一切經音義』挑其〈上，眺堯反。『聲類』云，挑，抉也。『説文』，從手兆聲〉。（五四・六〇七中）⑧不破戒心 BNT，以不破戒之心 B*T*，不以破戒心 K1PSQY，不以破戒之心 FJK2TaL，不以此破戒之心 HMnMA。⑨〔參考〕慧琳『一切經音義』眡其〈上，時指反。『説文』視字，視，瞻也。從目氏聲，亦作眎。義與視同〉。（五四・六〇七中）

《二、天平勝寶九歳寫本》（七五七年）　復作[是]願。寧以此身投熱□錐千劫，終不破戒之身受信心檀越千種房舍、屋宅、園林、田地。復作是願。寧以鐵鑴打碎此身，從頭至足，令如微塵，終不以此破戒之身受信心檀越恭敬、禮拜。復作是願。寧以百千熱鐵刀鉾挑其兩目，終不破戒心視他好色。

《三、房山石經唐刻》（八世紀前半頃）　復作是願。寧以此身投熱鐵鑊，經百千劫，終不以破戒之身□□□□□□□[房]舍、屋宅、園林、田地。復作是願。寧以鐵鎚打碎此身，從頭至足，令如[微]塵終不以破戒之身受於信心檀越恭敬、禮拜。復作是願。寧以百千熱鐵刀鉾挑其兩目，終不以破戒之心視他好色。

《四、法隆寺本》（九世紀）　復作是願。寧以此身投熱鐵鑊，經百千劫，終不以此破戒之身受於信心檀越千種房舍、屋宅、園林、田地。復作是願。寧以鐵鎚打碎此身，從頭至足，令如微塵終不以此破戒之身受於信心檀越恭敬、禮拜。復作是願寧以百千熱鐵刀鉾挑其兩目，終不以此破戒之心視他好色。

《五、高麗藏初雕本》（十一世紀）　復作是願。寧以此身投熱鐵鑊，經百千劫。終不以破戒之身受信心檀越千種房舍、屋宅、園林、田地。復作是願。寧以鐵槌打碎此身，從頭至足令如微塵。終不以此破戒之身受信心檀越恭敬、禮拜。復作是願。寧以百千熱鐵刀鉾挑其兩目，終不以破戒心視他好色。

《六、毘盧藏（開元寺版）》（十二世紀）　復作是願。寧以此身投熱鐵鑊千劫。終不以破戒之身受信心檀越千種房舍、屋宅、園林、田地。復作是願。寧以鐵椎打碎此身，從頭至足令如微塵。終不以此破戒之身受信心檀越恭敬、禮拜。復作是願。寧以百千熱鐵刀鉾挑其兩目，終不以破戒心視他好色。

《七、高麗藏再雕本》（十三世紀前半）　復作是願。寧以此身投熱鐵鑊，經百千劫。終不以破戒之身受信心檀越千種房舍、屋宅、園林、田地。復作是願。寧以鐵鎚打碎此身，從頭至足令如微塵。終不以破戒之身受信心檀越恭敬、禮拜。復作是願。寧以百千熱鐵刀鉾挑其兩目，終不以破戒之心視他好色。

《一、最古形（批判校訂版）》【36-4】

復作是願，「寧以百千鐵釘①遍身劖刺②耳根，經③一劫二劫，終不以破戒心④聽好音聲」。

復作是願，「寧以百千刃刀割去其鼻，終不破戒心⑤貪嗅⑥諸香」。

復作是願，「寧以千刃刀⑦割斷其舌，終不以破戒之心⑧食人百味淨食」。《続》

〔校勘〕①鐵釘 BN，鐵錐 TFHK1JK2TaLPSQYMnMA。②遍身攙刺 BFHK1PSQY，遍身劖刺 T*，遍身鑱刺 N，遍身梚刺 T，遍劖刺 JK2TaL，劖刺 MnMA。慧琳『一切經音義』偏劖〈上，邊見反。『杜注左傳』，偏，猶周也。『蒼頡篇』，廣也。『說文』云，帀也。從亻扁聲。下，仕咸反。『聲類』云，劖，刺也。『說文』云，斷也。從刀毚聲，毚音同上〉。（五四・六〇七中）③經 BTFHK1JK2TaLPSQYMnMA，逕 N。④不以破戒心 BTK1P，不以破戒之心 FB*T*JK2TaLQ，不以此破戒之心 HMnMA，以不破戒心 N。★P大正藏校勘は誤り。⑤不破戒心 B，不破戒之心 NB*T*，不以破戒心 K1PSQYM，不以破戒之心 FJK2TaL，不以此破戒之心 HMnMA。★P大正藏校勘は誤り。⑥貪嗅 BNTF，貪齅 HK1JK2TaLPQMnM，貪著 A。慧琳『一切經音義』貪齅〈休宥反。『論語』云，三齅而作。『說文』，以鼻就臭也，從鼻從臭。臭亦聲也〉。（五四・六〇七中）⑦千刃刀 BNT，百千刃刀 FB*T*K1JK2TaLPSQYMnMA。⑧不以破戒之心 BNTFJK2TaL，不以此破戒之心 HMnMA，不以破戒心 K1PQ。★P大正藏校勘は誤り。

《二、天平勝寶九歳寫本》（七五七年）復作是願。寧以百千鐵錐遍身梚刺耳根，經一劫二，劫終不以破戒心聽好音聲。／復作是願。寧以百千刃刀割去其鼻，終不破戒心貪嗅諸香。／復作是願。寧以千刃刀割斷其舌，終不以破戒之心食人百味淨食。

《三、房山石經唐刻》（八世紀前半頃）　復作是願。寧以百千鐵錐遍身劖刺耳根，經一劫二劫，終不以破戒之心聽好音聲。／復作是願。寧以百千刃刀割去其鼻，終不以破戒之心貪嗅諸香。／☆〔復作是願。寧以百千刃刀割斷其舌，終不以破戒之心食人百味淨食。〕　☆石刻尾題後補訂

《四、法隆寺本》（九世紀）　復作是願。寧以百千鐵錐遍身劖刺耳根，經一劫二劫，終不以此破戒之心聽好音聲。／復作是願。寧以百千刃刀割去其鼻，終不以此破戒之心貪齅諸香。／復作是願。寧以百千刃刀割斷其舌，終不以此破戒之心食人百味淨食。

《五、高麗藏初雕本》（十一世紀）　復作是願。寧以百千鐵錐遍身攙刺耳根，經一劫二劫，終不以破戒心聽好音聲。／復作是願。寧以百千刃刀割去其鼻，終不以破戒心貪齅諸香。／復作是願。寧以百千刃刀割斷其舌，終不以破戒之心食人百味淨食。

《六、毘盧藏（開元寺版）》（十二世紀）　復作是願。寧以百千鐵錐遍身攙刺耳根，經一劫二劫，終不以破戒心聽好音聲。／復作是願。寧以百千刃刀割去其鼻，終不以破戒心貪齅諸香。／復作是願。寧以百千刃刀割斷其舌，終不以破戒心食人百味淨食。

《七、高麗藏再雕本》（十三世紀前半）　復作是願。寧以百千鐵錐遍劖刺耳根，經一劫二劫，終不以破戒之心聽好音聲。／復作是願。寧以百千刃刀割去其鼻，終不以破戒之心貪嗅諸香。／復作是願。寧以百千刃刀割斷其舌，終不以破戒之心食人百味淨食。

《一、最古形（批判校訂版）》【36-5】

復作是願，「寧以利斧斬破①其身，終不以破戒心②貪著好觸」。

復作是願，「願一切人③成佛④」。

菩薩若不發⑤是願者，犯輕垢罪。

〔校勘〕①斬破 BNTFHA，斬斫 K1K2PSQYMnM，斬碎 JTaL。 ②破戒心 BTK1PQ，破戒之心 NFB*JK2TaLPSY，此破戒之心 HMnMA。 ★P大正藏校勘は誤り。 ③一切人 BNTK1，一切衆生 FHT*JK2TaLPSQYMnMA。 ④成佛 BNBPSQYMnM，悉得成佛 FHB*T*K1JK2TaLA。 ⑤菩薩若不發 BTK1JLPSQYMnM，菩薩不發若 N，若菩薩不發 F，而菩薩若不發 HK2TaA。

《二、天平勝寶九歲寫本》（七五七年）

復作是願。寧以利斧斬破其身終不以破戒心貪著好□。

復作是願。願一切人成佛。

菩薩若不發是願者，犯輕垢罪。

《三、房山石經唐刻》（八世紀前半頃）

復作是願。寧以利斧斬破其身，終不以破戒之心貪著好觸。

復作是願。願一切衆生悉得成佛。

若菩薩不發是願者，犯輕垢罪。

《四、法隆寺本》（九世紀）
復作是願。寧以利斧斬破其身，終不以此破戒之心貪著好觸。
復作是願。願一切衆生悉得成佛。
而菩薩若不發是願者，犯輕垢罪。

《五、高麗藏初雕本》（十一世紀）
復作是願。寧以利斧斬斫其身，終不以破戒心貪著好觸。
復作是願。願一切人悉得成佛。
菩薩若不發是願者，犯輕垢罪

《六、毘盧藏（開元寺版）》（十二世紀）
復作是願。寧以利斧斬斫其身，終不以破戒心貪着好觸。
復作是願。願一切衆生成佛。
菩薩若不發是願者。犯輕垢罪。

《七、高麗藏再雕本》（十三世紀前半）
復作是願。寧以利斧斬斫其身，終不以破戒之心貪著好觸。
復作是願。願一切衆生悉得成佛。
而菩薩若不發是願者，犯輕垢罪。

《一、最古形（批判校訂版）》【37−1】

若佛子，常應二時頭陀，冬夏坐禪，結夏安居，常用楊枝、澡豆①、三衣、瓶、鉢、坐具、錫杖②、香爐③、漉水嚢、手巾、刀子、火燧④、鑷子⑤、繩床⑥、經、律、佛像⑦、菩薩形像。而菩薩行頭陀時及遊方時，行來百里⑧、千里⑨，此十八種物常隨其身。《続》

〔校勘〕①澡 BNFK1JK2TaLPSQYMnMA，滐 T，藻 H。②杖 BNFHK1JK2TaLPSQYMnMA，仗 T。③香爐 BNTFJK2LPSQY，香鑪 MnM，香炉 Ta，香爐奩 K1A，香鑪奩 H。與咸『梵網菩薩戒經疏註』香爐奩，盛香器也。或云爐并奩，乃二事也。或本無奩字，亦可。④燧 BNTFHK1K2QYMnMA，鐩 JTa。⑤鑷子 BFHT*K1JK2LPSQYMnMA，鑷 NT。慧琳『一切經音義』銸子〈上，黏輒反。『説文』，鉆也。從金耴聲，經，從聶作「鑷」〉。（五四・六〇七中）⑥床 BNFK1K2PSQYMn，牀 THJTaLMA。⑦佛像 NTFHB*K1JK2TaLPSQYMnMA，像 B。⑧行來 BNTFHK1JK2TaLPSQYMnMA，行來時 B*。⑨百里千里 BNTHK1JK2TaLPSQYMnMA，百千里 F。

《二、天平勝寶九歳寫本》（七五七年） 若佛子，常應二時頭陀，冬夏坐禪，結夏安居，常用楊枝、滐豆、三衣、瓶、鉢、坐具、錫仗、香爐、漉水嚢、手巾、刀子、火燧、鑷、繩牀、經、律、佛像、菩薩形像。而菩薩行頭陀時及遊方時，行來百里、千里，此十八種物常隨其身。

《三、房山石經唐刻》（八世紀前半頃） 若佛子，常應二時頭陀，冬夏坐禪，結夏安居，常用楊枝、澡豆、三衣、瓶、鉢、坐具、錫杖、香爐、漉水嚢、手巾、刀子、火燧、鑷子、繩床、經、律、佛像、菩薩形像。而菩薩行頭陀時及遊方時，行來百里、千里，此十八種物常隨其身。

《四、法隆寺本》（九世紀）若佛子，常應二時頭陀，冬夏坐禪，結夏安居，常用楊枝、藻豆、三衣、瓶、鉢、坐具、錫杖、香鑪奩、漉水囊、手巾、刀子、火燧、鑷子、繩牀、經、律、佛像、菩薩形像。而菩薩行頭陀時及遊方時，行來百里、千里，此十八種物常隨其身。

《五、高麗藏初雕本》（十一世紀）若佛子，常應二時頭陀，冬夏坐禪，結夏安居，常用楊枝、澡豆、三衣、瓶、鉢、坐具、錫杖、香爐奩、漉水囊、手巾、刀子、火燧、鑷子、繩床、經、律、佛像、菩薩形像。而菩薩行頭陀時及遊方時，行來百里、千里，此十八種物常隨其身。

《六、毘盧藏（開元寺版）》（十二世紀）若佛子，常應二時頭陀，冬夏坐禪，結夏安居，常用楊枝、澡豆、三衣、瓶、鉢、坐具、錫杖、香爐、漉水囊、手巾、刀子、火燧、鑷子、繩床、經、律、佛像、菩薩形像。而菩薩行頭陀時及遊方時，行來百里、千里。此十八種物常隨其身。

《七、高麗藏再雕本》（十三世紀前半）若佛子，常應二時頭陀，冬夏坐禪，結夏安居，常用楊枝、澡豆、三衣、瓶、鉢、坐具、錫杖、香爐、漉水囊、手巾、刀子、火燧、鑷子、繩床、經、律、佛像、菩薩形像。而菩薩行頭陀時及遊方時，行來百里、千里。此十八種物常隨其身。

《一、最古形（批判校訂版）》【37-2】

頭陀者，從正月十五日至三月十五日，八月十五日至十月十五日，是二時中，十八①種物常隨其身，如鳥之翼②。若布薩日，新學菩薩③，半月半月布薩，誦十重四十八輕戒時④，於諸佛、菩薩形像前⑤，一人布薩⑥即一人誦，若二若三人，至⑦百千人，亦一人誦。誦者高坐⑧，聽者下坐，（續）

〔校勘〕①十八 BNTFK1PSQYMnM，此十八 HT*JK2TaLA。②鳥之翼 NB*，鳥有翼 B，鳥二翼 TFHK1JK2TaLPSQYMnMA。③菩薩 NTFHB*K1JK2TaLPSQYMnMA，菩 B。④誦十重四十八輕戒時 NBTFK1JK2LPSQY，誦十重四十八輕戒若誦戒時當 HA，誦十重四十八輕若誦戒時 MnM，應誦諸佛法戒若誦戒時 Ta。⑤前 BNTFK1JK2TaL，前誦 HPSQYMnMA。⑥布薩 BNTFHK1JK2TaLSQYM，菩薩 P。⑦若二若三人至 BN，若一若二人三人乃至 B*，若二人及三人至 T，若二三人乃至 F，若二人三人至 HA，若二及三人至 K1PSQYMnM，若二人三人乃至 T*JK2TaL。⑧高坐 BNTJTa，高座 FHT*K1K2LPSQYMnMA。

《二、天平勝寶九歳寫本》（七五七年）

頭陀者，從正月十五日至三月十五日，八月十五日至十月十五日，是二時中，十八種物常隨其身，如鳥二翼。若布薩日，新學菩薩，半月半月布薩，誦十重四十八輕戒時，於諸佛、菩薩形像前，一人布薩即一人誦，若二人及三人，至百千人，亦一人誦。誦者高座，聽者下坐，

《三、房山石經唐刻》（八世紀前半頃）

頭陀者，從正月十五日至三月十五日，八月十五日至十月十五日，是二時中，此十八種物常隨其身，如鳥二翼。若布薩日，新學菩薩，半月半月布薩，誦十重四十八輕戒時，於諸佛、菩薩形像前，一人布薩一人誦，若二三人，乃至百千人，亦一人誦。誦者高座，聽者下坐，

《四、法隆寺本》（九世紀）

頭陀者，從正月十五日至三月十五日，八月十五日至十月十五日，是二時中，此十八種物常隨其身，如鳥二翼。若布薩日，新學菩薩，半月半月常布薩，誦十重四十八輕戒。若誦戒時，當於諸佛、菩薩形像前誦，一人布薩即一人誦，若二人三人，至百千人，亦一人誦。誦者高座，聽者下坐，

《五、高麗藏初雕本》（十一世紀）

頭陀者，從正月十五日至三月十五日，八月十五日至十月十五日，是二時中，十八種物常隨其身，如鳥二翼。若布薩日，新學菩薩，半月半月布薩，誦十重四十八輕戒時，於諸佛、菩薩形像前，一人布薩即一人誦，若二及三人，至百千人，亦一人誦。誦者高座，聽者下坐，

《六、毘盧藏（開元寺版）》（十二世紀）

頭陀者，從正月十五日至三月十五日，八月十五日至十月十五日，是二時中，十八種物常隨其身，如鳥二翼。若布薩日，新學菩薩，半月半月布薩，誦十重四十八輕戒時，於諸佛、菩薩形像前誦，一人菩薩即一人誦，若二及三人，至百千人，亦一人誦。誦者高座，聽者下坐，

《七、高麗藏再雕本》（十三世紀前半）

頭陀者，從正月十五日至三月十五日，八月十五日至十月十五日，是二時中，此十八種物常隨其身，如鳥二翼。若布薩日，新學菩薩，半月半月布薩，誦十重四十八輕戒時，於諸佛、菩薩形像前，一人布薩即一人誦，若二人三人，乃至百千人，亦一人誦。誦者高座，聽者下坐，

《一、最古形（批判校訂版）》【37-3】

各各披九條、七條、五條袈裟。結夏安居，一一①如法。若頭陀時②，莫入難處。若國難、惡王、土地高下，草木深③邃④、師子、虎、狼、水、火、風⑤，劫賊、道路毒蛇⑥，一切難處，悉不得入。一切難處故⑦，頭陀⑧行道，乃至夏坐安居，是諸難處⑨，亦不得入此難處。況行頭陀者見難處⑩。故入者⑪，犯輕垢罪。

〔校勘〕①一一 TBNTK1JK2TaLPSQYMnM，時亦應一一 FHA。②頭陀 BNTFK1JK2TaLPSQYMnM，若行頭陀時 NA。③草木 BTFHJK2TaLPSQYMnMA，木草 NK1。④慧琳『一切經音義』深邃〈雖翠反。『王注楚辭』云，邃，深也。『説文』，深，遠也。從穴遂聲〉。（五四・六〇七中）⑤風 BNTPSQYMnM，惡風 B*，風難及以 FHT*K1JK2TaLA。⑥道路毒蛇 BNTFHK1JK2TaLPSQYMnMA，道路 B*。⑦不得入一切難處 BNTK1PS，不得入 FHJK2TaLQYMnMA。⑧頭陀 BNHK1K2A，若頭陀 FTJTaLPSQYMnM。⑨難處亦 BNK1PSQYMnM，難亦處 T，難處悉 K2，難處皆 FHT*JTaLA。⑩不得入此難處況行頭陀者見難處 NTK1PSQY，不得入此難處況行頭陀見難處 B，不得入況行頭陀者若見難處 H，不得入 FJK2TaLMnMA。⑪故入者 BNK1，若故入者 FB*T*JK2TaLMnMA，而故入者 HPSQY。★P大正藏校勘は誤り。

《二、天平勝寶九歳寫本》（七五七年） 各各披九條、□條、五條袈裟。結夏安居，一一如法。若頭陀時，莫入難處。若國難、惡王、土地高下、草木深邃、師子、虎、狼、水、火、風、劫賊、道路毒蛇，一切難處，悉不得入。一切難處，若頭陀行道，乃至夏坐安居是諸難亦處，不得入此難處。況行頭陀者見難處。故入者，犯輕垢罪。

《三、房山石經》（八世紀前半） 各各披九條、七條、五條袈裟。結夏安居時，亦應一一如法。若頭陀時，莫入難處。若國難、惡王、土地高下、草木深邃、師子、虎、狼、水、火、風難及以劫賊、道路毒蛇，一切難處，悉不得入。若頭陀行道，乃至夏坐安居是諸難處，皆不得入。若故入者，犯輕垢罪。

《四、法隆寺本》（九世紀）　各各披九條、七條、五條袈裟。若結夏安居時，亦應一一如法。若行頭陀時，莫入難處。若惡國界、若惡國王、土地高下、草木深邃、師子、虎、狼、水、火、風難及以刼賊、道路毒蛇、一切難處，悉不得入。頭陀行道乃至夏坐安居是諸難處，皆不得入，況行頭陀者若見難處。而故入者，犯輕垢罪。

《五、高麗藏初雕本》（十一世紀）　各各被九條、七條、五條袈裟。結夏安居，一一如法。若頭陀時，莫入難處。若國難、惡王、土地高下、木草深邃、師子、虎、狼、水、火、風難及以刼賊、道路毒蛇、一切難處，悉不得入。一切難處故，頭陀行道乃至夏坐安居是諸難處，亦不得入此難處，況行頭陀者見難處。故入者，犯輕垢罪。

《六、毘盧藏（開元寺版）》（十二世紀）　各各披九條、七條、五條袈裟。結夏安居，一一如法。若頭陀時，莫入難處。若國難、惡王、土地高下、草木深邃、師子、虎、狼、水、火、風、刼賊、道路毒蛇、一切難處，悉不得入。一切難處故，頭陀行道乃至夏坐安居是諸難處亦不得入此難處，況行頭陀者見難處。而故入者，犯輕垢罪。

《七、高麗藏再雕本》（十三世紀前半）　各各披九條、七條、五條袈裟。結夏安居，一一如法。若頭陀時，莫入難處。若國難、惡王、土地高下、草木深邃、師子、虎、狼、水、火、風難及以刼賊、道路毒蛇、一切難處，悉不得入。若頭陀行道乃至夏坐安居是諸難處，悉不得入。若故入者，犯輕垢罪。

《一、最古形（批判校訂版）》【38】

若佛子，應如法次第坐。先受戒者在前坐，後受戒者在後坐，不問老少、比丘、比丘尼、貴人、國王、王子乃至黃門、奴婢，皆應先受戒者在前坐，後受戒者次第而坐，莫如外道、癡人。若老若少，無前無後，坐無次第，兵①奴之法。我佛法中，先者先坐，後者後坐。而菩薩②不次第坐，③犯輕垢罪。④

〔校勘〕①兵奴 BNTFK1JK2TaLPSQYMnM，如兵奴 HA。 ②菩薩 BNTFHK1JK2TaLPSQYMnMA，菩薩若 B*。 ③不次第坐 NBTK1Q，不次第坐者 FJK2LPSQY，一一不如法次第坐者 HTaMnMA。 ④D 道世『法苑珠林』若佛子，應如法次第坐，先受戒者在前坐，後受戒者在後坐，不問老少、比丘、比丘尼、貴人、國王、王子乃至黃門、奴婢，皆應先受戒者在前坐，後受戒者次第而坐，莫如外道、癡人。若老若少，無前無後，坐無次第，兵奴之法。我佛法中，先者先坐，後者後坐。而菩薩不次第坐者，犯輕垢罪。（五三・六四四中）

《二、天平勝寶九歳寫本》（七五七年） 若佛子，應如法次第坐。先受戒者在前坐，後受戒者在後坐，不問老少、比丘、比丘尼、貴人、國王、王子乃至黃門、奴婢，皆應先受戒者在前坐，後受戒者次第而坐，莫如外道、癡人。若老若少，無前無後，坐無次第，兵奴之法。我佛法中，先者先坐，後者後坐。而菩薩不次第坐，犯輕垢罪。

《三、房山石經唐刻》（八世紀前半頃） 若佛子，應如法次第坐。先受戒者在前坐，後受戒者在後坐，不問老少、比丘、比丘尼、貴人、國王、王子乃至黃門、奴婢，皆應先受戒者在前坐，後受戒者次第而坐，莫如外道、癡人。若老若少，無前無後，坐無次第，兵奴之法。我佛法中，先者先坐，後者後坐。而菩薩不次第坐者，犯輕垢罪。

《四、法隆寺本》（九世紀）　若佛子，應如法次第坐。先受戒者在前坐，後受戒者在後坐，不問老少、比丘、比丘尼、貴人、國王、王子乃至黄門、奴婢，皆應先受戒者在前坐，後受戒者次第而坐，莫如外道、癡人。若老若少，無前無後，坐無次第，如兵奴之法。我佛法中，先者先坐，後者後坐。而菩薩一一不如法次第坐者，犯輕垢罪。

《五、高麗藏初雕本》（十一世紀）　若佛子，應如法次第坐。先受戒者在前坐，後受戒者在後坐，不問老少、比丘、比丘尼、貴人、國王、王子乃至黄門、奴婢，皆應先受戒者在前坐，後受戒者次第而坐，莫如外道、癡人。若老若少，無前無後，坐無次第，兵奴之法。我佛法中，先者先坐，後者後坐。而菩薩不次第坐，犯輕垢罪。

《六、毘盧藏（開元寺版）》（十二世紀）　若佛子，應如法次第坐。先受戒者在前坐，後受戒者在後坐，不問老少、比丘、比丘尼、貴人、國王、王子乃至黄門、奴婢，皆應先受戒者在前坐，後受戒者次第而坐，莫如外道、癡人。若老若少，無前無後，坐無次第，兵奴之法。我佛法中，先者先坐，後者後坐。而菩薩不次第坐，犯輕垢罪。

《七、高麗藏再雕本》（十三世紀前半）　若佛子，應如法次第坐。先受戒者在前坐，後受戒者在後坐，不問老少、比丘、比丘尼、貴人、國王、王子乃至黄門、奴婢，皆應先受戒者在前坐，後受戒者次第而坐，莫如外道、癡人。若老若少，無前無後，坐無次第，兵奴之法。我佛法中，先者先坐，後者後坐。而菩薩不次第坐者，犯輕垢罪。

《一、最古形（批判校訂版）》【39−1】

若佛子，常應教化一切衆生，建立僧房、山林、園、田，立作佛塔。冬夏安居、坐禪處所、一切行道處，皆應立之。而菩薩應爲一切衆生講説大乘經律，若疾病①、國難、賊難、父母、兄弟、和上②、阿闍梨亡滅之日，及三七日、四、五七日③，亦講④大乘經律，而齋會求，行來持生⑤，《続》

〔校勘〕①疾病 NFHK1JK2TaLQYMnMA，病疾 BTPS。 ②和上 BNTFHK1K2PSQY，和尚 JTaLMnMA。★M大正藏校勘は誤り。 ③及三七日四五七日 N，及三七日四五七日乃至七七日 HMnMA，及三七四七五七日 BK1PSQ，及三七日乃至七七日 TFJK2TaL，及三七日四五六七日 B*。 ④講 BNTPSQY，講説 B*M，應講説 H，應講 MnA，應讀誦講説 FK1JK2TaL，讀誦講説 T*。 ⑤而齋會求行來持生 BNT，而齋會求福行來持生 B*，而齋會求福行來治生 PSQ，齋會求福行來治生 JK2L，一切齋會求欲行來治生 F，一切齋會求福行來治生 K1TaMnM，一切齋會求願行來治生 HA。 ［參考］「一切齋會求願，行來治生」（傳奥、與咸、袾宏、智旭、弘贊各注）

《二、天平勝寶九歳寫本》（七五七年） 若佛子，常應教化一切衆生，建立僧房、山林、園、田，立作佛塔。冬夏安居、坐禪處所、一切行道處，皆應立之。而菩薩應爲一切衆生講説大乘經律，若病疾、國難、賊難、父母、兄弟、和上、阿闍梨亡滅之日，及三七日，乃至七七日，亦講説大乘經律，而齋會求福，行來持生，

《三、房山石經唐刻》（八世紀前半頃） 若佛子，常應教化一切衆生，建立僧房、山林、園、田，立作佛塔。冬夏安居、坐禪處所、一切行道處，皆應立之。而菩薩應爲一切衆生講説大乘經律，若疾病、國難、賊難、父母、兄弟、和上、阿闍梨亡滅之日，及三七日，乃至七七日，亦應讀誦、講説大乘經律，一切齋會求欲行來治生，

《四、法隆寺本》（九世紀）若佛子，常應教化一切衆生，建立僧坊、山林、園、田，立作佛塔。冬夏安居、坐禪處所、一切行道處，皆應立之。而菩薩應爲一切衆生講説大乘經律，若疾病、國難、賊難、父母、兄第、和上、阿闍梨亡滅之日，及三七日，四、五七日，乃至七七日，亦應講説大乘經律，一切齋會求願，行來治生，

《五、高麗藏初雕本》（十一世紀）若佛子，常應教化一切衆生，建立僧房、山林、園、田，立作佛塔。冬夏安居、坐禪處所、一切行道處，皆應立之。而菩薩應爲一切衆生講説大乘經律，若疾病、國難、賊難、父母、兄弟、和上、阿闍梨亡滅之日，及三七，四、五七日，亦應讀誦、講説大乘經律，一切齋會求福，行來治生，

《六、毘盧藏（開元寺版）》（十二世紀）若佛子，常應教化一切衆生，建立僧房、山林、園、田，立作佛塔。冬夏安居、坐禪處所、一切行道處，皆應立之。而菩薩應爲一切衆生講説大乘經律，若病疾、國難、賊難、父母、兄弟、和上、阿闍梨亡滅之日，及三七、四七、五七日，亦講大乘經律，而齋會求福，行來治生，

《七、高麗藏再雕本》（十三世紀前半）若佛子，常應教化一切衆生，建立僧房、山林、園、田，立作佛塔。冬夏安居、坐禪處所、一切行道處，皆應立之。而菩薩應爲一切衆生講説大乘經律，若疾病、國難、賊難、父母、兄弟、和上、阿闍梨亡滅之日，及三七日，乃至七七日，亦應讀誦、講説大乘經律，齋會求福，行來治生，

《一、最古形（批判校訂版）》【39-2】

大火、大水所瀩①，黒風所吹船舫、江河、大海、羅刹之難②，亦讀誦③、講説④此經律，乃至一切罪報，三報、八難、七逆⑤，杻械、枷鎖繫縛其身，多婬、多瞋、多愚癡、多疾病，皆應講⑥此經律。而新學菩薩若不爾者，犯輕垢罪。是⑦九戒應當學⑧，敬心奉持，「梵坦品⑨」當説⑩。

〔校勘〕①大火大水所瀩 BNT，大火大水燒漂 P，大火大水焚漂 SQY Mn M，大火大水所焚瀩 K1，大火所燒大水所瀩 FH B* T* J K2 L A，大火所燒大水所漂 Ta。②之難 BNTF K1 J K2 Ta LPSQY Mn M A，之 H。③讀誦 BNTFH K1 J LP SQY Mn M A，應讀誦 K2 Ta。④講説 BNTFHJ K2 Ta LPSQY Mn M A，説 K1。⑤三報八難七逆 NTHPSQY，三□八難七逆 B，三報七逆八難 K2，三惡八難七逆 B* K1 Mn M A，三惡七逆八難 FJ Ta L。⑥講 BTH K1 PSQY Mn M A，講説 N，讀誦講説 F T* J K2 Ta L。⑦是 BN K1 PSQ，如是 TFHJ K2 Ta L Mn M A。⑧應當學 BTFHJ K2 Ta LPS QY Mn M A，應當 N K1。⑨梵坦品 BNFH K1 P，梵壇品 T* K2 LSQY Mn M A，如梵坦品中 T，〈梵壇品中〉J，〈梵檀品中〉Ta。⑩當説 BNF K1 K2 LPSQY Mn M，〈當説〉J，當廣説 TH，〈當廣説〉Ta，當廣明 A。

《二、天平勝寶九歳寫本》（七五七年） 大火、大水所瀩，黒風所吹船舫、江河、大海、羅刹之難，亦讀誦、講説此經律，乃至一切罪報，三報、八難、七逆，杻械、枷鎖繫縛其身，多婬、多瞋、多愚癡、多疾病，皆應講此經律。而新學菩薩若不爾者，犯輕垢罪。／如是九戒應當學，敬心奉持，如梵坦品中當廣説。

《三、房山石經唐刻》（八世紀前半頃） 大火所燒，大水所瀩，黒風所吹船舫、江河、大海、羅刹之難，亦讀誦、講説此經律，乃至一切罪報，三惡、七逆、八難，杻械、枷鎖繫縛其身，多婬、多瞋、多愚癡、多疾病，皆應讀誦、講説此經律。而新學菩薩若不爾者，犯輕垢罪。／如是九戒應當學，敬心奉持，梵坦品當説。

《四、法隆寺本》（九世紀）大火所燒，大水所濟，黒風所吹船舫、江河、大海、羅刹之，亦讀誦、講説此經律，乃至一切罪報，三報、八難、七逆，杻械、枷鎖繋縛其身，多婬、多瞋、多愚癡、多疾病，皆應講此經律。而新學菩薩若不爾者，犯輕垢罪。／如是九戒應當學，敬心奉持，梵坦品當廣説。

《五、高麗藏初雕本》（十一世紀）大火、大水所焚濟。黒風所吹船舫、江河、大海、羅刹之難，亦讀誦、説此經律，乃至一切罪報，三逆、八難、七逆，杻械、枷鎖繋縛其身，多婬、多瞋、多愚癡、多疾病，皆應講此經律。而新學菩薩若不爾者，犯輕垢罪。／是九戒應當，敬心奉持，梵坦品當説。

《六、毘盧藏（開元寺版）》（十二世紀）大火、大水燒漂，黒風所吹船舫、江河、大海、羅刹之難，亦讀誦、講説此經律，乃至一切罪報，三報、八難、七逆，杻械、枷鎖繋縛其身，多婬、多瞋、多愚癡、多疾病，皆應講此經律。而新學菩薩若不爾者，犯輕垢罪。／是九戒應當學，敬心奉持，梵坦品當説。

《七、高麗藏再雕本》（十三世紀前半）大火所燒，大水所濟，黒風所吹船舫、江河、大海、羅刹之難，亦應讀誦、講説此經律，乃至一切罪報，三報、七逆、八難，杻械、枷鎖繋縛其身，多婬、多瞋、多愚癡、多疾病，皆應讀誦、講説此經律。而新學菩薩若不爾者，犯輕垢罪。／如是九戒應當學，敬心奉持，梵壇品當説。

《一、最古形（批判校訂版）》【40-1】

佛言①，佛子②，與人受戒時，不得簡擇③一切國王、王子、大臣、百官、比丘、比丘尼、信男女④、婬男女⑤、十八天⑥、無根、二根、黃門、奴婢、一切鬼神，盡得受戒⑦，應教身所著袈裟，皆使壞色，與道相應，皆染使青、黃、赤、黑、紫色一切染衣，乃至臥具，盡以壞色，《続》

〔校勘〕①D『法苑珠林』又佛言，佛子，與人受戒時，唯除有七逆罪，不得受菩薩戒。五逆罪外，加殺和尚、阿闍梨。一切國王、王子、大臣、百官、比丘、比丘尼、信男女、婬男女、十八梵天、無根、二根、黃門、奴婢、一切鬼神、金剛神、畜生及變化人，但解法師語，盡得受戒。應教身所著袈裟，皆使壞色，與外道相異。（五三・九三九下。＝道宣『毘尼討要』續藏一、七〇、二、一八四表上） ②佛言佛子 BNTK1JK2TaLPQYMnM，若佛子 FHA。 ③簡擇 BFHPSA，蕑擇 NTK1K2，揀擇 JTaLQYMnM。 ④信男女 BT，信男信女 NFHT*K1JK2TaLPSQYMnMA。 ⑤婬男女 BT，婬男婬女 NFHB*T*K1JK2TaLPQYMnMA。 ⑥十八天 BNT，十八梵 T*，十八梵六欲天 FHB*LPS，十八梵六欲天子 K1，十八梵天六欲天 J，十八梵天六欲天子 K2TaQYMnMA。 ⑦得受BNTHK1JK2TaLPSQYMnMA，受得F。

《二、天平勝寶九歲寫本》（七五七年） 佛言，佛子，與人受戒時，不得簡擇一切國王、王子、大臣、百官、比丘、比丘尼、信男女、婬男女、十八天、無根、二根、黃門、奴婢、一切鬼神，盡得受戒，應教身所著袈裟，皆使壞色，與道相應，皆染使青、黃、赤、黑、紫色一切染衣，乃至臥具，盡以壞色，

《三、房山石經唐刻》（八世紀前半頃） 若佛子，與人受戒時，不得簡擇一切國王、王子、大臣、百官、比丘、比丘尼、信男、信女、婬男、婬女、十八梵、六欲天、無根、二根、黃門、奴婢、一切鬼神，盡受得戒，應教身所著袈裟，皆使壞色，與道相應，皆染使青、黃、赤、黑、紫色一切染衣，乃至臥具，盡以壞色，

《四、法隆寺本》（九世紀）若佛子，與人受戒時，不得簡擇一切國王、王子、大臣、百官、比丘、比丘尼、信男、信女、婬男、婬女、十八梵、六欲天、無根、二根、黄門、奴婢、一切鬼神，盡得受戒，應教身所著袈裟，皆使壞色，與道相應，皆染使青、黄、赤、黒、紫色一切染衣，乃至臥具，盡以壞色，

《五、高麗藏初雕本》（十一世紀）佛言，佛子，與人受戒時，不得蕑擇一切國王、王子、大臣、百官、比丘、比丘尼、信男、信女、婬男、婬女、十八梵、六欲天子、無根、二根、黄門、奴婢、一切鬼神，盡得受戒，應教身所著袈裟，皆使壞色，與道相應，皆染使青、黄、赤、黒、紫色一切染衣，乃至臥具，盡以壞色，

《六、毘盧藏（開元寺版）》（十二世紀）佛言，佛子，與人受戒時，不得簡擇一切國王、王子、大臣、百官、比丘、比丘尼、信男、信女、婬男、婬女、十八梵、六欲天、無根、二根、黄門、奴婢、一切鬼神，盡得受戒，應教身所着袈裟，皆使壞色，與道相應，皆染使青、黄、赤、黒、紫色一切染衣，乃至臥具，盡以壞色，

《七、高麗藏再雕本》（十三世紀前半）佛言，佛子，與人受戒時，不得蕑擇一切國王、王子、大臣、百官、比丘、比丘尼、信男、信女、婬男、婬女、十八梵天、六欲天子、無根、二根、黄門、奴婢、一切鬼神，盡得受戒，應教身所著袈裟，皆使壞色，與道相應，皆染使青、黄、赤、黒、紫色一切染衣，乃至臥具，盡以壞色，

《一、最古形（批判校訂版）》【40－2】

身所著衣，一切染色。若一切國土中國人所著衣服①，比丘皆應②與其國土衣服色異，與俗服有異。③若欲受戒時，問言④，「現身⑤不作七逆罪耶⑥」。菩薩法師不得與七逆人現身受戒。七逆者，出佛身血、殺父母⑦、殺和上⑧、殺阿闍梨⑨、破羯磨轉法輪僧、殺聖人。（続）

〔校勘〕①國人 BNTHK1K2PSQYMnMA，人 FJTaL。 ②比丘皆 BNHK1JK2LPSQYMnMA，比丘比丘尼皆 T，皆 F。 ③與其國土衣服色異與俗服有異 BNTK1PSQY，與其俗服有異 FHB*JK2TaLMnMA。 ④受戒時問言 NTK1，受戒□問言 B，受戒時師問言 T*，受戒時師應問言 FHJK2TaLA，受戒師應問言 B*，受戒時應問言 PSQYMnM。 ⑤現身 BNTPSQYMnM，汝現身 FHB*T*K1JK2TaLA。 ⑥耶 NTFK1JK2TaLPQYMnM，邪 B，不 HA。 ⑦殺父母 BNTFP，殺父殺母 THK1JK2TaLQYMnMA。 ⑧殺和上 BNTFHK1K2PS，殺和尚 JTaLQYMnMA。 ⑨殺阿 BNTHK1JK2TaPSQYMnMA，阿 F。

《二、天平勝寶九歲寫本》（七五七年） 身所著衣，一切染色。若一切國土中國人所著衣服，比丘、比丘尼皆應與其國土衣服色異，與俗服有異。若欲受戒時，問言，現身不作七逆罪耶。菩薩法師不得與七逆人現身受戒。七逆者，出佛身血、殺父、殺母、殺和上、殺阿闍梨、破羯摩轉法輪僧、殺聖人。

《三、房山石經唐刻》（八世紀前半頃） 身所著衣，一切染色。若一切國土中人所著衣服，皆應與其俗服有異。若欲受戒時，師應問言，汝現身不作七逆罪耶。菩薩法師不得與七逆人現身受戒。七逆者，出佛身血、殺父母、殺和上、阿闍梨、破羯磨轉法輪僧、殺聖人。

《四、法隆寺本》（九世紀）身所著衣，一切染色。若一切國土中國人所著衣服，比丘皆應與其俗服有異。若欲受戒時，師應問言，汝現身不作七逆罪不。菩薩法師不得與七逆人現身受戒。七逆者，出佛身血、殺父、殺母、殺和上、殺阿闍梨、破羯磨轉法輪僧、殺聖人。

《五、高麗藏初雕本》（十一世紀）身所著衣，一切染色。若一切國土中國人所著衣服，比丘皆應與其國土衣服色異，與俗服有異。若欲受戒時，問言，汝現身不作七逆罪耶。菩薩法師不得與七逆人現身受戒。七逆者。出佛身血、殺父、殺母、殺和上、殺阿闍梨、破羯磨轉法輪僧、殺聖人。

《六、毘盧藏（開元寺版）》（十二世紀）身所着衣，一切染色。若一切國土中國人所着衣服，比丘皆應與其國土衣服色異，與俗服有異。若欲受戒時，應問言，現身不作七逆罪耶。菩薩法師不得與七逆人現身受戒。七逆者，出佛身血、殺父、殺母、殺和上、殺阿闍梨、破羯磨轉法輪僧、殺聖人。

《七、高麗藏再雕本》（十三世紀前半）身所著衣，一切染色。若一切國土中國人所著衣服，比丘皆應與其俗服有異。若欲受戒時，師應問言，汝現身不作七逆罪耶。菩薩法師不得與七逆人現身受戒。七逆者，出佛身血、殺父、殺母、殺和上、殺阿闍梨、破羯磨轉法輪僧、殺聖人。

《一、最古形（批判校訂版）》【40-3】

若具七遮①，即身不得戒②。餘一切人，得③受戒④。出家人法，不向國王禮拜，不向父母禮拜，六親不敬，鬼神不禮⑤，但解師⑥語，有百里、千里來求法者，而菩薩法師以惡心、瞋⑦心而不即與授一切衆生戒⑧，犯輕垢罪⑨。

〔校勘〕①七遮 BNFHTK1JK2TaLPSQYMn，七逆 MA。 ②即身不得戒 BNTFK1P，即身□得戒 Q，即現身不得戒 NHJK2TaLSYMnMA。 ③得 BNTPSQY，盡得 FHT*K1JK2TaLMnMA。 ④D 道世『諸經要集』出家人法，不合禮拜國王、父母、六親，亦不敬事鬼神。（五四・一六中） ⑤禮 BNTFHK2TaLMnMA，禮拜 K1JPSQY。 ⑥師 BNTK2，法師 FHT*K1JTaLPSQYMnMA。 ⑦惡心瞋心 BNTFHK1JTaLPSQYMnMA，惡心 K2。 ⑧戒 BNTK1PS，戒者 FHT*JK2TaQYMnMA。 ⑨D『法苑珠林』又，若欲受戒時，問言，現身不作七逆罪耶。不得與七逆人受戒。七逆者，一出佛身血、二殺父、三殺母、四殺和尚、五殺阿闍梨、六破羯磨轉法輪僧、七殺聖人。若具七遮，即身不得戒。餘一切人，得受戒。出家人法，不向國王禮拜，不向父母禮拜，不向六親禮拜，不向鬼神禮拜，但解法師語百里、千里來求法者，而菩薩法師以惡心、瞋心而不即與授一切衆生戒，犯輕垢罪。（五三・九四〇中）

《二、天平勝寶九歳寫本》（七五七年） 若具七遮，即身不得戒。餘一切人，得受戒。出家人法，不向國王禮拜，不向父□禮拜，六親不敬，鬼神不禮，但解師語，有百里、千里來求□者，而菩薩法師以惡心、瞋心而不即與授一切衆生戒，犯輕垢罪。

《三、房山石經唐刻》（八世紀前半頃） 若具七遮，即身不得戒。餘一切人，盡得受戒。出家人法，不向國王禮拜，不向父母禮拜，六親不敬，鬼神不禮，但解法師語，有百里、千里來求法者，而菩薩法師以惡心、瞋心而不即與授一切衆生戒者，犯輕垢罪。

《四、法隆寺本》（九世紀） 若具七遮，即現身不得戒。餘一切人，盡得受戒。出家人法，不向國王禮拜，不向父母禮拜，六親不敬，鬼神不禮。但解法師語，有百里、千里來求法者，而菩薩法師以惡心、瞋心而不即與授一切衆生戒者，犯輕垢罪。

《五、高麗藏初雕本》（十一世紀） 若具七遮，即身不得戒。餘一切人，盡得受戒。出家人法，不向國王禮拜，不向父母禮拜，六親不敬，鬼神不禮拜。但解法師語，有百里、千里來求法者，而菩薩法師以惡心、瞋心而不即與授一切衆生戒，犯輕垢罪。

《六、毘盧藏（開元寺版）》（十二世紀） 若具七遮，即身不得戒。餘一切人，得受戒。出家人法，不向國王禮拜，不向父母禮拜，六親不敬，鬼神不禮拜。但解法師語，有百里、千里來求法者，而菩薩法師以惡心、瞋心而不即與授一切衆生戒，犯輕垢罪。

《七、高麗藏再雕本》（十三世紀前半） 若具七遮，即現身不得戒。餘一切人，盡得受戒。出家人法，不向國王禮拜，不向父母禮拜，六親不敬，鬼神不禮。但解師語，有百里、千里來求法者，而菩薩法師以惡心而不即與授一切衆生戒者，犯輕垢罪。

《一、最古形（批判校訂版）》【41-1】

若佛子，教化人起信心時，菩薩與他人作教戒①法師者，見欲受戒人②，應教請二師，和上③、阿闍梨。二師應問言，「汝有七遮罪不」。若現身七遮④，師不與受⑤。⑥無七遮者，得受⑦。《続》

〔校勘〕①教戒 BNDTFHPS，教誡 K1JK2TaLQYMnMA。②戒人 BNTHK1JK2TaPSQYMnMA，人戒 F。③上 BNTFHK1K2P，尚 DJTaLQYMnMA。④七遮 BNT，有七遮 FB*T*K1JK2TaLPSQYMn，有七遮罪 D，有七遮罪者 HMA。⑤不與受 BNDTP，不應與受 B*Q，不應與受戒 FHT*K1JK2LYA，不應與授戒 TaMnM。⑥無 BNDTFK1JK2TaLPSQY，若無 HMnMA。⑦得受 BNDTFK1JK2LPSQY，得與受戒 HA，得與授戒 TaMnM。

《二、天平勝寶九歲寫本》（七五七年）

若佛子，教化人起信心時，菩薩與他人作教戒法師者，見欲受戒人，應教請二師，和上、阿闍梨。二師應問言，汝有七遮罪不。若現身七遮，師不與受。無七遮者，得受。

《三、房山石經唐刻》（八世紀前半頃）

若佛子，教化人起信心時，菩薩與他人作教戒法師者，見欲受人戒，應教請二師，和上、阿闍梨。二師應問言，汝有七遮罪不。若現身有七遮，師不應與受戒。無七遮者，得受。

《四、法隆寺本》（九世紀）

若佛子，教化人起信心時，菩薩與他人作教戒法師者，見欲受戒人，應教請二師，和上、阿闍梨。二師應問言，汝有七遮罪不。若現身有七遮罪者，師不應與受戒。若無七遮者，得與受戒。

《五、高麗藏初雕本》（十一世紀）

若佛子，教化人起信心時，菩薩與他人作教誡法師者，見欲受戒人，應教請二師，和上、阿闍梨。二師應問言，汝有七遮罪不。若現身有七遮，師不應與受戒。無七遮者，得受。

《六、毘盧藏（開元寺版）》（十二世紀）

若佛子，教化人起信心時，菩薩與他人作教戒法師者，見欲受戒人，應教請二師，和上、阿闍梨。二師應問言，汝有七遮罪不。若現身有七遮，師不與受。無七遮者，得受。

《七、高麗藏再雕本》（十三世紀前半）

若佛子，教化人起信心時，菩薩與他人作教誡法師者，見欲受戒人，應教請二師，和上、阿闍梨。二師應問言，汝有七遮罪不。若現身有七遮，師不應與受戒。無七遮者，得受。

《一、最古形（批判校訂版）》【41-2】

若有犯十戒者①、教②懺悔、在佛、菩薩形像前、日日③六時、誦十戒④四十八輕戒。苦到⑤禮三世千佛、得見好相者⑥。若一七日、二⑦、三七日、乃至一年、要見好相。相者⑧、佛來摩頂、見光華⑨、種種異相、便得滅罪。若無好相、雖懺無益。是⑩現身亦不得戒、而得增受戒⑪。《続》

〔校勘〕①十戒 NTFK2LPSA、十□ B、十重 Ta、十重戒 QYMnM。②教 BNDTPSQYMnM、應教 FHB*T*K1JK2TaLA。③日日 BNDK1、日夜 TFHJK2TaLPQYMnMA。④十戒 NDTPS、十重 FHB*T*JK2TaLQYMnMA、十重戒 K1。⑤苦到 BNTFHK1JK2TaLPSQYMnMA。★大正藏本文・K2校勘「若到」は誤り。⑥好相者 BNPSQYMnM、好相 DTFHK1JK2TaLA。⑦二三七日 BNDTFK1JK2TaLPQYMnMA、二七日三七日 H。⑧相者佛 BNTHP、好相者佛 FT*K1JK2TaLQYMnMA、佛 D。⑨見光華 BNDK1PSQYMnM、見光花 F、見光見華 THJK2TaLA、若見光華 B*T*。⑩是 BNT、是人 FHB*T*K1JK2TaLPQYMnMA、縱是 D。⑪增受戒 NTJK2TaL、增長戒 B、增益戒 F、增長受戒 PSQY、增長受戒益 MnM、增益受戒 HA、增益受戒善 K1。

《二、天平勝寶九歲寫本》（七五七年）若有犯十戒者、教懺悔、在佛、菩薩形像前、日夜六時、誦十戒四十八輕戒。苦到禮三世千佛、得見好相、若一七日、二、三七日、乃至一年、要見好相。相者、佛來摩頂、見光華、種種異相、便得滅罪。若無好相、雖懺無益。是現身亦不得戒、而得增受戒。

《三、房山石經唐刻》（八世紀前半頃）若有犯十戒者、應教懺悔、在佛、菩薩形像前、日夜六時、誦十重四十八輕戒。苦到禮三世千佛、得見好相。若一七日、二、三七日、乃至一年、要見好相。相者、佛來摩頂、見光花、種種異相、便得滅罪。若無好相、雖懺無益。是人現身亦不得戒、而得增益戒。

《四、法隆寺本》（九世紀）　若有犯十戒者，應教懺悔，在佛、菩薩形像前，日夜六時，誦十重四十八輕戒。苦到禮三世千佛，得見好相。若一七日，二七日，三七日，乃至一年，要見好相。相者，佛來摩頂，見光見華、種種異相，便得滅罪。若無好相，雖懺無益。是人現身亦不得戒，而得增益受戒。

《五、高麗藏初雕本》（十一世紀）　若有犯十戒者，應教懺悔。在佛、菩薩形像前，日日六時，誦十重戒四十八輕戒。苦到禮三世千佛，得見好相。若一七日，二、三七日，乃至一年，要見好相。好相者，佛來摩頂，見光華、種種異相，便得滅罪。若無好相，雖懺無益。是人現身亦不得戒，而得增益受戒善。

《六、毘盧藏（開元寺版）》（十二世紀）　若有犯十戒者，教懺悔，在佛、菩薩形像前，日夜六時，誦十戒四十八輕戒。苦到禮三世千佛，得見好相者。若一七日，二、三七日，乃至一年，要見好相。相者，佛來摩頂，見光華、種種異相，便得滅罪。若無好相，雖懺無益。是人現身亦不得戒，而得增長受戒善。

《七、高麗藏再雕本》（十三世紀前半）　若有犯十戒者，應教懺悔，在佛、菩薩形像前，日夜六時，誦十重四十八輕戒。苦到禮三世千佛，得見好相。若一七日，二、三七日，乃至一年，要見好相。好相者，佛來摩頂，見光見華，種種異相，便得滅罪。若無好相，雖懺無益。是人現身亦不得戒，而得增受戒。

《一、最古形（批判校訂版）》【41-3】

若犯四十八輕戒者，對手懺①罪滅②，不同七遮③。而教戒師④，於是法中，一一好解。若不解大乘經律，若輕若重、是非⑤之相，不解第一義諦、習種性、長養性、不可壞性⑥、道性、正性⑦，《続》

〔校勘〕①對手懺 BTK1P，對手懺悔 NFH，對首懺 JK2TaLSQY。對首懺悔 MnMA。②罪滅 BTK1JK2TaLPSQY，滅 NF，罪便得滅 HMnMA。③D『法苑珠林』若教戒法師見欲受戒人，應教請二師，和上、阿闍梨。二師應問言。汝有七遮罪不。若現身有七遮罪，師不與受。無七遮者，得受。若有犯十戒者，教懺悔。在佛菩薩形像前，日日六時，誦十戒四十八輕戒。若敬禮三世千佛得見好相。若一七日、二三七日乃至一年，要見好相。佛來摩頂，見光華種種異相，便得滅罪。若無好相，雖懺無益。縱是現身亦不得戒。若曾受戒，或犯四十八輕戒者，對手懺罪滅，不同七遮。（五三・九四〇中）④教戒 BNTFHK1PS，教誡 JK2TaLQYMnMA。⑤是非 NTFHB*K1JK2TaLPSQYMnMA，是非是非 B。⑥不可壞性 BNTFK1JK2L，性種性不可壞性 HPSQYMnMA，性種姓不可壞性 Ta。⑦道性正性 BN，道種性正法性 TFHB*K1JLPSA，道種性正性 K2，道種性正覺性 QYMnM，道種姓正覺性 Ta。

《二、天平勝寶九歳寫本》（七五七年）

若犯四十八輕戒者，對手懺罪滅，不同□遮。而教戒師，於是法中，一一好解。若不解□乘經律，若輕若重、是非之相，不解第一義諦、習種性、長養性、不可壞性、道種性、正法性，

《三、房山石經唐刻》（八世紀前半頃）

若犯四十八輕戒者，對手懺悔滅，不同七遮。而教戒師，於是法中，一一好解。若不解人乘經律，若輕若重、是非之相，不解第一義諦、習種性、長養性、不可壞性、道種性、正法性，

《四、法隆寺本》（九世紀）

若犯四十八輕戒者，對手懺悔，罪便得滅，不同七遮。而教戒師，於是法中，一一好解。若不解大乘經律，若輕若重、是非之相，不解第一義諦、習種性、長養性、性種性、不可壞性、道種性、正法性，

《五、高麗藏初雕本》（十一世紀）

若犯四十八輕戒者，對手懺罪滅，不同七遮。而教戒師，於是法中，一一好解。若不解大乘經律，若輕若重、是非之相，不解第一義諦、習種性、長養性、不可壞性、道種性、正法性，

《六、毘盧藏（開元寺版）》（十二世紀）

若犯四十八輕戒者，對手懺罪滅，不同七遮。而教戒師，於是法中，一一好解。若不解大乘經律，若輕若重、是非之相，不解第一義諦、習種性、長養性、性種性、不可壞性、道種性、正法性，

《七、高麗藏再雕本》（十三世紀前半）

若犯四十八輕戒者，對首懺罪滅，不同七遮。而教誡師，於是法中，一一好解。若不解大乘經律，若輕若重、是非之相，不解第一義諦、習種性、長養性、不可壞性、道種性、正性，

《一、最古形（批判校訂版）》【41-4】

其中多少觀行、出入十禪支，一切行法，①一一不得此法中意。而菩薩爲利養，②爲名聞故，③惡求，④貪利弟子，而詐現⑤解一切經律，爲供養故，⑥是自欺詐，欺詐他人，⑦故與人⑧受戒者，⑨犯輕垢罪。

〔校勘〕①一切行法 BNTFHK1JK2TaLPSQYMnMA，於一切行法 B*。②爲利養 BNTK1PSQYMnM，爲利養故 FHT*JK2TaLA。③名聞 BTFHK1JK2TaLPSQYMnMA，名聲 N。④惡求 BNTPSQY，惡求多求 FHB*K1JK2TaLMnMA。⑤詐 BTFHK1JK2TaLPSQYMnMA，作 N。⑥經律爲供養故 BNTHK1K2PSQYMnMA，經律 FJTaL。⑦欺詐 BNT，亦欺詐 FHB*T*K1JK2TaPSQYMnMA。⑧故與人 BNTIIK1JK2TaLPSQYMnMA，若故與人 B*，故與他人 F。⑨受戒 BNTFHK1JK2LPSQY，授戒 TaMnMA。

《二、天平勝寶九歲寫本》（七五七年）

其中多少觀行出入十禪支，一切行法，一一不得此法中意。而菩薩爲利養，爲名聞故，惡求，貪利弟子，而詐現解一切經律，爲供養故，是自欺詐，欺詐他人，故與人受戒者，犯輕垢罪。

《三、房山石經唐刻》（八世紀前半頃）

其中多少觀行出入十禪支，一切行法，一一不得此法中意。而菩薩爲利養故，爲名聞故，惡求多求，貪利弟子，而詐現解一切經律，是自欺詐，亦欺詐他人，故與他人受戒者，犯輕垢罪。

《四、法隆寺本》（九世紀）
其中多少觀行出入十禪支，一切行法，一一不得此法中意。而菩薩爲利養故，爲名聞故，悪求多求，貪利弟子，而詐現解一切經律，爲供養故，是自欺詐，亦欺誑他人，故與人受戒者，犯輕垢罪。

《五、高麗藏初雕本》（十一世紀）
其中多少觀行出入十禪支，一切行法，一一不得此法中意。而菩薩爲利養，爲名聞故，悪求多求，貪利弟子，而詐現解一切經律，爲供養故，是自欺詐，亦欺詐他人，故與人受戒者，犯輕垢罪。

《六、毘盧藏（開元寺版）》（十二世紀）
其中多少觀行出入十禪支，一切行法，一一不得此法中意。而菩薩爲利養，爲名聞故，悪求，貪利弟子，而詐現解一切經律，爲供養故，是自欺詐，欺詐他人，故與人受戒者，犯輕垢罪。

《七、高麗藏再雕本》（十三世紀前半）
其中多少觀行出入十禪支，一切行法，一一不得此法中意。而菩薩爲利養故，爲名聞故，悪求多求，貪利弟子，而詐現解一切經律，爲供養故，是自欺詐，亦欺詐他人，故與人受戒者，犯輕垢罪。

《一、最古形（批判校訂版）》【42】

若佛子，不得爲利養①，於未受菩薩戒者前、外道②、惡人前，說此千佛戒③。大邪見人前，亦不得說。除國王，餘一切④不得說。是惡人輩不受佛戒，名爲畜生。生生⑤不見三寶，如木石無心，名爲外道、邪見人輩，木頭無異。而菩薩於是惡人前說七佛教戒者，犯輕垢罪⑥。

〔校勘〕①爲利養 BNTPS，爲利養故 FHT*K1JK2TaLQYMnMA。②外道 BNTFK1JTaLPSQY，若外道 HK2MnMA。③戒大 BNTK1，大戒 FHB*JK2TaLPSQYMnMA，大戒大 T*。④一切 BNTFHK1JK2TaLPSQYMnMA，一切人 B*。⑤生生 BNTK1JK2TaLPSQYMnM，生生之處 HA，生 F。⑥木頭[無]□□□□□[是]□人前說[七]佛[教]戒者犯[輕]⫻ T。

《二、天平勝寶九歲寫本》（七五七年）

若佛子，不得爲利養，於未受菩薩戒者前、外[道]、惡人前，說此千佛戒。大耶見人前，亦不得說。除國王，餘一切不得說。是惡人輩不受佛戒，名爲畜生。生生不見三寶，如木石無心，[名]爲外道、耶見[人]輩，木[頭][無]□。□□□□[是]□人前說[七]佛[教]戒者，犯[輕]⫻

《三、房山石經唐刻》（八世紀前半頃）

若佛子，不得爲利養故，於未受菩薩戒者前、外道、惡人前，說此千佛大戒。邪見人前，亦不得說。除國王，餘一切不得說。是惡人輩不受佛戒，名爲畜生。生不見三寶，如木石無心，名爲外道、邪[見][人][輩]，木頭[無]異。而菩薩於是惡人前說七佛教戒者，犯輕垢[罪]。

《四、法隆寺本》（九世紀）

若佛子，不得爲利養故，於未受菩薩戒者前、若外道、惡人前，說此千佛大戒。耶見人前，亦不得說。除國王，餘一切不得說。是惡人輩不受佛戒，名爲畜生。生生之處不見三寶，如木石無心，名爲外道、耶見人輩，木頭無異。而菩薩於是惡人前說七佛教戒者，犯輕垢罪。

《五、高麗藏初雕本》（十一世紀）

若佛子，不得爲利養故，於未受菩薩戒者前、外道、惡人前，說此千佛戒。大邪見人前，亦不得說。除國王，餘一切不得說。是惡人輩不受佛戒。名爲畜生。生生不見三寶，如木石無心，名爲外道、邪見人輩，木頭無異。而菩薩於是惡人前說七佛教戒者，犯輕垢罪。

《六、毘盧藏（開元寺版）》（十二世紀）

若佛子，不得爲利養，於未受菩薩戒者前、外道、惡人前，說此千佛大戒。邪見人前，亦不得說。除國王餘一切不得說。是惡人輩不受佛戒，名爲畜生。生生不見三寶，如木石無心，名爲外道、邪見人輩、木頭無異。而菩薩於是惡人前說七佛教戒者，犯輕垢罪。

《七、高麗藏再雕本》（十三世紀前半）

若佛子，不得爲利養故，於未受菩薩戒者前、若外道、惡人前，說此千佛大戒。邪見人前，亦不得說。除國王，餘一切不得說。是惡人輩不受佛戒，名爲畜生。生生不見三寶，如木石無心，名爲外道、邪見人輩，木頭無異。而菩薩於是惡人前說七佛教戒者，犯輕垢罪。

《一、最古形（批判校訂版）》【43】

若佛子，信心出家，受佛正戒，故起心毀犯聖戒者，不得受一切檀越供養，亦不得國王地上行，不得飲國王水。五千大鬼常遮其前，鬼言大賊。入房舍①、城邑、宅中，鬼復常掃其脚迹，一切世人罵言②佛法中賊。一切衆生，眼不欲見犯戒之人，畜生無異，木頭無異。若③毀正戒者，犯輕垢罪。④

〔校勘〕①入房舍 BNTPSYMnM，若入房舍 FHB*T*K1JK2TaLA，入房言 Q。　②罵言 BNFT*K1JK2TaLPSQY，罵詈 T，咸皆罵言 H，皆罵言 MnMA。　③若 BNTHK1JK2LPSQY，若故 TaMnMA。　④D『法苑珠林』若佛子，信心出家，受佛禁戒，故起心毀犯聖戒者，不得受一切檀越供養，亦不得飲住國王水土。五千大鬼常遮其前，鬼言大賊，入僧坊、城邑、宅中，鬼復掃其脚跡，一切世人罵言佛法中賊。一切衆生，眼不欲見犯戒之人，畜生無異，木頭無異。（五三・九四七中）　道世『毘尼討要』若佛子，信心出家，受佛正戒，故起心毀犯聖戒者，不得受一切檀越供養，亦不得國王地上行，不得飲用國王水土。五千大鬼常遮其前，鬼言大賊。入坊舍、城邑、宅中，鬼復掃其脚跡，一切世人罵言佛法中賊。一切衆生，眼不欲見犯戒之人，畜生無異，木頭無異。（續藏一、七〇、二、一〇五裏下）

《二、天平勝寶九歳寫本》（七五七年）

若佛子，信心出家，受佛正戒，故起心毀□聖戒者，不得受一切檀越供養，亦不得國王地上行，不得飲國王水。五千大鬼常遮其前，鬼言大賊。入房舍、城邑、宅中，鬼復常掃其脚跡，一切世人罵詈佛法中賊。一切衆生，眼不欲見犯戒之人，畜生無異，木頭無異。若毀正戒者，犯輕垢罪。

《三、房山石經唐刻》（八世紀前半頃）

若佛子，信心出家，受佛正戒，故起心毀犯聖戒者，不得受一切檀越供養，亦不得國王地上行，不得飲國王水。五千大鬼常□其前，□□大賊。若入房舍、城邑、宅中，鬼復常掃其脚跡，一切世人罵言佛法中賊。一切衆生，眼不欲見犯戒之人，畜生無異，木頭無異。若毀正戒者，犯輕垢罪。

《四、法隆寺本》(九世紀)
若佛子，信心出家，受佛正戒，故起心毀犯聖戒者，不得受一切檀越供養，亦不得國王地上行，不得飲國王水。五千大鬼常遮其前，鬼言大賊。若入房舍、城邑、宅中，鬼復常掃其脚跡，一切世人咸皆罵言佛法中賊。一切衆生，眼不欲見犯戒之人，畜生無異，木頭無異。若毀正戒者，犯輕垢罪。

《五、高麗藏初雕本》(十一世紀)
若佛子，信心出家，受佛正戒，故起心毀犯聖戒者，不得受一切檀越供養，亦不得國王地上行，不得飲國王水。五千大鬼常遮其前，鬼言大賊。若入房舍、城邑、宅中，鬼復常掃其脚跡，一切世人罵言佛法中賊。一切衆生，眼不欲見犯戒之人，畜生無異，木頭無異。若毀正戒者，犯輕垢罪。

《六、毘盧藏(開元寺版)》(十二世紀)
若佛子，信心出家，受佛正戒，故起心毀犯聖戒者，不得受一切檀越供養，亦不得國王地上行，不得飲國王水。五千大鬼常遮其前，鬼言大賊。入房舍、城邑、宅中，鬼復常掃其脚跡，一切世人罵言佛法中賊。一切衆生，眼不欲見犯戒之人，畜生無異，木頭無異。若毀正戒者，犯輕垢罪。

《七、高麗藏再雕本》(十三世紀前半)
若佛子，信心出家，受佛正戒，故起心毀犯聖戒者，不得受一切檀越供養，亦不得國王地上行，不得飲國王水。五千大鬼常遮其前，鬼言大賊。若入房舍、城邑、宅中，鬼復常掃其脚跡，一切世人罵言佛法中賊。一切衆生，眼不欲見犯戒之人，畜生無異，木頭無異。若毀正戒者，犯輕垢罪。

《一、最古形（批判校訂版）》【44】

若佛子，常應一心受持、讀誦①，剥皮爲紙②，刺血爲墨，以髓爲水，折③骨爲筆，書寫佛戒。木皮、角紙、絹④，亦應⑤悉書持，常以七寶、無價香華⑥、一切雜寶爲箱⑦，盛經律卷。若不如法供養者，犯輕垢罪。⑧

〔校勘〕①讀誦 BN，讀誦大乘經律 FB*T*HK1JK2TaLPSQYMnMA。②紙 BTFHK1JK2TaLPSQYMnMA，帋N。③折 NFHK1JTaLPA，析 BK2SQYMnM。慧琳『一切經音義』折骨〈上，之設反。又音思狄反〉。（五四・六〇七中）④木皮角紙絹 BNT，木皮穀紙絹 P，木皮角紙絹素竹帛 T*，木皮角紙絹素竹白 B*，樹皮穀紙絹素竹帛 H，木皮角紙絹索竹帛 K1，木皮穀紙絹素竹帛 FJK2TaLSQYMnMA。★P大正藏校勘は誤り。⑤亦應悉 BNTK1JK2TaLPSQYMnM，應悉 F，亦悉 HA。⑥華 BNTHTaLPSQYMnMA，花 FK1JK2。★大正藏校勘に「華」「花」の区別なし。⑦爲箱 BNTFP，以爲箱 B*，爲箱□ T*，爲箱嚢 HK1JK2TaLSQYMnMA。⑧D『法苑珠林』是故經云。若佛子，常應一心受持讀誦此戒，剥皮爲紙，刺血爲墨，以髓爲水，折骨爲筆，書寫佛戒。麻皮、穀紙、絹等亦應悉書持，常以七寶無價香華、一切雜寶爲箱，盛經律卷。若不如法供養者，犯輕垢罪。（五三・九四二上）

《二、天平勝寶九歳寫本》（七五七年）

若佛子，常應一心受持、讀誦，剥皮爲紙，刺血爲墨，以髓爲水，折骨爲筆，書寫佛戒。木皮、角紙、絹，亦應悉書持，常以七寶、無價香華、一切雜寶爲箱，盛經律卷。若不如法供養者，犯輕垢罪。

《三、房山石經唐刻》（八世紀前半頃）

若佛子，常應一心受持、讀誦大乘經律，剥皮爲紙，刺血爲墨，以髓爲水，折骨爲筆，書寫佛戒。木皮、穀紙、絹素，竹帛，應悉書持，常以七寶、無價香花、一切雜寶爲箱，盛經律卷。若不如法供養者，犯輕垢罪。

《四、法隆寺本》（九世紀）

若佛子，常應一心受持、讀誦大乘經律，剥皮爲紙，刺血爲墨，以髓爲水，折骨爲筆，書寫佛戒。樹皮、穀紙、絹素、竹帛，亦悉書持，常以七寶、無價香華、一切雜寶爲箱囊，盛經律卷。若不如法供養者，犯輕垢罪。

《五、高麗藏初雕本》（十一世紀）

若佛子，常應一心受持、讀誦大乘經律，剥皮爲紙，刺血爲墨，以髓爲水，析骨爲筆，書寫佛戒。木皮、角紙、絹素、竹帛，亦應悉書持，常以七寶、無價香花、一切雜寶爲箱囊，盛經律卷。若不如法供養者，犯輕垢罪。

《六、毘盧藏（開元寺版）》（十二世紀）

若佛子，常應一心受持、讀誦大乘經律，剥皮爲紙，刺血爲墨，以髓爲水，折骨爲筆，書寫佛戒。木皮、穀紙、絹，亦應悉書持，常以七寶、無價香華、一切雜寶爲箱，盛經律卷。若不如法供養者，犯輕垢罪。

《七、高麗藏再雕本》（十三世紀前半）

若佛子，常應一心受持、讀誦大乘經律，剝皮爲紙，刺血爲墨，以髓爲水，析骨爲筆，書寫佛戒。木皮穀紙、絹素、竹帛，亦應悉書持，常以七寶、無價香花、一切雜寶爲箱囊，盛經律卷。若不如法供養者，犯輕垢罪。

《一、最古形（批判校訂版）》【45】

若佛子，常起大悲心。若入一切城邑、舍宅①，見一切衆生，唱言②，「汝衆生，盡應受三歸、十戒」。若見牛、馬、猪、羊，一切畜生，應心念口言，「汝是畜生，發菩薩③心」。④而菩薩入一切處，山林川野⑤，皆使一切衆生發菩提⑥心。是菩薩若⑦不教化衆生⑧，犯輕垢罪。

〔校勘〕①城邑舍宅 BNFK1JK2TaLPSQYMnMA，城邑□□ T，房舍城邑宅中 H。②唱言汝 BNT，唱言汝等 FT*P，應當唱言汝等 HB*JK2TaLA，應唱言汝等 K1SQYMnM。③菩薩 BNTHP，菩提 FT*K1JK2TaLSQYMnMA。④而 BNTHK1JK2TaLPSQYMnMA，是 F。⑤山林川野 BNFHK1K2PSQYMnMA，山川林野 JTaL，⑥菩提 BNFHT*K1JK2TaLPSQYMnMA，菩薩 TP。⑦是菩薩若 BNTK1JK2TaLPSQYMnMA，若菩薩 H，而菩薩若 F。⑧教化衆生 BNTK1PSQY，教化衆生者 FK2MnM，發教化衆生心 T*，發教化衆生心者 HB*JTaLA。

《二、天平勝寶九歳寫本》（七五七年）

若佛子常起大悲心。若入□□城邑、□□，□一切衆生，唱言，汝衆□，盡應受三歸、十戒。□見牛、馬、猪、羊，一切畜生，應心念口言，汝是畜生，發菩薩心。而菩薩入一切處，山林川野，皆使一切衆生發菩薩心。是菩薩若不教化衆生，犯輕垢罪。

《三、房山石經唐刻》（八世紀前半頃）

若佛子，常起大悲心。若入一切城邑、舍宅，見一切衆生，唱言，汝等衆生，盡應受三歸、十戒。若見牛、馬、猪、羊，一切畜生，應心念口言，汝是畜生，發菩提心。是菩薩入一切處，山林川野，皆使一切衆生發菩提心。而菩薩若不教化衆生者，犯輕垢罪。

《四、法隆寺本》（九世紀）

若佛子，常起大悲心。若入一切房舍、城邑、宅中，見一切衆生，應當唱言，汝等衆生，盡應受三歸、十戒。若見牛、馬、猪、羊，一切畜生，應心念口言，汝是畜生，發菩提心。而菩薩入一切處，山林川野，皆使一切衆生發菩提心。若菩薩不發教化衆生心者，犯輕垢罪。

《五、高麗藏初雕本》（十一世紀）

若佛子，常起大悲心。若入一切城邑、舍宅，見一切衆生，應唱言，汝等衆生，盡應受三歸、十戒。若見牛、馬、猪、羊，一切畜生，應心念口言，汝是畜生，發菩提心。而菩薩入一切處，山林川野，皆使一切衆生發菩提心。是菩薩若不教化衆生，犯輕垢罪。

《六、毘盧藏（開元寺版）》（十二世紀）

若佛子，常起大悲心。若入一切城邑、舍宅，見一切衆生，唱言，汝等衆生，盡應受三歸、十戒。若見牛、馬、猪、羊，一切畜生，應心合口言，汝是畜生，發菩薩心。而菩薩入一切處，山林川野，皆使一切衆生發菩薩心。是菩薩若不教化衆生，犯輕垢罪。

《七、高麗藏再雕本》（十三世紀前半）

若佛子，常起大悲心。若入一切城邑、舍宅，見一切衆生，應當唱言，汝等衆生，盡應受三歸、十戒。若見牛、馬、猪、羊，一切畜生，應心念口言，汝是畜生，發菩提心。而菩薩入一切處，山林川野，皆使一切衆生發菩提心。是菩薩若不教化衆生者，犯輕垢罪。

《一、最古形（批判校訂版）》【46】

若佛子，常行教化大悲心①，入②檀越、貴人家、一切衆中，不得立③爲白衣説法，應④白衣衆前高座上坐，法師比丘不得地立爲四衆白衣⑤説法。若説法時，法師高坐⑥，香華⑦供養，四衆聽者下坐，如敬⑧孝順父母，順師教⑨，如事火婆羅門。其説法者若不如法⑩，犯輕垢罪。⑪

〔校勘〕①行教化大悲心 BNTTa，行教他起大悲心 F，行教他起大悲心 L，行教化起大悲心 HB*T*K1JK2PSQYMnM，應教化起大悲心 A。②入 BNTFK1JK2TaLPSQYMnM，若入 HB*A。③不得立 BNTFHK1JK2TaLPSQYMnM，應A，不得地立 B*。④應 BNTFK1JK2TaLPSQY，應在 HMnMA。⑤四衆白衣 BNTFHK1PSQYMnM，四衆 JK2TaLA。⑥高坐 BNT，高座 FHT*K1JK2TaLPSQYMnMA。⑦華 BNTHTaLPSQYMnMA，花 FK1JK2。★P・M大正藏校勘は誤り。⑧如敬 BNTK1P，敬如 H，如 FT*JK2TaLSQYMnMA。⑨順師教 NT，孝順師教 BK1，順法師教 H，敬順師教 FT*K2TaLPSQYMnMA，敬順師長 J。⑩若不如法 BNHK1K2PSQ，若如不法 T，若不如法説者 B*，若不如法説 T*JTaLYMnMA，若不如法説法 F。⑪D『法苑珠林』若佛子，常行教化大悲心，入檀越、貴人家、一切衆中，不得立爲白衣説法。應白衣衆前，高座上坐，法師不得地立，爲四衆白衣説法。若説法時，法師高座，香華供養，四衆聽者下坐，如孝順父母，敬順師教，如事火婆羅門。其説法者，若不如法，犯輕垢罪。（五三・六四四中）

《二、天平勝寶九歳寫本》（七五七年）　若佛子，常行教化大悲心，入檀越、貴人家、一切衆中，不得立爲白衣説法，應白衣衆前高座上坐，法師比丘不得地立爲四衆白衣説法。若説法時，法師高座，香華供養，四衆聽者下坐，如敬孝順父母，順師教，如事火婆羅門。其説法者若如不法，犯輕垢罪。

《三、房山石經唐刻》（八世紀前半頃）　若佛子，常行教他起大悲心，入檀越、貴人家、一切衆中，不得立爲白衣説法，應白衣衆前高座上坐。法師比丘不得地立爲四衆白衣説法。若説法時，法師高座，香花供養，四衆聽者下坐，如孝順父母，敬順師教，如事大婆羅門。其説法者若不如法説法，犯輕垢罪。

《四、法隆寺本》（九世紀）若佛子，常行教化起大悲心。若入檀越、貴人家、一切大衆中，不得立爲白衣説法，應在白衣四衆前高座上坐。法師比丘不得地立爲四衆白衣説法。若説法時，法師高座，香華供養，四衆聽者下坐敬，如孝順父母，順法師教，如事火婆羅門。其説法者若不如法，犯輕垢罪。

《五、高麗藏初雕本》（十一世紀）若佛子，常行教化起大悲心，入檀越、貴人家、一切衆中，不得立爲白衣説法，應白衣衆前高座上坐。法師比丘不得地立爲四衆白衣説法。若説法時，法師高座，香花供養，四衆聽者下坐，如敬孝順父母，敬順師教，如事火婆羅門。其説法者若不如法，犯輕垢罪。

《六、毘盧藏（開元寺版）》（十二世紀）若佛子，常行教化起大悲心，入檀越、貴人家、一切衆中，不得立爲白衣説法，應白衣衆前高座上坐。法師比丘不得地立爲四衆白衣説法。若説法時，法師高座，香華供養，四衆聽者下座，如敬孝順父母，順師教，如事火婆羅門。其説法者若不如法，犯輕垢罪。

《七、高麗藏再雕本》（十三世紀前半）若佛子，常行教化起大悲心，入檀越、貴人家、一切衆中，不得立爲白衣説法，應白衣衆前高座上坐。法師比丘不得地立爲四衆説法。若説法時，法師高座，香花供養，四衆聽者下坐，如孝順父母，敬順師教，如事火婆羅門。其説法者若不如法，犯輕垢罪。

《一、最古形（批判校訂版）》【47-1】

若佛子，皆以信心受佛戒者，①若國王、②太子、③百官、四部弟子，④自恃高貴，⑤破滅佛法戒律，明作制法，制我四部弟子，不聽出家行道，《續》

〔校勘〕①皆以信心受佛戒者 BNJK2TaL，皆以信心受戒者 FK1PSQYMnM、北八八三、北一〇二五、S三一二三、S五〇五九，皆以□心受戒者 T，皆已信心受佛戒者 A，以信心受佛戒已 H，皆以信心受佛正戒 北一二一五。 ②若國王 BFHK1K2TaPSQYMnMA、北八八三、北一〇二五、北一二一五、S五〇五九，□國王 T，國王 NJL，若王 S三一二三『菩薩戒義疏』「若國王」。 ③太子 BNFHK1JK2TaLPSQYMnMA、北一〇二五、北一二一五、S三一二三、S五〇五九，王子 北八八三，□子 T。 ④自 BNTFHJK2TaLPSQYMnMA、北一二一五、北一〇二五*、S三一二三；莫自 K1、北八八三、北一〇二五、S五〇五九。 ⑤破滅 NFHB*K1JK2TaLPSQYMnMA、北八八三、北一〇二五、北一二一五、S三一二三；滅破 B、S五〇五九，滅□ T。

《二、天平勝寶九歲寫本》（七五七年）

若佛子，皆以□心受戒者，□國王、□子、百□、四部弟子，□□高貴，滅□□□□□□□法，制我四部弟子，不聽出家行道，

《三、房山石經唐刻》（八世紀前半頃）

若佛子，皆以信心受戒者，若國王、太子、百官、四部弟子，自恃高貴，破滅佛法戒律，明作制法，制我四部弟子，不聽出家行道，

參考《BD00883（盈 083）》（七～八世紀頃）
若佛子，皆以信心受戒者，若國王、王子、百官、四部弟子，莫自恃高貴，破滅佛法戒律，明作制法，制我四部弟子，不聽出家行道，

參考《BD01025（辰 025）》（八世紀？）
若佛子，皆以信心受戒者，若國王、太子、百官、四部弟子，莫自恃高貴，破滅佛法戒律，明作制法，制我四部弟子，不聽出家行道，

參考《BD00125（黄 025）》（九世紀頃）
若佛子，皆以信心受佛正戒，若國王、太子、百官、四部弟子，自恃高貴，破滅佛法戒律，明作制法，制我四部弟子，不聽出家行道，

參考《S3123》（年代未詳）
若佛子，皆以信心受戒者，若王、太子、百官、四部弟子，自恃高貴，破滅佛法戒律，明作制法，我四部弟子，不聽出家行道，

參考《S5059》（年代未詳）
若佛子，皆以信心受戒者，若國王・太子・百官・四部弟子，莫自恃高貴，破滅佛法戒律，明作制法，制我四部弟子，不聽出家行道，

《四、法隆寺本》（九世紀）
若佛子，以信心受佛戒已，若國王、太子、百官、四部弟子，莫自恃高貴，破滅佛法戒律，明作制法，制我四部弟子，不聽出家行道，

《五、高麗藏初雕本》（十一世紀）
若佛子，皆以信心受戒者，若國王、太子、百官、四部弟子，莫自恃高貴，破滅佛法戒律，明作制法，制我四部弟子，不聽出家行道，

《六、毘盧藏（開元寺版）》（十二世紀）
若佛子，皆以信心受戒者，若國王、太子、百官、四部弟子，自恃高貴，破滅佛法戒律，明作制法，制我四部弟子，不聽出家行道，

參考《思溪藏》（十三世紀前半）
若佛子，皆以信心受戒者，若國王、太子、百官、四部弟子，自恃高貴，破滅佛法戒律，明作制法，制我四部弟子，不聽出家行道，

《七、高麗藏再雕本》（十三世紀前半）
若佛子，皆以信心受佛戒者，若國王、太子、百官、四部弟子，自恃高貴，破滅佛法戒律，明作制法，制我四部弟子，不聽出家行道，

參考《洪武南藏Mn》＝《永樂北藏》＝《乾隆大藏經（龍藏）》＝《金陵刻經處本》

若佛子，皆以信心受戒者，若國王、太子、百官、四部弟子，自恃高貴，破滅佛法戒律，明作制法，制我四部弟子，不聽出家行道，

參考《A》（安永四年＝一七七五）

若佛子，皆已信心受佛戒者，若國王、太子、百官、四部弟子，自恃高貴，破滅佛法戒律，明作制法，制我四部弟子，不聽出家行道，

《一、最古形（批判校訂版）》【47-2】

亦復不聽造立①形像、佛塔、經律②、破③三寶之罪。而故作破法者④、犯輕垢罪。

〔校勘〕①〔參考〕『菩薩戒義疏』「道立」。②經律 BNTJK2TaLP、S五〇五九、立統安籍比丘地立白衣高坐廣行非法 F、經律立統官制衆使安藉記僧菩薩比丘地立白衣高座廣行非法如兵奴事主而菩薩正應受一切人供養而反爲官走使非法非律 HA、北一〇二五、經律立統制衆安藉記僧比丘菩薩地立白衣高座廣行非法如兵奴之法而菩薩應受一切人供養而反爲官走使非法非律 K1、經律立統制衆安藉記僧比丘菩薩地立白衣高座廣行非法如兵奴事主而菩薩應受一切人供養而反爲官走使非法非律 SQYM、經律立統制衆安藉記僧菩薩比丘地立白衣高座廣行非法如兵奴事主而菩薩應受一切人供養而反爲官走使非法非律 Mn、經律立統官制衆使安藉記僧比丘菩薩地立白衣高座廣行非法如兵奴之法而菩薩正應受一切人供養而反爲官走使非法非律 S三一二三、經律立統官制衆安藉記比丘菩薩地立白衣高座廣行非法正應受一切人供養而反爲官走使非法非律 北一二五。〔參考〕『菩薩戒義疏』「不聽書寫經律」。③破 BNTJK2LP、是作破 F、是破 T*Ta、若國王百官好心受佛戒者莫作是破 HK1SQYMnMA、北一〇二五、S三一二三、S五〇五九、若國王百官好心受佛戒者不作破 北一二五。④而故作破法者 BNTFK1K2PQYMnM、S五〇五九、而菩薩故作破法者 T*JTaL、若故破者 H、若故作破法者 A、北一二五、北一〇二五、若故作破者 S三一二三。

《二、天平勝寶九歳寫本》（七五七年）

亦復不聽造立形像、佛塔、經律、破三寶之罪。而故作破法者、犯輕垢罪。

參考《智顗、灌頂『菩薩戒義疏』》

第四十七、非法制限戒。……序事三階。一、標受戒者、兩釋。一云標被制之人、佛子欲信心受戒、而制限障閡、不聽彼受。二云標能制之人、佛子始以信心受戒、末便立非法制限、是故示應。「若國王」下、二、正制限之事。「不聽出家」、斷僧寶也。

不聽「四部」出家者，謂居士、居士婦、童男、童女，「不聽造立形像」，斷佛寶也。「不聽書寫經律」，斷法寶也。「故作」下，舉非，結過。（元禄三年［一六九〇］再治本）［參考］大正四〇・五七九下

參考《法藏『梵網經菩薩戒本疏』》

非法立制戒第四十七。……八、釋文者，文中有三。一、總明滅法。二、別顯滅相。三、故作成犯。前中亦三。一、本以信心受戒。二、恃自高威。三、破滅佛法。二、「明作」下，別顯中，一、障其出家修道，二、障造形像造經。此破住持三寶，遺法衆生賴藉此住持。今既損滅，其罪重故，總結云「破三寶罪」也。三、「而故作」下，違教結犯，可知。（四〇・六五四下）

《三、房山石經唐刻》（八世紀前半頃）

亦復不聽造立形像，佛塔、經律，立統安藉，比丘地立，白衣高坐，廣行非法，是作破三寶之罪。是菩薩受佛戒已，應敬事三寶，而故作破法者，犯輕垢罪。

參考《BD00883（盈 083）》（七～八世紀頃）

亦復不聽造立形像・佛塔・經律，破滅三寶之罪。而故作破法者，犯輕垢罪。

參考《BD01025（辰 025）》（八世紀？）

亦復不聽造立形像、佛塔、經律，立統官制衆，使安籍記僧，比丘菩薩地立，白衣高座廣行非法，如兵奴事主。而菩薩正應受一切人供養。而反爲官走使，非法非律。若國王、百官好心受佛戒者，莫作是破三寶之罪。若故作破法者，犯輕垢罪。

參考《BD00125（黃 025）》（九世紀頃）

亦復不聽造立形像、佛塔、經律，立統官制衆，安籍記，比丘菩薩地立，白衣高座廣行非法，正應受一切人供養。而反爲官走

使，非法非律。若國王、百官好心受佛戒，不作破三寶之罪。若故作破法者，犯輕垢罪。

參考《S3123》（書寫年代未詳）

亦復不聽造立形像・佛塔・經律，立統官制衆，使安籍記僧，比丘菩薩地立，白衣高座廣行非法，如兵奴之法。菩薩正應受一切人供養，而反爲官走使，非法非律。若國王、百官好心持佛戒者，莫作是破三寶之罪。而故作破者，犯輕垢罪。

參考《S5059》（年代未詳）

亦復不聽造立形像・佛塔・經律。若國王・百官好心受佛戒時，莫作此破三寶之罪。而故作破法者，犯輕垢罪。

《四、法隆寺本》（九世紀）

亦復不聽造立形像、佛塔、經律，立統官制衆，使安藉記僧，菩薩比丘地立，白衣高座廣行非法，如兵奴事主。而菩薩正應受一切人供養，而反爲官走使，非法非律。若國王、百官好心受佛戒者，莫作是破三寶之罪。若故破者，犯輕垢罪。

《五、高麗藏初雕本》（十一世紀）
亦復不聽造立形像、佛塔、經律，立統制衆，安藉記僧，比丘菩薩地立，白衣高座廣行非法，如兵奴之法。而菩薩應受一切人供養，而反爲官走使，非法非律。若國王、百官好心受佛戒者，莫作是破三寶之罪。而故作破法者，犯輕垢罪。

《六、毘盧藏（開元寺版）》（十二世紀）
亦復不聽造立形像、佛塔、經律，破三寶之罪。而故作破法者，犯輕垢罪。

參考《與咸『梵網菩薩戒經疏註』》（十二世紀）
『藏疏』經本，從「佛塔經律」下，即接「是破三寶之罪」，中間闕脱六十三字。不審古有此本耶，寫者之脱耶。

參考《思溪藏》（十三世紀前半）
亦復不聽造立形像、佛塔、經律，立統制衆，安籍記僧，菩薩比丘地立，白衣高座廣行非法，如兵奴事主。而菩薩應受一切人供養，而反爲官走使，非法非律。若國王、百官好心受佛戒者，莫作是破三寶之罪。而故作破法者，犯輕垢罪。

《七、高麗藏再雕本》（十三世紀前半）

亦復不聽造立形像、佛塔、經律，破三寶之罪。而故作破法者，犯輕垢罪。

參考《日本鎌倉・凝然（一二四〇～一三二一）『梵網戒本疏日珠鈔』》

『與咸註』云，「『藏疏』經本，從佛塔經律下，即接是破三寶之罪，中間闕脱六十三字。不審古有此本耶，寫者之脱耶」〈已上〉。*法銑所牒經本，亦有此六十三字。然世流布本，是字無之，故闕六十四字。日域世流布本，無此六十餘字，如**賢首師今疏所釋。***法進所註經本，亦無六十餘字。（六二・二六〇中）

〔注〕*唐・法銑（七一八～七七八）『梵網經菩薩戒疏』四卷。　**唐・法藏（六四三～七一二）『梵網經菩薩戒本疏』六卷。
***東大寺法進（七〇九～七七八）『註梵網經』。

參考《洪武南藏Mn》＝《永樂北藏》＝《乾隆大藏經（龍藏）》＝《金陵刻經處本》

亦復不聽造立形像、佛塔、經律，立統制衆，安籍記僧，菩薩比丘地立，白衣高座廣行非法，如兵奴事主。而菩薩應受一切人供養。而反爲官走使，非法非律。若國王、百官好心受佛戒者，莫作是破三寶之罪。而故作破法者，犯輕垢罪。

參考《A》

亦復不聽造立形像、佛塔、經律，立統官制衆，使安藉記僧，菩薩比丘地立，白衣高座廣行非法，如兵奴事主。而菩薩正應受一切人供養，而反爲官走使，非法非律。若國王、百官好心受佛戒者，莫作是破三寶之罪。若故作破法者，犯輕垢罪。

《一、最古形（批判校訂版）》【48-1】

若佛子，以①好心出家，而爲名聞、利養，於國王、百官前說佛戒②，橫與比丘、比丘尼、菩薩③弟子繫縛④，如師子身中蟲自食師子⑤，非外道、天魔破⑥。若受佛戒者，應護佛戒，如念一子，如事父母⑦。《続》

〔校勘〕①以 BNTFHJK2TaLPA、北一二五、北一〇二五，不以 K1SQYMnM、S三一二三。②佛戒 BNTK1PSQY，北一〇二五，佛戒者 HMnMA，七佛戒 FT*JK2L、S三一二三，七佛法戒 Ta，千佛戒 北一二五。③菩薩 BNTFK1JK2TaLPSQY、北一二五、北一〇二五、S三一二三，菩薩戒 HT*MnMA。④繫縛 BNTK1PSQY，作繫縛 T*，作繫縛事 FB*JK2TaL、北一二五，作繫縛事如獄囚法如兵奴之法 HA、北一〇二五，作繫縛事如獄囚法兵奴之法 MnM，繫縛如獄囚法兵奴之法 S三一二三。⑤師子 BNHP，師子肉 TFK1JK2TaLSQYMnMA、北一二五、北一〇二五、S三一二三，師子□ B*。⑥非外道天魔破 BNTP，非外道天魔能破 K1K2SQYA、北一二五、北一〇二五、S三一二三，非餘外道天魔□ B*，非外道天魔能破壞 T*JTaL，非外道天魔能破我正法 F，非餘外蟲如是佛子自破佛法 HMnM。⑦如事父母 BNTFK2TaLP、北一二五，如事父母不可毀破 HK1SQYMnMA、北一〇二五、S三一二三。

《二、天平勝寶九歲寫本》（七五七年）若佛子，以好心□家，而爲名聞、利養，於國王、白官前說佛戒，橫與比丘、比丘尼、菩薩弟子繫縛，如師子身中蟲自食師子肉，非外道、天魔破。若受佛戒者，應護佛戒，如念一子，如事父母。

《三、房山石經唐刻》（八世紀前半頃）若佛子，以好心出家，而爲名聞、利養，於國王、百官前說七佛戒，橫與比丘、比丘尼、菩薩弟子作繫縛事，如師子身中蟲自食師子肉，非外道、天魔能破我正法。若受佛戒者，應護佛戒，如念一子，如事父母。

《四、法隆寺本》（九世紀）　若佛子，以好心出家，而爲名聞、利養，於國王、百官前説佛戒者，橫與比丘、比丘尼、菩薩戒弟子作繫縛事，如獄囚法，如兵奴之法，如師子身中蟲自食師子，非餘外蟲。如是佛子自破佛法，非外道、天魔能破。若受佛戒者，應護佛戒，如念一子，如事父母，不可毀破。

《五、高麗藏初雕本》（十一世紀）　若佛子，不以好心出家，而爲名聞、利養，於國王、百官前説佛戒，橫與比丘、比丘尼、菩薩弟子繫縛，如獄囚法、兵奴之法，如師子身中蟲自食師子肉，非外道、天魔能破。若受佛戒者，應護佛戒，如念一子，如事父母，不可毀破。

《六、毘盧藏（開元寺版）》（十二世紀）　若佛子，以好心出家，而爲名聞、利養，於國王、百官前説佛戒，橫與比丘、比丘尼、菩薩弟子繫縛，如師子身中蚰自食師子，非外道、天魔破。若受佛戒者，應護佛戒，如念一子，如事父母。

《七、高麗藏再雕本》（十三世紀前半）　若佛子，以好心出家，而爲名聞、利養，於國王、百官前説七佛戒，橫與比丘、比丘尼、菩薩弟子作繫縛事，如師子身中蟲自食師子肉，非外道、天魔能破。若受佛戒者，應護佛戒，如念一子，如事父母。

《一、最古形（批判校訂版）》【48－2】

而聞①外道、惡人以②惡言謗佛戒時③，如三百鉾刺心、千刀萬杖④打拍其身，等無有異。寧自入地獄百劫⑤，而不一聞惡言⑥破⑦佛戒之聲。況⑧自破佛戒，教人破法⑨因緣，亦無⑩孝順之心⑪。若故作者⑫，犯輕垢罪。

〔校勘〕①而聞 NTFJTaLP、北一二五、北一〇二五、S三一二三，□聞 B，而菩薩聞 HK1K2SQYMnMA。②以 BNTHK1JK2TaLPSQYMnMA，以一 F。③謗佛戒時 BNTK1JK2TaLPQY、北一二五，謗佛戒 F，謗破佛戒之聲 HA，謗破佛戒之時 北一〇二五，誹謗佛戒時 S三一二三，謗佛戒之聲 MnM。④千刀萬杖 BFHK1JK2TaLPSQYMnMA、北一二五、北一〇二五、S三一二三，千刃萬杖 N，千萬刀杖 T。⑤百劫 BNTK1JTaLPSQY、北一二五，經百劫 K2，經百千劫 F，經於百劫 HMnMA、北一〇二五。⑥而不一聞惡言 BNTK1PSQY、北一〇二五，不願聞一惡言 F，而不，聞惡人以惡言 HA，而不用聞一惡言 JTaL，而不用一聞惡言 K2，而不聞一惡言 MnM，不欲一聞惡言 北一二五。⑦破 BNTFK1JK2TaLPSQYMnM、北一二五、北一〇二五，謗破 HA。⑧況 BNFK1PSQYMnM，而況 NHB*JK2TaLA、北一二五、北一〇二五，何況 T。⑨破法 BNTFHK1K2TaLQMnMA、北一二五、北一〇二五，破破法 PSY，惡法 J。⑩亦無 BNTHK1JK2TaLPSQYMnMA，無 F。⑪之心 BNHK1JK2TaLPQYMnMA、北一〇二五，之□ T，心 F、北一二五。⑫作者 BNTFK1JK2TaLPSQYMnMA，破者 H。

《二、天平勝寶九歲寫本》（七五七年）

而聞外道、□人以惡言謗佛戒時，如三百鉾刺心、千萬刀杖打拍其身，等無有異。寧自入地獄百劫，而不一聞惡言破佛戒之聲。何況自破佛戒，教人破法因緣，亦無孝順之□。若故作者，犯輕垢□。

《三、房山石經唐刻》（八世紀前半頃）

而聞外道、惡人以一惡言誹謗佛戒，如三百鉾刺心、千刀萬杖打拍其身，等無有異。寧自入地獄經百、千劫，不願聞一惡言破佛戒之聲。況自破佛戒，教人破法因緣，無孝順心。若故作者，犯輕垢罪。

《四、法隆寺本》（九世紀）

而菩薩聞外道、惡人以惡言謗破佛戒之聲，如三百鉾刺心、千刀萬杖打拍其身，等無有異。寧自入地獄，經於百劫，而不一聞惡人以惡言謗破佛戒之聲。而況自破佛戒，教人破法因緣，亦無孝順之心。若故破者，犯輕垢罪。

《五、高麗藏初雕本》（十一世紀）

而菩薩聞外道、惡人以惡言謗佛戒時，如三百鉾刺心、千刀萬杖打拍其身，等無有異。寧自入地獄百劫，而不一聞惡言破佛戒之聲。況自破佛戒，教人破法因緣，亦無孝順之心。若故作者，犯輕垢罪。

《六、毘盧藏（開元寺版）》（十二世紀）

而聞外道、惡人以惡言謗佛戒時，如三百鉾刺心、千刀萬杖打拍其身，等無有異。寧自入地獄百劫，而不一聞惡言破佛戒之聲。況自破佛戒，教人破破法因緣，亦無孝順之心。若故作者，犯輕垢罪。

《七、高麗藏再雕本》（十三世紀前半）

而菩薩聞外道、惡人以惡言謗佛戒時，如三百鉾刺心、千刀萬杖打拍其身，等無有異。寧自入地獄經百劫。而不用一聞惡言破佛戒之聲。而況自破佛戒，教人破法因緣，亦無孝順之心。若故作者，犯輕垢罪。

《一、最古形（批判校訂版）》

是①九戒應當學，敬心奉持②。

諸佛子，是②四十八輕戒，汝等受持，過去諸菩薩已誦，現在諸菩薩今誦③。

〔校勘〕①是 NTFK1PSQY，□ B，如是 HJK2TaLMnMA。②奉持 BNTFHK1JK2TaLSQYMnMA，奉行 P。
★P 大正藏校勘は誤り。③過去諸菩薩已誦現在諸菩薩今誦 BN，過去諸佛菩薩已誦未來諸佛菩薩當誦現在諸菩薩今誦 B*，
過去諸菩薩已誦未來諸菩薩當誦現在諸菩薩今誦 HK1K2PSQYMnMA，過去諸□薩已誦現在諸菩薩今誦未來諸菩薩當誦 T，
過去諸菩薩已誦現在諸菩薩今誦未來諸菩薩當誦 TF，過去諸菩薩已學未來諸菩薩當學現在諸菩薩今學 JTaL。

《二、天平勝寶九歲寫本》（七五七年）

是九戒應當學，敬□奉持。

諸佛子，是四十八輕□，□等受持，過去諸□薩已誦，現在諸菩薩今誦，未來諸菩薩當誦。

《三、房山石經唐刻》（八世紀前半頃）

是九戒應當學，敬心奉持。

諸佛子，是四十八輕戒，汝等受持，過去諸佛已誦，現在諸佛今誦，未來諸佛當誦。

《四、法隆寺本》（九世紀）
如是九戒應當學，敬心奉持。
諸佛子，是四十八輕戒，汝等受持，過去諸菩薩已誦，未來諸菩薩當誦，現在諸菩薩今誦。

《五、高麗藏初雕本》（十一世紀）
是九戒應當學，敬心奉持。
諸佛子，是四十八輕戒，汝等受持，過去諸菩薩已誦，未來諸菩薩當誦，現在諸菩薩今誦。

《六、毘盧藏（開元寺版）》（十二世紀）
是九戒應當學，敬心奉行。
諸佛子，是四十八輕戒，汝等受持，過去諸菩薩已誦，未來諸菩薩當誦，現在諸菩薩今誦。

《七、高麗藏再雕本》（十三世紀前半）
如是九戒應當學，敬心奉持。
諸佛子，是四十八輕戒，汝等受持，過去諸菩薩已誦，未來諸菩薩當誦，現在諸菩薩今誦。

《一、最古形（批判校訂版）》

佛子聽①，十戒四十八戒②，三世諸佛已誦、當誦、今誦③。我今亦如是誦④。汝等一切大衆，若國王、王子、百官、比丘、比丘尼、信男、信女受持菩薩戒者，應⑤受持、讀誦、解說、書寫佛性常住戒卷，流通三世一切衆生，化化不絶，《續》

〔校勘〕①佛子聽 BNTPSQY，佛子諦聽 FB*，諸佛子聽 HLMnM，佛子諦聽 K1Y，諸佛子諦聽 T*JK2TaA。『菩薩戒義疏』「諸佛子聽」。②十戒四十八戒 BNTK1P，是十重戒四十八輕戒 F，十重四十八輕戒 HQMnM，此十重四十八輕戒 B*T*JK2TaLA。★P・M大正藏校勘は誤り。③當誦今誦 BNTHK1JK2TaPSQYMnMA，今誦當誦 F。④我今亦 BNTHK1JK2TaLPSQYMnMA，我亦 F。⑤應 BTFHK1JK2TaLPSQYMnMA，應當 N。

《二、天平勝寶九歳寫本》（七五七年）佛子聽，十戒四十八戒，三世諸佛已誦、當誦、今誦。我今亦如是誦。汝等一切大衆，若國王、王子、百官、比丘、比丘尼、信男、信女受持菩薩戒者，應受持、讀誦、解說、書寫佛性常住戒卷，流通三世一切衆生，化化不絶，

《三、房山石經唐刻》（八世紀前半頃）佛子諦聽，是十重戒四十八輕戒，三世諸佛已誦、今誦、當誦。我亦如是誦。汝等一切大衆，若國王、王子、百官、比丘、比丘尼、信男、信女受持菩薩戒者，應受持、讀誦、解說、書寫佛性常住戒卷，流通三世一切衆生，化化不絶，

《四、法隆寺本》（九世紀）諸佛子聽，十重四十八輕戒，三世諸佛已誦、當誦、今誦。我今亦如是誦。汝等一切大衆，若國王、王子、百官、比丘、比丘尼、信男、信女受持菩薩戒者，應受持、讀誦、解説、書寫佛性常住戒卷，流通三世一切衆生，化化不絶，

《五、高麗藏初雕本》（十一世紀）諸佛子諦聽，十戒四十八戒，三世諸佛已誦、當誦、今誦。我今亦如是誦。汝等一切大衆，若國王、王子、百官、比丘、比丘尼、信男、信女受持菩薩戒者，應受持、讀誦、解説、書寫佛性常住戒卷，流通三世一切衆生，化化不絶，

《六、毘盧藏（開元寺版）》（十二世紀）佛子聽，十戒四十八戒，三世諸佛已誦、當誦、今誦。我今亦如是誦。汝等一切大衆，若國王、王子、百官、比丘、比丘尼、信男、信女受持菩薩戒者，應受持、讀誦、解説、書寫佛性常住戒卷，流通三世一切衆生，化化不絶，

《七、高麗藏再雕本》（十三世紀前半）諸佛子諦聽。此十重四十八輕戒，三世諸佛已誦、當誦、今誦。我今亦如是誦。汝等一切大衆，若國王、王子、百官、比丘、比丘尼、信男、信女受持菩薩戒者，應受持、讀誦、解説、書寫佛性常住戒卷，流通三世一切衆生，化化不絶，

《一、最古形（批判校訂版）》

得見千佛①，佛佛②授手，世世不墮惡道、八難，常生人道、天中。我今在此樹下③，略開七佛法戒。汝等④當一心學波羅提木叉，歡喜奉行⑤，如「無相天王品」勸學中一一已明⑥。

〔校勘〕①千 N T F H K1 J K2 Ta L P Q Y Mn M A，□ B。②佛佛 B T F N* K1 J K2 Ta L P S Q Y Mn M，佛 N，爲千佛 H，爲佛佛 A。③此樹下 B N T F H K1 J K2 Ta L P S Q Y Mn M A，此菩提樹下 B*。④汝等 B N T K1 J K2 L P S Q Y，汝等大衆 F H Ta Mn M A。⑤歡喜奉行 B N F H K1 J K2 Ta L P Q Y Mn M A，敬心奉持…… T（左記《二》參照），敬心奉行…… T*。⑥已明 N T K1 P S Q Y，□明 B，廣明 F H B* J K2 Ta L Mn M A。

《二、天平勝寶九歳寫本》（七五七年）

得見千佛，佛佛授手，世世不墮惡道、八難，常生人道、天中。我今在此樹下，略開七佛法戒。汝等當一心學波羅提木叉，敬心奉持。／諸大衆，我已説四十八輕垢罪。今問，諸大衆，是中清淨不〈如是三説〉。諸大衆，是中清淨，默然故，是事如是持，如無相天王品勸學□一一已明。

《三、房山石經唐刻》（八世紀前半頃）

得見千佛，佛佛授手，世世不墮惡道、八難，常生人道、天中。我今在此樹下，略開七佛法戒。汝等大衆當一心學波羅提木叉，歡喜奉行，如無相天王品勸學中一一廣明。

《四、法隆寺本》（九世紀）

得見千佛，爲千佛授手，世世不墮惡道、八難，常生人道、天中。我今在此樹下，略開七佛法戒。汝等大衆當一心學波羅提木叉，歡喜奉行，如無相天王品勸學中一一廣明。

《五、高麗藏初雕本》（十一世紀）

得見千佛，佛佛授手，世世不墮惡道、八難，常生人道、天中。我今在此樹下，略開七佛法戒。汝等當一心學波羅提木叉，歡喜奉行，如無相天王品勸學中一一已明。

《六、毘盧藏（開元寺版）》（十二世紀）

得見千佛，佛佛授手，世世不墮惡道、八難，常生人道、天中。我今在此樹下，略開七佛法戒。汝等當一心學波羅提木叉，歡喜奉行，如無相天王品勸學中一一已明。

《七、高麗藏再雕本》（十三世紀前半）

得見千佛，佛佛授手，世世不墮惡道、八難，常生人道、天中。我今在此樹下，略開七佛法戒。汝等當一心學波羅提木叉，歡喜奉行，如無相天王品勸學中一一廣明。

《一、最古形（批判校訂版）》

三千學①時坐聽者，聞佛自誦，心心頂戴，喜踊②受持。

〔校勘〕①學 BN，學士 FHB*K1JK2TaLMnMA，學□ T，學者 PSQY。②喜踊 BNTFK1P，喜躍 JK2TaLPSQYMnM，歡喜 HA。

參考a 隋・智顗、唐・灌頂『菩薩戒義疏』卷下，末文本不同。「三千」者，是菩薩應學三千威儀。「三年」者，聲聞五年，菩薩三年。「三事」者，戒、定、慧也。（四〇・五八〇上）

參考b 唐・明曠（約七四〇～八〇〇年頃）『天台菩薩戒疏』（成書七七七年）言「三千學者」，謂三千界所學之者。有本言「士」。天宮云，人誤改之。檢『梵網』，「者」字爲正。略舉一化，故云「三千時坐聽者」，舉此南洲。亦有戒本無此一段，文不周足。前勸奉後受持故。（四〇・六〇一上）

參考c 奈良・善珠（七二三～九七）『梵網經略抄』三千學者，謂三千界所學之者。有本言「士」，人妄改之。統云，今檢梵本（網），「者」覺字爲正。且標一化之國，故言『三千』。亦戒本無此一段，則理不同。前収勸持，此應修奉。若無此段，都無奉修。

參考d 日本鎌倉期・凝然（一二四〇～一三二一）『梵網戒本疏日珠鈔』銑（法銑，七一八～七八）云，「言『三千學者』，謂三千界所學之者。有本言「士」，人妄改之。今檢『梵網』，「者」字爲正。且明一華之國，故言「三千時坐聽者」，明此州也。亦有戒文□□段，理則不周。前段勸持。此應修奉。若□□都無奉修也」〈已上〉。（六二・二六二上）

《二、天平勝寶九歲寫本》（七五七年）
三千學□時坐聽者，聞佛自誦，心心頂戴，喜踊受持。

《三、房山石經唐刻》（八世紀前半頃）
三千學士時坐聽者，聞佛自誦，心心頂戴，喜踊受持。

《四、法隆寺本》（九世紀）
三千學士時坐聽者，聞佛自誦，心心頂戴，歡喜受持。

《五、高麗藏初雕本》（十一世紀）
三千學士時坐聽者，聞佛自誦，心心頂戴，喜躍受持。

《六、毘盧藏（開元寺版）》（十二世紀）
三千學者時坐聽者，聞佛自誦，心心頂戴，喜踊受持。

《七、高麗藏再雕本》（十三世紀前半）
三千學士時坐聽者，聞佛自誦，心心頂戴，喜躍受持。

《一、最古形（批判校訂版）》

爾時釋迦牟尼佛，説上蓮華①臺藏世界盧舍那佛②「心地法門品」中「十無盡戒法品」竟，千百億釋迦亦如是説，從③摩醯首羅天王宮，至此道樹，④十住處説法品，爲一切菩薩不可説大衆⑤受持、讀誦、解説其義亦如是。

〔校勘〕①華 BNFHLPQMnMA，花 K1JK2Ta。★P・M大正藏校勘は誤り。②佛 BNTFK1JK2TaPSQYMnMA，佛所説 H。③摩 BNFHK1JK2TaPSQYMnMA，魔 T。④道樹十住處 BNTFK2，道樹下十住處 T*K1JTaLA，道樹下住處 HPSQYMnM。⑤大衆 BTFHN*K1JK2TaLPSQYMnMA，大衆也 N。

《二、天平勝寶九歳寫本》（七五七年）

爾時釋迦牟尼佛，説上蓮華臺藏世界盧舍那佛心地法門品中十無盡戒法品竟，千百億釋迦亦如是説，從魔醯首羅天王宮，至此道樹，十住處説法品，爲一切菩薩不可説大衆受持、讀誦、解説其義亦如是。

《三、房山石經唐刻》（八世紀前半頃）

爾時釋迦牟尼佛，説上蓮華臺藏世界盧舍那佛心地法門品中十無盡戒法品竟，千百億釋迦亦如是説，從摩醯首羅天王宮，至此道樹，十住處説法品，爲一切菩薩不可説大衆受持、讀誦、解説其義亦如是。

《四、法隆寺本》（九世紀）

爾時釋迦牟尼佛，説上蓮華臺藏世界盧舍那佛所説心地法門品中十無盡戒法品竟，千百億釋迦亦如是説，從摩醯首羅天王宮，至此道樹下，住處説法品，爲一切菩薩不可説大衆受持、讀誦、解説其義亦如是。

《五、高麗藏初雕本》（十一世紀）

爾時釋迦牟尼佛，説上蓮花臺藏世界盧舍那佛心地法門品中十無盡戒法品竟，千百億釋迦亦如是説，從摩醯首羅天王宮，至此道樹下，十住處説法品。爲一切菩薩不可説大衆受持、讀誦、解説其義亦如是。

《六、毘盧藏（開元寺版）》（十二世紀）

爾時釋迦牟尼佛，説上蓮華臺藏世界盧舍那佛心地法門品中十無盡戒法品竟，千百億釋迦亦如是説，從摩醯首羅天王宮，至此道樹下，住處説法品。爲一切菩薩不可説大衆受持、讀誦、解説其義亦如是。

《七、高麗藏再雕本》（十三世紀前半）

爾時釋迦牟尼佛，説上蓮花臺藏世界盧舍那佛心地法門品中十無盡戒法品竟，千百億釋迦亦如是説，從摩醯首羅天王宮，至此道樹，十住處説法品。爲一切菩薩不可説大衆受持、讀誦、解説其義亦如是。

《一、最古形（批判校訂版）》

千百億①世界、蓮華②藏世界、微塵③世界一切佛心藏、地藏、戒藏④、無量行願藏、因果佛性常住藏、如如⑤一切佛説無量一切法藏竟，千百億世界中，一切衆生受持⑥，歡喜奉行。若⑦廣開心地相相，如「佛華光王品」⑧中說。

〔校勘〕①千百億 NTFHK1JK2TaLPSQYMnMA，百千億 B。②華 BNTFHTaLPMnMA，花 K1JK2。★P・M大正藏校勘は誤り。③微塵 BTFHK1JK2TaLPSQYMnMA，微塵數 N。④地藏戒藏 BNFHT*K1JK2TaLPSQYMnMA，持地發戒藏 T。⑤如如 BTFHJK2TaL，如是如 N，如是 K1PSQYMnMA。⑥受持 NFHK1JK2TaLPSQYMnMA，誦念受持 T，□□ B。⑦若 BNHK1JK2TaLPA，如 F，□ T。⑧心地相相如佛華光王品中 NPSQY，心□相相如佛華□□品 T，心□相相如佛華□王七行品中 T*，心地相相如佛花光王品中 F，心地相相如佛華光王品中 H，心地相相如佛花光王七行品中 K1，心地相相如佛華光王品中 HK2，心地相相如佛花光王七行品中 J，心地相相如佛華光王七行品中 TaLMnMA，心地相相如佛〃 B（B後缺）。

《二、天平勝寶九歲寫本》（七五七年）千百億世界、蓮華藏世界、微塵世界一切佛心藏、持地、發戒藏、無量行願藏、因果佛性常住藏、如如一切佛説無量一切法藏竟，千百億世界中，一切衆生誦念、受持，歡□奉行。□廣開心□相相，如佛華□□品說。

《三、房山石經唐刻》（八世紀前半頃）千百億世界、蓮華藏世界、微塵世界一切佛心藏、地藏、戒藏、無量行願藏、因果佛性常住藏、如如一切佛説無量一切法藏竟，千百億世界中，一切衆生受持，歡喜奉行。如廣開心地相相，如佛花光王品中說。

《四、法隆寺本》（九世紀）　千百億世界、蓮華藏世界、微塵世界一切佛心藏、地藏、戒藏、無量行願藏、因果佛性常住藏、如如一切佛説無量一切法藏竟，千百億世界中，一切衆生受持，歡喜奉行。若廣開心地相相，如佛華光王品中說。

《五、高麗藏初雕本》（十一世紀）　千百億世界、蓮花藏世界、微塵世界一切佛心藏、地藏、戒藏、無量行願藏、因果佛性常住藏，如是一切佛説無量一切法藏竟，千百億世界中，一切衆生受持，歡喜奉行。若廣開心地相相，如佛花光王行品中說。

《六、毘盧藏（開元寺版）》（十二世紀）　千百億世界、蓮華藏世界、微塵世界一切佛心藏、地藏、戒藏、無量行願藏、因果佛性常住藏，如是一切佛説無量一切法藏竟，千百億世界中，一切衆生受持，歡喜奉行。若廣開心地相相，如佛華光王品中說。

《七、高麗藏再雕本》（十三世紀前半）　千百億世界、蓮花藏世界、微塵世界一切佛心藏、地藏、戒藏、無量行願藏、因果佛性常住藏、如如一切佛説無量一切法藏竟，千百億世界中，一切衆生受持，歡喜奉行。若廣開心地相相，如佛花光王品中說。

《一、最古形（批判校訂版）》

明人忍慧強，能持如是法，未成佛道間①，安獲五種利。
一者十方佛，愍念常守護。二者命終時，正見心歡喜②。
三者生生處，爲淨③菩薩友。四者功德聚，戒度④悉成就。
五者今後世，性戒福慧滿。此是佛行處⑤，智者善思量。

〔校勘〕①間 FHJK2TaLPSQYMnMA，[間] T。②歡喜 FHJK2TaLPSQYMnMA，歡□ T。③淨 TFHJTaLPQY，諍 S，諸 K2MnA。④戒度 THJK2PSQYMnMA，界土 F。⑤此是佛行處 JK2TaL，此爲佛種子 T，此是諸佛子 FHPSQYMnMA。「明人」以下の偈はNとK1に存在しない。

《二、天平勝寶九歳寫本》（七五七年）

□[人]忍慧強，能[持]如是[法]，未成佛[道][間]，安獲五[種]利。[一]者十方佛，愍念常守護。二者命終時，正見心歡□。三者生生處，爲淨菩薩友。四者功德聚，戒度悉成就。五者今後世，性戒福慧滿。此爲佛種子，智者善思量。

《三、房山石經唐刻》（八世紀前半頃）

〈五言〉明人忍慧強，能持如是法，未成佛道間，安獲五種利。一者十方佛，愍念常守護。二者命終時，正見心歡喜。三者生生處，爲淨菩薩友。四者功德聚，界土悉成就。五者今後世，性戒福惠滿。此是諸佛子，智者善思量。

《四、法隆寺本》（九世紀）
明人忍慧強，能持如是法，未成佛道間，安獲五種利。一者十方佛，愍念常守護。二者命終時，正見心歡喜。三者生生處，爲淨菩薩友。四者功徳聚，戒度悉成就。五者今後世，性戒福慧滿。此是諸佛子，智者善思量。

《五、高麗藏初雕本》（十一世紀）　偈文全缺

《六、毘盧藏（開元寺版）》（十二世紀）
明人忍慧強，能持如是法，未成佛道間，安獲五種利。一者十方佛，愍念常守護。二者命終時，正見心歡喜。三者生生處，爲淨菩薩友。四者功徳聚，戒度悉成就。五者今後世，性戒福慧滿。此是諸佛子，智者善思量。

《七、高麗藏再雕本》（十三世紀前半）
明人忍慧強，能持如是法，未成佛道間，安獲五種利。一者十方佛，愍念常守護。二者命終時，正見心歡喜。三者生生處，爲諸菩薩友。四者功徳聚，戒度悉成就。五者今後世，性戒福慧滿。此是佛行處，智者善思量。

《一、最古形（批判校訂版）》

計①我著相者，②不能信是法。③滅盡④取證者，亦非下種處。欲長菩提苗，光明照世間。應當靜⑤觀察。諸法眞實相。不生亦不滅，不常復不斷，不一又⑥不異，不來亦不去。

〔校勘〕①計 T H J K2 Ta L P S Mn M A，討 Q Y。②著相者 F H J K2 L Q Mn M A，着相者 Ta P，著相田 T。③信是法 J K2 Ta L Mn M，□是法 T，生是法 F H A，主是法 Q。④滅盡 J K2 Ta L，滅受 T，滅壽 F H P S Q Y Mn M A。⑤靜 F H J K2 Ta L P S Q Y Mn M A，淨 T。⑥又 T F H P Q，亦 J K2 Ta L Mn M A。

《二、天平勝寶九歲寫本》（七五七年）

計我著相田，不能□是法。滅受取證者，亦非下種處。欲長菩提苗，光明照世間。應當淨觀察，諸法眞實相。不生亦不滅，不常復不斷，不一又不異，不來亦不去。

《三、房山石經唐刻》（八世紀前半頃）

計我著相者，不能生是法。滅壽取證者，亦非下種處。欲長菩提苗，光明照世間。應當靜觀察，諸法眞實相。不生亦不滅，不常復不斷，不一又不異，不來亦不去。

《四、法隆寺本》（九世紀）

計我著相者，不能生是法。滅壽取證者，亦非下種處。欲長菩提苗，光明照世間。應當靜觀察，
諸法眞實相。不生亦不滅，不常復不斷，不一又不異，不來亦不去。

《五、高麗藏初雕本》（十一世紀）　偈文全缺

《六、毘盧藏（開元寺版）》（十二世紀）

計我着相者，不能生是法。滅壽取證者，亦非下種處。欲長菩提苗，光明照世間。應當靜觀察，
諸法眞實相。不生亦不滅，不常復不斷，不一又不異，不來亦不去。

《七、高麗藏再雕本》（十三世紀前半）

計我著相者，不能信是法。滅盡取證者，亦非下種處。欲長菩提苗，光明照世間，應當靜觀察，
諸法眞實相。不生亦不滅，不常復不斷，不一亦不異，不來亦不去。

《一、最古形（批判校訂版）》

如是一心中，方便勤莊嚴①，菩薩所應作，應②當次第學。
於學於無學，勿生分別想。是名第一道，亦名摩訶衍。
一切戲論惡③，悉從是處滅④。諸佛薩婆若，悉由是處出。
是故諸佛子，宜發大勇猛，於諸佛淨戒⑤，護持如明珠。

〔校勘〕①勤 F K2 Ta L P S Q Y Mn M A，□ T，懃 H。②應當 F H J K2 Ta L P S Q Y Mn M A，皆當 T。③戲論惡 T F H P S Q Y Mn M A，戲論處 J K2 Ta L。④悉從是處滅 F H P S Q Y Mn M A，皆從是中滅 T，悉由是處滅 J K2 Ta L。⑤於諸佛淨戒 H J K2 Ta L P S Q Y Mn M A，（五字脱落）T，精進持淨戒 F。

《二、天平勝寶九歲寫本》（七五七年）

如是一心中，方便□莊嚴，菩薩所應作，皆當次第學。於學於無學，勿生分別想。是名第一道，
亦名摩訶衍。一切戲論惡，皆從是中滅。諸佛薩婆若，悉由是處出。是故諸佛子，宜發大勇猛，護持如明珠。

《三、房山石經唐刻》（八世紀前半頃）

如是一心中，方便勤莊嚴，菩薩所應作，應當次第學。於學於無學，勿生分別想。是名第一道，亦名摩訶衍。
一切戲論惡，悉從是處滅。諸佛薩婆若，悉由是處出。是故諸佛子，宜發大勇猛，精進持淨戒，護持如明珠。

《四、法隆寺本》（九世紀）

如是一心中，方便懃莊嚴，菩薩所應作，應當次第學。於學於無學，勿生分別想。是名第一道，亦名摩訶衍。

一切戲論惡，悉從是處滅。諸佛薩婆若，悉由是處出。是故諸佛子，宜發大勇猛，於諸佛淨戒，護持如明珠。

《五、高麗藏初雕本》（十一世紀）　偈文全缺

《六、毘盧藏（開元寺版）》（十二世紀）

如是一心中，方便勤莊嚴，菩薩所應作，應當次第學。於學於無學，勿生分別想。是名第一道，亦名摩訶衍。

一切戲論惡，悉從是處滅。諸佛薩婆若，悉由是處出。是故諸佛子，宜發大勇猛，於諸佛淨戒，護持如明珠。

《七、高麗藏再雕本》（十三世紀前半）

如是一心中，方便勤莊嚴，菩薩所應作，應當次第學。於學於無學，勿生分別想。是名第一道，亦名摩訶衍。

一切戲論處，悉由是處滅。諸佛薩婆若，悉由是處出。是故諸佛子，宜發大勇猛，於諸佛淨戒，護持如明珠。

《一、最古形（批判校訂版）》

過去諸菩薩，已①於是中學，未來者當學，現在者今學。
此是佛行處，②聖主所稱歎。③我已④隨順說，福德無量聚，
迴以施衆生，⑤共向一切智。願聞⑥是法者，疾得成佛道。

〔校勘〕①已 T H J K2 Ta L P S Q Y Mn M A，亦 F。②處 F H J K2 Ta L P S Q Y Mn M A，□ T。③歎 F H J K2 Ta L P S Q Y Mn M，讚 T，嘆 A。④我已 H J K2 Ta L P S Q Mn M A，我□ T，我亦 F。⑤迴以施衆生 J K2 Ta L M A，迴以□□□ T，迴已施衆生 F H P S Q Mn Y。⑥聞是 F H J K2 Ta L P S Q Y Mn M A，［聞］此 T。

《二、天平勝寶九歳寫本》（七五七年）

過去諸菩□，已於是中學，未［來］者當學，現在者今學。此是佛行□，聖主所稱讚。我□［隨］順說，福德［無］［量］［聚］，
迴［以］□□□，［共］□一切智。願［聞］此法者，疾得成佛道。

《三、房山石經唐刻》（八世紀前半頃）

過去諸菩薩，亦於是中學，未來者當學，現在者今學。此是佛行處，聖主所稱歎。我亦隨順說，福德無量聚，
迴已施衆生，共向一切智。願聞是法者，疾得成佛道。

《四、法隆寺本》（九世紀）

過去諸菩薩，已於是中學，未來者當學，現在者今學。此是佛行處，聖主所稱歎。我已隨順説，福德無量聚，

迴已施衆生，共向一切智。願聞是法者，疾得成佛道。

《五、高麗藏初雕本》（十一世紀）　偈文全缺

《六、毘盧藏（開元寺版）》（十二世紀）

過去諸菩薩，已於是中學，未來者當學，現在者今學。此是佛行處，聖主所稱歎。我已隨順説，福德無量聚，

迴已施衆生，共向一切智。願聞是法者，疾得成佛道。

《七、高麗藏再雕本》（十三世紀前半）

過去諸菩薩，已於是中學，未來者當學，現在者今學。此是佛行處，聖主所稱歎。我已隨順説，福德無量聚，

迴以施衆生，共向一切智。願聞是法者，疾得成佛道。

《一、最古形（批判校訂版）》

梵網經心地品①

〔校勘〕①梵網經心地品第十下卷 N，梵網經 T，梵網經一卷 F，梵網經卷下 HK1PS，佛說梵網經卷下 QYM，梵網經菩薩心地戒品卷下 JTaL，梵網經盧舍那佛說菩薩心地品卷下 A，梵網經盧舍那佛說菩薩心地戒品第十〈之下〉K2，佛說梵網經 Mn。

《二、天平勝寶九歲寫本》（七五七年）

梵網經

《三、房山石經唐刻》（八世紀前半頃）

梵網經一卷

復作是願。寧以百千刃刀割斷其舌，終不以破戒之心食人百味淨食。

此舌根一願，爲紙本先脫，後未勘得，遂書在尾□。後有人取作本者，請排在鼻根願下，即是其次。幸勿怪焉。

《四、法隆寺本》（九世紀）

梵網經卷下

《五、高麗藏初雕本》（十一世紀）

梵網經卷下

《六、毘盧藏（開元寺版）》（十二世紀）

梵網經卷下

《七、高麗藏再雕本》（十三世紀前半）

梵網經盧舍那佛説菩薩心地戒品第十〈之下〉

第三章　『梵網経』最古形の現代語訳

――後代の主な書換えとともに

本章は，前章の各見開き頁の**《一、最古形（批判校訂版）》**に太字で示した本文に現代語訳を施す。あわせて，後代の経文の改変についても，その主な点を注記する。

現代語訳と注は次の方針に従って作成するように心懸けた。

一，仏教用語だらけの読みにくい訳となるのを避け，原語の意味をなるべく平易な日本語で表す。

二，訳文中の〔　〕は原語にない語の補足を示す。（　）内は語の説明または原語である。原文中に訳が含意されていると判断できる場合は煩を避けるため敢えて〔　〕を用いず，最小限の語を補足しながら訳文を作る。

三，原文を小段落に区切って現代語訳し，注を施す。注の内容は三種ある。すなわち次の通り。

（a）現代語に訳した最古形の文言と，後代の改変を「→」を用いて表記する。アルファベット記号は第二章校勘の略号に従う。改変箇所のすべてではなく，主要な点のみを取り上げ，改変の性格を次のように表す。

☆語の補足　　　　後代に語を補足するが，意味的に大きな改変のないもの。
☆意味の補足　　　後代の改変が最古形になかった意味を補足し，内容的に意味を限定するもの。
☆語の改変　　　　最古形の語彙を後代に改変したもの。ただし意味の著しい変化を含まない場合。
☆内容の改変　　　後代の改変によって最古形の文言の意味が変化するもの。
☆意味的重複の削除　最古形に含まれる重複的表現を削除し，意味の明瞭化を図るもの。
☆曖昧さの改善　　最古形の意味が曖昧な場合，意味を特定できるように表現を円滑化する改変。

☆語法の統一　　　下巻の経文の文法に関わる表記を統一し，表記の規格化・一貫性を意図する場合。
☆表記の統一　　　語法（文法）以外の箇所で表記を統一し，表記の規格化・一貫性を意図する場合。
注の中で「↓」の前後に示す訳と原文に付す傍線は，特に注目すべき相違箇所を表す。
（b）訳語の意味をさらに解説したり，問題点を指摘したり，注釈書の解釈を示したりするための注記。
（c）先行研究における訳の誤りや問題点を指摘するための注記。ただし誤訳の指摘は最小限度にとどめる。
以上の方針に従い，以下に現代語訳と注を掲げる。

現代語訳および訳注

『梵網経菩薩心地品』①

①本経の題名には様々な問題がある。その要点は本書第七章の「『梵網経』という経名の意味」の項で概説する。

そのとき盧舍那仏は，百千恒河沙①ほど夥しい数の，言葉で説明できない〔深い〕法門②の中の「心地」〔の教え〕③を聴衆にあらまし伝えた。〔ただ，それは全体から見ればほんのわずかな〕毛先ほどの分量であった。〔仏は言った，——この教えは〕過去の一切の諸仏が説いた〔教え〕，将来の諸仏が説くであろう〔教え〕，そして現在の諸仏が今説いている教えである。三世④の諸菩薩⑤がすでに説いた〔教え〕，将来説くであろう〔教え〕，そして今現に説いている教えである。我は既に百カルパ⑥の〔長い〕間にこの心地を実践し，自らを盧舍那⑦と称している。汝ら諸仏よ，我の教説を示す先を転じて，一切衆生に心地の道を開示せよ，と。

①ガンガー河（恒河，ガンジス河）の河畔の砂粒（沙）ほど無数な様が「恒河沙」。その百千倍の数量。②「法門」は，仏法の真理にこれから入って行くための入り口（門）となる教え（法）。③「心地」は，心という修行の基盤を確固たる大地に喩える表現。④過去・現在・未来の三種の時間。⑤大乗仏教の理想である悟りに向かう偉大な存在を「菩薩」という。自らの修行だけでなく，他者を救う利他行も行う。⑥「カルパ」は極めて長い時間を示すインドの単位。⑦「盧舍那」最古形→「盧舍那という仏（盧舍那仏）」H。盧舍那はヴァイローチャナの音写語。『華厳経』で有名。

その時，蓮華台蔵世界①でまばゆく輝く神々しい光〔を発する〕師子座②の上に〔坐す〕盧舎那仏は様々な光を放ち，千の花弁の上〔に坐す〕諸仏に告げた。――我が「心地法門品」〔の教え〕を保持して退去せよ。そして更に教えの方向を転じて，千百億の釈迦と一切衆生のために③，我がすでに説いた「心地法門品」を順次布教せよ。汝らはこれを受け取り，読誦し，一心に実行せよ。

①「蓮華台蔵世界」は「蓮華蔵世界」とも言う。『華厳経』に説かれる盧舎那仏が住まう大世界のこと。②仏が坐して説法する座。その勇猛さを師子（ライオン）に喩える。③「千百億の釈迦と一切衆生のために（為千百億釈迦、一切衆生）」最古形→「千百億の釈迦および一切衆生のために（為千百億釈迦及一切衆生）」FJK2等。☆曖昧さの改善。

その時，千の花弁上の仏〔とその化仏をあわせた〕千百億の釈迦は，蓮華蔵世界のまばゆく輝く師子座から立ち上がり，各自退去し，体全体から不可思議な光を放ち，光は皆①，無数の諸仏に変わった。そして同時に計り知れない青赤黄白各色②の花弁で盧舎那仏に敬意を表し，上説の「心地法門品」を説いた後，それぞれ〔の釈迦〕はこの蓮華蔵世界から消えた。消えた後，体性虚空華光三昧③に入り，根本世界の中の閻浮提にある菩提樹④の下に戻り，体性虚空華光三昧から出ると，金剛千光王座⑤および妙光堂⑥に坐し，十世界海〔の教え〕⑦を説いた。

更にその座から立ち上がって帝釈天（インドラ神）の宮殿に行き，十住〔の教え〕⑧を説いた。

更にその座から立ち上がって炎天（ヤマ天）で十行〔の教え〕⑨を説いた。

更にその座から立ち上がって第四〔禅〕天に行き，十迴向〔の教え〕⑩を説いた。

更にその座から立ち上がって化楽天に行き，十禅定〔の教え〕⑪を説いた。

更にその座から立ち上がって他化天（他化自在天）に行き，十地〔の教え〕⑫を説いた。

更に第一禅（初禅天）に行き，十金剛〔の教え〕⑬を説いた。

更に第二禅に行き，十忍〔の教え〕[14]を説いた。

更に第三禅に行き，十願〔の教え〕[15]を説いた。

更に第四禅の摩醯首羅天王（大自在天）の宮殿に行き，我が根本蓮華蔵世界の盧舎那仏が説く「心地法門品」[16]を説いた。他の千百億の釈迦もこのように，まったく同じであった。〔本経の〕「賢劫品」[17]に説く通りである。

①「光を放ち，その光は（放光，光…）」最古形→「光を放ち，そのそれぞれの光は（放光，光光…）」K1QM等。☆語の補足。②五色（五原色）から，光と無縁な黒を除いた四色。③「体性虚空華光三昧」は「空虚を本性とする花と光に満ちあふれた精神統一」という意味。「三昧」は「サマーディ」の音写語で，坐禅に入って得られる深い精神統一。④釈迦牟尼がこの世で悟りを開いたボドガヤの菩提樹（現インドのビハール州のガヤーに現存）。⑤「金剛（ダイヤモンド）のように堅固な，様々な光を放つ王の座」は，菩提樹の下にある師子座のこと。⑥妙光堂は不詳。⑦「十世界海」最古形→「十世界法門海」K1P等。☆語の補足。十世界海は仏駄跋陀羅訳『華厳経』に明記されず，未詳。⑧『華厳経』十住品に対応する教え。同品によれば，十住とは，初發心住，治地住，修行住，生貴住，方便具足住，正心住，不退住，童真住，法王子住，灌頂住（九・四四四下～四四五上）。⑨『華厳経』十行品に対応する教え。同品によれば，十行とは，歓喜行，饒益行，無恚恨行，無尽行，離癡乱行，善現行，無著行，尊重行，善法行，真実行（九・四六六中～下）。⑩『華厳経』十迴向品に対応する教え。同品によれば，十迴向とは，救護一切衆生離衆生相迴向，不壊迴向，等一切仏迴向，至一切処迴向，無尽功徳蔵迴向，随順平等善根迴向，随順等観一切衆生迴向，如相迴向，無縛無著解脱迴向，法界無量迴向（九・四八八中～下）。⑪十禅定は仏駄跋陀羅訳『華厳経』に明記されていないようであり，未詳。⑫『華厳経』十地品に対応する教え。同品によれば，十地とは，歓喜地，離垢地，明地，焔地，難勝地，現前地，遠行地，不動地，善慧地，法雲地（九・五四二下～五四三上）。⑬『華厳経』離世間品に，十種の金剛心を発して大乗を荘厳すべしと，十種の金剛心を列挙する（九・六四五上～六四六上）。⑭『華厳経』十忍品に対応する教え。同品によれば，十忍とは，随順音声忍，順忍，無生法忍，如幻忍，如焔忍，如夢忍，如響忍，如電忍，如化忍，如虚空忍（九・五八〇下）。⑮『華厳経』十明法品によれば，十願とは，

願成就衆生心無憂慼，願長養善根厳浄仏刹，願恭敬供養一切如来，願不惜身命守護正法，願以種種諸智慧門悉令衆生生諸仏刹，願諸菩薩入不二法門入仏法門分別諸法，願令一切所欲見仏悉得見之，願尽未来際一切諸劫如須臾頃，願具足普賢菩薩所願，願浄一切種智之門（九・四六〇中）。⑯本経の教え。本経において十心地法門品は，十心地品，十無尽蔵戒品，十無尽戒法品とも呼ばれる。⑰「賢劫品」は中国に伝来しなかった梵網経の大本（全本）の中にある一章として言及されているが，その存在はどこにも確認されていない。

そのとき釈迦はまず蓮華蔵世界の東方より神々の宮殿に入って『魔受化経』[①]を説いた後，南閻浮提の迦夷羅国（カピラヴァストゥ国）[②]に下生した。母の名は摩耶（マーヤー），父の名は白浄（シュッドーダナ），我が名を悉達（シッダールタ）と言い，七歳[③]で出家し，三十歳で悟りを完成（成道）し，自ら釈迦牟尼仏と名乗り，静まりかえった悟りの場で金剛華光王座に坐し，摩醯首羅天王の宮殿に至るまで，順次，十箇所で説法した。

①『魔受化経』は「悪魔が仏の教えを受けたことを説く経典」の意。ただし他にまったく見えないので未詳。②閻浮提はジャンブドゥヴィーパの音写語で，この世で我々が住む地のこと。南閻浮提はその南方部分すなわちインドを示す。カピラヴァストゥは釈尊の生地。③釈迦の出家を七歳とする文献は他にない。一方，三十歳成道説は他の文献にも確認できる。

そのとき仏は，〔聴聞に訪れた〕諸の大梵天王たち[①]が網のかかった幢竿〔を携えて聴聞に来たの〕を見て，それに因んでこう説いた，――無数の世界は，幢竿の網の目と同じである。それぞれ世界は異なり，限りなく多様である。諸仏の教えの解き方も同じであると[②]。

①「諸の大梵天王たち（諸大梵天王）」については第六章第一節で検討する。②この一段が『梵網』という経名の由来を説く唯一の箇所である。

〔釈迦はさらに続けた。〕――我はこの世界に八千回やってきて，〔苦しみ多き〕この娑婆世界〔の衆生〕のために金剛座①に坐し，摩醯首羅天王宮に至る間の一切聴衆のために心地②をあらまし説き終え，その後，さらに〔摩醯首羅〕天王の宮殿から下生して，閻浮提の菩提樹の下にやってきて，この地の一切の衆生，凡夫，理解の低い人々のために，根本である盧舎那仏の心地の中の最初の発心において常に読誦されていた唯一の戒③の輝きを説いた。〔それが〕金剛宝戒〔であり，それ〕は，一切諸仏の根本原因であり，一切諸菩薩の根本原因④であり，仏性の種子である。一切の衆生には仏性が備わっている。一切の意識や物事への心，すべての心はみな仏性戒の中に収まる。将来の果報にはそれぞれ必ず原因があるから，〔菩薩戒を受けて修行すれば〕必ず将来その都度，常住の法身が〔果報として〕生じる⑤。このように十波羅提木叉⑥はこの世に現れた。それは法であり戒であり，三世一切の衆生が頭に頂き受けとる。我は今，これら大聴衆のために，再び「十無尽蔵戒品」〔すなわち菩薩戒〕を説こう。これこそ一切衆生戒の根本原因④であり，本来的に清浄なものである。

①「金剛座」最古形→「金剛華光王座」FJK2等。☆意味の補足。②「心地」最古形→「心地法門」TaM，「心地法門品」K2。☆意味の補足。③「唯一の戒（一戒）」最古形→「一切の戒（一切戒）」P。☆内容の改変。④「根本原因（本原）」最古形→「本来の源泉（本源）」JK2PQ等。☆語の改変。⑤「必ず将来その都度，常住の法身が〔果報として〕生じる（有当当常住法身）」最古形→「必ず将来，常住の法身が〔果報として〕生じる（有当常住法身）」HK1K2PQ等，「将来その都度，常住の法身が〔ある〕（当当常住法身）」F・jM等。☆語の補足。⑥プラーティモークシャの音写語。具体的な条項を集めたものを意味する。十波羅提木叉とは十重戒，十波羅夷のこと。要するに梵網経の説く菩薩戒の根本の部分をこう呼ぶ。

〔釈迦仏である〕私は，今や盧舎那仏として蓮華台に坐し，台を囲む千の花弁には千の釈迦が出現している。

一花弁に百億国土が，その一国ごとに一釈迦[①]が各々菩提樹の下に坐し，同時に仏の悟りを完成している。こうした千百億〔の釈迦〕は盧舎那仏を本体とし，千百億の釈迦それぞれが無数の聴衆とつながっている。皆ともに我が座所に来り，我が仏戒を誦えるのを聴く。甘露の門は開かれた。この時，千百億〔の釈迦〕は，根本の悟りの地に戻り，各々菩提樹の下に坐し，我が本師（盧舎那仏）の十重四十八戒を誦える。

戒は明るい日月のよう。また身を飾る珠玉のよう。無数の菩薩がこの〔戒〕によって正しい覚りを遂げる。盧舎那が〔これを〕誦え，我も同様に誦える。汝ら新学菩薩[②]よ，この戒をしっかり頭に頂き，保持せよ。この戒を受けとったら，方向を転じて衆生に授けよ。しかと聴け，我が正しく諳誦する，仏法中の戒に蔵める波羅提木叉を。大衆よ，心してしかと信ぜよ，汝は将来に仏となるべき身，[③]我は已に成仏せし身なり。常にこのように信ずれば，戒の種類は皆すでに揃っている。心を持つ一切の生物は皆仏戒を受けるべし。衆生は仏戒を受ければ諸仏の位に入り，大覚（仏）と位を同じくするから，真に仏子（仏陀の子）である。聴衆よ，皆，慎み敬い，この上ない心で我が諳誦するのを聴け。

①盧舎那仏の坐す蓮華の台には千枚の蓮華があり，その一々に一釈迦がおり，各釈迦は百億の国土を有し，各国土に一釈迦がいる。要するにこの最初の二偈は，盧舎那仏一体の坐す台座に千百億の釈迦が化仏として現れている様を表現する。②菩薩になったばかりで，これから様々な修行と経験を積んで行く新米の菩薩。③将来に仏となる素質をもつ菩薩。

そのとき釈迦牟尼仏はまず菩提樹の下に坐して，この上ない覚りを完成し，[①]〔その直後に〕まず菩薩の波羅提木叉を作り，[②]父母にも師僧にも〔仏宝・法宝・僧宝の〕三宝にも素直に従うこと，究極の教えに素直に従うこと，――この素直さを「戒め」と呼び，[③]「悪行の停止」とも呼ぶ〔と定め〕，[④]そこで口から無量の光を放った。このとき百万億の聴衆と諸菩薩，十八梵（十八天の清浄な神々），六欲天子（欲界六天の神々[⑤]），〔閻浮提の〕十六大国の王たちは合掌し，一切の仏の偉大な戒を⑥〔釈迦牟尼〕仏が誦える様をこの上ない心で拝聴した。

①「この上ない覚りを完成し（成無上覚）」最古形→「この上ない覚りを完成してから（成無上覚已）」。②梵網経戒の教えは，菩提樹下で成道した直後の教えであるという意味。③「孝」は「孝順」と同じ意味で，通常，従順たること，付き従う様などを表すが，漢訳中では「戒（シーラ）」の訳として用いる例が『那先比丘経』にある。本経この箇所はそうした先行漢訳の語例に基づくのであろう。④「〔仏は〕そこで（即）」最古形→「仏はそこで（仏即）」K1 J K2等→「そこで仏は（即仏）」Q。☆主語の明確化。⑤「十八梵（十八梵）」最古形→「十八梵天（十八梵天）」T J K2 P Q M等。☆表記の統一。⑥「一切の仏の偉大な戒」最古形→「一切の仏の大乗戒（一切仏大乗戒）」K1 J K2 S Q Y→「一切諸仏の大乗戒（一切諸仏大乗戒）」F M。☆内容の改変。

仏は諸菩薩に告げて言った。――我は今これから，半月ごとに①諸仏の正しい戒を自ら誦えよう。汝ら一切の菩提心を起こした菩薩たちも誦えよ。十発趣心位の菩薩や，十長養心位の菩薩，十金剛心位の菩薩，十地の菩薩たちに至るまで②〔菩薩は皆〕誦えよ。それ故，戒の光が口から発せられるのには理由がある。原因なきわけではないからだ。〔戒の放つ〕様々な光は③〔単純な原色の〕青でもなく，黄でも赤でも白でも黒色でもない。物質でも心でもなく，有でも無でもなく，〔世俗的な〕原因と結果でもない。それは諸仏の根本原因であり④，菩薩を行うことの根本⑤であり，聴衆の諸仏子⑥の根本である。だから聴衆の諸仏子は〔この根本の仏戒を〕受け保つべきであり，読誦し，うまく修学すべきである。

①戒の確認は半月ごとに行う。②本経の説く菩薩の修行は「十発趣心」「十長養心」「十金剛心」「十地」の四十位から成る。③この前後の「戒光従口出有縁非無因故光光非青黄赤白黒」の断句法は，注釈者によって，（一）「戒光従口出有縁，非無因故光。光非青黄赤白黒」と，（二）「戒光従口出有縁，非無因故。光光非青黄赤白黒」に分かれる。日本・鎌倉期の凝

然『梵網戒本疏日珠鈔』は，現存しない注釈の説をも含めて，唐の智周や宋の与咸らは（一）の区切りを，唐の法銑・法蔵・伝奥・道熙や宋の蘊斉や新羅の元暁と義寂らは（二）の区切りを採用すると言い，後者に属する道熙『梵網鈔』の注解を支持する（六二・四八下）。④「根本原因（本原）」最古形→「根本の源泉（本源）」K2PQM等。☆内容の改変。⑤「菩薩を行うことの根本（行菩薩之根本）」最古形→「菩薩の修行道を行うことの根本（行菩薩道之根本）」FHJ等。☆曖昧さの改善。⑥「仏子」は「仏の子」の意。仏と同じ成仏の素質を持つのでこう呼ばれる。

仏子よ，しっかり聴くがよい。仏戒を受ける者は，国王でも王子でも百官（様々な官僚）でも宰相でも，比丘でも比丘尼でも，十八〔天〕の清らかな〔神々〕①でも，欲界六天〔の神々〕②でも，庶民でも，去勢者でも，売色する〔在家の〕男でも，売色する〔在家の〕女でも，男奴隷・女奴隷でも，天龍八部衆でも，悪鬼や神々でも，金剛神でも，動物でも，果ては変化身に至るまで〔いかなる者であっても，自分に戒を授けてくれる〕法師の言う言葉をきちんと理解できれば，③誰でもみな戒を身に備えることができ，この上なく清浄な者と呼ばれる。

①「十八〔天〕の清らかな〔神々〕（十八梵）」最古形→「十八天の清らかな神々（十八梵天）」TJK2PQ等。☆表記の統一。②「六界六天〔の神々〕（六欲天）」最古形→「六界六天の神々（六欲天子）」FJK2等。☆表記の統一。③受戒の条件は，戒を授ける師僧が受戒儀礼で言う言葉を理解できることであり，身分や生まれは無関係である。

仏は諸仏子に告げた。——十項目の重罪の戒条がある。もし菩薩戒を受けてこの戒（十波羅提木叉）を誦えなければ菩薩でない。仏の種子（将来仏となる可能性ある者）でもない。我も〔この戒を〕こうして誦え，一切の菩薩は過去にそれを誦え，一切の菩薩が将来にそれを誦え，一切の菩薩が今現にそれを誦えている。我は既に波羅提木叉の姿の特徴をあらまし説明した。〔汝らはそれを〕修学し，敬意をもって受け入れるべし。

【Ⅰ】仏は仏子に告げた。――もし自らの手で〔生き物を〕殺し，他人に殺すよう教唆し，手立てを講じて殺しを褒め称え，〔他人が殺しを〕するのを見てそれを喜び，果ては呪い殺すに及ぶまでのことをすれば，殺しの行為と，殺しの方法，殺しの直接的原因，殺しの間接的原因が①〔成立する〕。命あるすべての者に至るまで，意図的に殺してはならない。菩薩というものは常に慈悲心，敬愛し遵守する心を起こし，手立てを講じて〔生きものを〕救護すべきなのに，それなのに逆に，自分の勝手な思いから喜んで生き物を殺すならば，菩薩の波羅夷罪②である。

①「殺しの行為と，殺しの方法，殺しの直接的原因，殺しの間接的原因（殺業，殺法，殺因，殺縁）」最古形→「殺しの直接的原因と，殺しの間接的原因，殺しの方法，殺しの行為（殺因，殺縁，殺法，殺業）」ＦＨK2TaＭ等。以下十波羅夷のすべてについて後代の写本版本は「～因、～縁、～法、～業」という統一形式に書きかえている。書換え以前の最古形をα型，書換え後の新たな統一表記をβ型と本書では呼び，これを写本・版本を分類する際の最も基本的な二系統とする。②波羅夷罪はパーラージカという重罪。十項目ある。その一つでも故意に何度も犯せば，菩薩の位を失う。

【Ⅱ】もし仏子が，自らの手で盗み，他人に盗むよう教唆し，手立てを講じて盗むなら，盗みの行為と，盗みの方法，盗みの直接的原因，盗みの間接的原因が①〔成立する〕。呪文をかけて盗んだり，果ては悪鬼や神々のもの，所有者のある物品，劫賊の物に至るまでの一切の財物は，針一本，草一本でも故意に盗んではならぬ。しかるに菩薩は，常に仏性への従順さ②や，慈悲の心を起こし，常に一切の人々を助け，福徳を生みだし安楽を生み出すものであるのにもかかわらず，その反対に人の物を盗むなら，③菩薩の波羅夷罪である。

①「…業…法…因…縁」の語順については第一波羅夷の注①を見よ。②「従順さ（孝順）」最古形→「従順な心（孝順心）」③「人の物を盗むなら（盗人物）」最古形→「人の財物を盗むなら（盗人財物）」ＨK1→「人の財物を盗むならば（盗人財物）」ＦK2Ｍ等。☆語法の統一。

【Ⅲ】もし仏子が，自らの手で姦婬し，他人に姦婬するよう教唆するなら，――すべての女性に至るまで故意に姦婬してはならぬ――，姦婬の直接的原因，姦婬の行為，姦婬の方法，姦婬の間接的原因が①〔成立する〕。雌の動物や神々や鬼神の女，性器以外〔「非道」〕での姦婬に至るまで〔同様である〕。しかるに菩薩は，孝順の心を起こして一切衆生を助け出し，清らかな教えを人に施すべきにもかかわらず，その反対に一切の人々への姦婬〔の情〕を起こし，動物でもかまわず，母親・娘・姉・妹・六親の親族まで〔のすべてを〕姦婬し，慈悲の心をもたないなら，②菩薩の波羅夷罪である。

①「…因…業…法…縁」，第一波羅夷の注①を見よ。　②「もたないなら（無慈悲心）」最古形→「もたないならば（無慈悲心者）」ＦK2ＳＭ等。☆語法の統一。

【Ⅳ】もし仏子が，自ら虚言し，他人に虚言するよう教唆し，手立てを講じて虚言するなら，虚言の直接的原因，虚言の行為，虚言の方法，虚言の間接的原因が①〔成立する〕。見ていないことを見たと言い，見たのに見ていないと言い，〔さらに〕心でも体でも虚言〔に当たる罪を犯す〕。しかるに菩薩は，常に正しい言葉を言い，また衆生たちの正しい言葉と正しいものの見方を生みださせるものであるのにもかかわらず，その反対に一切衆生に間違った言葉や間違ったものの見方や行為を起こさせるなら，②菩薩の波羅夷罪である。

①「…因…業…法…縁」，第一波羅夷の注①を見よ。　②「間違ったものの見方や行為を起こさせるなら（起…邪見業）」最古形→「間違ったものの見方や間違った行為を起こさせるなら（起…邪見邪業）」ＤＨK1→「間違ったものの見方や間違った行為を起こさせるならば（起…邪見邪業者）」ＦK2Ｍ等。☆語法の統一。

【Ⅴ】もし仏子が自ら酒を取引①し，他人に酒の取引をするよう教唆するなら，酒取引の直接的原因，酒取引の行為，酒取引の手段。酒取引の間接的原因が②〔成立する〕。一切の酒は取引してはならぬ。およそ酒というものは罪を生む直接・間接の原因である。しかるに菩薩は，一切衆生に達観の智慧を生み出させるべきなのに，その反対に衆生に真理と真逆の心を起こさせるなら，③菩薩の波羅夷罪である。

①「取引する」の原語「酤」は，一般的語句としては売る・買うの両方を意味するが，本条では売ること（販売すること）を意図し，漢訳経典中では在家の菩薩戒を説く『優婆塞戒経』のみに典拠をもつ。飲酒の禁止は本条と無関係。飲酒については第二軽戒を見よ。②「…因…業…法…縁」の語順については第一波羅夷の注①を見よ。③「衆生に真実と真逆の心を起こさせるなら（生衆生顛倒心）」最古形→「衆生に真実と真逆の心を起こさせるならば（生衆生顛倒心者）」

【Ⅵ】もし仏子が自らの口で出家菩薩・在家菩薩・比丘・比丘尼の過失を暴露し，他人にその過誤を暴露するよう教唆するなら，過失〔暴露〕の直接的原因，過失〔暴露〕の行為，過失〔暴露〕の手段，過失〔暴露〕の間接的原因が①〔成立する〕。しかるに菩薩は異教徒の悪人や〔仏教内部の〕二乗の悪人が仏法のには正しくない教えや律に反する〔事柄があると〕を述べるのを聞くと，常に思いやりの心を起こし，その悪人らを教化して，大乗への素晴らしい信仰を生じるようにさせるものであるのにもかかわらず，その反対に仏法には間違いがあると自ら述べるなら，②菩薩の波羅夷罪である。

①「…因…業…法…縁」，第一波羅夷の注①を見よ。②「自ら述べるなら（自説…罪過）」最古形→「自ら述べるならば（自説…罪過者）」FK2M等。☆語法の統一。

【Ⅶ】もし仏子が自らの口で自らを褒め他を貶し，他人にも自己を褒め他を貶すよう教唆するなら，他を貶す直接的原因，他を貶す行為，他を貶す方法，他を貶す間接的原因が①〔成立する〕。しかるに菩薩は一切衆生に代わって非難を身に受け，悪い事は自分に向けさせ，好い事は他の人に向かうようさせるものである。[2]もし自分で自分の美徳を持ちあげて他の人の美点を隠し，他の人が謗りを受けるようにするならば，[3]菩薩の波羅夷罪である。

①「…因…業…法…縁」，第一波羅夷の注①を見よ。②「菩薩は…代わって…ものである〔菩薩代…〕」最古形→「菩薩は…代わって…べきである〔菩薩応代…〕」FHJK2SQM等。☆意味の補足。③「他の人が…するならば〔他人…者〕」最古形→「他の人が…させるならば〔令他人…者〕」CDFHK1JK2PS等。☆意味の補足。

【Ⅷ】もし仏子が，自ら吝嗇し，他人に吝嗇するよう教唆するなら，吝嗇の直接的原因，吝嗇の行為，吝嗇の手段，吝嗇の間接的原因が[1]〔成立する〕。しかるに菩薩は一切の貧困者たちがやって来て物を乞うのを見たら，目前の人が何を必要としているかに応じて，すべてを与えるものである。しかるに菩薩が悪心や怒りの心で，わずか銭一つ，針一本，草一本まで何も与えず，法を〔知りたいと〕求める人がいるのに[2]一句一偈すらも，ほんのわずかの教えの片言すらも教えず，その反対に罵り辱めるなら，[3]菩薩の波羅夷罪である。

①「…因…業…法…縁」，第一波羅夷の注①を見よ。②「法を〔知りたいと〕求める人がいるのに〔有求法者〕」最古形→「法を〔知りたいと〕求める人がいても，…〔有求法者，而…〕」③「罵り辱めるなら〔罵辱〕」最古形→「罵り辱めるならば〔罵辱者〕」FK2M等。☆語法の統一。

【Ⅸ】もし仏子が，自ら怒り，他人に怒るよう教唆するなら，怒りの直接的原因，怒りの行為，怒りの方法，怒りの間接的原因が[1]〔成立する〕。しかるに菩薩は，一切衆生の〔心の〕中に善の能力や争いなき事象を起こし，常に思いやりの心を[2]起こしてやるべきなのに，その反対に一切衆生や衆生以外に対して罵りや辱めの言葉を浴びせ，自らの手や刀や棍棒で殴ってもまだ気持ちが収まらず，目前の人が反省を申し出て，立派な言葉を尽くして罪を告白し悔やみ謝罪してもまだ怒りが解けないなら，③ 菩薩の波羅夷罪である。

①「…因…業…法…縁」，第一波羅夷の注①を見よ。②「思いやりの心（悲心）」最古形→「慈しみと思いやりの心（慈悲心）」K1QM，「思いやりの心と孝順な心（悲心孝順心）」H→「慈しみと思いやりの心と孝順な心」JTa。③「解けないなら（不解）」最古形→「解けないならば（不解者）」FK2PSM。☆語の補足と語法の統一。

【X】もし仏子が，自ら三宝を誹謗し，他人に三宝を誹謗するよう教唆するなら，誹謗の直接的原因，誹謗の行為，誹謗の方法，誹謗の間接的原因が① 〔成立する〕。しかるに菩薩は異教徒や悪人がわずか一言でも仏を誹謗する語を言うのを見たなら，あたかも三百の鉾で心臓を突き刺されたかの如くに〔思う〕。ましてや自らの口で〔三宝を〕誹謗し信仰や孝順の心を起こさないのであれば猶更であるのに，その反対に悪人や邪見人に加担して〔三宝を〕誹謗するなら，② 菩薩の波羅夷罪である。

①「…因…業…法…縁」，第一波羅夷の注①を見よ。②「誹謗するなら（謗）」最古形→「誹謗するならば（謗者）」FK2M等。☆語法の統一。

善き修学者たちは，これらの菩薩十波羅提木叉を修学すべし。このうちどれか一つの戒をわずかたりとも犯しては相成らぬ。ましてや十戒すべてを犯すのであれば猶更のことである。違犯者は今のこの身のままで① 菩提心を起こすことはできず，国王の地位も転輪王の地位も失い，比丘や比丘尼の身分も失う。十発趣〔の修行〕も十長養〔の修行〕も十金剛〔の修行〕も十地〔の修行〕も，恒常な仏性という優れた修行成果も失い，一切の〔違反者は，地獄・餓鬼・畜生の〕三悪道に失墜し，二カルパ，三カルパの長きにわたり父母の名も〔仏・法・僧の〕三宝の名も聞けない。だから〔十波羅夷の〕いずれをも犯すべきでない。汝ら一切の菩薩が今学んでおり，将来も学び，過去にも学んだこの十戒②をば修学し，敬意をもってしっかり保持すべし。〔このことは後に本経の〕「八万威儀品」に詳しく解き明かすであろう。③

①輪廻転生後でなく，今現在の身のままで，の意。②「この十戒（是十戒）」最古形→「これらの十戒（如是十戒）」FK1JK2等。☆語法の統一。③原文中の助動詞「当」は，未来時制の意を示す。「八万威儀品」（八万に及ぶ正しい振る舞い〔を説く〕章）は，本経に後出する章名として言及されているが，その現存は確かめられていない。

仏は菩薩たちに告げた。――十波羅提木叉について説き終わった。さて今や四十八軽戒を説くことにしよう。①

①この箇所のTには長文の増広があり，梵網経を後代に書換えた意図と関わる。第六章第三節を参照。

【1】もし仏子が，国王の位を得たり，転輪王の位を得たり，諸官僚の位を得たりしようとする時は，まず先に菩薩戒を受けるべし。〔そうすれば〕一切の鬼神たちが王の身や諸官僚の身を守護し，諸仏は歓喜するであろう。受戒し終えた以上は，孝順な心や丁重な敬いの心を起こせ。①上座の僧や和上（自らの直接の師僧），阿闍梨（様々な師僧），偉大な同学たちに見（まみ）える②とき，立ち上がって歓待して礼せず，③逐一決まり通りに振る舞わず，〔更に〕相手に敬意を示して自らの身肉や国や街，男女の人々を売り，七宝の品や様々な品物で〔相手に敬意を示して〕それらを与える〔べきなのに〕，もしそのようにしないならば，軽垢罪④にあたる。

①「起こせ（生）」最古形→「起こすべし（応生）」T。☆意味の補足。②「偉大な同学たち（大同学）」最古形→「偉大な同学や，同意見の者，共に修行する者たち（大同学、同見、同行者）」THK1JK2P→「高徳の僧や，偉大な同学，同意見の者，共に修行する者たち（大徳、同学、同見、同行者）」SQYM。☆内容の改変。③この一節は次のような様々な異文を生んだ。（1）「立ち上がって歓迎し礼せず（不起迎礼）」最古形→（2）「しかるに菩薩が，それと反対に，驕り高ぶった心

や無知の心，慢心を起こし，立ち上がって歓迎し礼せず（而菩薩反生憍心、癡心、慢心，不起迎礼）」T→（3）「立ち上がって歓待して迎え入れ，礼拝し，ご機嫌を訊ねるべきなのに，しかるに菩薩が，それと反対に，驕り高ぶった心や慢心，無知の心，むかっ腹の心を起こし，立ち上がって歓迎して出迎え礼拝することなく（応起承迎、礼拝、問訊，而菩薩反生憍心、慢心、癡心、瞋心，不起承迎礼拝）」HJM，（4）「歓待して迎え入れ，礼拝し，ご機嫌を訊ねるべきなのに，しかるに菩薩がそれと反対に驕り高ぶった心や無知の心，慢心を起こし，立ち上がって歓迎して出迎え礼拝することなく（応承迎、礼拝、問訊，而菩薩反生憍心、癡心、慢心，不起承迎礼拝）」K1SY，（5）「立ち上がって歓待して迎え入れ，礼拝し，ご機嫌を訊ねるべきであるのに，しかるに菩薩がそれと反対に驕り高ぶった心や慢心，無知の心を起こし，立ち上がって歓迎して出迎え礼拝することなく（応起承迎、礼拝、問訊，而菩薩反生憍心、慢心、癡心，不起承迎礼拝）」K2，（6）「立ち上がって歓待して迎え入れ，礼拝し，ご機嫌を訊ねるべきなのに，しかるに菩薩がそれと反対に驕り高ぶった心や無知の心，慢心，むかっ腹の心を起こし，立ち上がって歓迎して出迎え礼拝することなく（応起承迎、礼拝，問訊，而菩薩反生憍心、癡心、慢心、瞋心，不起承迎礼拝）」TaQ。☆内容の改変。（3）～（6）の成立順は確定し難い。④重罪より軽いが犯してはならぬ罪。誰か一人の前で罪を懺悔する（第四十一軽戒を参照）。

【2】仏子たるものが故意に酒を飲み，そして酒の過失を生むと〔その害は本人には〕計り知れない程である。①もし自ら手で酒器を人に手渡して酒を飲ませるならば，五百回転生する間ずっと手をもたぬ者②となる。ましてや自分で飲むのであれば猶更のことである。どんな人にもどんな生き物にも酒を飲ませてはならぬ。ましてや自ら飲酒するならば猶更のことである。③もし故意に自ら飲酒し，人に飲ませるなら，④軽垢罪にあたる。

①原文「故飲酒，而生酒過失無量」は，以下に示すように，語法的に読みにくい。（1）日本江戸期・安永四年の木版経本（A）の経文に付された訓点によって訓読を示すと次の通りである。「故(ことさら)に酒を飲(のま)んや。而(しか)も酒は過失を生ずること無量なり」。「故飲酒」に意味的に必要な否定辞がないため，この訓読では反語と解するが，原文をこう訓読するのは通常できない。

この訓読と基本的に同じ理解は，加藤澄観の国訳（一九三〇），大野（一九三二），勝野（二〇〇八）に見られる。しかしいずれも語法的問題には触れない。石田（一九七一）は「若仏子，故らに酒を飲まば，酒の過失を生ずること無量なり」と訓ずる。「飲まば」という条件説を「而」で受けることができるとは，容易には受け入れ難い。（2）季芳桐（一九九七）と戴伝江（二〇一〇）の現代中国語訳は，原文に存在しない否定辞を付加して故意に酒を飲んではいけない（不可故意飲酒）の意に解す。だが，戒律条項のような厳密性を前提とする文における原文にない否定辞の読み込みを受け入れるのはこれまた容易でない。（3）伝統的注釈のうち最も注目すべきは唐の智周『梵網経疏』の次の説である――「この経本は中国に伝来して久しいため，『酒の過失を生ずること無量なり』とする本もあれば，別に「善」の一字を加えて『無量の善を失う』とする本もある。いま経本を『失無量善』とする説に基づいて解釈すると，『故意に酒を飲む』は，知らずにであれば違犯に当たらないと除外する。『計り知れない善を失う』は，過失があまりに多いため一切の善が失われるということである」（続蔵一、六〇、二、一六九表上。原文は本書第二章【2】〔参考b〕）。日本鎌倉期の凝然もこの釈に注日する（六二・一七四中）。要するに智周は「故らに酒を飲み，而うして酒の過を生じ，無量の善を失う」と訓む。ただ，写本や版本に「善」字の存在を確定できない点に問題が残される。（4）さらに別の伝統的解釈もある。一つは，「故飲酒，而生酒過失，無量罪」すなわち「故らに酒を飲み，而うして酒の過失を生じ無量の罪あり」と訓む。これは天平勝宝九載写本（T）の経文であり，新羅の義寂の注釈もこの経文を挙げる。だが義寂は「罪」字の解釈を何も示さない。このほか，房山唐刻本（F）は「故飲酒，而生酒過，失無量威儀」すなわち「故らに酒を飲み，而して酒の過を生じ，無量の威儀を失す」と訓む（第二章【2】校勘）。この両説は注釈に支持されない問題が残るが，総じて，智周も含め，本条を読みにくいと判断した人々は多かったと思われる。（5）最後に筆者自身は，原文を改変せず，それを「故らに酒を飲み，而うして酒の過失を生ざば無量なり」と訓み，右掲和訳のように解したい。「故飲酒，而生酒過失」を条件説，その帰結の「無量」は，飲酒した本人が想像するより弊害絶大であり来世に及ぶことを，五百世のあいだ手のない生き物に生まれることの恐ろしさで補足説明すると解釈する。　②手のない人間，手のない蛇や芋虫の類いなど，注釈書の解説は様々。　③「ましてや自ら飲酒するならば猶更のことである（況自飲酒）」最古形→「ましてや自ら飲酒するならば猶更のことである。すべて酒は飲んではならぬ（況自飲酒。一切酒不得飲）」HK1S等。

☆意味の補足。④「人に飲ませるなら（教人飲）」最古形→「人に飲ませるならば（教人飲者）」ＦＨＫ1ＪＫ2等。☆語法の統一。

【3】もし仏子が故意に肉を食するならば——どんな肉でも食してはならぬぞ——，大いなる慈悲の素質〔を備える〕種子を破壊し，①すべての生き物が〔食肉者を〕見て逃げ去る。それ故にいかなる菩薩もいかなる生き物の肉をも食してはならぬ。肉を食すれば罪は計り知れない。もし故意に食すなら，②軽垢罪にあたる。

①「破滅し（断…）」最古形→「およそ肉を食すならば……破滅し（夫食肉者断…）」ＨＭ。☆意味の補足。②「もし…食すなら（若故食）」最古形→「もし…食すならば（若故食者）」ＴＦＨＫ1ＪＫ2ＰＳ等。☆語法の統一。

【4】仏子たるものは①五辛（五種の葷菜）を食してはならぬ。大蒜（にんにく）・革葱②（おおにら，らっきょう）・慈葱（ねぎ）・蘭葱（のびる）・興渠（ヒング），これら五種は〔単食すべきでないのは言うまでもなく〕，いかなる食物に混ぜて食する③こともならぬ。故意に食せば，軽垢罪にあたる。

①今の文脈で原語「若仏子」は「仏子たるものは」の意であり，「もし仏子が…するならば」とは解せない。②「革葱」は「薤（おおにら）」であるとする智顗『菩薩戒義疏』の解に従い，らっきょうの意味に解した。③「混ぜて食す」は，智顗『菩薩戒義疏』や袾宏『梵網菩薩戒経義疏発隠』の注解に従う。本書第四章［41］参照。

【5】仏子は，すべての衆生が八戒（在家の八斎戒）であれ五戒（五戒や五逆罪）であれ，十戒（十善戒）であれ禁戒（具足戒）であれ，七逆の大罪であれ八種の災難（八難所に堕す悪業）であれ，いかなる戒であれ，違犯したならば，①その者に懺悔することを教えるべし。しかるに菩薩が懺悔することを教えず，その者と共住し，僧団の利益を

共有して共に布薩を行い，同一集団として住まって説戒（戒律事項の定期的確認）をしながら，その者の戒罪を摘発し，過失を悔い改めさせないならば，②軽垢罪にあたる。

①「すべての衆生が……違反したならば（一切衆生犯…）」最古形→「すべての衆生が……違反したのを目の当たりにしたならば（見一切衆生犯…）」TFHK1JK2PS等。☆意味の補足。②「……摘発し，過ちを悔い改めさせないならば（不挙苑罪，……，教悔過者）」最古形→「……摘発せず，過ちを悔い改めさせないならば（不挙苑罪，……，不教悔過者）」HK1PS等。☆曖昧さの改善。

【6】もし仏子が大乗法師を見たり，同じ考えで共に修行する大乗の者①が僧坊や建物，街や村を訪れ，百里，千里の彼方より来訪したのを見たら，すぐに来訪を歓迎し，②出離を送り出し，〔その客人に〕礼拝し，敬意をあらわし，毎日きまった時に三回供養の品を与え，日々三両にあたる食事やさまざまな種類の飲食物，臥具や座具③を与えてその法師に仕え，必要な品々をすべて供給して，常にその法師に日に三度の説法を依頼し，毎日決まった時に三回礼拝して，怒りの心や苦悩の心を起こさず，仏法のためならば身を賭してすら法を求めよ。④もしそのようにしないならば，軽垢罪にあたる。

①「同意見で共に修行する者（同見同行）」最古形→「同学同意見で共に修行する者（同学同見同行）」FHK1JK2PS等。②「来訪を歓迎し（迎来）」最古形→「起立して来訪を歓迎し（起迎来）」HTK1JK2等。☆意味の補足。③「臥具や座具（牀座）」最古形→「臥具や座具や医薬品（牀座、医薬）（床座、医薬）」FHJK2等。☆項目の付加。④「法を求めよ（請法）」最古形→「法を求めよ。怠けるな（請法不懈）」K1K2PS等。☆意味の補足。

【7】もし仏子が，どんな場所であれ，仏法や〔煩悩を〕抑制する経や律①を講義したり，大きな邸宅で法を講義

する場があれば，新学菩薩は経や律の巻子を持参して法師のところに赴き，聴聞して〔教えを〕問い訊ねよ。山林の木の下であれ，教団所有地内の僧房であれ[②]，どんな説法の場所でも訪れて聴聞し，教えを受けよ。もし訪れて聴聞し教えを受けることをしないならば[③]，軽垢罪にあたる。

①「仏法や〔煩悩を〕抑制する経や律」という解釈は『菩薩戒義疏』に従う。別解として「法を説く経や〔戒律違反を〕抑制する律」ととることも可能。②「教団敷地内の僧房（僧地房中）」最古形→「僧房（僧房中）」T。③「聴聞し教えを受けること（聴受）」最古形→「聴聞し教えを受け，不明な点を訊ねること（聴受諮問）」T。

【8】もし仏子が，心は大乗の常住〔なる境地を説く〕経や律に背き，言葉は仏説を無みして，二乗の声聞[①]や他教徒の悪しき見解や一切の禁止項目や誤った見解〔を説く，大乗以外の〕経や律を〔正しいものとして〕受け入れるならば，軽垢罪にあたる。

①「二乗の声聞（二乗声聞）」最古形→「二乗（二乗）」F。☆意味的重複の削除。

【9】仏子たるもの，一切の病人を[①]，あたかも仏に接するが如く，仏と何ら異ならぬものとして敬え[②]。八種の福田のうちで看病福田は第一の福田である。もし父母や師僧，弟子が病になったり，感覚器官に障害が生じ，さまざまな病に苦しむようなことがあれば，そのような人を皆，看護し[③]治癒させよ。しかるに菩薩が怒りや怨みの心から〔病に苦しむ人の〕僧房や街や村，荒れ野，山林，路上を訪れることなく，病人を目にしても助けなかったら，軽垢罪にあたる。

①「一切の病人を（一切疾病人）」最古形→「一切の病人を目にしたら（見一切疾病人）」FHJK2PS等。☆意味の補足。②「敬え（供養）」最古形→「敬うべし（応供養）」JS等，「常に敬うべし（常応供養）」FHK2等。☆意味の補足。③

「を看護し（養）」最古形→「に敬意を表わし（供養）」HPS等。☆内容の改変。

【10】仏子たるもの，いかなる刀剣や棍棒も，戦いの弓矢も，鉾や斧などの兵器も，〔鳥魚をからめとる〕悪しき網も，殺しの器物も保持してはならぬ。しかるに菩薩は，父母を殺されてすら報復しない。ましてや一切の生き物が殺されるのなら猶更のことである。もし故意に刀剣や棍棒を蓄えるなら，①軽垢罪にあたる。

① 「刀剣や棍棒を蓄えるなら」最古形→「一切の刀剣や棍棒を蓄えるならば（蓄一切刀杖者）」K2。

これら十戒を修学し，敬意をもって受け入れるべし。〔その詳細は〕「六六品」①で詳しく示す。

① 「六六品」最古形→「六品」TFHJK2S等，「六度品」K1P等。

【11】仏が言った。──仏子が，利欲を貪ったり悪心のために，二国間の命運をにぎる使者として行き来し，両軍が衝突すれば，争いを起こし，無数の命あるものを殺す。①しかるに菩薩は，軍隊と接触してはならず，ましてや故意に国の不利益をなすのは猶更のことであるのに，もし故意にするならば，軽垢罪にあたる。

① 「争いを起こし…を殺す（興師相殺無量衆生）」最古形→「争いを起こし…を殺戮する（興師相伐殺無量衆生）」FHK1JK2PS等→「兵を起し…を殺戮する（興兵相伐殺無量衆生）」Ta。

【12】もし仏子が故意に善民や男奴隷・女奴隷，六種の家畜（牛・馬・羊・豕・鶏・犬）を売りさばき，棺桶の材料①や，その他の木材，死者を載せて運ぶ器具を市場で取引することすら故意に〔自らで〕行ってはならぬのに，ましてやそれを人にさせるのであれば猶更のことであり，②軽垢罪にあたる。

①「棺桶の材料（官材）」最古形→「棺桶の材料（棺材）」THK1JK2PS等。☆曖昧さの改善。②「ましてや…猶更のことであり，（況教人作）」最古形→「ましてや…猶更のことである。もし故意にするならば（況教人作。若故作者）」K2。☆語法の統一。

【13】もし仏子が，悪心から①無実の良民や善民，法師や師僧，国王や高位の人を誹謗し，彼らが七逆罪②や十重罪③を犯したと言い，〔また〕父母・兄弟・六親の血族に従順な心や慈しみの心を起こすべきなのに，しかるに彼らに反撃するなら，〔死後，輪廻して〕不本意の生まれに墜ち，軽垢罪にあたる。

①「悪心から（以悪心）」最古形→「悪心のために（以悪心故）」FHJK2S等。☆語法の統一。②七逆は第四十軽戒を見よ。③本経に説く「十戒」すなわち「十波羅夷」。

【14】もし仏子が，悪心のために大火を放ち，山林を焼き，野原を焼き，①四月から九月の間に放火して他人の家屋や，街や村，僧房，田畑や樹木，そして鬼神や役所に所属する物品を焼くならば，――いかなるものでも所有者のいるもの（有主物）②を故意に焼いてはならぬぞ――，軽垢罪にあたる。

①「山林を焼き，野原を焼き（焼山林，焼野）」最古形→「山林や，野原，田畑を焼き（焼山林野田）」P，「山林や曠野を焼き（焼山林曠野）」TFHK1JK2S等。☆語の補足。②「所有者がいるもの（有主物）」について，智顗『菩薩戒義疏』は「生きているもの（有生物）」と解すべしと主張する。理由は「所有者のいるもの」ならば，焼いてはならぬ時期を四月から九月に限る必要がないからという。これに対し，義寂『菩薩戒本疏』が「有生物」という理解を否定するのは，智顗説への批判であろう。本書第四章［52］参照。

【15】仏子たるものは，自らの弟子や異教徒，六親の血族，すべての善知識〔素晴らしい仲間〕に，大乗の経や律の中に教え説かれる意味を逐一受け入れさせ，菩提心を発し，十心を発し，金剛心を起すことをさせ，一つ一つ，その〔教えを成就するための修行の〕順序と効用①を理解させるべし。しかるに菩薩が悪心や怒りの気持ちから二乗の声聞の戒〔を説く〕経や律，②異教徒の誤った見解〔を記す〕論書を好き勝手に解釈して教えるならば，軽垢罪にあたる。

①「順序と効用（次第法用）」最古形→「意味と順序と効用（義理次第法用）」B*。☆意味の補足。〔参考〕義寂『菩薩戒本疏』「『一一其の次第法用を解さしむ』なる者は，便ち発心し已れば，彼に教えて修行の次第（順序）と先後の法用を解せしむるなり」（四〇・六七五下）。②「二乗の声聞の戒〔を説く〕経や律（二乗声聞戒経律）」最古形→「二乗の声聞の経や律（二乗声聞経律）」FJPS等→「二乗の声聞の戒〔を説く？〕経や律や論（二乗声聞戒経律論）」H。☆曖昧さの改善。ただし「二乗声聞」の意味と「戒」「経」「律」の関係は，経文からは明らかでない。

【16】仏子たるものは優れた心で①大乗の行い〔を説く〕経や律をまず先に教え，その趣旨を広く説明すべし。その後，新学菩薩が百里，千里の彼方から来訪し，大乗の経や律を希求するのを見たら，その菩薩に，決められた通りに正しくすべての苦行を説明してやるべきである。〔苦行とはすなわち〕わが身を焼く，腕を焼く，指を焼くなど〔して諸仏に敬意を表わすこと〕であり――もしわが身や指を焼いて諸仏に敬意を表わさなければ，出家菩薩ではない〔というのが諸経の趣旨であると教え②〕――，ひいては飢餓に瀕した虎や狼の口やライオンの口の中にまで，そして一切の餓鬼にまで，わが身の肉や手や足をことごとく喜捨して敬意を表わすこと〔を教える〕べきであり，その後で，一つ一つ順を追って，仏の正しい教えを説いてやり，〔衆生の〕心や思いが開かれ自由になるようにせよ。しかるに菩薩が利欲を貪るために，答えるべき問いに答えず，経や律の意味をまったく逆に誤解して説き

示し，説法の言葉も支離滅裂となり，〔仏・法・僧の〕三宝を誹謗するならば，軽垢罪にあたる。

①「優れた心で（好心）」最古形→「優れた心から（以好心）」ＦＫ１Ｊ等。☆語法の統一。②第六章第一節参照。

【17】もし仏子が，自ら飲食や物品，利欲を貪ることや名誉のために，国王や王子，大臣，諸官僚と懇ろになり，政界の権力を笠に着て食を求め，人を殴り，引きずり回し，財産を横取りし，〔こうして〕あらゆるやり方で利欲を追求するなら，悪しき欲望者，欲望過多の者と呼ぶ。〔自ら求めるばかりか〕他人にも欲求させ，まったく慈しみの心なく，従順な心もないなら，①軽垢罪にあたる。

①「従順な心もないなら（無孝順心）」最古形→「従順な心もないならば（無孝順心者）」Ｋ２。☆語法の統一。

【18】仏子たるものが戒を学び諳誦するとき，毎日六回きまった時間に①菩薩戒を保ち，その内容や仏性の本性を理解せよ。しかるに菩薩がわずか一句，一偈も戒律のいわれを理解していないのに，私は理解していると虚言するならば，自らを欺き，他人をも欺いているのであり，すべての教えを一つ一つ理解していないにもかかわらず，②師として他人に戒を授けるならば，軽垢罪にあたる。

①早朝・正午・夕方・初夜・中夜・後夜の六時。②「にもかかわらず（而）」最古形→「（自らの無知を）知っていながら（知而）」ＰＳＱ他→「何も知らないにもかかわらず（不知而）」ＴＨＫ１他。☆意味の補足。

【19】もし仏子が悪心から，①戒を守って修行する比丘が手に香炉をもって菩薩行を行っているのに，②意見を戦わせ，自らは賢人であると偽り，あらゆる悪をなすなら，軽垢罪にあたる。

①「悪心から（以悪心）」最古形→「悪心のために（為悪心故）」HK1JK2PS等。☆語法の統一。②「戒を守って修行する比丘が……菩薩行を行っているのに（持戒比丘…行菩薩行）」最古形→「戒を守って修行する比丘が……菩薩行を行っているのを見て（見持戒比丘…行菩薩行）」THK1JK2PS等。☆意味の補足。

【20】仏子たるものは慈しみの心で放生業（捉えられた生物の自由解放）を行え。男性はすべて我が父であり，女性はすべて我が母であり，我は転生する度に彼らから生を受けてきた。従って六道の衆生はすべて我が父であり母であるのに，それを殺して食せば，我が父母を殺すこと，また我が元の身を殺すことにほかならぬ。〔地・水・火・風の四大のうち〕地や水はすべて過去の我が身であり，火や風はすべて我が本体である。それ故，常に放生を行い，何度も転生せよ。[①] もし世間の人々が動物を殺そうとするのを見たなら，手段を講じて救済し，苦難から解放してやり，常に教化して菩薩戒を説き明かし，衆生を救済すべし。父母や兄弟の死亡日には，法師を家に招いて菩薩戒の経や律を講じ，その福徳を亡者に役立て，諸仏に見えることができ，人界や天上界に転生できるようにせよ。もしそのようにしなければ，軽垢罪にあたる。

①「常に放生を行い，何度も転生せよ（常行放生，生生受生）」最古形→「常に放生を行い，人に放生をするように教え，何度も転生せよ（常行放生，教人放生，生生受生）」K1→「常に放生を行い，何度も転生し，〔仏性〕常住の教えをもって人にも放生を行うようにさせよ（常行放生，生生受生，常住之法教人放生）」HK2他。☆意味の補足。

これら十戒を修学し，敬意をもって受け入れるべし。「滅罪品」[①] 中で一々の戒を解説する通りである。

①「滅罪品」は梵網経大本の一章だが，詳細は不明。因みにTとK1は「如滅罪品中已明」と先行する章と解釈する。

【21】仏が言った。――仏子たるもの，怒りに対して怒りで報復することや，暴力に対して暴力で報復すること，もし〔何者かが〕父母や兄弟や六親の血族を殺したとしても報復を加えること――これらをしてはならぬ。もし国王が他の何者かに殺されたとしても報復を加えてはならぬ。命ある者を殺されたことに対してその命ある〔殺人〕者〔を殺すことによって〕報復しようとすることは，孝の道から外れる。男奴隷・女奴隷を囲っても，彼らを殴打したり罵ったりせず，毎日〔身・口・意の〕三業をなすうちでも口業の罪は計り知れない。ましてや故意に七逆罪[①]を犯すなら猶更のことである。しかるに出家菩薩が慈しみの心なく，六親の血族〔を殺されたこと〕に対する報復に至るまで，故意に〔報復〕するならば，[②]軽垢罪である。

①第四十軽戒参照。②「故意に〔報復〕するならば（故作者）」最古形→「故意に報復をするならば（故作報者）」SQ等，「故意に報いるならば（故報者）」HJK2等。

【22】もし仏子が，出家したばかりで仏教の知識が不十分なのに，自らの利発や知識，高い身分，僧籍の長さを笠に着て，あるいはまた，家柄の良さ，富貴な家系，立派な理解，立派な福徳，豊かな財力，七宝の富を笠に着るなら，その心によって思い上がり，先学法師の〔説く〕経や律に熱心に耳を傾けて受け入れなくなるであろう。その〔先学〕法師は，あるいは取るに足りない身分で，年下で，低い家柄で，貧乏で，感覚器官の不自由な障害者かもしれないが，確かに福徳を備え，一切の経や律をすべて理解する人であることもあり得る。しかるに新学菩薩が法師の才覚を見抜けず，その法師に最高の真実とは何か訊ねに行かなければ，軽垢罪にあたる。

【23】もし仏子が，仏が涅槃に入った後に，立派な心がけで[①]菩薩戒を受けようと希望する時は，仏像や菩薩像の前で自ら〔仏に直接〕誓願する形で受戒し，〔その後〕七日にわたり仏〔像〕の前で懺悔（過去の過ちを告白し悔い

改める儀）を行うべきであり，〔仏の〕瑞祥を目の当たりにできれば，戒を体得したことになる。
もし瑞祥を目の当たりにできなかった時には，十四日，二十一日，あるいは丸一年に及ぶまで，〔懺悔を徹底して行い〕，必ず瑞祥を得よ。瑞祥を得たなら，仏像や菩薩像の前で戒を授かることができる。もし瑞祥を得られなければ，仏像の前で戒を受けても戒を体得したことにはならない。

もし目の前にいる，先に菩薩戒を受戒した法師の前で戒を受ける時は，瑞祥を目の当たりにする必要はない。その法師は②師から師へ戒を〔代々〕伝授されてきたから〔仏とつながるのは確実であり，それ故〕瑞祥を目の当たりにする必要はない。これ故，法師の前で受戒すれば戒を体得する。重い決意を生ずるが故に，③戒を体得する。

もし千里内に戒を授けることのできる法師がいないなら，仏像や菩薩像の前で〔戒を〕受ければ戒を体得することができるが，④ただし〔その場合は，仏の〕瑞祥を目の当たりにすることが肝要である。

もし〔戒を授ける〕法師が経や律の教えや大乗の学ぶべき戒に関する己が理解を笠に着て，国王や太子，様々な官僚と懇意になり，新学菩薩がやってきて経の意味や律の意味を訊ねても，悪心や慢心から，質問者に一々うまく回答できず，〔何らかの回答を〕言っても悪心〔からの言葉〕であるなら，⑤軽垢罪にあたる。

①「立派な心がけで（好心）」最古形→「立派な心がけから（以好心）」K1JPS等。☆語法の統一。②「その法師は（是法師）」最古形→「何故か。その法師は（何以故。是法師）」HJ→「何故か。何となればその法師は（何以故。以是法師）」FK2。③「重い決意を生ずるが故に（以生重心故）」最古形→「この上なく重い決意を已に生じたから（已生至重心故）」F→「この上なく重い決意を生ずるが故に（以生至重心故）」TaPS等。④「〔戒を〕受ければ戒を体得することができるが（得……得受得戒）」最古形→「受戒することができるが（得……受戒）」JK2，「自ら〔仏に直接〕誓願する形で受戒することができるが（得……自誓受戒）」HK1PS等。☆意味の補足。⑤「質問者に一々うまく回答できず，〔何らかの回答を〕言っても悪心〔からの言葉〕であるなら（不一一好答問者，言而悪心）」最古形→質問に一々うまく回答できないならば（不

一二好答問者）」ＦＨＪK2ＰＳ等。☆内容の改変。

【24】もし仏子が，仏の経や律の大乗の教えや真正の見解，真正の本来の姿（正性），真正の法身を〔知る機会を〕もちながら，それらを勤学して繰り返し馴染むことができずに，七宝〔のような尊い教え〕を捨て，逆に邪悪な見解――すなわち二乗や異教徒の世俗経典・アビダルマ・様々な主題の諸論や書物や記録――を学ぶなら，仏性を断絶し，悟りの修行をさまたげるいわれとなるのであって，菩薩道の実践者ではない。故意にするなら，①軽垢罪にあたる。

①「故意にするなら（故作）」最古形→「もし故意にするならば（若故作者）」ＦＨK1ＪK2等。☆語法の統一。

【25】もし仏子が，仏が涅槃した後，説法責任者（説法主）となり，僧房管理責任者（僧房主）・教化責任者（教化主）・禅行責任者（坐禅主）・遊行責任者（行来主）となるなら，慈しみの心を起こして〔人々の〕いざこざをうまく取りまとめ，三宝の所属品をうまく保管すべきであり，自分の物であるかのように無節操に用いてはならぬ。しかるに反対に菩薩衆を惑わせ争わせ，自分勝手に三宝の所属品を利用するなら，①軽垢罪にあたる。

①「…利用するなら（恣心用三宝物）」最古形→「もし…利用するならば（若恣心用三宝物者）」ＪK2等。☆語法の統一。

【26】もし仏子がまず先に僧房の中で過ごし，その後，客人の菩薩比丘が僧房や建物，街や村，国王の屋敷に，はては夏安居（げあんご）の場所や大きな集会にまでやって来たら，先住僧は，客比丘の来訪を歓迎し，出発を見送り，飲食物を施して敬意を表わし，僧房・僧院・臥具・縄で編んだ椅子など様々な事物を施すべし。もし何もないなら，我が身を売り他の男女の肉を売る〔ことすら行って〕必要品を調達し，彼〔の客比丘〕にすべて施すべし。

もし檀越が来訪して僧たちを食事に招待したとき，客僧の受けとるべき利益があれば，僧房責任者は，順に，客僧も行かせて招待を受けさせるべきである。しかるに先住僧だけが接待を受け，客僧には行かせないなら，僧房責任者は莫大な罪を得て，畜生と変わらず，沙門に非ず，釈氏の家系に属する者に非ず，軽垢罪にあたる。

①「客僧には行かせないなら（不差客僧）」最古形→「客僧には行かせないならば（不差客僧者）」HM等。

【27】仏子たるものは，一切，〔檀越からの〕個別の食事接待（客人を限るもてなし）を受けて利益を自分だけに収めてはならぬ。〔檀越からの〕利益は十方すべての教団員に属すにもかかわらず，特別に接待を受けるならば，十方すべての教団の所有物を受け取って自分だけに収めることにほかならぬ。八福田である諸仏・聖人・それぞれの師僧・父・母・病人が〔受けるべき〕事物を自分だけが使うから，軽垢罪にあたる。

①「八福田である（八福田）」最古形→「八福田の中の（八福田中）」K1JPS等，「また八福田の中の（及八福田中）」FT等。智顗『菩薩戒義疏』は，仏・聖人・和尚・阿闍梨・僧・父・母・病人を八福田と注釈するが，根拠は不明。②「使うから（用故）」最古形→「使うならば（用者）」FTK1K2P等。☆語法の統一。

【28】仏子よ，もし出家菩薩や在家菩薩，あらゆる檀越が僧福田を招待することがあれば，〔檀越が招待を〕求願する時には，僧房に入り，知事の者に「今，順に〔すべての僧を〕食事に招待することを希望しますか」と訊ね，〔知事から〕「十方すべての賢聖僧をです。〔ただし賢聖僧のみであり，凡夫僧は対象としません。〕」という〔回答を〕得る〔かもしれない〕。だがもしそうだとしても，世間の人々が百人の阿羅漢と菩薩僧とを個別接待するより，僧団の順序通りに一人の凡夫僧を接待する方が優れているのだ。僧を個別に接待することは，異教徒のやり方である。七仏には，個別接待の教えはない。それは孝の道に反する。もし故意に僧を個別接待するならば，軽垢罪にあ

たる。

①知事は寺中の事務を司る役職の僧。維那とも言う。②「今，順に〔すべての僧を〕食事に招待することを希望しますか」と訊ねるならば，〔知事から〕「十方すべての賢聖僧をです。〔ただし賢聖僧のみであり，凡夫僧は対象としません。〕」という〔回答を〕得る〔かもしれない〕。（今欲次第請者，則得十方賢聖僧）」最古形→「今，〔檀越たちが〕僧を食事に招待したいと願い求めています。」と訊ねると，知事はそれに返答して，「〔すべての僧を〕順に食事に招待します」と言う〔かもしれない〕。（今欲請僧求願，知事報言，次第請者）」ＨＫ1Ｐ等。③「百人の阿羅漢（百羅漢）」最古形→「五百人の阿羅漢（五百羅漢）」ＴＦＨＫ1ＪＫ2ＰＳ等。④「七仏」は釈迦牟尼を含む過去七仏。

【29】もし仏子が，悪心のために，利欲を貪る〔気持ち〕から，[1] 男女の肉体を売色し，自ら手で食事を作り，〔食物を〕自ら粉を挽き臼でつき，男女の相を占い，夢の吉凶を説き，〔生まれてくる胎児は〕男だ女だと〔予言し〕，呪術や工芸，鷹を飼い慣らす方法〔で利を得ることを示し〕，百種の毒薬，千種の毒薬や蛇の毒や，金銀鉱石の毒・蠱毒を調合し，慈しみの心の欠片もないなら，軽垢罪にあたる。

①「利欲を貪る〔気持ち〕から（以利養）」最古形→「利欲を貪るために（以利養故）」ＪＫ2等。☆語法の統一。

【30】もし仏子が，悪心から，[1] 自分で三宝を誹謗しながらも，自らは三宝に親しんでいると偽り，口では〔一切法は〕空なりと説きながら行いは有にどっぷり浸り，在家者たちのためにとりまとめて[2] 男女交歓の場を設け，[3] 色欲に執着させ，[4] 月の六斎日と年の長斎月に殺生や劫奪をはたらき，斎会〔の清らかさ〕をぶち壊して戒に違犯するならば，軽垢罪にあたる。

①「悪心から（以悪心）」最古形→「悪心のために（以悪心故）」ＴＦＨK1ＪK2等。☆語法の統一。②「在家者たちのために（為白衣）」最古形→「在家者たちを取りまとめ，在家者たちのために（経理白衣，為白衣）」Ｈ。③「男女交歓の場」の原文「男女交会」は一句と理解すべきである。大野（一九三三）・長井（一九三五）・石田（一九七一）・勝野（二〇〇八）の断句「通致男女，交会婬色」は誤り。「男女交会」を一句とする用例は，『長阿含経』（一・一三三下），『最勝問菩薩十住除垢断結経』（一〇・一〇〇八下），『十誦律』（二三・二七七下），『五分律』（二二・四七下）にある。④「執着させ（縛著）」最古形→「多くの執着を作り（作諸縛著）」ＨＭ等。

この十戒[①]を修学し，敬意をもってしっかり保持すべし。「制戒品」の中で詳しく解説する。

①「この十戒（是十戒）」最古形→「これらの十戒（如是十戒）」ＦＨK1ＪK2等。☆語法の統一。

【31】仏は言った。――仏子が，仏の涅槃した後の悪世に，異教徒やすべての悪人や劫盗らが，仏像や菩薩像，父母の像[①]を売りさばき，経や律を売り，比丘や比丘尼を売り，菩提心を発した菩薩の修行者をも売りさばき，官僚の手下として使われ，一切の人々のために男奴隷・女奴隷とされるのを見ることもあろう。しかるに菩薩はこうしたことを見てしまったら，慈しみの心で[②]手立てを講じて〔苦しむ者たちを〕救済し保護し，どこにいても教化を行い，何か物を手に入れて〔それによって〕仏像や菩薩像，比丘や比丘尼，[③]一切の経や律を贖うべし。もし贖わなければ，軽垢罪にあたる。

①仏像，菩薩像，父像，母像と単純に理解する説と，父母を仏菩薩の譬喩と解する説の二種がある。法蔵『梵網経菩薩戒本疏』「「父母の像」と言う者は，己が父母の形像，他の売る所と為る。又た釈して謂う，仏、菩薩の尊く重きこと父母の如し。二親の形像を謂うに非ず」（四〇・六四八下）。②「慈しみの心で（慈心）」最古形→「慈しみの心を起こして（生慈心）」

K1 J K2等→「慈しみと思いやりの心を起こして（生慈悲心）」HM。　③「比丘尼」最古形→「比丘尼や発心した菩薩」FH K1 J K2等。

【32】仏子たるものは、①刀剣や棍棒、弓矢を保持し、軽い秤（はかり、てんびん）や小さな枡（計量器）を売りさばき、官の権力を笠に着て他人の財産を取り立て、心を傷つけ束縛して〔自由を奪い〕、他人の成功を損ない、猫・狸②・猪・犬を飼育してはならぬ。もし故意に飼うならば、③軽垢罪にあたる。

①この文脈で「仏子たるものは（若仏子）」の「若」を「もし」の意には理解できない。　②「猫・狸」最古形→「狐・狸」NT。　③「飼うならば（養者）」最古形→「飼い保持するならば（養畜者）」T、「するならば（作者）」J K2等。

【33】もし仏子が、悪心のために、あらゆる男女等の格闘や、軍隊や兵隊の闘争①、劫盗などの闘争を見ても、②法螺貝、軍の鼓・のどぶえ、琴・瑟・箏・笛・箜篌、歌や叫び叫声、踊りの音を聞いてはならない。博奕・囲碁・将棋・おはじき・双六③・石投げ・壺への矢投げ④・八道行成⑤（一種のボードゲーム）〔などの賭け事や〕ネイル占い⑥・草の葉占い⑦・楊枝・食器鉢・髑髏⑧によって運勢を知ることも許されないし、盗賊の手下となってもいけない。これらはいずれも行ってはならぬ。もし故意にするならば、軽垢罪にあたる。

①「兵隊の闘争（兵闘）」最古形→「軍将（兵将）」J K2等。☆意味的重複の削除。　②原文は否定形を付さない「観」なので「観覧しても」という訳を試みたが、問題がある。第四章[73]に示すように、本条は『大般涅槃経』に基づいて作成されており、『大般涅槃経』には「不観」すなわち「観覧しない」と否定形で表現されている。法蔵『梵網経菩薩戒本疏』でも最初の列挙項目には「不得」の二字を付して「観覧してはならぬ（不得観）」の意に解すべしと解説する。しかし「不得観」という表記は写本版本に支持されないため、訳文では、文法的に読みにくいが敢えて条件の意に解した。　③「双六（六博）」最

古形↓「双六・蹴鞠（六博、拍毱／拍掬／拍毬）」HK1JK2PS等。④「壷への矢投げ（投壷）」最古形↓「壷への矢投げ・挟み将棋（投壷、牽道）」HK1JPS等。［参考］灌頂『大般涅槃経疏』「牽道是夾食」（三八・一二三上）。⑤「行成」「行城」いずれの表記もあり，その基となる『大般涅槃経』にも二種の表記がある。ゲームの内容が「城」と関係する点から，より意味のとりにくい「成」を早期の表記とみる。［参考］明曠『天台菩薩戒疏』「八道行成者，八道交絡，行当如城也」（四〇・五九五下）。⑥明曠同疏「爪（ママ）鏡等者止邪術也。西国術師，以薬塗爪中，現吉凶也（四〇・五九五下）。⑦明曠同疏「芝草等者，此等三事以呪，呪之知吉凶故」四〇・五九五下）。⑧明曠同疏「髑髏者，西国外道，打人頭骨，決知死生因縁等。此方亦有事髑髏神，説世休否」（四〇・五九五下）。

【34】仏子たるもの，禁戒をしっかり守り，どんな場合も，昼夜のきまった時に六回，この〔梵網経の〕戒を読誦せよ。〔戒を〕あたかも〔堅固な〕金剛のように，〔絶対安心な〕浮き袋をたずさえて大海原を渡ろうとするかのように，〔草を切ることで戒に違犯するのを恐れて〕草に繋がれたまま〔逃げなかった〕比丘のように〔戒を尊重せよ〕。常に大乗を信じる気持ち[①]を起こし，我はまだ未成就の仏（可能性としての仏）であり，諸仏はすでに成就せる仏（完成された仏）であると知り，菩提心を発し，一瞬たりとも気を抜いてはならぬ。たといわずか一瞬でも〔大乗の心を失い〕二乗や異教徒の心を起こすならば，軽垢罪にあたる。

①「大乗を信ずる気持ち（大乗信）」最古形↓「大乗への善き信仰心（大乗善信）」HJK2等。☆語の補足。

【35】仏子たるものは，常に〔以下の〕すべての誓願[①]を発起すべし。（一）父母や師僧に従順でありますように。（二）願わくは好き師を得られますように。（三）共に学ぶ素晴らしい仲間を得られますように。（四）常に我が大乗の経と律を〔衆生に〕教え示しますように。（五）十発趣，（六）十長養，（七）十金剛，（八）十地〔の修行それぞれが〕我が理解を押し広げますように。（九）決められた通りに修行しますように。（十）仏戒をしっかりと保持

しますように，と。たとい我が身，我が命を失おうとも，〔これらの誓願から〕一瞬たりとも気を抜きますまい。もし一切の菩薩がこれらの誓願を発起しなければ，軽垢罪にあたる。

①誓願が十項目であることは次節第三十六軽戒に示される。第四章［75］参照。

【36】仏子たるもの，〔これらの〕十大願を発起し終えたら，仏の禁戒を保ち〔読誦〕し，この願文を唱えよ。「たといこの身を燃えさかる大火や大穴，剣のきりたつ山に投じたとしても，三世諸仏の経と律〔の教え〕を破り，一切の女性と不浄の行為をすることは，決して致しませぬ」と。

更にこの願文を唱えよ。「たとい灼熱の鉄網でわが身を幾重に巻き縛られても，破戒の身で①篤信の檀越の〔布施する〕一切の衣服を受け取ることは，決して致しませぬ」と。

更にこの願文を唱えよ。「たといこの口で灼熱の鉄玉や燃えさかる猛火を呑み込み，百カルパ，千カルパの長きに及ぶとも，破戒の口で篤信の檀越の〔布施する〕百種の様々な飲食物を摂ることは，決して致しませぬ」と。

更にこの願文を唱えよ。「たといこの身で激しい猛火の網や灼熱の鉄でできた地の上に臥すとも，破戒の身で篤信の檀越の〔布施する〕百種の様々な寝具や座具を受け取ることは，決して致しませぬ」と。

更にこの願文を唱えよ。「たといこの身が三百の鉾で突き刺さるとも，破戒の身で篤信の檀越の〔布施する〕百種の諸薬を受けることは，決して致しませぬ」と。

更にこの願文を唱えよ。「たといこの身が灼熱の鉄の釜に投ぜられ，それが千カルパの長きに及ぶとも，破戒の身で篤信の檀越の〔布施する〕千種の部屋・家屋・園林・田畑を受け取ることは，決して致しませぬ」と。

更にこの願文を唱えよ。「たとい鉄槌でこの身を打たれ，頭から足の先まで千々に砕かるとも，破戒の身で篤信の檀越の尊敬や礼拝を受けることは，決して致しませぬ」と。

更にこの願文を唱えよ。「たとい百千の灼熱の鉄の剣や鉾で両目を抉られるとも，破戒の心で他人の体を色目で見ることは，決して致しませぬ」と。

更にこの願文を唱えよ。「たとい百千の鉄釘で全身を打ち込まれ，耳を突き刺され，一カルパ，二カルパの長きに及ぶとも，破戒の心をもって美音を聴くことは，決して致しませぬ」と。

更にこの願文を唱えよ。「たとい百千の刀剣でわが鼻を削がるとも，破戒の心でいろいろな香りを貪り嗅ぐことは，決して致しませぬ」と。

更にこの願文を唱えよ。「たとい千の刀剣でわが舌を切り取らるとも，破戒の心で他人の〔施す〕百種の清き食物を食らうことは，決して致しませぬ」と。

更にこの願文を唱えよ。「たとい鋭い斧でわが身を切り刻むとも，破戒の心をもって柔肌に執着することは，決して致しませぬ」と。

更にこの願文を唱えよ。「願わくは一切の人が仏になりますように」と。

菩薩がもしこれらの願文を発起しなければ，軽垢罪にあたる。

①「破戒の身で（破戒之身）」最古形→「破戒の身をもって（以破戒之身）」HK1JK2PS等→「この破戒の身をもって（以此破戒之身）」M等。

【37】菩薩たるものは，常に〔春秋の二期に〕頭陀行を行い，夏冬に坐禅し，夏安居を設け，常に〔以下の物品を〕用いるべし。楊枝，豆の洗い粉，三種の衣，水瓶，鉢（食器），坐具（一人用の敷物），錫杖（外出用の杖），香炉，濾過器，手ぬぐい，ナイフ，火起こし具，毛抜き・とげ抜き，縄を編んで作った椅子，経，律，仏像，菩薩像。しかるに菩薩は，頭陀を行う時と旅行をする時には，百里，千里の彼方を往復する際にこれら十八種の物品を

常に携帯せよ。頭陀行は，正月十五日から三月十五日まで，および，八月十五日から十月十五日までであり，この二期間は十八種物を常に携帯し，あたかも鳥の翼のように〔肌身離さぬようにせよ〕。〔戒律違反を確認する〕布薩儀礼の日に，新学菩薩が半月ごとに布薩を行い十重四十八軽戒を誦える時は，諸仏諸菩薩の像の前で一人で布薩するときは一人で〔戒を〕誦え，二人，三人，もしくは百人，千人〔の布薩〕に至るまで，やはり一人で誦える。諳誦者は高い所に坐し，聴者は低い所に坐し，各自，九条・七条・五条の袈裟を身にまとう。

夏安居を設けるときは逐一決められた通りの方法で行う。[①] 頭陀行をする時は危険な場所に侵入してはいけない。〔すなわち〕国家危機のある場所であれ，悪王のいる場所であれ，極端な高地や低地であれ，奥深過ぎる草林であれ，ライオン・虎・狼のいる所であれ，洪水・火事・暴風の危険がある所であれ，劫盗がいる所であれ，道路に毒蛇がいる所であれ，〔どこであれ〕一切の難所に決して入ってはならぬ。一切の難所であるが故に，頭陀の修行をする場合から，夏に安居して滞在する場合まで，諸々の難所には，やはり入ってはならぬ。ましてや頭陀行を行う者が危険を目の当たりにした場所であるのなら猶更である。[②] 故意に入るならば，[③] 軽垢罪にあたる。

①「夏安居を設けるには……で行う」（結夏安居，一一如法）」最古形→「夏安居を設ける時にもまた……ですべし」（結夏安居時，亦応一一如法）」H。②この箇所には諸本に相違が見られるが，「是諸難処，亦不得入。況行頭陀者若見難処」に作るFに従う。ただしこれは最古形ではない。③「故意に入るならば（故入者）」最古形→「もし故意に入るならば（若故入者）」JK2等，「しかるに故意に入るならば（而故入者）」HPSQY等。

【38】仏子たるもの，決められた通りの仕方で順に坐るべし。先に受戒した者が前に坐り，後で受戒した者が後ろに坐り，長老か若者かの歳や比丘か比丘尼か，身分のある人か，国王か，王子か，ひいては去勢者か，男奴隷か

女奴隷かを問わず，皆，先に受戒した者から順に坐るのであり，異教徒や理知の足りない者のようにしてはならぬ。老いも若きも〔関係なく〕，前後の順あい乱れ，無秩序に坐るのは兵隊や奴隷のやり方である。① 我が仏法の中では，先に受戒した者が前に坐り，後で受戒した者は後ろに坐る。しかるに菩薩が〔受戒の〕順に坐らないと，② 軽垢罪にあたる。

①「兵隊や奴隷のやり方である（兵奴之法）」最古形→「兵隊や奴隷のやり方と同じである（如兵奴之法）」H。②「順に坐らないと（不次第坐）」最古形→「順に坐らなければ（不次第坐者）」FHJK2PS等。☆語法の統一。

【39】仏子たるもの，常に一切の衆生を教化し，僧房や山林，園地，田畑を作り，仏塔を建立すべし。夏と冬に安居し坐禅する際の諸処に，修行を行うすべての場所に，〔菩薩は〕皆，それ（仏塔）を建立すべし。しかるに菩薩は一切衆生のために大乗の経律を講義し解説すべきであり，疾病の場合や国家的危機，盗賊の危険がある場合や，父母兄弟・自らの直接の師僧（和上）・様々な師匠（阿闍梨）が亡くなった日，そしてその後の二十一日の間，二十八日の間，三十五日の間には，やはり大乗経律を講義し，斎会によって福徳を希求し，各地を往来して〔衆生に〕生命の維持〔を教え〕よ。① 大火事や大洪水で流された〔家屋〕，② 暴風で吹き飛ばされた船舶がある場合や，河川や大海で羅刹に出会う危険がある場合も，やはりこの経律③を読誦し，講義解説せよ。④ ひいては一切の罪過やその報い，〔すなわち〕三種の報い，八つの災難，七種の大逆罪，⑤ 手かせ足かせによる身の拘束，過剰な性欲，過剰な忿怒，過剰な愚昧，あまりにも多い疾病の〔弊害があるときにも，菩薩たちは〕皆，この経律③を講義すべし。⑥ しかるに新学菩薩がもしそうしなければ，軽垢罪にあたる。

①最古形ではないがT本「而斎会求福，行来持生」に従う。②「大火事や大洪水で漂流させられ（大火大水所漂）」最古形→「大火事や大洪水で焼け出され流され（大火大水焼標）」P，「大火事や大洪水で焼かれ流され（大火大水焚漂）」QM，

「大火事や大洪水に焼かれ……され〔大火大水所焚漂〕」K1↓「大火事に焼かれ，大洪水に漂流させられ〔大火所焼，大水所漂〕」FHJK2。③「この経律」は「大乗経律」を承けるが，文脈から意味を考えると，大乗経律一般を指すのでなく，大乗経律たるこの梵網経という意味に解するのが自然であろう。④「読誦し，講義解説せよ〔読誦講説〕」最古形↓「読誦し，講義解説すべし〔応読誦講説〕」K2。⑤「三種の報い，八つの災難，七種の大逆罪」最古形↓「三種の報い，七種の大逆罪，八つの災難」K2，「三種の悪，八つの困難，七種の大逆罪」K1M，「三種の悪，七種の大逆罪，八つの災難」FTa。「三種の報い〔三報〕」は，廬山慧遠『三報論』に基づく中国の術語。現世で受ける報い・来世に生まれてから受ける報い・更に何度か転生した後に受ける報い。⑥「講義すべし〔応講〕」最古形↓「講義解説すべし〔応講説〕」N↓読誦し講義解説すべし〔応読誦講説〕」K2等。

この九戒を修学し，敬意をもってしっかり保持すべし。〔詳細は後に〕「梵坦品①」で解説しよう。

①「梵坦品」最古形↓「梵壇品」K2SQM等↓「〈梵壇品中〉」J↓「〈梵檀品中〉」Ta。

【40】仏が言った。――仏子たるもの，誰かに戒を授ける時，〔その受戒者が〕国王か，王子か，大臣か，諸官僚か，比丘か，比丘尼か，〔在家の〕信心ある男や女か①，売色する〔在家の〕男や女か②，十八種の天の神々か③，中性者か，両性具有者か，去勢者か，男奴隷か女奴隷か，様々な悪鬼や神々かを選んではならぬ④。誰でも受戒できる。〔受戒後は〕身につける袈裟をすべて純色でないものにし，修行の道に相応しく，すべて青・黄・赤・黒・紫の色で，衣服から寝具に至るまでのすべてをすっかり純色でないものにして，身につける衣服をすべて〔雑色に〕染めることを教えるべし。すべての国土で人々の着る服〔の色〕があれば，比丘は皆⑤その地の衣服とは別な色にして，世俗の服の色と区別せよ⑥。

もし誰かが受戒を希望する時は，こう訊ねる，⑦「今のこの身で⑧七逆罪を犯してはいないか」と。菩薩法師は，七逆の罪人に現今の身で戒を授けてはならぬ。七逆とは，（一）仏身〔に害を与え〕出血させる，（二）父を殺す，（三）母を〔殺す〕，（四）自らの直接の師を殺す，（五）他の諸々の師僧を殺す，（六）教団内の布薩儀礼を拒否して別に布薩し仏法に反する事柄を教える，（七）聖者を殺す，である。もし七種の障害〔のいずれか〕に該当するなら，この身では⑨戒を体得できない。それ以外のすべての人は戒を受けることができる。

出家の決まりとして，国王には礼拝しない。父母に礼拝しない。六親の血族にも敬意を表さない。鬼神にも礼しない。もっぱら授戒師のいう言葉を理解して〔儀礼を滞りなく行うことのできる〕者が百里，千里の彼方より法を求めてやって来ているのに，しかるに菩薩法師が悪意や怒りの気持ちから即座に一切衆生のための〔菩薩〕戒を授けないなら，⑩軽垢罪にあたる。

①「〔在家の〕信心ある男か女か（信男女）」最古形→「〔在家の〕信心ある男か信心ある女か（信男信女）」NHK1JK2PS等。☆表記の統一。②「〔在家の〕戒律を守らない男か女か（婬男女）」最古形→「〔在家の〕戒律を守らない男か戒律を守らない女か（婬男婬女）」NFHK1JK2P等。③「十八種の神々（十八天）」最古形→「十八種の清らかな神々と六種の欲界の神々（十八梵天六欲天子）」K2等。☆表記の統一。⑤「十八種の清らかな神々と六種の欲界の神々（十八梵天六欲天）」J→「十八種の清らかな神々と六種の欲界の神々」（⑤「十八梵天六欲天」）J→④「選んで（簡選）」最古形→「選び分けて（揀擇）」JQM等。⑤「比丘は皆（比丘皆）」最古形→「比丘と比丘尼は皆（比丘比丘尼皆）」T→「皆（皆）」F。⑥「その地の衣服とは別な色にし，世俗の服の色と区別せよ」最古形→「そこの世俗の服の色と区別せよ（与其俗服有異）」FHJK2等。☆意味的重複の削除。⑦「こう訊ねる（問言）」最古形→「師はこう訊ねるべし（師応問言）」HJK2等。⑧「今のこの身で（現身）」最古形→「汝は今のこの身で（汝現身）」HK1JK2等。⑨「この身では（即身）」最古形→「今のこの身では（即現身）」NHJK2等。☆表記の統一。⑩「…授けないなら（不即与授…戒）」最古形→「…授けないならば（不即与授…者）」FHJK2等。☆語法の統一。

【41】もし仏子〔である汝〕が人を教化して信心を起こさせた時に，菩薩〔である汝〕がほかの人のために戒を

教授する法師として，その受戒希望者を見たなら，二人の師，すなわち直接の師（和上）ともう一人の師（阿闍梨）とに来てもらうべし。二人の師はこう訊ねるべし，「汝は七遮罪①があるか」と。もし現今のこの身に七遮〔がある〕②なら，師は〔戒を〕授けない③。七遮がなければ④，受けられる⑤。

もし十戒（本経の十波羅夷）に違犯したならば，懺悔して，仏像や菩薩像の前で毎日決まった時間に六回⑥，十戒⑦四十八軽戒を誦えよと教えよ。念入りに心をこめて⑧三世の千仏に礼拝すると，〔仏の〕瑞祥⑨を目の当たりにすることができる。〔できなければ〕七日あるいは十四日，二十一日，ないし一年に至るまで〔続け〕，瑞祥を目の当たりにすることが肝心である。

〔瑞祥の〕具体的な相とは，仏が来たりて頭頂を撫でる，光や花を見る，様々な素晴らしい相を見る〔など〕であり，〔それを目の当たりにすれば，過去に犯した〕罪を止滅することができる。もし瑞祥がなければ，懺悔をしたとて無益であり，この〔人は〕⑩今のこの身のままでは戒を体得できないが，受戒〔の効果を，将来再受戒するために〕を増しておくことができる⑪。

もし四十八軽戒に違犯したならば，誰か適切な一人の前で懺悔する（対手懺＝対首懺）と，罪が消える。この点は七遮罪と異なる。しかるに戒を教える師はその〔四十八の〕戒法の一つ一つを十分理解せよ。もし大乗の経と律〔の教え〕，〔犯した罪は〕重罪なのか軽罪なのか，〔菩薩として〕何をすべきかすべきでないかの特徴を理解せず，究極の真実〔の教えを知る段階〕・修行し始めの段階（習種性）・長期修養する段階（長養性）・もはや壊れることのない〔堅固な〕段階（不可壊性）・悟りへ修行道の段階（道性），正しい〔悟り〕の段階（正性）⑫を理解せず，それらの真理観察行における〔修行者に合った〕入定・出定の様子や，十禅支〔という三界の煩悩を離れる瞑想法などを理解しないなら〕，一切の行法の一々の行法の真意を〔理解〕できない。しかるに菩薩が利欲を貪るため⑬，名声のために，あくどく求め⑭，利益を貪り，弟子〔にもさせ〕，一切の経と律を理解しているかのようなふりをして人を瞞し，尊敬されたいがために，自らをも欺き，他人をも欺き，⑮〔かかる者が〕故意に人に戒を授けるならば，軽垢罪にあたる。

①七遮罪は第四十軽戒を参照。 ②「七遮〔がある〕なら（七遮）」最古形→「七遮があるなら（有七遮）」F H K1 J K2 P S Q等→「七遮罪があるなら（有七遮罪）」D→「七遮罪があるならば（若現身有七遮罪者）」M等。☆表記と語法の統一。 ③「〔戒を〕授けない（不与受）」最古形→「戒を授けるべきでない（不応与授戒）」F H K1 J K2 P S等。☆語の補足。 ④「なければ（無…者）」最古形→「もしなければ（若無…者）」H M。☆語法の統一。 ⑤「受けられる（得受）」最古形→「戒を授けることができる（得与受戒）」→「戒を授けることができる（得与授戒）」Ta M。☆曖昧さの改善。 ⑥「毎日（日日）」最古形→「昼と夜に（日夜）」T F H J K2等。 ⑦「十戒」（最古形）→「十重」B F H J K2等，「十重戒」K1。☆表記の統一。 ⑧「念入りに心をこめて」の原語は諸本すべて「苦到」である（極めて切実に，の意）。日本江戸の版本Aの「苦到」を「子ンコロニ」と訓ずることや大野（一九三三）・長井（一九三五）・勝野（二〇〇八）の訓読「苦到に（ねんごろ）」は正しい。大正蔵が「若到」に作るのはまったくの誤植。これに引きずられた石田（一九七一）の訓読「もし三世の千仏を礼するに到らば」は誤解の至りである。同様に山部（二〇〇〇）もMuller（2012: 406）も誤り。戴伝江（二〇一〇）の現代中国語訳「以悲苦心，至誠懺悔心礼拝三世千仏」も誤訳。王建光（二〇〇五）は注を付し，金陵刻経処本が「苦」に作るが，大正蔵によって改めると判断して中国語訳したのは大正蔵の誤植の悪影響である。 ⑨「〔仏の〕瑞祥（好相）」は仏の素晴らしい姿を直接目の当たりにする見仏体験のこと。仏が直に眼前に現れ，受戒を承認することを意味する。 ⑩「この〔人は〕（是）」最古形→「この人は（是人）」F H K1 J K2等，「たといこの〔人は〕…としても」D。☆曖昧さの改善。 ⑪「受戒〔の効果〕を増しておく（増受戒）」最古形，「受戒〔の効果を将来再受戒するために〕強めておく（増長戒）」B，「受戒の利点を〔将来再受戒するために〕増やしておく（増益戒）」F，「受戒の長所を〔将来再受戒するために〕強めておく（増長受戒益）」M，「〔今〕戒を受けることの利点を〔将来再受戒するために〕増やしておく（増益受戒）」H，「受戒の善さを増やしておく（増益受戒善）」K1。☆意味の補足。 ⑫〔参考〕六段階に関する義寂『菩薩戒本疏』の注釈は次の通り。「〔不解第一義諦〕

なる者は，理法を解さざるを謂う。『地論』に説く所の四種真実等を第一義と名づく。「若習種」より下は，行法を解さざるを謂う。「習種姓（性）」は十発趣を謂う。「長養姓（性）」なる者は十長養を謂う。「不可壊姓（性）」なる者は十金剛を謂う。此の三は即ち是れ地前（＝十地に入る以前）の三賢なり。「道姓（性）」なる者は十地を謂う。正性は仏地を謂う」（四〇・六八六中）。⑬「利欲を貪るため（為利養）」最古形→「利欲を貪るために（為利養故）」FHJK2等。☆語法の統一。⑭「あくどく求め（悪求）」最古形→「あくどく求め，過剰に求め（悪求多求）」FHK1JK2等。☆曖昧さの改善。⑮「人を瞞し，尊敬されたいがために，自らをも欺き，他人をも欺く」最古形→「人を瞞す。これは自らをも欺き，他人をも欺くことである」FJ等。☆内容の改変。

【42】仏子たるものは，利欲を貪るため①，まだ菩薩戒を受けていない者の前や異教徒や悪人の前で②この千仏の戒（梵網戒）を説くことはならぬ。大邪見の人③の前で説くこともならぬ。国王を除いて，それ以外のすべての人に説いてはならぬ。仏戒を受けていない悪人たちは畜生と呼ばれる。生まれ変わる先々で④三宝を見ることなく，木や石ころのように心がかよっていない者は異教徒や邪見の人と呼ばれ，〔心をもたぬ〕木片のようにみなされる。しかるに菩薩がこれら悪人の前で七仏の教えである戒を説くならば，軽垢罪にあたる。

①「利欲を貪るため（為利養）」最古形→「利欲を貪るために（為利養故）」HK1K2PQM等。☆語法の統一。②「異教徒や悪人の前で」（外道、悪人前）」最古形→「もしくは異教徒や悪人の前で（若外道、悪人前）」HK2M。③「千仏の戒…大邪見の人（千仏戒。大邪見人…）」最古形→「千仏の大戒…邪見の人…（千仏大戒。邪見人）」FHK2PSQ等。☆内容の改変。④「生まれ変わる先々で（生生）」最古形→「生まれ変わる先々の場所で（生生之処）」H。

【43】もし仏子が，信心から出家し，仏の正しい戒を受け，大聖〔たる仏〕の戒を誹謗する心を故意に起こすならば，一切の檀越の敬意ある布施を受けてはならぬ。また①〔仏教を信仰する〕国王の土地を踏むこともならぬし，

国王の水を飲むこともならぬ。五千の群なす鬼霊が行く手を遮り，鬼たちは〔汝を〕大悪賊と呼び，〔汝が〕宿舎や街や村，住宅の中に入ると，更に鬼は〔汝の穢れた〕足跡を消しまわり，世間のすべての人々は〔汝を〕仏法に潜む悪賊と罵るであろう。一切の衆生は，戒律に違反した〔汝〕を見ようとせず，〔汝を〕畜生と変わらぬ者・〔心をもたぬ〕木片と変わらぬ者〔と思うであろう〕。もし正しい戒を誹謗するならば，軽垢罪にあたる。

①「また」以下には偽経『比丘応供法行経』が素材として暗に用いられている。第四章[84]参照。

【44】仏子たるものは常に一心に〔戒を〕受け入れ，読誦し，①身の皮膚を剥いで紙とし，②体を刺して血を出して墨とし，骨を折って筆として仏戒を書写すべきである。樹皮や角紙（角楮皮紙）③，絹もすべて書写し保持するのに用いるべきであり，常に七宝や，計り知れない価値の香や花，あらゆる種類の宝物で経箱を作り，そこに経巻や律巻を収めるべきである。もし決められた通りに経典に敬意を表わさなければ，軽垢罪にあたる。

①「受け入れ，読誦し（受持読誦）」最古形→「大乗の経や律を受け入れ，読誦し（受持読誦大乗経律）」FHK1JK2PSQM等。☆曖昧さの改善。②「身の皮膚を剥いで紙とし」以下は，『大般涅槃経』『大智度論』等に見られる表現に基づく。第四章[85]参照。関連研究として諏訪（一九九七・三五七〜六一），船山（二〇〇二・三四四），村田（二〇一三）参照。③「角紙」（最古形），未詳。後代の改変は「穀紙」であるから「こうぞ」で作った紙か。日本鎌倉期の凝然『梵網戒本疏日珠鈔』は「穀は楮皮を謂い，亦た角猪皮とも曰う。体は一にして名は別なり。（穀，謂楮皮，亦曰角猪皮。体一而名別）」（六二・二五七上）と解説する。これによれば角紙，穀紙，楮皮紙，角猪皮紙は同義であろう。「木皮，角紙，絹」（最古形）→「木皮，穀紙，絹」P→「麻皮，穀紙，絹等」D，「樹皮，穀紙，絹，素，竹，帛」H，「木皮，角紙，絹，素，竹，帛」K1→「木皮，穀紙，絹，素，竹，帛」K2。

【45】仏子たるものは常に深い思いやりの心を起こすべし。すべての街や村や宿舎に入るときに，どんな衆生でも目にしたら，次のように唱えよ，「汝衆生は①三帰戒と十戒をみな受けるべし」と。もし牛や馬，猪，羊，その他どんな動物でも目にしたら，次のように心の中で念じ，言え，「汝は動物。菩薩の心を起こせ」と。そうして菩薩は，山林川野どんな所に入るときも，皆，すべての衆生に菩提心を起こさせよ。菩薩たるものがもし②衆生を教化しないなら，③軽垢罪にあたる。

①「唱えよ，『汝衆生は…』〔唱言，汝衆生…〕」最古形→「唱えよ，『汝ら衆生は…『〔唱言，汝等衆生…〕」FP等→「唱えるべし，『汝ら衆生は…』〔応当唱言，汝等衆生…〕」HJK2，「唱えるべし，「汝らは…」〔応唱言，汝等…〕」K1SQ等。☆語の補足。②「菩薩たるものがもし〔是菩薩若…〕」最古形→「もし菩薩が〔若菩薩…〕」H，「しかるに菩薩がもし〔而菩薩若…〕」F。③「…教化しないなら〔不教化衆生〕」最古形→「…教化しないならば〔不教化衆生者〕」FK2M→「…教化する心を起こさないならば〔不発教化衆生心者〕」HJTa等。

【46】もし仏子が，深い思いやりの心を〔衆生に〕教えることを①常に実践し，檀越や高貴な人の家，さらに他のすべての人々のいる中に入る時には，起立したまま在家者に説法してはならぬ。在家者集団の前で高い所に坐るべし。法師となる比丘は起立したまま四種の〔仏教徒やその仏教徒以外の〕白衣②のために説法してはならぬ。もし説法する時には，法師は高いところに坐り，香や花で敬意をもってもてなされ，四種の聴衆は低いところに坐って，あたかも父母を敬愛し従順として，③師の教えに従う④が如く，そして火を祀る婆羅門のようにせよ。説法者がもし決められた通りにしないなら，⑤軽垢罪にあたる。

①「深い思いやりの心を〔衆生に〕教えること〔教化大悲心〕」最古形→「他の人々に深い思いやりの心を起こさせること〔教他起大悲心〕」F，「深い思いやりの心を起こすこと〔起大悲心〕」HK1JK2PQS等。☆語の補足。②「四種の在家者

たち（四衆白衣）」最古形→「四種の人々（四衆）」JK2等。「四衆白衣」を四種の在家仏教徒とすると意味が通じない。四衆とは比丘・比丘尼・優婆塞・優婆夷すなわち出家の男女と在家の男女を指す。恐らくそれが後に「白衣」を削除した理由であろう。一方，最古形を矛盾なく解釈しようとすれば，通常の四衆とそれ以外の〔仏教信者でない〕在家者と理解することが一つの可能な解釈であろう。③「あたかも父母を敬愛して従順として…如く（如敬孝順父母）」最古形→「〔法師を〕敬うこと，あたかも父母に従順として…如く（敬如孝順父母）」H→「あたかも父母に従順として…如く（如孝順父母）」FJK2SQ等。④「師の教えに従う（順師教）」最古形→「師の教えに孝順として（孝順師教）」BK1→「法師の教えに従う（順法師教）」H，「師の教えを敬い従う（敬順師教）」FK2PSQ等。⑤「もし決められた通りにしないなら（若不如法）」最古形→「もし教えと違うようなら（若如不法）」T，「もし決められた通りに説かないなら（若不如法説）」JYM等，「もし決められた通りに法を説かないなら（若不如法説法）」F。

【47】もし仏子が皆，信心から仏戒を受戒する者として，国王であれ，太子であれ，諸官僚であれ，四部の仏弟子（男性出家者・女性出家者・男性在家者・女性在家者）であれ，かれらが自ら高貴さを笠に着て，仏の教えや戒律を壊し，〔仏教徒を自らで〕規制する法をはっきりと作り，我が四部の弟子たちの活動を制約し，出家して修行することを許可せず，さらに〔仏や菩薩の〕像，仏塔，経や律を作ることをも許可しないなら[1]，三宝を破壊する罪である[2]。しかるに故意に仏法を破壊するならば，軽垢罪にあたる。

①これ以下，多くの文字を有する数種の異本がある。②「三宝を破解する罪である」の箇所も異本を有する。以上の詳細については，第二章・第四章の当該箇所に示す原文と関連資料ならびに第六章第三節の考察を参照。☆内容の改変。

【48】もし仏子が，素晴らしい心懸けで[1]出家したのに，名声と利欲を貪るために，国王や諸官僚の前で仏戒を説くなら[2]，比丘や比丘尼，菩薩の弟子[3]に不正に束縛をかけるさまは[4]，まるでライオンの体内の虫が自らライオンを[5]食

らうかのようである。異教徒や天界の魔物が〔外部から〕破滅させるのではない。⑥もし仏戒を受けたならば，あたかも一人息子に思いをかけるように，そして父母に仕えるように仏戒を庇護すべし。しかるに⑦異教徒や悪人が悪い言葉で仏戒を誹謗するのを耳にした時は，あたかも三百本の鉾が心臓を突き刺すかのように，千の刀剣，万の棍棒がわが身を打撲するかのように〔思え〕。〔菩薩の悲痛はこれと〕何ら違いがない。たとい自ら地獄に入り，百カルパの長きに及ぶとも，一度たりとも悪い言葉で仏戒を破滅させようとする人の声を聞いてはならぬ。ましてや自ら仏戒を破壊し，人に破壊の方策を教えるのであれば猶更のことであって，やはりそこに〔仏戒への〕孝順心は存在しない。もし故意に〔仏戒を誹謗する〕ならば，軽垢罪にあたる。

①「素晴らしい心懸けで……のようである（以好心……）」最古形→「素晴らしい心懸けで……のようにしてはならない（不以好心……）」K1S等。☆否定辞の付加。②「仏戒を説くなら（説仏戒）」最古形→「七仏の戒を説くなら（説七仏戒）」F K2→「仏戒を説くならば（説仏戒者）」HM。③「菩薩の弟子（菩薩弟子）」最古形→「菩薩戒〔を受けた〕弟子（菩薩戒弟子）」HM。④「束縛をかけるさまは，（繫縛）」最古形→「束縛することを行うさまは，（作繫縛事）」F K2等→「束縛することを行うさまは，牢獄の囚人の規則のようであり，兵隊や奴隷の規則のようでもあり，（作繫縛事，如獄囚法，如兵奴之法）」H。⑤「ライオンを（師子）」最古形→「ライオンの肉を（師子肉）」T F K1 J K2 S等。⑥「異教徒や…が〔外部から〕破滅させるのではない」（非外道天魔破）」最古形→「異教徒や…が〔外部から〕破滅させることができるのではない」（非外道天魔能破）」K1 K2 S，「異教徒や…が〔外部から〕我が正しい教えを破滅させることができるのではない」（非外道天魔能破我正法）」F，「〔ライオンの体内の虫〕以外の外からの虫がそうするのではない。このように仏子が自ら仏法を破滅させるのだ」（非余外虫。如是仏子自破我仏法）」H。☆意味の補足。⑦「しかるに（而）」最古形→「しかるに菩薩は（而菩薩）」H K1 K2 S等。☆語法の統一。

この九戒を①修学し，敬意をもってしっかり保持すべし。

諸仏子よ，これらすべての四十八軽戒を汝らは受け保つように。これは過去の諸菩薩がすでに誦えた〔戒であり〕，現在の諸菩薩が今誦えている〔戒である〕②。

①「この九戒（是九戒）」最古形→「これらの九戒（如是九戒）」HJK2等。☆語法の統一。②「これは過去の……現在の……」最古形→「過去の……，現在の……〔戒であり〕，未来の諸菩薩が誦えるであろう〔戒である〕（過去諸菩薩已誦，現在諸菩薩今誦，未来諸菩薩当誦）」TF→「過去の……，未来の諸菩薩が誦えるであろう〔戒であり〕，現在の……〔戒である〕（過去諸菩薩已誦，未来諸菩薩当誦，現在諸菩薩今誦）」HK1K2PS等。☆語法の統一。

仏子よ，聴くがよい。十戒四十八戒は，①〔過去・現在・未来の〕三世の諸仏がすでに唱え，将来誦えるであろう〔戒であり〕，今誦えている〔戒である〕。汝ら一切の聴衆は，かりに国王であれ，王子であれ，諸官僚であれ，比丘や比丘尼であれ，信心深い男であれ，信心深い女であれ〔誰であれ〕菩薩戒を受け保つ者たちは，仏性常住の〔教えを説く〕戒の巻子を〔ずっと〕受け保ち，読誦し，解説し，書写し続け，三世の一切衆生に弘め，いかなる転変を経ても存続し絶えることなくすべきである。〔衆生は〕千仏を目の当たりにできるようになり，仏たちは手をさしのべ，何度生まれ変わっても悪道や八難に失墜することなく，常に人間や天上の神々に生まれるであろう。

①「十戒四十八戒は（十戒四十八戒）」最古形→「十重四十八軽戒は（十重四十八軽戒）」HQM，「この十重戒と四十八軽戒は（是十重戒四十八軽戒）」F→「この十重四十八軽戒は（此十重四十八軽戒）」JK2Ta。☆語法の統一。

我は今，この〔菩提〕樹の下で七仏の法戒をあらまし説き示した。汝らは一心に〔菩薩の〕波羅提木叉を修学し，喜びをもって修行に勤しめ。〔詳細は〕すでに「無相天王品」の勧学〔という節〕で逐一説き明かした通りである。

その時坐して耳を傾けていた三千世界の学び手たち①は，仏が自ら〔戒を〕誦えるのを聴いて，各自の心にそれをありがたく受け止め，歓喜雀躍して〔教えを〕受けとめた。

①「三千世界の学び手たち（三千学）」最古形→「三千世界の修学者たち（三千学者）」ＰＳ等。

その時，釈迦牟尼仏は，以上の蓮華台蔵世界の盧舎那仏〔によって説示された〕「心地法門品」の中の「十無尽戒法品①」を説き終わり，千百億の〔化仏の〕釈迦たちも同様に説いた。〔かくして〕摩醯首羅天王宮からこの菩提樹までの十箇所でこの〔十無尽戒〕法品を説き，一切の菩薩と言い表せないほど多くの聴衆のために〔この教えを〕受け保ち，読誦し，その意味を解説することもまた同様であった。

①「十無尽戒法品」は「十無尽戒蔵品」と同じ。今ここに説かれる梵網十重四十八軽戒の章のこと。

千百億世界と〔根本の〕蓮華蔵世界，そして無数世界の一切仏の心蔵，地蔵，戒蔵，無量行願蔵，因果仏性常住蔵，如如一切仏の説く無量一切法蔵が完了し，千百億世界にいる一切の衆生がそれを受けとり，喜びをもって修行に勤しんだ。心地の一々の詳しい特徴の説明は〔本経の〕「仏華光王品①」に説く通りである。

①「仏華光王品」最古形→「仏花光王品」ＦＫ2→「仏花光王七行品」Ｋ1ＪTa，「仏華光王七行品」Ｍ。☆語の補足。

聡き者は忍耐と智慧が強く，この教えを心に保持して，仏の悟りを完成するまで五種の功徳①を身につける。

一，十方諸仏が憐愍をかけて常に守護してくれる。二，命果てる時，正見を得て心に喜びを感ずる。

三，転生の度にその地で清らかな菩薩の友人となる。四，功徳の集まり②として，戒の完成③がすべて実現する。

五，今世以後，性戒④と福徳の智慧に満ちあふれる。これは仏の領域であると⑤，智者はよく思念せよ。

我⑥を妄想し見かけの姿に拘れば，仏法を信じるなどできぬ。滅尽定⑦の実体験も種子を植えるべき素地ではない。

菩提の苗を育て上げ，輝く光で世間を観照したいなら，諸存在の真実ありのままを静かに観察すべし。

不生にして不滅⑧，不常にして不断，不一かつ不異，不去かつ不来，〔これが存在の真相である〕。

かくして一心の中に手段を講じて謹んで〔心を〕相応に飾り，菩薩にふさわしい所作を順に学修すべし。

学にも無学にも⑨思い計らう心を起こしてはならぬ。これを最上の修行道と言い，マハーヤーナ（大乗）と呼ぶ。

すべての言葉の悪しき虚構は，皆ここから消失し，諸仏一切智者もここから現れ出る。

故に諸仏子よ，大勇猛心を起こし，清らかな仏戒をば，護り保つがよい。輝ける宝石のように。

過去の諸菩薩はこの〔戒法の〕中で学んだ。未来〔の菩薩〕も学ぶであろう。現在〔の菩薩〕も今学んでいる。

これは仏の領域，聖主（仏）の讃えるところである。我は⑩〔仏に〕従って説いてきた。計り知れなぬ福徳をば，
今や転じて衆生に施し，皆で一切智の仏を目指そう。願わくはこの教えの聴者が疾く仏道を成ぜんことを。

①以下列挙される五種は曇無讖訳『菩薩地持経』に基づく表現。第四章[94]参照。②原語「功徳聚」は『菩薩地持経』に基づき，そのサンスクリット原語は aparimāṇaḥ puṇya-skandha（無量の，福徳の集まり）。③「戒の完成」の原語は「戒度」。「戒波羅蜜」と同義。④「性戒」は『菩薩地持経』に基づき，そのサンスクリット原語は prakṛti-śīla（本性としての〔根本的な〕戒）。⑤「これが諸仏子たるものである（此是諸仏子）」FHPS→「これが仏の種子である（此為仏種子）」T→「これは仏の領域である（此是仏行処）」JK2等。☆内容の改変。⑥「我」はアートマン，すなわちインド伝統宗教の認める恒常不変の人格主体。仏教はこれを否定し，無我の立場をとる。⑦原語の「滅尽」は仏教用語の「滅尽定」。アビダルマ仏教において滅尽定は，心のはたらきをすべて完全に止滅し尽くした精神集中を指し，確かに修行の高い境地ではあるが，悟りにほど遠く，似て非なる精神状態である。⑧「不生亦不滅」以下の四句は鳩摩羅什訳『中論』冒頭の偈をほとんどそのまま採用したもの。第四章[97]参照。⑨「学」はまだ学修すべき事柄を残している修行者，またその修行段階のこと。「無

学」はもはや学ぶべき事柄のない修行者で阿羅漢のこと。またその境地のこと。⑩ここで「聖主」と区別される「我」は仏ではなく，漢訳者と伝承される鳩摩羅什を指すという注釈者の説については，第四章［100］下段を見よ。

梵網経心地品①

①尾題の最古形は確定し難い。第二章校勘に示したように，諸本の尾題は異なる。留意すべきは（一）経名のみを示すかどうか，（二）経名と共に「菩薩心地品」または「菩薩心地戒品」という品名（章名）をも示すかどうか，（三）盧舎那仏に言及する表現を含むかどうか，（四）品名と共に「第十」という章番号を含むどうか，（五）本経は独立の「一巻」本か上下二巻の「下巻」として扱われるかの五点である。本訳では尾題を「梵網経心地品」としておくが，古写本のうちN（中村不折旧蔵本）の尾題は「梵網経心地品第十下巻」である。経名と品名の問題については第六章第一節参照。

第四章　『梵網経』下巻の素材と注解

前章に示した『梵網経』諸本のうち，本章では《一、**最古形**（**批判校訂版**）》の経文を取り上げ，『梵網経』下巻が中国で作成された際に素材として暗黙裏に用いられたと推定される文言を同定する。また，経文が後代に与えた影響と考えられるそれら注釈もあわせて考察する。経文の中には意味を取りにくいものや，注釈家が興味深い解説をする箇所があるので，それらもあわせて引用する。

以下に上下の二欄に分けた表を示す。上段は，『梵網経』最古形（批判校訂版）の引用であり，全文を順に示す。他文献との比較を容易ならしむるため，段落を細かく区切り，それぞれ[1]~[101]の番号を付す。参照の便を考慮して経文の箇所を大正蔵二四巻の頁と段を補う。例えば「〔一〇〇四上〕」は大正二四巻一〇〇四頁上段を示す。ただし経文それ自体は大正蔵でなく批判校訂版の経文である。

下段の欄は，他の文献の引用である。【素材】は『梵網経』の経文の素材と同定し得る文言を示し，逐語的に一致する箇所に傍線を付す。さらに該当する経典の文言が梵網経に特有である場合は二重傍線を付す。〔影響〕は，経文が後代に及ぼした影響を含む箇所の引用である。〔解説〕は当該経文の注釈のうち，内容理解に資する注釈の引用である。〔參考〕は以上の三種に含まれないが，経文と何らかの関係（間接的な影響など）があると考えられる箇所を示す。

下段の引用においては，煩を避けるため，巻数の表記を例外的に省略する。

	『梵網経』最古形　本文	【素材】〔影響〕〔解説〕〔引用〕
[1]	爾時盧舎那仏，為此大衆，略開百千恒河沙不可説法門中心地，如毛頭許。〔大正蔵本二四・一〇〇三中〕	〔解説〕智顗『菩薩戒義疏』 品言「心地」者，菩薩律儀遍防三業。心、意、識，体一異名。三業之中，意業為主，身、口居次。拠勝為論，故言「心地」也。（四〇・五六三上） 〔解説〕『同』 品名「菩薩心地」者，亦是譬名。品内所明，大士要用，如人身之有「心」，能総万事。能生勝果，為大士所依，義言如「地」也。（四〇・五六九上）
[2]	是過去一切仏已説，未来仏当説，現在仏今説。三世菩薩已学、当学、今学。〔一〇〇三中〕	【素材】曇無讖訳『菩薩地持経』 此諸戒是過去、未来、現在一切菩薩所住戒。過去一切菩薩已学，未来一切菩薩当学，現在一切菩薩今学。（三〇・九一二下）
[3]	我已百劫修行是心地，号吾為盧舎那。汝諸仏，転我所説，与一切衆生開心地道。〔一〇〇三中〕	〔影響〕偽経『大乗瑜伽金剛性海曼殊室利千臂千鉢大教王経』（不空訳） 爾時毘盧遮那仏言，「則為説如是過去三世一切諸仏、一切菩薩已学、当学、今学。是故一切菩薩大衆，汝当善思修行。我已百千阿僧祇劫修持是心，入仏三摩地秘密金剛三密法蔵，得成菩提仏果。以之為因，初捨凡夫，立為成等正覚，号吾為毘盧遮那，与一切諸仏、菩薩，立為

		根本」。（二〇・七五八上～中） 【影響】『同』 是時蓮華台蔵金剛座上毘盧遮那如来告言語，「釈迦牟尼世尊，吾与広答千釈迦及化千百億釈迦，作菩薩時，修行心地。汝所先問一切金剛聖智菩提聖性種子。往昔従因地之時，一切菩薩摩訶薩修入成仏，従幾劫来，我与一切有情衆生，開心地法門，入金剛慧智菩提道。以聖力聖智聖性，加持一切修学菩薩，一切衆生心地自性聖智，速達本源自性清浄法身智身。（二〇・七五八中）
［4］	時蓮華台蔵世界赫赫天光師子座上，盧舎那仏放光光，告千華上仏，持我「心地法門品」而去。復転為千百億釈迦一切衆生，次第説我上「心地法門品」。汝等受持読誦，一心而行。〔一〇〇三中〕	【素材】偽経『仁王般若経』（鳩摩羅什訳） 汝当受持読誦，解其義理。（八・八三二中） 【素材】竺法護訳『賢劫経』 若有菩薩，至欲速成無上正真之道，為最正覚，当勤精進学斯三昧定意，受持諷誦，一心奉行，為他人説広解其義。（一四・六四中） 【素材】竺法護訳『度世品経』 ……，当至心聴『度世法品』，受持諷誦，一心思惟，修道目門，奉遵所願。（一〇・六五三中）
	爾時千華上仏千百億釈迦，従蓮華蔵世界赫赫師子	〔解説〕智顗『菩薩戒義疏』 世界形相似蓮華故，云「蓮華蔵」。（四〇・五七〇上）

『梵網経』最古形　本文

【素材】〔影響〕〔解説〕〔引用〕

[5]

座起，各各辞退，挙身放不可思議光，光皆化無量仏，一時以無量青黄赤白華，供養盧舎那仏，受持上説「心地法門品」竟，各各従此蓮華蔵世界而没。没已，入体性虚空華光三昧，還本原世界閻浮提菩提樹下，従体性虚空華光三昧出。出已，方坐金剛千光王座，及妙光堂，説十世界海。復従座起，至帝釈宮，説十住。復従座起，至炎天中，説十行。復従座起，至第四天中，説十迴向。復従座起，至化楽天，説十禅定。復従座起，至他化天，説十地。復至一禅中，説十金剛。復至二禅中，説十忍。復至三禅中，説十願。復至四禅中摩醯首羅天王宮，説我本原蓮華蔵世界盧舎那仏所説「心地法門品」。其余千百億釈迦亦復如是，無二無別，如「賢劫品」中説。〔一〇〇三中～下〕

【素材】仏駄跋陀羅訳『華厳経』

仏在摩竭提国寂滅道場，初始得仏普光法堂，坐蓮華蔵師子座上，善覚智，無二念，了達法性，住仏所住，等諸如来，至無礙趣，具不退法無壊境界，住不思議，等達三世，与十仏国土微塵数等大菩薩倶。尽一生補処悉従他方世界来集。……諸菩薩咸作是念，「唯願世尊，哀愍我等，随所志楽，示現仏刹，示仏所住，示仏国荘厳，示諸仏法，示仏土清浄，示仏所説法，示仏刹体，示仏功徳勢力，示随仏刹起，示成正覚，開示十方一切如来所可分別菩薩十住、十行、十迴向、十蔵、十地、十願、十定、十自在、十頂，菩薩随喜心，不断如来性，救衆生滅煩悩，知衆行解諸法，離垢穢抜衆難，決疑網竭愛欲。……」（九・四一八上～中）

【素材】『同』

如此四天下須弥山頂妙勝殿上，威神変化，説十住法。

（九・四四六中）

【素材】『同』

如此四天下夜摩天宮，説十行法。（九・四七二中）

【素材】『同』

如此世界四天下他化自在天王宮，説十地。（九・五七五下）

［解説］智顗『菩薩戒義疏』

有千釈迦与千百億釈迦，各接有縁，皆至舎那所，受菩薩戒蔵。然後各坐道場，示成正覚，覆述説法，凡有十処。一、在妙光堂，説十世界海。二、在帝釈宮，説十住。三、在夜摩宮，説十行。四、在兜率陀天，説十迴向。五、在化楽天，説十禅定。六、在他化天，説十地。七、在初禅，説十金剛。八、在二禅，説十忍。九、在三禅，説十願。十、在四禅，説心地品。（四〇・五六九中）

［解説］義寂『菩薩戒本疏』

「光光」者，所放光明有多重也。（四〇・六六三上）

［影響］偽経『菩薩瓔珞本業経』（竺仏念訳）

仏子，我本初得道時，在此樹間，説十世界海法門。有九十億人亦入此六入明門。復至普光堂，説十仏国土。有百万億人入此六入明門。復至帝釈堂，説十住。有五百万人入此六入明門。復至焔宝堂，説十行。有千万人入此六入明門。復至第四天法光堂，説十迴向。有十恒河沙人入此六入明門。復至第六摩尼堂，説十地。有百万恒河沙人入此六入明門。復至祇洹林，説「入法界

	『梵網経』最古形　本文	【素材】〔影響〕〔解説〕〔引用〕
〔6〕	爾時釈迦，従初現蓮華蔵世界，東方来入天宮中，説『魔受化経』已，下生南閻浮提迦夷羅国。母名摩耶，父字白浄。吾名悉達，七歳出家，三十成道。号吾為釈迦牟尼仏，於寂滅道場，坐金剛華光王座，乃至摩醯首羅天王宮，其中次第十住処所説。〔一〇〇三下〕	品」。有十二恒河沙人入此六入明門。今復至此第八会座，為十方無極大衆、敬首菩薩、一切衆，説六入明門。一切大衆受持若一，無二無別。（二四・一〇二二上～中） 〔参考〕支婁迦讖訳『道行般若経』 仏年三十得仏。（八・四七八中） 〔参考〕僧伽跋澄訳『鞞婆沙論』 二十九出家，三十五得道，六年苦行已，食二女乳糜，降魔官属，成無上道。（二八・五二三上） 〔参考〕法雲『法華経義記』 十九出家，三十成道。（三三・五七六上） 〔参考〕『続高僧伝』法上伝 仏以姫周昭王二十四年甲寅歳生，十九出家，三十成道，当穆王二十四年癸未之歳。（五〇・四八五中） 〔参考〕費長房『歴代三宝紀』 十九出家，三十成道，四十九年処世説法，年七十九，於双樹間右脇而臥，入般涅槃。（四九・一一五上） 【素材】仏駄跋陀羅訳『華厳経』 如是我聞。一時仏在摩竭提国寂滅道場，始成正覚。（九・三九五上）

［7］

時仏観諸大梵天王網羅幢，因為説，無量世界猶如網孔，一一世界各各不同，別異無量，仏教門亦復如是。〔一〇〇三下〕

［解説］

［参考］仏駄跋陀羅訳『華厳経』十地品
如因陀羅網差別，如是十方世界差別。（九・五四五下）

［解説］智顗『菩薩戒義疏』
経称「梵網」者，欲明諸仏教法不同，猶如梵王網目。（四〇・五六三上）

［解説］『同』
此経題名「梵網」，上巻文言，「仏観大梵天王因陀羅網千重文綵，不相障閡，為説無量世界猶如網目，一一世界各各不同，諸仏教門亦復如是」。荘厳梵身，無所障閡，従譬立名。総喩一部所証参差不同，如梵王網也。（四〇・五六九上）

与咸『梵網菩薩戒経疏註』（『菩薩戒義疏』注釈）
「因陀羅」者，応云網羅幢因。以帝釈之網在殿，梵王之網在幢，上巻云「幢因」，非因陀羅網也。写者之誤。此由梵王既到仏所，仏因観見網目分明，不相障礙，故可為喩，諸仏世界各各不同，互融互摂，即之立名也。又「梵」者，浄也。以此浄網向生死海，摝人天魚，可済彼岸，因之立名，意在此也。弁諸梵天，非今文意。（続蔵一、五九、三、二六〇表上～下）

『梵網経』最古形　本文	【素材】〔影響〕〔解説〕〔引用〕
	〔解説〕義寂『菩薩戒本疏』 「梵網」，謂梵王網，如因陀羅網。其義相似仏観法門，随機無量，其理一統，如梵王網，孔雖無量，其網唯一，故従喩事名「梵網」也。此是一部通名。若就戒本釈梵網者，如梵王網孔多網一，法王戒法当知亦爾。雖復随事軽重多条，清浄尸羅終帰一道。是故従喩名曰「梵網」。又戒為梵行，亦是法網，故云「梵網」。（四〇・六六〇下） 〔解説〕法蔵『梵網経菩薩戒本疏』 上巻経云，「時仏観諸大梵王網羅幢，因為説無量世界猶如網孔，各各不同，別異無量，仏教門亦復如是」。解云。……故云「世界猶如網孔」。此即梵之網，依主釈〔*Skt.* tatpuruṣa〕。亦是有財釈〔*Skt.* bahuvrīhi〕，以倶是喩故。問，此中『梵網』与『華厳』中因陀羅網何別。答，彼是帝釈網，此是梵王網。彼網在殿，此網在幢。喩意亦別。彼取宝珠成網，互相影現，弁重重無尽。此取網孔差別不同義，故為異也。（四〇・六〇四中～下） 〔解説〕伝奥『梵網経記』 「梵網」両字是諭（喩）也。「梵」謂梵王，具云梵覧摩

吾今来此世界八千反，為此娑婆世界，坐金剛座，	
【素材】 曇無讖訳『大般涅槃経』 我身即有仏性種子。（一二・四一〇下）	[brahma]，此云極浄，離欲穢悪，得極浄名。「網」，即彼天之幢網。以彼持此，至仏会中，供養聴法，時仏見之，因取為諭。（続蔵一、五九、五、四三一裏下～四三二表上） [解説] 明曠『天台菩薩戒疏』 題云「梵網経盧舎那仏説菩薩心地十重四十八軽戒品第十」者。「梵」，則従人当体離染為名。「網」，就喩彰功能立号。意明諸仏対機設教，薬病多端，如大梵王因陀羅網，故云「梵網」。……「第十」者，案羅什法師所述法相，出自『梵網経』律蔵品。『梵網』大本一百五十二巻六十一品。唯第九品竟，明菩薩心地軽重律儀、階位差別。一品両巻。是彼之一。故云「第十」。総而言之，「梵網経盧舎那仏説菩薩心地十重四十八軽戒品第十」（四〇・五八〇中～下） [参考] 慧琳『一切経音義』 因陀羅網〈因陀羅者，此云帝也。帝謂帝釈。網謂帝釈大衙殿上結珠之網。其網孔相望，更為中表逓相圍遶之作，主伴同時成就囲繞相応也〉（五四・四五一上）

	『梵網経』最古形　本文	【素材】【影響】【解説】【引用】
[8]	乃至摩醯首羅天王宮，為是中一切大衆，略開心地竟，復従天王宮下，至閻浮提菩提樹下，為此地上一切衆生、凡夫、癡闇之人，説本盧舎那仏心地中初発心中常所誦一戒光明。金剛宝戒是一切仏本原，一切菩薩本原，仏性種子。〔一〇〇三下〕	
[9]	一切衆生，皆有仏性。一切意識色心，是情是心，皆入仏性戒中，当当当有因故，有当当常住法身。如是十波羅提木叉，出於世界。是法戒是三世一切衆生頂戴受持。〔一〇〇三下〕	【素材】曇無讖訳『大般涅槃経』 一切衆生，皆有仏性。（一二・四〇四下，四一三下，四一九上） 【素材】『同』 一切衆生，悉有仏性。（一二・四〇二下等，用例多数） 〔解説〕伝奥『梵網経記』 「当」即当来，当来不一，故曰「当当」。「常有因」者，即菩薩戒也。謂初心堅確，有始有畢，故世世有因，「当当常住法身」者，戒之果也。……「出於世界」者，舎那誦出，伝於釈迦，釈迦奉教，流於人代。故「是法戒」者，戒有軌則，戒即是法，法能防非，法即是戒。 （続蔵一、五九、五、四三六裏下）
[10]	吾今当為此大衆，重説「十無尽蔵戒品」，一切衆	【素材】仏駄跋陀羅訳『華厳経』菩薩十無尽蔵品 菩薩摩訶薩有十種蔵，三世諸仏之所演説。何等為十。

生戒本原，自性清浄。〔一〇〇三下〕

信蔵、戒蔵、慚蔵、愧蔵、聞蔵、施蔵、慧蔵、正念蔵、持蔵、弁蔵，是為十。（九・四七四下～四七五上）

【影響】『菩薩瓔珞本業経』（竺仏念訳）

如是悔過已，三業清浄如浄瑠璃内外明照，即与授十無尽戒。（二四・一〇二〇下）

【影響】『同』

仏子，受十無尽戒已，其受者過度四魔，越三界悪。（二四・一〇二一中）

【素材】曇無讖訳『大般涅槃経』

菩薩摩訶薩清浄戒者，戒非戒故，非為有故，定畢竟故，為衆生故，是名菩薩戒清浄也。（一二・四六七上）

【素材？】求那跋陀羅訳『勝鬘経』

如来蔵者，是法界蔵，法身蔵，出世間上上蔵，自性清浄蔵。此性清浄如来蔵而客塵煩悩、上煩悩所染，不思議如来境界。（一二・二二二中）

［11］

我今盧舎那，方坐蓮華台，周帀千華上，復現千釈迦。一華百億国，一国一釈迦，各坐菩提樹，一時成仏道。如是千百億，盧舎那本身，千百億釈迦，各接微塵衆。〔一〇〇三下～一〇〇四上〕

【素材】偽経『仁王般若経』（鳩摩羅什訳）

爾時月光心念口言，見釈迦牟尼仏現無量神力，亦見千華台上宝満仏，是一切仏化身主，復見千華葉世界上仏，其中諸仏各各説『般若波羅蜜』，……。（八・八三一上）

【影響】偽経『大乗瑜伽金剛性海曼殊室利千臂千鉢大教

『梵網経』最古形　本文

【素材】〔影響〕〔解説〕〔引用〕

王経』（不空訳）

是時世尊告海月光大明慧菩薩摩訶薩，「汝当為十大士菩薩摩訶薩為於上首，同令運度一切衆生。入毘盧遮那如来体性法界海。如来於法界性海中，現百宝蓮華台蔵世界。其台座上，周遍有千葉。一葉一世界，為千世界。我化為千釈迦，拠千世界。復就一葉世界，復有百億須弥山、百億日月、百億四天下、百億南閻浮提、百億菩薩釈迦座，仏在蓮華蔵世界宝座上，坐宝蓮華」。爾時釈迦如来，共海月光大明慧十大士菩薩，同共証入毘盧遮那蓮華海蔵法界体性三昧，復令千百億世界中微塵微塵数阿僧祇殑伽沙衆生達証真，如法性三摩地仏性海中，如来令聖力加被増益一切衆生。根本自体，聖性聖慧，用入三摩地般若聖慧加持，速疾証得無上正等菩提。（三〇・七五四中～下）

〔引用〕吉蔵『華厳遊意』

故『菩薩戒経』云，「我今盧舎那，方坐蓮華台，周匝千華上，示現千釈迦。一華百億国，一国一釈迦。如是百億国，有千百億釈迦」。華有千葉，一葉一釈迦，故有千釈迦。一華有百億国，一国一釈迦故，有千百億釈迦

		也」。（三五・四下） ［解説］義寂『菩薩戒本疏』 「億」者，即是倶胝［koṭi］数也。百倶胝国為三千界。十百為千。十千為万。十万為落叉［lakṣa］。十落叉為一度洛叉［atilakṣa］。十度洛叉為一倶胝［koṭi］。（四〇・六六一中） ［解説］袾宏『梵網菩薩戒経義疏発隠』 「千百億」者，西域億有四種，十万、百万、千万、万万。今「千百億」謂千華上百億，取千万為億。（続蔵一、五九、四、三四五表下）
［12］	倶来至我所，聴我誦仏戒。甘露門則開。是時千百億，〔一〇〇四上〕	【素材】『大般涅槃経』 仏言。梵王，諦聴諦聴，我今当為一切衆生開甘露門。（一二・五二八中）
［13］	還至本道場，各坐菩提樹，誦我本師戒，十重四十八。〔一〇〇四上〕	
［14］	戒如明日月，亦如瓔珞珠。微塵菩薩衆，由是成正覚。〔一〇〇四上〕	
［15］	是盧舎那誦，我亦如是誦。汝新学菩薩，頂戴受持戒。〔一〇〇四上〕	

	『梵網経』最古形　本文	【素材】〔影響〕〔解説〕〔引用〕
[16]	受持是戒已，転授諸衆生。諦聴我正誦，仏法中戒蔵。〔一〇〇四上〕	【素材】仏駄跋陀羅訳『華厳経』 菩薩摩訶薩有十種蔵，三世諸仏之所演説。何等為十。信蔵、戒蔵、慚蔵、愧蔵、聞蔵、施蔵、慧蔵、正念蔵、持蔵、弁蔵，是為十。……（九・四七四下～四七五上）
[17]	波羅提木叉，大衆心諦信。汝是当成仏，我是已成仏。〔一〇〇四上〕	
[18]	常作如是信，戒品已具足，一切有心者，皆応摂仏戒。〔一〇〇四上〕	
[19]	衆生受仏戒，即入諸仏位。位同大覚已，真是諸仏子。大衆皆恭敬，至心聴我誦。〔一〇〇四上〕	
[20]	爾時釈迦牟尼仏，初坐菩提樹下，成無上覚，初結菩薩波羅提木叉，孝順父母、師僧、三宝，孝順至道之法。孝名為戒，亦名制止。〔一〇〇四上〕	【素材】『那先比丘経』 誠信、孝順、精進、念善一心、智慧，是為善事。（三二・六九七上，七七七中） 【素材】『長阿含経』 知有孝順父母，敬順沙門、婆羅門，宗事長老。（一・一三四中） 孝順父母，敬事師長。（一・一三四中） 〔参考〕『孝経』

［21］

即口放無量光明。是時百万億大衆、諸菩薩、十八梵、六欲天子、十六大国王合掌，至心聴仏誦一切仏大戒。（一〇〇四上）

夫孝，徳之本也，教之所由生也。
〔影響〕偽経『大乗瑜伽金剛性海曼殊室利千臂千鉢大教王経』（不空訳）
……是名持十重大戒正性。亦是菩薩持十無尽戒，体性制止八倒。（二〇・七六〇下）
［参考］『梵網経』上巻
若仏子，戒心者，非非戒，無受者。十善戒，無師説法，欺盗乃至邪見無集者。慈良清直，正実正見捨喜等，是十戒体性，制止八倒。（二四・九九八上）

【素材】偽経『仁王般若経』（鳩摩羅什訳）
時無色界雨無量変大香華香，如車輪華，如須弥山王，如雲而下，十八梵天王雨百変異色華，六欲諸天雨無量色華，其仏座前，自然生九百万億劫華。（八・八二五中）
【素材】『同』
時波斯匿王，即以神力作八万種音楽，十八梵、六欲諸天，亦作八万種音楽，声動三千，乃至十方恒河沙仏土，有縁斯現。（八・八二五中～下）
【素材】『同』
時諸衆中，有十億同名虚空蔵海菩薩，歓喜法楽，各各散華，於虚空中，変成無量華，台上有無量大衆，説十

『梵網経』最古形　本文	【素材】『影響』［解説］［引用］
	四正行。十八梵、六欲天王，亦散宝華，各坐虚空台上，説十四正行，受持読誦，解其義理。無量諸鬼神，現身修行般若波羅蜜。（八・八二八中） 【素材】『同』 爾時釈迦牟尼仏説般若波羅蜜。時衆中五百億人得入初地。復有六欲諸天子八十万人，得性空地。復有十八梵王得無生忍，得無生法楽忍。（八・八三〇下） 【素材】『同』 是故，大王捨凡夫身，入六住身，捨七報身，入八法身，証一切行般若波羅蜜。十八梵天、阿須輪王，得三乗観同無生境。（八・八三三上～中） 【素材】『同』 爾時十六大国王，聞仏七誡所説未来世事，悲啼涕出，声動三千。日月五星二十八宿失光不現。時諸王等各各至心受持仏語，不制四部弟子出家行道，当如仏教。爾時，大衆十八梵天王、六欲諸天子歎言，当爾之時，世間空虚，是無仏世。爾時無量大衆中百億菩薩，弥勒、師子月等，百億舎利弗、須菩提等，五百億十八梵王、六欲諸天，三界六道、阿須輪王等，聞仏所説，護仏果

因縁，護国土因縁，歓喜無量，為仏作礼，受持般若波羅蜜。（八・八三三下〜八三四上）

【素材】『同』

大王，吾今三宝付囑汝等一切諸王——憍薩羅国、舎衛国、摩竭提国、波羅㮈国、迦夷羅衛国、鳩尸那国、鳩睒弥国、鳩留国、罽賓国、弥提国、伽羅乾国、乾陀衛国、沙陀国、僧伽陀国、揵拏掘闍国、波提国。如是一切諸国王等，皆応受持『般若波羅蜜』。（八・八三三上）

［参考］『分別功徳論』

欲界六天中，波旬以為最。色界十八天，浄居以為最。（二五・四〇下）

［参考］隋・浄影寺慧遠『大乗義章』

色界天者，経論不同。若依『雑心』『地持論』等，有十八天。……若依『華厳』，色界具有二十二天。（四四・六二七下）

［参考］唐・般若訳『大乗本生心地観経』

色界諸天十八梵王。（三・二九三中〜下）

［解説］智顗『菩薩戒義疏』

「十六国」者，名出『長阿含』。一史伽。二摩竭提。三迦尸。四拘薩羅。五跋祇。六末羅。七支提。八跋沙。九尼樓。十槃闍羅。十一阿湿波。十二婆蹉。十三蘇羅。

【素材】〔影響〕〔解説〕〔引用〕

十四乾陀羅。十五剣浮沙。十六阿槃提。西土諸国甚多，略挙此耳。（四〇・五七〇下～五七一上）

〔解説〕吉蔵『仁王般若経疏』
言「十八梵」者，初禅有三，謂一梵衆，二梵輔，三大梵。二禅有三。一小光，二無量光，三光音。三禅有三。一小浄，二遍浄，三無量浄。第四禅有九。一福生，二福愛，三広果。此三天，凡聖共住。四無想天。唯外道凡夫住。五無煩，六無熱，七善現，八善可見，九色究竟。此五唯那含等聖人住。唯第四禅有色地，故云十八梵，不説無色界。（三三・三三七中～下）

〔参考〕遁倫『瑜伽論記』
「十八梵」，如『大般若』説。初禅中有四。一梵衆天，二大梵天，三梵輔天，四梵天。二禅中有四。一少光天，二無量光天，三音天，四光天。三禅中有四。一少淨天，二無量淨天，三遍淨天，四淨天。四禅中有六。一福生天，二福愛天，三広果天，四清浄天，五自在天，六大自在天。（四二・五三六下）

〔参考〕僧伽提婆・慧遠訳『阿毘曇心論』
六欲天，四王天、三十三天、炎摩、兜師哆、化楽、他

化自在。（二八・八二六中）

［22］

仏告諸菩薩言，我今半月半月，自誦諸仏法戒。汝等一切発心菩薩亦誦，乃至十発趣、十長養、十金剛、十地諸菩薩亦誦。是故戒光従口出，有縁非無因故。光光非青黄赤白黒，非色非心，非有非無，非因果法。諸仏之本原，行菩薩之根本，是大衆諸仏子之根本。是故大衆諸仏子応受持，応誦善学。〔一〇〇四上～中〕

【素材】 偽経『仁王般若経』（鳩摩羅什訳）

善男子，初発想信，恒河沙衆生修行伏忍，於三宝中生習種性十心。信心、精進心、念心、慧心、定心、施心、戒心、護心、願心、迴向心。是為菩薩能少分化衆生，已超過二乗一切善地。一切諸仏菩薩長養十心為聖胎也。（八・八二六中。望月一九四六・四五一）

［参考］『梵網経』上巻

諸仏当知。堅信忍中，十発趣心向果。一捨心，二戒心，三忍心，四進心，五定心，六慧心，七願心，八護心，九喜心，十頂心。

諸仏当知。従是十発趣心入堅法忍中，十長養心向果。一慈心，二悲心，三喜心，四捨心，五施心，六好語心，七益心，八同心，九定心，十慧心。

諸仏当知。従是十長養心入堅修忍中，十金剛心向果。一信心，二念心，三迴向心，四達心，五直心，六不退心，七大乗心，八無相心，九慧心，十不壊心。

諸仏当知。従是十金剛心，入堅聖忍中十地向果。一体性平等地，二体性善慧地，三体性光明地，四体性爾焔地，五体性慧照地，六体性華光地，七体性満足地，八

『梵網経』最古形　本文

【素材】〔影響〕〔解説〕〔引用〕

体性仏吼地，九体性華厳地，十体性入仏界地。是四十法門品，我先為菩薩時修入仏果之根原。如是一切衆生，入発趣、長養、金剛、十地，証当成果，無為無相大満常住，十力十八不共行，法身智身満足。

〔影響〕『菩薩瓔珞本業経』（竺仏念訳）
時諸大衆各各受持読誦，解其義味，還本土，説菩薩之本行、諸仏之本業，受持已竟。（二四・一〇二二中）

〔影響〕『同』
初発心出家欲紹菩薩位者，当先受正法戒。戒者是一切行功徳蔵根本，正向仏果道一切行本。是戒能除一切大悪，所謂七見、六著，正法明鏡。（二四・一〇二〇中）

〔23〕

仏子，諦聴，若受仏戒者，国王、王子、百官、宰相、比丘、比丘尼、十八梵、六欲天、庶民、黄門、婬男、婬女、奴婢、八部、鬼神、金剛神、畜生乃至変化人，但解法師言，尽受得戒，皆名第一清浄者。〔一〇〇四中〕

〔参考〕求那跋陀羅訳『勝鬘経』
言得涅槃者，是仏方便。唯有如来得般涅槃。一切所応断過，皆悉断滅，成就第一清浄。阿羅漢、辟支仏有余過，非第一清浄。（一二・二一九下）

〔影響〕偽経『菩薩瓔珞本業経』（竺仏念訳）
仏子，若一切衆生初入三宝海，以信為本。住在仏家，以戒為本。仏子，始行菩薩，若信男、若信女中，諸根不具、黄門、婬男、婬女、奴婢、変化人受得戒，皆有

心向故。（二四・一〇二〇中）

［解説］凝然『梵網戒本疏日珠鈔』

一者国王。二者王子。三百官。四者宰相。五者比丘。六者比丘尼。七者十八梵。八者六欲天子。九者庶民。十者黄門。十一者婬男。十二者婬女。十三者奴婢。十四者八部。十五者鬼神。十六者金剛神。十七者畜生。十八者変化人。経文如此。（六二・五三中）

［解説］明曠『天台菩薩戒疏』

「八部」者，一天，二龍，三夜叉，四乾闥婆，五阿修羅，六迦樓羅，七緊那羅，八摩睺羅伽。摩睺羅伽頭上有角，余分同人。非人鬼道之中変通勝者，曰「神」。中下之類，名「鬼」。善神之類，金剛密迹，名「金剛神」。雖是大権菩薩示為亦須引実受三聚浄戒，諸天龍等，現身為人，受菩薩戒，名「変化人」。利根畜生解人語者，亦得受戒。（四〇・五八七下）

［参考］『盂蘭盆経』（竺法護訳）

若有比丘、比丘尼、国王、太子、王子、大臣、宰相、三公、百官、万民、庶人行孝慈者，皆応為所生現在父母、過去七世父母，於七月十五日、仏歓喜日、僧自恣日，以百味飲食，安盂蘭盆中，施十方自恣僧，乞願便使現在父母寿命百年，無病，無一切苦悩之患，乃至七

	『梵網経』最古形　本文	【素材】『影響』〔解説〕〔引用〕
		世父母離餓鬼苦，得生天人中福楽無極。（一六・七七九下）
[24]	仏告諸仏子言，有十重波羅提木叉。若受菩薩戒，不誦此戒者，非菩薩，非仏種子。我亦如是誦，一切菩薩已学，一切菩薩当学，一切菩薩今学。我已略説波羅提木叉相貌，応当学，敬心奉持。（一〇〇四中）	〔参考〕曇無讖訳『菩薩地持経』 此諸戒是過去、未来、現在一切菩薩所住戒。過去一切菩薩已学，未来一切菩薩当学，現在一切菩薩今学。（三〇・九一二下）
[25]	〔第一波羅夷〕 仏告仏子，若自殺，教人殺，方便讃歎殺，見作随喜，乃至呪殺，殺業、殺法、殺因、殺縁。乃至一切有命者，不得故殺。是菩薩応起常住慈悲心、孝順心，方便救護，而自恣心快意殺生，是菩薩波羅夷罪。（一〇〇四中）	【素材】求那跋陀羅訳『雑阿含経』 何等為四十法。謂手自殺生，教人令殺，讃歎殺生，見人殺生，心随歓喜，乃至自行邪見，教人令行，讃歎邪見，見行邪見，心随歓喜。是名四十法成就，如鐵槍投水。身壊命終，下生悪趣、泥犁中。（二・二七五下） 【素材】曇摩耶舎『舎利弗阿毘曇論』 何謂四十法，成就堕地獄，速如穳鉾。自殺生，教他殺生，讃歎殺生，見他殺随其歓喜，乃至自邪見，教他邪見，讃歎邪見，見他邪見随其歓喜。是名四十法，成就堕地獄，速如穳鉾。（二八・六五六中） 〔参考〕鳩摩羅什訳『大智度論』

於一切衆生慈心等視，乃至蟻子，亦不奪命。何況殺人。（二五・一九二上）

〔参考〕支謙訳『菩薩本縁経』
若使是人在於陸地為象所困，可得為作方便救護。（三・六七上）

〔参考〕仏駄跋陀羅訳『華厳経』
此菩薩摩訶薩発阿耨多羅三藐三菩提心，起大悲心，救護一切衆生故。値遇仏心，常見仏故。求正法心，無所惜故。……（九・七五一上～中）

〔解説〕智顗『菩薩戒義疏』
「方便殺」者，即殺前方便。所謂束縛繋等。（四〇・五七一下）

〔26〕

〔第二波羅夷〕
若仏子，自盗，教人盗，方便盗，盗業、盗法、盗因、盗縁。呪盗乃至鬼神、有主物、劫賊物，一切財物，一針一草，不得故盗。而菩薩常生仏性孝順慈悲心，常助一切人，生福生楽，而反更盗人物，是菩薩波羅夷罪。〔一〇〇四中〕

〔解説〕智顗『菩薩戒義疏』
先標人謂「若仏子」。（四〇・五七一中）

〔解説〕明曠『天台菩薩戒疏』
初言「若仏子」者，通指之辞，謂発菩提心，受菩薩戒。従仏法生，通名「仏子」。（四〇・五八七下～五八八上）

〔解説〕与咸『梵網菩薩戒経疏註』
一一皆云「若」者，『篇韻』訓汝也，如也。今対告之人，仏欲与之説其戒法，必先提起是人，令其聳聴，当

『梵網経』最古形　本文

【素材】〔影響〕〔解説〕〔引用〕

為汝説，応訓汝也。余之「若」字，如云「若受菩薩戒」等，即応訓如也。（続蔵一、五九、三、二六九裏下）

〔解説〕弘賛『梵網経菩薩戒略疏』

「仏言，若仏子，若自殺教人殺，方便殺，讃歎殺，見作随喜，乃至呪殺」。

「若」是設況之詞。一本無「若」字。即是的指一人非也。（続蔵一、六〇、五、四〇一裏上）

〔参考〕鳩摩羅什訳『十誦律』

仏種種因縁訶不与取，讃歎不盗，乃至一線、一針、一滴油分斉。（二三・一五七上）

〔参考〕鳩摩羅什訳『十住経』

離諸劫盗。資生之物，常自満足，不壊他財。若物属他，他所受用，他所摂者，於是物中，一草一葉，不与不取。何況過者。（一〇・五〇四中）

〔参考〕鳩摩羅什訳『大智度論』

一針一縷不取。何況多物無主。（二五・一九二上）

〔参考〕『薩婆多毘尼毘婆沙』

有主物者，一切有主物，縦使空地有物，地中伏蔵，若是王地，尽属於王。無主物若疑心取，偸蘭遮。若塔中

		得物，若塔外得物，若有鳥死在塔地中，現是仏物，尽供塔用。若物在僧地亦爾。（二三・五一七上）
[27]	〔第三波羅夷〕若仏子，自婬，教人婬，乃至一切女人，不得故婬，婬因、婬業、婬法、婬縁。乃至畜生女、諸天鬼神女，及非道行婬。而菩薩応生孝順心，救度一切衆生，浄法与人，而反更起一切人婬，不択畜生，乃至母、女、姉妹、六親行婬，無慈悲心，是菩薩波羅夷罪。〔一〇〇四中～下〕	〔参考〕鳩摩羅什訳『成実論』 邪婬名，若衆生非妻，与之行婬，是名邪婬。又雖是其妻，於非道行婬，亦名邪婬。（三二・三〇四下）
[28]	〔第四波羅夷〕若仏子，自妄語，教人妄語，方便妄語，妄語因、妄語業、妄語法、妄語縁。乃至不見言見，見言不見，身心妄語。而菩薩常生正語，亦生衆生正語正見，而反更起一切衆生邪語、邪見業，是菩薩波羅夷罪。〔一〇〇四下〕	【素材】鳩摩羅什訳『十誦律』 若比丘不知不見空無過人法，自言我得如是知、如是見，是比丘後時，若問若不問，貪著利養故，不知言知，不見言見，空誑妄語，是比丘波羅夷，不共住。（二三・一二中） 【素材】仏陀什訳『五分律』 若比丘不知不見過人法，聖利満足，自称我如是知、如是見，是見，後時若問若不問，為出罪求清浄故，作是言，我不知言知，不見言見，虚誑妄語，是比丘得波羅夷，不共住。（二二・九中） 【素材】仏駄跋陀羅・法顕訳『摩訶僧祇律』

	『梵網経』最古形　本文	【素材】【影響】【解説】【引用】
		若比丘未知未了，自称得過人法聖知見殊勝，我如是知、如是見，彼於後時，若検挍若不検挍，犯罪欲求清浄故，作如是言，長老我不知言知，不見言見，虚誑不実語，除増上慢，是比丘得波羅夷，不応共住。（二二・二六〇下） 〔解説〕法蔵『梵網経菩薩戒本疏』身妄語者，如『律』中有問，「誰得羅漢果者。起著脱僧伽梨」。有非羅漢，応言著脱，雖不発言，身成妄語。又如『善生経』身作口業者是也。心妄語者，謂虚誑心，亦如上覆見等。（四〇・六二五上）
［29］	〔第五波羅夷〕 若仏子，自酤酒，教人酤酒，酤酒因、酤酒業、酤酒法、酤酒縁。一切酒不得酤，是酒起罪因縁。而菩薩応生一切衆生明達之慧。而反更生衆生顛倒心，是菩薩波羅夷罪。（一〇〇四下）	【素材】曇無讖訳『優婆塞戒経』優婆塞戒，雖為身命，不得酤酒。若破是戒，是人即失優婆塞戒。是人尚不能得煖法，況須陀洹至阿那含。是名破戒優婆塞，臭旃陀羅，垢結優婆塞，是名六重。（二四・一〇四九中） 【素材】『同』善男子，受優婆塞戒，復有五事所不応作。一者，不売生命。二者，不売刀剣。三者，不売毒薬。四者，不得沽酒。五者，不得圧油。如事五事，汝能離不。（二四・

［第六波羅夷］

若仏子，口自説出家、在家菩薩、比丘、比丘尼罪

一〇四八下）

［参考］『薩婆多毘尼毘婆沙』

問曰。五戒優婆塞得販売不。答曰。得聴販売。但不得作五業。一不販売畜生以此為業。……二者不得販売弓箭刀杖以此為業。……三者不得沽酒為業。……四者不得圧油為業。……五者不得作五大色染為業。以多殺虫故。（二三・五〇八下＝偽経『大方便仏報恩経』三・一五九下）

［解説］智顗『菩薩戒義疏』

第五酤酒戒。「酤」即貨貿之名，「酒」是所貨之物。所貨乃多種，酒是無明之薬，令人惽迷。大士之体，与人智慧，以無明薬飲人，非菩薩行。『大論』明酒有三十五失。所以制此，為菩薩十重中摂也。（四〇・五七三上）

［解説］雲公撰、慧琳刪補「大般涅槃経音義」（慧琳『一切経音義』巻二五）

酤酒〈上音固。『広雅』，売酒也。経有作「沽」，俗用。亦水名也，非此義。又音古胡反，買酒也。雖非此義，亦通語也〉。（五四・四六九中）

【素材】曇無讖訳『優婆塞戒経』

優婆塞戒，雖為身命，不得宣説比丘、比丘尼、優婆塞、

	『梵網経』最古形　本文	【素材】【影響】〔解説〕〔引用〕
[30]	過，教人説罪過，罪過因、罪過業、罪過法、罪過縁。而菩薩聞外道悪人及二乗悪人説仏法中非法非律，常生悲心，教化是悪人輩，令生大乗善信。而菩薩反更自説仏法中罪過，是菩薩波羅夷罪。（一〇〇四下）	優婆夷所有過罪。若破是戒，是人即失優婆塞戒。是人尚不能得煖法，況須陀洹至阿那含。是名破戒優婆塞，臭旃陀羅，垢結優婆塞，是名五重。（二四・一〇四九中） 〔影響〕偽経『菩薩瓔珞本業経』（竺仏念訳） 仏子，従今身至仏身，尽未来際，於其中間，不得故説在家、出家菩薩罪過。若有犯，非菩薩行，失四十二賢聖法。不得犯。能持不。其受者答言能。（二四・一〇二一上）
[31]	〔第七波羅夷〕 若仏子，口自讃毀他，亦教人自讃毀他，毀他因、毀他業、毀他法、毀他縁。而菩薩代一切衆生，受加毀辱，悪事自向己，好事与他人。若自揚己徳，隠他人好事，他人受毀者，是菩薩波羅夷罪。（一〇〇四下）	【素材】曇無讖訳『菩薩地持経』 菩薩為貪利故，自歎己徳，毀呰他人，是名第一波羅夷法。（三〇・九一三中） 〔参考〕求那跋摩訳『菩薩善戒経』 菩薩若為貪利養故，自讃其身，得菩薩戒，住菩薩地，是名菩薩第五重法。（三〇・一〇一五上） 【素材】曇無讖訳『大般涅槃経』 若菩薩摩訶薩，不隠他徳，称揚其善。以是業縁，得白毫相。（一二・五三五中） 〔影響〕中国成立『優婆塞五戒威儀経』 若菩薩為利養故，自讃毀他，是名菩薩波羅夷。（二四・

〔32〕

〔第八波羅夷〕
若仏子，自慳，教人慳，慳因、慳業、慳法、慳縁。而菩薩見一切貧窮人来乞者，随前人所須，一切給与。而菩薩悪心、瞋心，乃至不施一銭、一針、一草，有求法者，不為説一句、一偈、一微塵許法，而反更罵辱，是菩薩波羅夷罪。〔一〇〇四下〜一〇〇五上〕

一一一六下）。

〔影響〕偽経『菩薩瓔珞本業経』（竺仏念訳）
仏子，従今身至仏身，尽未来際，於其中間，不得故自讃毀他。若有犯，非菩薩行，失四十二賢聖法，不得犯。能持不。其受者答言能。（二四・一〇二一上）

〔参考〕元暁『菩薩戒本持犯要記』
次第二明持犯浅深者，乗前所説讃毀之戒，以顕持犯浅深之相，如『多羅戒本』云，「常代衆生，受加毀辱，悪事自向己，好事与他人。若自讃揚己徳，隠他人好事，令他受毀辱者，是為波羅夷罪」。（四五・九二〇中〔参考〕木村一九八一・四一四）

【素材】曇無讖訳『菩薩地持経』
菩薩自有財物，性慳惜故，貧苦衆生無所依怙来求索者，不起悲心給施所求，有欲聞法，悋惜不説，是名第二波羅夷処法。（三〇・九一三中）

【素材】求那跋摩訳『菩薩善戒経』
若有貧窮受苦悩者，及以病人来従乞索，菩薩貪惜，不施乃至一銭之物，有求法者，悋惜不施乃至一偈，是名菩薩第六重法。（三〇・一〇一五上）

〔影響〕中国成立『優婆塞五戒威儀経』

	『梵網経』最古形　本文	【素材】『影響』〔解説〕〔引用〕
		若菩薩多饒財物，貧苦之人来従乞索，菩薩慳貪，無有慈心。乃至不施一銭之物，有求法者，乃至不為説於一偈，是名菩薩波羅夷。（二四・一一一六下～一一一七上）
[33]	〔第九波羅夷〕 若仏子，自瞋，教人瞋，瞋因、瞋業、瞋法、瞋縁。而菩薩応生一切衆生中善根無諍之事，常生悲心，而反更於一切衆生中，乃至於非衆生中，以悪口罵辱，加以手打，及以刀杖，意猶不息，前人求悔，善言懺謝，猶瞋不解，是菩薩波羅夷罪。〔一〇〇五上〕	**【素材】**曇無讖訳『菩薩地持経』 菩薩瞋恚，出麤悪言，意猶不息，復以手打，或加杖石，残害恐怖，瞋恨増上，犯者求悔，不受其懺，結恨不捨，是名第三波羅夷処法。（三〇・九一三中） **【素材】**求那跋摩訳『菩薩善戒経』 菩薩若瞋，不応加悪，若以手打，或杖或石，悪声罵辱，或時無力不能打罵，心懐瞋忿。若為他人之所打罵，前人求悔，不受其懺，故懐瞋恨増長，不息心不浄者，是名菩薩第七重法。（三〇・一〇一五上） 〔影響〕中国成立『優婆塞五戒威儀経』 若菩薩瞋，於前人悪言罵辱，加以手打，及以杖石，意猶不息，前人求悔善言懺謝，菩薩猶瞋，憒結不解，是名菩薩波羅夷。（二四・一一一七上）
[34]	〔第十波羅夷〕 若仏子，自謗三宝，教人謗三宝，謗因、謗業、謗法、謗縁。而菩薩見外道及以悪人一言謗仏音声，	**【素材】**曇無讖訳『菩薩地持経』 菩薩謗菩薩蔵，説相似法，熾然建立於相似法，若心自解，或従他受，是名第四波羅夷処法。（三〇・九一三中）

如三百鉾刺心，況口自謗，不生信心、孝順心，而反更助悪人、邪見人謗，是菩薩波羅夷罪。（一〇〇五上）

〔参考〕求那跋摩訳『菩薩善戒経』
菩薩若有同師同学，誹謗菩薩方等法蔵，受学頂戴相似非法者，不応共住。若定知已，不得向人讃歎其徳。是名菩薩第八重法。（三〇・一〇一五上）

【素材】『大般涅槃経』
菩薩摩訶薩復作是願。我寧以身受三百鉾，終不敢以毀戒之身受於信心檀越医薬。（一二・四三三中）

〔影響〕中国成立『優婆塞五戒威儀経』
若菩薩自謗菩薩法蔵，若見人謗，善可其言，既自不信，反助他言，若心自解，或従他受，是名菩薩波羅夷」（二四・一一一七上）

〔影響〕偽経『菩薩瓔珞本業経』（竺仏念訳）
仏子，従今身至仏身，尽未来際，於其中間，不得故謗三宝蔵。若有犯，非菩薩行，失四十二賢聖法，不得犯。能持不。其受者答言能。（二四・一〇二一上）

［35］

善学諸人者，是菩薩十波羅提木叉応当学。於中不応一一犯如微塵許，何況具足犯十戒。若有犯者，不得現身発菩提心，亦失国王位、転輪王位，亦失比丘、比丘尼位，失十発趣、十長養、十金剛、十

〔影響〕『優婆塞五戒威儀経』
如是菩薩四波羅夷，菩薩於中不応犯一。何況具犯。若有犯者，不名菩薩，現身不能荘厳菩提，亦復不能令心寂静，是似菩薩，非実菩薩。（二四・一一一七上）

〔影響〕般若訳『大乗本生心地観経』

	『梵網経』最古形　本文	【素材】〔影響〕〔解説〕〔引用〕
	地、仏性常住妙果，一切皆堕三悪道中，二劫、三劫不聞父母、三宝名字。以是不応一一犯。汝等一切諸菩薩今学、当学、已学，〔一〇〇五上〕	随業受報，堕三悪道，不聞父母、三宝名字，喪失善根。以是因縁，応当厭離，発於無上大菩提心。（三・三〇八上）
[36]	是十戒応当学，敬心奉持。「八万威儀品」当広明。〔一〇〇五上〕	〔解説〕智顗『菩薩戒義疏』 「八万」下，第三総指後説，懸指大本後分，「八万威儀品」当説。（四〇・五七四下）
[37]	仏告諸菩薩言，已説十波羅提木叉竟。四十八軽今当説。〔一〇〇五上〕	
[38]	〔第一軽戒〕 若仏子，欲受国王位時、受転輪王位時、百官受位時，応先受菩薩戒。一切鬼神救護王身、百官之身，諸仏歓喜。既得戒已，生孝順心、恭敬心，見上座、和上、阿闍梨、大同学，不起礼拝，一一不如法，供養以自売身、国城、男女、七宝、百物，而供給之，若不爾者，犯軽垢罪。〔一〇〇五上～中〕	【素材】曇無讖訳『優婆塞戒経』 若優婆塞受持戒已，若見比丘、比丘尼、長老、先宿、諸優婆塞、優婆夷等，不起承迎、礼拝、問訊，是優婆塞得失意罪。不起，堕落不浄有作。（二四・一〇四九下） 【素材】求那跋摩訳『菩薩善戒経』 菩薩若見上座、宿徳、同学、同師，生憍慢心及以悪心，不起承迎、礼拝、設座，不共語言、先意問訊，若問所疑，不為解説，是名犯重不名八重。是名菩薩汚心疑心。 （三〇・一〇一五中） 【素材】曇無讖訳『菩薩地持経』

［39］	
〔第二軽戒〕 若仏子，故飲酒，而生酒過失無量。若自身手過酒器，与人飲酒者，五百世無手，何況自飲。不得教一切人飲，及一切衆生飲酒，況自飲酒。若故自飲，教人飲，犯軽垢罪。〔一〇〇五中〕	
【素材】〔第四軽戒〕下『大般涅槃経』参照（望月一九四六・四五九） 〔解説〕智顗『菩薩戒義疏』 有五五百。一五百在醎糟地獄。二五百在沸屎。三五百在曲蛆蟲。四五百在蠅蚋。五五百在癡熟無知虫。今之「五百」，或是最後。（四〇・五七上） 〔解説〕義寂『菩薩戒本疏』	若菩薩見上坐有徳，応敬。同法者憍慢瞋恨，不起恭敬，不譲其坐，問訊請法，悉不酬答，是名為犯衆多犯。是犯，染汚起。（三〇・九一三下。望月一九四六・四五七） 【素材】曇無讖訳『大集経』 若有不能恭敬三宝，不生信心，無有慚愧，於師和尚、耆老、長宿、同師、同学不生恭敬，摧滅聖幢，不修梵行，増長慳貪，楽在居家，不能清浄口四種業，常修食心，遠離法心，楽説世間無益之事，是名比丘初破戒相，未名具足毀禁戒也。（一三・二一五下） 〔影響〕中国成立『優婆塞五戒威儀経』 菩薩見上座、尊長者、宿徳、同師、同学，生憍慢心及瞋悪心，不起承迎、礼拝、避座，設有言語余談，不聴。若有所問，不如実答者，犯重垢罪。（二四・一一一七中）

『梵網経』最古形　本文

【素材】【影響】[解説][引用]

「五百世無手」者，謂手執酒器与故得無手之報也，如蚓虫等類。或生人中，得無手也。有云，「有五五百歳。一五百在鹹糟地獄，二五百在沸尿中，三五百作曲蛆虫，四五百作蠅蜩等，五五百作人癡鈍無知。今言「五百」，或是最後也」。（四〇・六七一下）

[解説] 法蔵『梵網経菩薩戒本疏』

「五百世無手」，杜順禅師『釈』云，「以俱是脚，故云無手，即畜生是」。（四〇・六三六中）

[解説] 与咸『梵網菩薩戒経疏註』

『蔵疏』引杜順『釈』云，「以俱是脚，故云無手，即畜生也」。石壁云，「然亦兼人類，但無手爾」。（続蔵一、五九、四、二九二裏上）

[40]

[第三軽戒]

若仏子，故食肉，一切肉不得食，断大慈悲性種子，一切衆生見而捨去。是故一切菩薩不得食一切衆生肉。食肉得無量罪。若故食，犯軽垢罪。（一〇〇五中）

【素材】[第四軽戒] 下『大般涅槃経』参照（望月一九四六・四五九）

【素材】曇無讖訳『大般涅槃経』

夫食肉者，断大慈種。（一二・三八六上）

【素材】『同』

迦葉，其食肉者，若行、若住、若坐、若臥，一切衆生聞其肉気，悉生恐怖。譬如有人，近師子已，衆人見之，聞師子臭，亦生恐怖。善男子，如人噉蒜，臭穢可悪。余人見之，聞臭捨去。設遠見者，猶不欲視，況当近之。諸食肉者，亦復如是。一切衆生聞其肉気，悉皆恐怖，生畏死想。水陸空行有命之類，悉捨之走。咸言此人，是我等怨。是故菩薩不習食肉。為度衆生，示現食肉，雖現食之，其実不食。（一二・三八六中）

［参考］法顕訳『大般泥洹経』

其食肉者，若行住坐臥，一切衆生見皆怖畏，聞其殺気，如人食興蕖及蒜。若入衆会，悉皆憎悪。其食肉者，亦復如是。一切衆生聞其殺気，恐怖畏死。水陸空行有命之類，見皆馳走。是故菩薩未曽食肉。為化衆生，随時現食，其実不食。（一二・八六九上）

［参考］求那跋陀羅訳『央掘魔羅経』

文殊師利白仏言。世尊，因如来蔵故，諸仏不食肉耶。仏言，如是。一切衆生，無始生死，生生輪転，無非父母兄弟姉妹，猶如伎児変易無常。自肉他肉，則是一肉。是故諸仏悉不食肉。復次文殊師利，一切衆生界我界，即是一界。所宅之肉，即是一肉。是故諸仏悉不食肉。（二・五四〇下）

［参考］求那跋陀羅訳『楞伽阿跋多羅宝経』

有無量因縁，不応食肉。然我今当為汝略説。謂一切衆

『梵網経』最古形　本文		[41]
		〔第四軽戒〕 若仏子，不得食五辛。大蒜、革葱、慈葱、蘭葱、興渠，是五種，一切食中不得食。故食者，犯軽垢罪。〔一〇〇五中〕
【素材】〔影響〕〔解説〕〔引用〕	生従本已来，展転因縁，常為六親。以親想故，不応食肉。（一六・五一三下） 〔解説〕法蔵『梵網経菩薩戒本疏』 菩薩理応香潔自居，反食薫穢，臭気熢勃，令賢聖天神捨而不近，故須制也。（四〇・六三六下）	【素材】曇無讖訳『大般涅槃経』 若行乞食及僧中食，常知止足，不受別請。不食肉，不飲酒。五辛能葷，悉不食之。是故其身無有臭処，常為諸天一切世人恭敬供養尊重讃歎。（一二・四三二下～四三三上。望月一九四六・四五九） 【素材】求那跋摩訳『菩薩善戒経』 菩薩摩訶薩，為破衆生種種悪故，受持神呪，読誦通利，利益衆生，為呪術故，受持五法。一者不食肉，二者不飲酒，三者不食五辛，四者不婬，五者不浄之家不在中食。（三〇・九九六中～下） 【素材】〔影響〕道世『法苑珠林』 又*『雑阿含経』云，「不応食五辛。何等為五。一者木葱，二者革葱，三者蒜，四者興渠，五者蘭葱」。又『梵網経』云，「若仏子，不得食五辛。大蒜、革葱、慈葱、

蘭葱、興渠，是五種，不得食」。又『五辛報応経』云，「七衆等不得食肉、葷辛，読誦経論得罪。有病，開在伽藍外白衣家服已，満四十九日，香湯澡浴竟，然後許読誦経論，不犯」。（五三・九八一中）＝道世『諸経要集』（五四・一八九中）

注＊『雑阿含経』現存本に対応なし。

〔影響〕偽経『五辛経』

自今以後，不聴比丘等食諸不浄五辛臭穢。（方広錩二〇一〇・二三二）

〔参考〕求那跋陀羅訳『楞伽阿跋多羅宝経』

一切肉与葱，及諸韮蒜等，種種放逸酒，修行常遠離。（一六・五一四上）

〔参考〕『同』

酒肉葱韮蒜，悉為聖道障。（一六・五一四中）

〔参考〕曇景訳『未曾有因縁経』

諸婆羅門修浄梵行，不食酒肉、五辛葱蒜，唯仰牛乳以為食資，令施主檀越滅罪生福，世世所生，所願従心。（一七・五八一下）

〔解説〕智顗『菩薩戒義疏』

旧云五辛，謂蒜、葱、興蕖、韮、薤。此文止蘭葱足以為五。『兼名苑』分別五辛，「大蒜」是葫葜，「茖葱」是

『梵網経』最古形　本文

【素材】『影響』[解説][引用]

薤，「慈葱」是葱，「蘭葱」是小蒜，「興蕖」是蒠蔟。生、熟，皆臭悉断。*『経』云，「五辛能葷，悉不食之」。（四〇・五七五上）

注　*曇無讖訳『大般涅槃経』（一二・四三二下）

[解説]『同』

序事三階。一、明単辛不応食。二、明雑飲食亦不応。三、挙非結過。（四〇・五七五上）

[解説] 義寂『菩薩戒本疏』

「革葱」，土葱。「蘭葱」者，此中無薤韮，但開葱為三。此三，別相難知。或云，「革葱是薤葉，似韮而厚」。蘭葱者，伝説嶺南生蘭葱。葉似大蒜，而闊臭気同蒜。「興渠」者，婆羅門語喚芸台為殑渠（hingu）。慮西域諸寺不聴食也。又云，嶺南生興渠。形似倭韮，気味似蒜。（四〇・六七二上）

[解説] 法蔵『梵網経菩薩戒本疏』

二、「大蒜」下別制。此中五辛与余処別。余処有韮、蘭、葱、蒜及興渠為五。此文五中，「大蒜」可知。有人説，「慈葱是胡葱。蘭葱是家葱」。上三是人間常食。「革葱」是山葱。北地有，江南無。其「興渠」，有説芸台是也。然未見誡文。有説，「江南有葉，似野蒜草。根莖似韭。亦名荖吒子。無子。北地所無也」。又釈其阿魏薬，梵語名興渠。将謂是此辛臭物之苗葉。（四〇・六二七上）

〔解説〕袾宏『梵網菩薩戒経義疏発隠』
上明単食。今言一切食中有此相雑，亦不応食。（続蔵一、五九、五、三七二裏上）

［42］

〔第五軽戒〕
若仏子，一切衆生犯八戒、五戒、十戒、毀禁、七逆、八難、一切犯戒罪，応教懺悔。而菩薩不教懺悔，同住同僧利養，而共布薩，一衆住説戒，而不挙其罪，教悔過者，犯軽垢罪。（一〇〇五中）

〔参考〕失訳『大仏頂広聚陀羅尼経』
如来復告呪師言。有余不聞不見呪壇法印，亦入此毘盧遮那壇，一切壇並皆入尽諸罪消滅。五重、四重、八重謗法等，七逆、八難、一切業障，皆得消滅。（一九・一六〇中）

［43］

〔第六軽戒〕
若仏子，見大乗法師、大乗同見同行来入僧坊、舎宅、城邑，若百里、千里来者，即迎来送去，礼拝供養，日日三時供養，日食三両金，百味飲食、牀座，供事法師，一切所須，尽給与之，常請法師三時説法，日日三時礼拝，不生瞋心、患悩之心，為法滅身請法。若不爾者，犯軽垢罪。（一〇〇五中）

〔参考〕曇無讖訳『大般涅槃経』
諸善男子，汝等今当於是菩薩深生恭敬，尊重讃歎，応以種種香花、伎楽、瓔珞、幡蓋、衣服、飲食、臥具、医薬、房舎、殿堂，而供養之，迎来送去。（一二・五二二中）

〔参考〕僧伽提婆訳『増壱阿含経』
是時彼梵志集在一処，各作是論。吾等各各出三両金銭，以供食具。（二・六九四下）

〔影響〕偽経『菩薩瓔珞本業経』（竺仏念訳）

『梵網経』最古形　本文

【素材】【影響】【解説】【引用】

仏子，受十戒已，復為聴者教供養法師。常以天上無量華香、百千燈明、百千天衣、瓔珞、百千妓楽、百味飲食、屋宅経書，一切所須之物，皆悉給与。弘通法師，当如敬仏，如事父母，如事火婆羅門法。仏子，如事帝釈、父母、師僧，日日三時礼敬，為法捨身没命。乃是仏子。如是求法之人，乃可為説菩薩之本行，百千万仏転授瓔珞法門。（二四・一〇二二下～一〇二三上）

[44]

〔第七軽戒〕
若仏子，一切処有講法毘尼経律，大宅舎中講法処，是新学菩薩持経律巻，至法師所，聴受諮問，若山林樹下、僧地房中，一切説法処，悉至聴受。若不至彼聴受者，犯軽垢罪。〔一〇〇五中～下〕

【素材】曇無讖訳『菩薩地持経』
若菩薩聞説法処，若決定論処，以憍慢心、瞋恨心，不往聴者，是名為犯衆多犯，是犯染汚起。（三〇・九一六上）

【素材】曇無讖訳『優婆塞戒経』
若優婆塞受持戒已，四十里中有講法処，不能往聴，是優婆塞得失意罪。（二四・一〇四九下）

【影響】中国成立『優婆塞五戒威儀経』
菩薩有説法家，若説毘尼処，大法会処，瞋嫉慢心不往聴者，犯重垢罪。若懶惰心不往聴者，犯軽垢罪。不犯者，若自不聞，又無人喚，若病若無巧便，若知彼説法不順義理，若知説者於已有難，若知彼説更無異聞，若

［45］

〔第八軽戒〕
若仏子，心背大乗常住経律，言非仏説，而受持二乗声聞、外道悪見、一切禁戒、邪見経律者，犯軽垢罪。〔一〇〇五下〕

得総持自多聞，若勤修善根，是名不犯。（三四・一一一八下）
〔解説〕智顗・灌頂『菩薩戒義疏』
言「毘尼経律」者，大乗毘尼経律，非三蔵中毘尼也。大乗経有滅悪義，故称「毘尼」。（四〇・五七五中）
〔解説〕法蔵『梵網経菩薩戒本疏』
「有講毘尼経律」者，舉所講法也。「毘尼」，此云滅，謂身語意悪猛気炎熾，戒能防止，故称名「滅」。謂此経律宣説毘尼，故云「毘尼経律」。（四〇・六三八中）

【素材】法顕訳『大般泥洹経』
如是説者，当知是為如来経律。魔説経律従而信者，当知是輩為随魔教。仏説経律従而信者，当知菩薩。（一二・八八〇中）
【素材】曇無讖訳『大般涅槃経』
若有随順魔経律者，是魔眷属。若有随順仏経律者，即是菩薩。（一二・四〇三中）
【素材】曇無讖訳『大般涅槃経』
若有随順仏所説者，当知是等真我弟子。若有不随仏所説者，是魔眷属。若有随順仏経律者，当知是人是大菩薩。（一二・四〇六中）

『梵網経』最古形　本文		[46]
		〔第九軽戒〕 若仏子，一切疾病人供養如仏無異。八福田中，看病福田，第一福田。若父母、師僧、弟子病，諸根不具，百種病苦悩，皆養令差。而菩薩以瞋恨心不至僧房中、城邑、曠野、山林、道路中，見病不救済者，犯軽垢罪。〔一〇〇五下〕
【素材】〔影響〕〔解説〕〔引用〕	【素材】曇無讖訳『菩薩地持経』 若菩薩於菩薩蔵不作方便，棄捨不学，一向修集声聞経法，是名為犯衆多犯。（三〇・九一五中。望月一九四六・四五七） 【素材】求那跋摩訳『菩薩善戒経』 若菩薩不読不誦菩薩法蔵，一向読誦声聞経律，得罪。（三〇・一〇一六下） 〔解説〕与咸『梵網菩薩戒経疏註』 二乗已摂声聞，而復云者，石壁云，「『二乗』是第二乗，即縁覚也。故再言『声聞』，以諦縁別故」。此釈疎遠，無此文体。不曾以二乗為第二乗也。『熙鈔』云，「有本加『声聞』二字，此亦不害。文中雖通挙『二乗』，更別言『声聞』耳」。（続蔵一、五九、四、二九六表上）	【素材】竺仏念訳『菩薩従兜術天降神母胎説広普経』 十六億天子皆来影附，承事供養如仏無異。尋於坐上皆成四果。（一二・一〇三五上） 【素材】曇無讖訳『菩薩地持経』 若菩薩見羸病人，以瞋恨心，不往瞻視，是名為犯衆多犯，是犯染汚起。（三〇・九一六上。望月一九四六・四五五

八）

【素材】曇無讖訳『優婆塞戒経』

若優婆塞受持戒已，汚悪不能瞻視病苦，是優婆塞得失意罪。（二四・一〇四九下。石田一九七一・一九～二〇）

【素材】『同』

若優婆塞受持戒已，行路之時，遇見病者，不住瞻視為作方便付嘱所在，而捨去者，是優婆塞得失意罪。（二四・一〇五〇中。石田一九七一・二〇）

〔影響〕中国成立『優婆塞五戒威儀経』

見病衆生，以悪心瞋心，不瞻養者，犯重垢罪。（二四・一一一九上）

〔解説〕法蔵『梵網経菩薩戒本疏』

八福田者，有人云，「一造曠路美井，二水路橋梁，三平治嶮路，四孝事父母，五供養沙門，六供養病人，七救済危厄，八設無遮大会」。未見出何聖教。有云，「供養三宝為三，四父母，五師僧，六貧窮，七病人，八畜生」。亦未見教。（四〇・六三九上）

〔解説〕明曠『菩薩戒本疏』

初言「八福田」者，三宝為三，父、母為五，六病人，七曠路穿井，八津済造橋。聖人、四果及和上等，並僧宝摂。（四〇・五九一中）

【素材】〔影響〕〔解説〕〔引用〕

〔解説〕知周『梵網経菩薩戒本疏』

「八福田」者，有人云，「一曠路造美井，二水路造橋梁，三平治険路，四孝養父母，五供養沙門，六供養病人，七救済危厄，八設無遮会」〈未審出何聖教〉。又有人云，「三宝為三，四父母，五師僧，六貧窮，七病人，八畜生」〈亦未見聖教文〉。又『賢愚経』，「施五人得福無量。一知法人，二遠行来人，三遠去人，四飢餓人，五病人」。加以三宝，亦名八種福田。今依本経戒中，自有八種福田，「三宝為三，四父母，五師僧，六弟子，七諸根不具，八百種苦」。以此義故，従初挙仏子平等心，「看病人与仏無異」者是也。又『不受長者請経』云，「仏自看病，洗浣病者，及洗衣物曬褁訖，集諸比丘，種種呵責，説法已，告諸比丘，『仏法僧宝無可須待。一切病人有所須待，要人看待，然可得差』」。故「看病福田」，於八之中最為「第一」。（続蔵一、六〇、二、一七三裏上）

〔参考〕求那跋摩訳『菩薩善戒経』

菩薩若受菩薩戒已，見病苦人，不能瞻養，作給使者，得罪。（三〇・一〇一七中）

〔参考〕法立・法炬訳『諸徳福田経』

番号	『梵網経』	素材・参考
		衆僧之中有五浄徳，名曰福田。供之得福，進可成仏。何謂為五。一者，発心離俗，懐佩道故。二者，毀其形好，応法服故。三者，永割親愛，無適莫故。四者，委棄軀命，遵衆善故。五者，志求大乘，欲度人故。以此五徳，名曰福田，為良為美，為無早喪。供之得福，難為喩矣。〔一六・七七七上〕
［47］	〔第十軽戒〕若仏子，不得畜一切刀杖、闘戦弓箭、鉾斧之具、悪網羅、殺生之器，一切不得畜。而菩薩乃至殺父母尚不加報，況殺一切衆生。若故畜刀杖，犯軽垢罪。〔一〇〇五下〕	〔参考〕失訳『鼻尼母経』比丘正応所畜物，鉢、三衣、坐具、鉢、針綖、嚢及瓶瓫是。所不畜者，女人、金銀、一切宝物、一切闘戦之具、酒、盛酒器，如此等物，不応受畜。〔二四・八一六上〕
［48］	如是十戒応当学，敬心奉持。下「六六品」中広開。〔一〇〇五下〕	〔参考〕明曠『菩薩戒本疏』『梵網』大本有「六六品」，恐是品名。以彼品中明六根等六六法故，名「六六品」。彼猶広釈。是故指之。〔四〇・五九一下〕
［49］	〔第十一軽戒〕仏言，仏子，為利養、悪心故，通国使命，軍陣合会，興師相殺無量衆生。而菩薩不得入軍中往来，況故作国賊，若故作者，犯軽垢罪。〔一〇〇五下〕	【素材】『詩』秦風、無衣 王于興師，脩我戈矛，与子同仇。 【素材】曇無讖訳『大般涅槃経』 有諸弟子不為涅槃，但為利養親近聴受十二部経、招提僧物及僧鬘物，衣著食噉如自己有，慳惜他家及以称誉

『梵網経』最古形　本文

【素材】〔影響〕〔解説〕〔引用〕

親近国王及諸王子，卜筮吉凶，推歩盈虚，圍碁、六博、摴蒱、投壷，親近比丘尼及諸処女，畜二沙弥，常遊屠猟、酤酒之家及旃陀羅所住之処，種種販売，手自作食，受使隣国，通致信命，如是之人，當知即是魔之眷属，非我弟子。（一二・五一七中）

【素材】曇無讖訳『大方等無想経』

未来之世法欲滅時，我四部衆薄福少智，不知厭足，退失善根，貧於法財，無心親近仏法僧宝，……背捨諸仏，成就十六不善律儀，親近国王、大臣、長者，受使隣国，通致信命，受人供養，反生悪心，成就一切非沙門法、非婆羅門法。（一二・一〇九九中～下）

〔参考〕仏駄跋陀羅・法顕訳『摩訶僧祇律』

仏告諸比丘。……従今日後，不聴入軍中与相見。（二二・三七四中）

〔解説〕義寂『菩薩戒本疏』

「通国使命」者，謂作使通両国命也。「軍陣合会」者，謂二国交兵。「興師相殺無量衆生」者，由我通使，致此重事。「興師」者，「興」，起也，「師」，衆也。（四〇・六七四上）

［50］	［51］	［52］
〔第十二軽戒〕若仏子，故販売良人、奴婢、六畜，市易官材、板木、盛死之具，尚不故作，況教人作，犯軽垢罪。〔一〇〇五下～一〇〇六上〕	〔第十三軽戒〕若仏子，以悪心，無事謗他良人、善人、法師、師僧、国王、貴人，言犯七逆、十重，父母、兄弟、六親中，応生孝順心、慈心，而反更加於逆害，墮不如意処，犯軽垢罪。〔一〇〇六上〕	〔第十四軽戒〕若仏子，以悪心故，放大火，焼山林，焼野，四月乃至九月放火，若焼他人家屋宅、城邑、僧房、田木及鬼神、官物――一切有主物，不得故焼――，
〔参考〕失訳『薩婆多毘尼毘婆沙』問曰，五戒優婆塞得販売不。答曰，得聴販売，但不得作五業。一、不得販売畜生以此為業。若自有畜生直売者聴，但莫売与屠児。二者，不得販売弓箭刀杖以此為業。若自有者直売者聴。三者，不得沽酒為業。若自有者亦聴直売。四者，不得圧油。……五者，不得作五大色染業。……（二三・五〇八下） 〔参考〕失訳『菩薩内戒経』（求那跋摩訳）二十一者，菩薩不得掠取良民作奴婢。二十二者，菩薩不得販売奴婢。二十三者，菩薩不得売妻子与人。（二四・一〇二九中）	〔解説〕明曠『天台菩薩戒疏』「墮不如意処」者，地獄別名也。（四〇・五九二上）	【素材】鳩摩羅什訳『十誦律』仏在舎衛国。爾時長老迦留陀夷放火，焼諸草木，以放焼故，多殺種種虫。仏言，「従今比丘不得放火焼。若放火焼者，随所殺得罪」。（二三・二七四中）

	『梵網経』最古形　本文	【素材】『影響』［解説］［引用］
	犯軽垢罪。〔一〇〇六上〕	［参考］失訳『沙弥十戒并威儀』 無得放火焚焼山林，傷害衆生。（二四・九二六下） ［解説］智顗『菩薩戒義疏』 「一切有生物」，謂有生命也。有言，「『生』，誤。応言『有主物』」。若焼有主物，何但四月九月。当知作「有生」也。（四〇・五七六上） ［解説］義寂『菩薩戒本疏』 古疏改作「有生物」，非也。（四〇・六七五上）
［53］	［第十五軽戒］ 若仏子，自仏弟子及外道、六親、一切善知識，応一一教受持大乗経律中教解義理，使発菩提心，発十心，起金剛心，一一解其次第法用。而菩薩以悪心、瞋心，横教二乗声聞戒経律、外道邪見論等，犯軽垢罪。〔一〇〇六上〕	［解説］智顗『菩薩戒義疏』 「自仏弟子」謂内衆。「外道」謂外衆。「六親、善知識」通内外。（四〇・五七六中） ［解説］『同』 「十心」者，十発趣心。「起金剛心」謂十金剛。略不説十長養。（四〇・五七六中）
［54］	［第十六軽戒］ 若仏子，応好心先学大乗威儀経律，広開解義味，見後新学菩薩有百里、千里来求大乗経律，応如法為説一切苦行，若焼身、焼臂、焼指，若不焼身、指供養諸仏，非出家菩薩，乃至餓虎、狼口、師子	［解説］義寂『菩薩戒本疏』 如此経及『善戒経』『決定毘尼』『菩薩地持』等，即是「大乗威儀経律」也。（四〇・六七五下） ［解説］明曠『天台菩薩戒疏』 先令為説苦行。意在使其重法軽生，非謂即捨身命、焼

口中，一切餓鬼，悉応捨身肉、手足，而供養之，後一一次第，為説正法，使心開意解。而菩薩為利養故，応答不答，倒説経律，文字無前無後，謗三宝説，犯軽垢罪。〔一〇〇六上〕

身臂指。若即捨身，法為誰説。（四〇・五九二中）

［55］

〔第十七軽戒〕

若仏子，自為飲食、銭物、利養、名誉故，親近国王、王子、大臣、百官，恃作形勢，乞索、打拍、牽挽、横取銭物，一切求利，名為悪求多求。教他人求，都無慈心，無孝順心，犯軽垢罪。〔一〇〇六上〕

【素材】鳩摩羅什訳『法華経』

菩薩摩訶薩不親近国王、王子、大臣、官長，不親近諸外道、梵志、尼揵子等，及造世俗文筆，讃詠外書及路伽耶陀、逆路伽耶陀者。（九・三七上）

【素材】仏駄跋陀羅・法顕訳『摩訶僧祇律』

身害者，入其家中牽曳小児，打拍推撲，破損器物，折犢子脚，刺壊羊眼。至市肆上種種穀米、小麦、大麦、塩、麨、酥、油、乳、酪，悉和雑合，不可分別。田中生苗，其須水者，開水令去，不須水者，決令満中，刈殺生苗，焚焼熟穀。是名身暴害。口暴害者，詣王讒人，加誣良善。是名口暴害。身口暴害者。屏処蔵身，恐怖其人，牽挽無辜，是名身口暴害。（二二・二八七上）

【素材】曇無讖訳『大般涅槃経』

煩悩障者，貪欲瞋恚，愚癡忿怒，纒蓋焦悩，嫉妬慳悋，奸詐諛諂，無慚無愧，慢慢慢、不如慢、増上慢、我慢、邪慢、憍慢，放逸貢高，懟恨諍訟，邪命諂媚，詐現異

『梵網経』最古形　本文		
		〔56〕
		〔第十八軽戒〕 若仏子，学誦戒者，日日六時，持菩薩戒，解其義理、仏性之性。而菩薩不解一句、一偈戒律因縁，詐言能解者，即為自欺誑，亦欺他人，一一不解一切法，而為他人作師受戒者，犯軽垢罪。〔一〇〇六中〕
【素材】〔影響〕〔解説〕〔引用〕	相，以利求利，悪求多求，無有恭敬，不随教誨，親近悪友，貪利無厭，纏縛難解，欲於悪欲，貪於悪貪，身見、有見及以無見，頻申憙睡，欠呿不楽，貪嗜飲食，其心瞢瞢，心縁異想，不善思惟，身口多悪，好憙多語，諸根闇鈍，発言多虚，常為欲覚、恚覚、害覚之所覆蓋，是名煩悩障。（一二・四二八下） 〔解説〕袾宏『梵網菩薩戒経義疏発隠』 「打拍」示威，「乞索」財物也。「牽挽」者，牽繋挽曳。皆威逼之而横取也。如此「一切求利」，是名「悪求、多求」也。（続蔵一、五九、四、三八〇表下～裏上）	【素材】偽経『仁王般若経』（鳩摩羅什訳） 汝当受持読誦，解其義理。（八・八三二中） 〔参考〕曇無讖訳『大般涅槃経』 仏言。善男子，我所宣説涅槃因者，所謂仏性。仏性之性不生涅槃。是故我言涅槃無因，能破煩悩，故名大果，不従道生，故名無果。是故涅槃無因無果。（一二・五三八下～五三九上） 〔解説〕智顗『菩薩戒義疏』 「日日六時」，晝夜各三。（四〇・五七六中）

[57]

〔第十九軽戒〕
若仏子，以悪心，持戒比丘手捉香爐，行菩薩行，而闘過両頭，謗欺賢人，無悪不造，犯軽垢罪。〔一〇〇六中〕

〔解説〕智顗『菩薩戒義疏』
不応「闘過両頭」。持此過向彼説，故言「両頭」。「謗欺賢人」，道其「無悪不造」，両舌之辞。実語両舌亦犯。此戒挙虚*過為語故言「謗欺」。
「過」字，或作「遇」字。文語以「闘」言値遇二辺。皆消文。或言，「応作『遘』字。文誤也。此戒名嫉善戒，直憎嫉善人，説其過悪。於『両頭』之語小不便」。今言嫉善，此戒兼制，由以「闘」於彼此也。（四〇・五七六中～下）
〔参考〕曇無讖訳『大般涅槃経』
若不繫心観察如是二十事者，心則放逸，無悪不造。（一二・四八三中）

[58]

〔第二十軽戒〕
若仏子，以慈心故，行放生業。一切男子是我父，一切女人是我母，我生生無不従之受生，故六道衆生皆是我父母，而殺而食者，即殺我父母，亦殺我故身。一切地水是我先身，一切火風是我本体，故常行放生，生生受生。若見世人殺畜生時，応方便救護，解其苦難，常教化講説菩薩戒，救度衆生。若父母、兄弟死亡之日，請法師講菩薩戒経律，福

【素材】求那跋陀羅訳『央掘魔羅経』
一切衆生有如来蔵，一切男子皆為兄弟，一切女人皆為姉妹。……一切衆生，無始生死，生生輪転，無非父母、兄弟、姉妹，猶如伎児変易無常。自肉他肉，則是一肉。是故諸仏悉不食肉。（二・五四〇上～下）
【素材】安玄訳『法鏡経』
衆生先世亦曾我子，吾亦曾為衆生子。（一二・一八下）
【素材】鳩摩羅什訳『大智度論』

	『梵網経』最古形　本文	【素材】【影響】［解説］［引用］
	資其亡者，得見諸仏，生人天上。若不爾者，犯軽垢罪。〔一〇〇六中〕	衆生無始世界無際，往来五道，輪転無量。我亦曽為衆生父母、兄弟，衆生亦皆曽為我父母、兄弟。当来亦爾。以是推之，不応悪心而懐瞋害。（二五・一六七上） 【影響】『仏名経』 若尋此衆生，無始已来，或是我父母、兄弟、六親、眷属。以業因縁，輪廻六道，出生入死，改形易報，不復相識。而今興害，食噉其肉，断大慈種。（一四・二〇八中。亦参照『梵網経』第三軽戒） ［参考］『論語』顔淵篇 四海之内，皆兄弟也。
［59］	如是十戒応当学，敬心奉持，如「滅罪品」中明一一戒。〔一〇〇六中〕	
［60］	［第二十一軽戒］ 仏言，仏子，以瞋報瞋，以打報打，若殺父母、兄弟、六親，不得加報。若国主為他人殺者，亦不得加報。殺生報生，不順孝道，尚不畜奴婢，打拍罵辱，日日起三業，口罪無量，況故作七逆之罪，而出家菩薩無慈報訓，乃至六親，故作者，犯軽垢罪。〔一〇〇六中〕	【素材】曇無讖訳『菩薩地持経』 若菩薩，罵者報罵，瞋者報瞋，打者報打，毀者報毀，是名為犯衆多犯，是犯染汚起。（三〇・九一五上。望月一九四六・四五九） 【素材】求那跋陀羅『雑阿含経』 若当如是罵則報罵，瞋則報瞋，打則報打，闘則報闘，名相贈遺，名為相与。若復賓者，罵不報罵，瞋不報瞋，

打不報打，闘不報闘，若如是者，非相贈遺，不名相与。……以瞋報瞋者，是則為悪人。不以瞋報瞋，臨敵伏難伏。（二・三〇七上～中）

〔影響〕中国成立『優婆塞五戒威儀経』

菩薩以罵報罵，以瞋報瞋，以打報打，以牽挽者，犯重垢罪。（二四・一一一八上）

［61］

〔第二十二軽戒〕

若仏子，始出家，未有所解，而自恃聡明有智，或高貴、年宿，或恃大姓、高門、大解、大福、饒財、七宝，以此憍慢而不諮受先学法師経律。其法師者，或小姓、年少、卑門、貧窮、諸根不具，而実有徳，一切経律尽解。而新学菩薩不得観法師種姓，而不来諮受法師第一義諦者，犯軽垢罪。（一〇〇六中～下）

【素材】曇無讖訳『大般涅槃経』

善男子，欲聴法者，今正是時。若聞法已，当生敬信，至心聴受，恭敬尊重。於正法所莫求其過。莫念貪欲、瞋恚、愚癡。莫観法師種姓好悪。……（一二・四九〇上）

〔参考〕失訳『鼻尼母経』

三若有比丘自恃聡明多智，起於憍慢，訶罵比丘，言無節度，此亦是賊。（二四・八二三上）

［62］

〔第二十三軽戒〕

若仏子，仏滅度後，欲好心受菩薩戒時，於仏、菩薩形像前自誓受戒，当七日仏前懺悔，得見好相，便得戒。若不得好相時，以二七、三七，乃至一年，要得好相。得好相已，便得仏、菩薩形像前受戒。若不得好相，雖仏像前受戒，不得戒。若現前

〔影響〕偽経『菩薩瓔珞本業経』

仏滅度後，千里内無法師之時，応在諸仏菩薩形像前，胡跪合掌，自誓受戒。（二四・一〇二〇下）

〔影響〕『無畏三蔵禅要』

若有犯七逆罪者，師不応与授戒，応教懺悔。須七日、二七日，乃至七七日，復至一年，懇到懺悔，須見好相。

『梵網経』最古形　本文	【素材】『影響』［解説］［引用］
先受菩薩戒法師前受戒時，不須要見好相。是法師，師師相授故，不須好相。是以法師前受戒，即得戒。以生重心故，便得戒。若千里内無能授戒師，得仏、菩薩形像前受得戒，而要見好相。若法師自猗解経律大乗学戒，与国王、太子、百官以為善友，而新学菩薩来，問若経義、律義，軽心、悪心、慢心，不一一好答問者，言而悪心，犯軽垢罪。〔一〇〇六下〕	若不見好相，受戒亦不得戒。（一八・九四三上） ［参考］道世『法苑珠林』 『梵網経』云，若従師受不仮好相，以戒師展転相承有力故。若対仏像前自誓受者，要請得好相，方得受戒。以不従師受自無力故。要須請聖加被。若於定中。若於夢中。若於覚中。感得好相。与聖教相應者方得。若受戒者。但出自口立誓要期受詞法用。一如依師受法也。（五三・九四一上）

［63］

『梵網経』最古形　本文	【素材】『影響』［解説］［引用］
［第二十四軽戒］ 若仏子，有仏経律大乗法、正見、正性、正法身，而不能勤学修習，而捨七宝，反学邪見，二乗、外道俗典、阿毘曇、雑論、書、記，是断仏性、障道因縁，非行菩薩道者。故作，犯軽垢罪。〔一〇〇六下〕	【素材】曇無讖訳『菩薩地持経』 若菩薩於仏所説棄捨不学，反習外道邪論、世俗経典，是名為犯衆多犯，是犯染汚起。（三〇・九一五中。望月一九四六・四五八） ［参考］『同』 若菩薩聞菩薩法蔵甚深義、真実義，諸仏菩薩無量神力，誹謗不受，言非利益、非如来説，是亦不能安楽衆生，是名為犯衆多犯，是犯染汚起。（三〇・九一五下） ［参考］求那跋摩訳『菩薩善戒経』 若菩薩不読不誦如来正経，読誦世典、文、頌、書、疏者，得罪。（三〇・一〇一六下）

	[64]	[65]
	〔第二十五軽戒〕 若仏子，仏滅後，為説法主，為僧房主、教化主、坐禅主、行来主，応生慈心，善和闘訟，善守三宝物，莫無度用，如自己有。而反乱衆闘諍，恣心用三宝物，犯軽垢罪。〔一〇〇六下～一〇〇七上〕	〔第二十六軽戒〕 若仏子，先住僧房中住，後見客菩薩比丘来入僧房、舎宅、城邑、国王宅舎中，乃至夏坐安居処及大会中，先住僧応迎来送去，飲食供養，房舎、臥具、縄床，事事給与。若無物，応売自身及男女身肉売，供給所須，悉与之。若有檀越来，請衆僧、客僧有利養分，僧房主応次第差客僧受請。而先住僧独受請，而不差客僧，房主得無量罪，畜生無異，非沙門，非釈種性，犯軽垢罪。〔一〇〇七上〕
〔解説〕伝奥『梵網経記』 「七宝」者，諭（喩）也。大法可重，故如七宝。意顕二乗等為瓦礫也。（続蔵一、五九、五、四五三表下～裏上） 〔影響〕中国成立『優婆塞五戒威儀経』 菩薩有仏経蔵不能勤学，乃更勤学外道俗典，犯重垢罪。（二四・一一一八中～下）	〔解説〕明曠『天台菩薩戒疏』 一、伝教之人，謂「説法主」。二、住持人，謂「行法主」。三、綱維処衆，謂「僧房主」。四、引導内外，修治塔寺，謂「教化主」。五、伝授禅要，謂「坐禅主」。六、領衆遊方，謂行来主。（四〇・五九三下～五九四上）	〔引用〕道世『法苑珠林』 又『梵網経』云，「若有檀越来請衆僧客僧有利養分，僧房主応次第差客僧受請。而先住僧独受請，而不差客，僧房主得無量罪，畜生無異，非沙門，非釈種姓，犯軽垢罪」。（五三・六〇八中）

『梵網経』最古形　本文	【素材】〔影響〕〔解説〕〔引用〕
[66] 〔第二十七軽戒〕 若仏子，一切不得受別請，利養入己。而此利養属十方僧，而別受請，即取十方僧物入己。八福田，諸仏、聖人、一一師僧、父、母、病人物，自己用故，犯軽垢罪。〔一〇〇七上〕	【素材】曇無讖訳『大般涅槃経』 一切穀米、大小麦豆、糜、粟、稲、麻，生熟食具。常受一食，不曽再食。若行乞食及僧中食，常知止足，不受別請。不食肉，不飲酒。五辛能熏，悉不食之。（一二・四三二下。望月一九四六・四八四） 〔参考〕『五分律』 若比丘知檀越欲与僧物，迴以入己，尼薩耆波逸提。（二二・三〇下） 【素材】『梵網経』第九軽戒「八福田中，看病福田，第一福田」。 〔解説〕智顗『菩薩戒義疏』 「八福田」者，一仏，二聖人，三和尚，四闍梨，五僧，六父，七母，八病人。（四〇・五七七下） 〔解説〕法蔵『梵網経菩薩戒本疏』 「而別受」下，顕失中略顕七種過失。一、取十方現前僧物，以是彼所応得故。二、八福田物。三、仏物。四、聖人物。五、師僧物。六、父母物。七、病人物。以此物通彼所得故也。（四〇・六四七中）
〔第二十八軽戒〕	【素材】曇無讖訳『優婆塞戒経』

［67］

若仏子，有出家菩薩、在家菩薩及一切檀越，請僧福田，求願之時，応入僧房，問知事人，「今欲次第請者」，即得「十方賢聖僧」。而世人別請百羅漢、菩薩僧，不如僧次一凡夫僧。若別請僧者，是外道法。七仏無別請法，不順孝道。若故別請僧者，犯軽垢罪。〔一〇〇七上〕

……如是施已，得無量福。是故我於『鹿子経』中，告鹿子母曰，「雖復請仏及五百阿羅漢，猶故不得名請僧福。若能僧中施一像似極悪比丘，猶得無量福徳果報。……」（二四・一〇六五上）

【素材】／〔解説〕明曠『天台菩薩戒疏』言「而世人」等者，故『優婆塞戒経』云，「鹿子母別請五百羅漢。鹿子令阿難送食与仏。仏問阿難，鹿子僧次請一人不。阿難言，癡人雖請五百羅漢，不如仏次一人」。（四〇・五九四中）

【素材】／〔影響〕道世『法苑珠林』又『居士請僧福田経』云，「別請五百羅漢，不如僧次一凡夫僧。吾法中無受別請法。若有別請僧者，非吾弟子，是六師法，七仏所不可」。（五三・八八四下～八八五上）
＝道世『諸経要集』（五四・九二中）

【素材】大覚『四分律鈔批』
案『居士請僧福田経』中，仏教月徳太子請僧之法。仏説偈言，「供養於中僧，僧法次第請，心行平等法，即生不動国。別請百羅漢，不如一凡僧，請者平等法，諸仏法如是。莫学諸外道，別請親知識，仏法無別請，六師有是法。随親有徳請，非真居士施，僧次請衆僧，七仏法知是。若有別請衆，是名為聚食，居士莫同此，即生

[68]

『梵網経』最古形　本文

〔第二十九軽戒〕
若仏子，以悪心故，為利養，販売男女色，自手作食，自磨自舂，占相男女，解夢吉凶，是男是女，呪術、工巧、調鷹方法，和百種毒薬、千種毒薬、蛇毒，生金銀蠱毒，都無慈心，犯軽垢罪。〔一〇〇七上〕

【素材】〔影響〕〔解説〕〔引用〕

不動国。（続蔵一、六七、四、三九二裏上～下）
（注）僧祐『出三蔵記集』新集疑経偽撰雑録
『居士請僧福田経』一巻〈此経前題云「曇無讖出」。案識所出無此，故入疑録〉。（五五・三九上）
〔解説〕『大般涅槃経集解』
僧亮曰。既知衆所不伏，今欲令衆僧和合羯磨，為知事也。（三七・四四一中）
〔解説〕賛寧『大宋僧史略』
案，西域知事僧，総曰羯磨陀那，訳為知事，亦曰悦衆，謂知其事，悦其衆也。（五四・二四二中）

【素材】曇無讖訳『大般涅槃経』
比丘不応受畜金銀、琉璃、頗梨、真珠、車渠、瑪瑙、珊瑚、虎珀、珂具、璧玉、奴婢、僕使、童男、童女、牛羊象馬、驢騾鶏猪、猫狗等獣、銅鉄釜鍑、大小銅槃，種種雑色，床敷臥具，資生所須，所謂屋宅、耕田、種殖，販売市易，自手作食，自磨自舂。治身呪術，調鷹方法，仰観星宿，推歩盈虚，占相男女，解夢吉凶，是男是女，非男非女，六十四能。復有十八。惑人呪術，種種工巧。或説世間無量俗事，散香、末香、塗香、薫香，種種花鬘，治髪方術，姦偽諂曲，貪利無厭，愛楽憒閙，戯笑談説，貪嗜魚肉，和合毒薬，治押香油，捉持宝蓋及以革屣，造扇箱篋、種種画像，積聚穀米、大小麦豆及諸果蓏，親近国王、王子、大臣及諸女人，高声大笑，或復黙然，於諸法中多生疑惑，多語妄説長短好醜，或善不善，好著好衣。如是種種不浄之物，於施主前躬自讃歎，出入遊行不浄之処，所謂沽酒、婬女、博弈，如是之人，我今不聴在比丘中。応当休道，還俗役使，譬如稗莠，悉滅無余。当知是等経律所制，悉是如来之所説也。若有随順魔所説者，是魔眷属。若有随順仏所説者，即是菩薩。（一二・四〇三中～下。西本一九六〇・三〇）

［参考］『隋書』地理志，揚州

其法以五月五日聚百種虫，大者至蛇，小者至蝨，合置器中，令自相啖，余一種存者留之，蛇則曰蛇蠱，蝨則曰蝨蠱，行以殺人。因食入人腹内，食其五蔵。

［解説］伝奥『梵網経記』

「販売」下有十三事。一「売色」，即販婬也。……。十一「蛇毒」，以五月五日蛇合和合毒薬，覓辟蛇等。……。十三「蠱毒」，取七月七日蜘蛛、五月五日午時青蛇、十二月猫児，共置瓮中，閉之多日，唯有一在，即

『梵網経』最古形　本文

【素材】〔影響〕〔解説〕〔引用〕

成其毒。（続蔵一、五九、五、四五五表上）

〔解説〕明曠『菩薩戒本疏』

「生金銀毒」者，薬名也。謂生金銀，即是毒也。「蠱毒」者，世相伝云，取百種虫蛇，置一甕中相食，強者即名為蠱。（四〇・五九五上）

[69]

〔第三十軽戒〕

若仏子，以悪心，自身謗三宝，詐現親附，口便説空，行在有中，為白衣統致男女交会、婬色縛著，於六斎日、年三長斎月，作殺生、劫盗，破斎犯戒者，犯軽垢罪。〔一〇〇七上～中〕

【素材】曇無讖訳『大般涅槃経』

如来常住不変義者，即是法常。法常義者，即是僧常。是名依義，不依語也。何等語言所不応依。所謂諸論綺飾文辞，如仏所説無量諸経。貪求無厭，多姦諛諂。詐現親附，現相求利。経理白衣，為其執役。又復唱言，「仏聴比丘畜諸奴婢、不浄之物、金銀珍宝、穀米倉庫、牛羊象馬，販売求利於飢饉，世憐愍子故。聴諸比丘儲貯陳宿，手自作食，不受而噉。如是等語，所不応依」。依智不依識者。所言智者，即是如来。若有声聞不能善知如来功徳，如是之識，不応依止。若知如来即是法身，如是真智，所応依止。若見如来方便之身，言是陰界諸入所摂食所長養，亦不応依。（一二・四〇一下～四〇二上）

【素材】失訳『五苦章句経』

	本文	素材
		言一切空，当何所作。口但説空，行在有中，墮四顚倒，故言無功徳。（一七・五四六中）
[70]	是十戒応当学，敬心奉持。「制戒品」中広解。〔一〇〇七中〕	
[71]	〔第三十一軽戒〕 仏言，仏子，仏滅度後悪世中，若見外道、一切悪人、劫賊売仏、菩薩、父母形像，販売経律，販売比丘、比丘尼，亦売発心菩薩道人，或為官使，与一切人作奴婢者。而菩薩見是事已，応慈心方便救護，処処教化，取物贖仏、菩薩形像及比丘、比丘尼、一切経律。若不贖者，犯軽垢罪。〔一〇〇七中〕	【素材】偽経『仁王般若経』（鳩摩羅什訳） 大王，未来世中，一切国王、太子、王子、四部弟子横与仏弟子書記制戒，如白衣法，如兵奴法。若我弟子比丘、比丘尼立籍為官所使，都非我弟子，是兵奴法。立統官，摂僧典，主僧籍，大小僧統共相摂縛，如獄囚法、兵奴之法。当爾之時，仏法不久。（八・八三三下） 【素材】中国成立『目連問戒律中五百軽重事』 問，比丘売仏像，有何罪。答，罪同売父母。（二四・九七三下） 〔参考〕失訳『菩薩内戒経』 菩薩不得売経法。（二四・一〇二九中〜下）
[72]	〔第三十二軽戒〕 若仏子，不得畜刀杖、弓箭，販売軽称、小斗，因官形勢，取人財物，害心繋縛，破壊成功，長養猫狸猪狗。若故養者，犯軽垢罪。〔一〇〇七中〕	【素材】曇無讖訳『大般涅槃経』 息世譏嫌戒者，不作販売軽秤、小斗，欺誑於人，因他形勢，取人財物，害心繋縛，破壊成功，然明而臥，田宅種植，家業坐肆。不畜象馬車，乗牛羊駝驢鶏犬獼猴，孔雀鸚鵡，共命及拘枳羅，豺狼虎豹，猫狸猪豕及余悪

『梵網経』最古形　本文	【素材】【影響】〔解説〕〔引用〕
[73] 〔第三十三軽戒〕 若仏子，以悪心故，観一切男女等闘，軍陣兵闘、劫賊等闘，亦不得聴吹貝、鼓角、琴瑟、箏笛、箜篌、歌叫、伎楽之声，不聴摴蒲、囲碁、波羅塞戯、弾碁、六博、擲石、投壺、八道行成，抓鏡、芝草、楊枝、鉢盂、髑髏，而作卜筮，不作盗賊使命，一一不得。若故作者，犯軽垢罪。〔一〇〇七中〕	獣。……（一二・四三二下。望月一九四六・四六〇） 【素材】曇無讖訳『大般涅槃経』 終不観看象闘、馬闘、車闘、兵闘、男闘、女闘、牛闘、羊闘、水牛鶏雉鸚鵡等闘，亦不故往観看軍陣。不応故聴吹貝、鼓角、琴瑟、箏笛、箜篌、歌叫伎楽之声，除供養仏。摴蒱、囲碁、波羅塞、戯師子象闘、弾碁、六博拍毱、擲石、投壺、牽道、八道行成、一切戯笑，悉不観作。終不占相手脚面目。不以爪鏡、芝草、楊枝、鉢盂、髑髏而作卜筮。亦不仰観虚空星宿，除欲解睡。不作王家往返使命，以此語彼，以彼語此。……（一二・四三三上。望月一九四六・四六〇。西本一九六〇・二八） 【素材】曇無讖訳『優婆塞戒経』 善男子，受優婆塞戒，復有二事所不応為。一者摴蒱、囲碁、六博，二者種種歌舞伎楽。（二四・一〇四八下） 〔解説〕法蔵『梵網経菩薩戒本疏』 八、釈文者，文中三。初、別制五非。二、初結同制。三、故違結犯。前中五非，即為五段。 初、観闘戒中，準後，応有「不得」二字。為後有総

結，是故五中有有者、無者。「以悪心故」者，明犯因。此有三類。一観相闘用此快彼，無揮解意。二将此為戯悦己狂心。三暢発害心。
次明所観闘，亦有三類。一、男等相闘，謂相罵打等。二、軍兵列陣。三、劫相闘，更或可軍兵与賊相闘。更無第三也。「等」者，等余一切所不説者。
二、「亦不得」下，明聴音楽戒。於中略明十種。前九，別弁九種音楽声。後一，通結伎楽。並可知。
三、「不得」下，博戯戒。於中有九種戯。
第三、「波羅塞戯」者，是西国兵戯法，謂二人各執二十余小玉。乗象或馬。於局道所，争得要路，以為勝也。
四、「弾碁」者，謂以指弾碁子，得遠為勝。
五、言「六博」者，有二種釈。一云，即双六是也。一云，別数六種博戯。前釈為定。
六、七可知。
八、「投壷」者，謂投杖於壷中，如嵇康等。
九、「八道行城」，可知。
四、「爪鏡」下，明妖術戒。於中略弁五種。
一、「爪鏡」者，承聞西国術師，以薬塗爪甲呪之，即於中見吉凶等事，故名「爪鏡」。
二，用「芝草」作術。

『梵網経』最古形　本文

【素材】【影響】【解説】【引用】

三、呪「楊枝」。
四、呪「鉢」。
五、以人「髑髏」。並用作筮，占知吉凶。皆是凡愚所作，豈修行所宜。故厳制一切断。
五、「不得」下，明賊使戒，謂与賊為使，助成盗業。若拠成他盗辺，犯前初篇。約作不應作，犯此罪耳。
二、「一二」下，総制。
三、「若故」下，結犯，可知。（四〇・六四九中～下）

［74］

〔第三十四軽戒〕

若仏子，護持禁戒，行住坐臥，日夜六時，読誦是戒，猶如金剛，如帯持浮嚢欲渡大海，如草繋比丘，常生大乗信，自知「我是未成之仏，諸仏是已成之仏」，発菩提心，念念不去心。若起一念二乗、外道心者，犯軽垢罪。〔一〇〇七中〕

【素材】曇無讖訳『大般涅槃経』
既出家已，奉持禁戒，威儀不欠，進止安詳，無所触犯。乃至小罪，心生怖畏。護戒之心，猶如金剛。善男子，譬如有人帯持浮嚢，欲渡大海。（一二・四三二中。望月一九四六・四六一。西本一九六〇・三二一）

【素材】『同』
屠家之子常修悪業，以見我故，即便捨離，如闡提比丘。因見我故，寧捨身命，不毀禁戒，如草繋比丘。（一二・五二〇上）

【素材】鳩摩羅什訳『大荘厳論経』
復次，若有弟子能堅持戒，為人宗仰，一切世人并敬其師。我昔曽聞。有諸比丘曠野中行，為賊剽掠，剥脱衣裳。時此群賊懼諸比丘往告聚落尽欲殺害。賊中一人先曽出家，語同伴言，「今者何為尽欲殺害。比丘之法，不得傷草。今若以草繋諸比丘。彼畏傷故，終不能得四向馳告」。賊即以草而繋縛之，捨之而去。諸比丘等既被草縛，恐犯禁戒，不得挽絶。身無衣服，為日所炙。蚊虻蠅蚤之所唼嬈。従旦被縛，至於日中，転到日没，晦冥大闇，夜行禽狩交横馳走，野狐群鳴鵄梟雊呼。悪声啼叫，甚可怖畏。有老比丘語諸年少，「汝等善聴。人命促短，如河駛流。設処天堂，不久磨滅。況人間命而可保乎。命既不久，云何為命而毀禁戒」。（四・二六八下）

［解説］智顗『菩薩戒義疏』

「浮嚢」，如『大経』。「草繋」，出『因縁経』。（四〇・五七八中）

［解説］袾宏『梵網菩薩戒経義疏発隠』

「草繋」者，昔仏在世，有諸比丘為賊劫掠，恐其追獲，以草繋之。仏制比丘不壊生草。繇此安坐，不敢動作。王過見之，乃得解釈。如是持戒，所謂「寧有戒死，不無戒生」也。（続蔵一、五九、五、三九二裏下～三九三表上）

【素材】偽経『仁王般若経』（鳩摩羅什訳）

『梵網経』最古形　本文

【素材】『影響』〔解説〕〔引用〕

修護空観，亦観亦行百万波羅蜜，念念不去心，以二阿
僧祇劫，行十正道法住波羅陀位。（八・八三一中）
【素材】『同』
復次，善覚摩訶薩，住平等忍，修行四摂，念念不去心，
入無相，捨滅三界貪煩悩，於第一義諦而不二。（八・八
三一中）
〔影響〕偽経『菩薩瓔珞本業経』（竺仏念訳）
厚集一切善法八万四千般若波羅蜜，一切諸法門摂我心
中，念念不去心。（二四・一〇二二上）
〔影響〕元暁『阿弥陀経義疏』
『梵網戒』云，「常須自知我是未成之仏，諸仏是已成之
仏」。汝心仏者，未成仏也。弥陀仏者，已成仏也。未成
之仏久沈欲海，具足煩悩，杳無出期。已成之仏久証菩
提，具足威神，能為物護。是故諸経勧令念仏。即是以
已未成仏求他已成仏，而為救護耳。（三七・三六二上）

［75］

〔第三十五軽戒〕
若仏子，常応発一切願，孝順父母、師僧，願得好
師、同学善知識，常教我大乗経律，十発趣、十長
養、十金剛、十地使我開解，如法修行，堅持仏

【素材】鳩摩羅什訳『大智度論』
今世得遇好師、同学等善知識。因先世供養仏，縁今世
善知識故。（二五・五二二下）
【素材】／『影響』「念念不去心」，偽経『仁王般若経』，

戒。寧捨身命，念念不去心。若一切菩薩不発是願者，犯軽垢罪。〔一〇〇七中～下〕

前注74，偽経『菩薩瓔珞本業経』，前注74参照。

〔解説〕智顗『菩薩戒義疏』

序事三重。一出願体，二応，三不応。

一、願体有十事。一、願孝父母、師僧。二、願得好師。三、願得勝友、同学。四、願教我大乗経律。五、願解十発趣。六、願解十長養。七、願解十金剛。八、願解十地。九、願如法修行。十、願堅持仏戒。

「寧捨」下，第二応。応発此心。

「若一切」下，第三不応。不応不発此心。（四〇・五七八中）

［76］

〔第三十六軽戒〕

若仏子，発十大願已，持仏禁戒，作是願言。寧以此身投熾然猛火、大坑、刀山，終不毀犯三世諸仏経律，与一切女人作不浄行。

復作是願。寧以熱鉄、羅網，千重周帀纏身，終不破戒之身受於信心檀越一切衣服。

復作是願。寧以此口呑熱鉄丸、大流猛火，経百千劫，終不破戒之口食信心檀越百味飲食。

復作是願。寧以此身臥大猛火羅網、熱鉄地上，終不破戒之身受信心檀越百種床坐。

【素材】曇無讖訳『大般涅槃経』

善男子，菩薩摩訶薩受持如是諸禁戒已，作是願言。寧以此身，投於熾然猛火深坑，終不毀犯過去未来現在諸仏所制禁戒，与刹利女、婆羅門女、居士女而行不浄。

復次，善男子，菩薩摩訶薩復作是願。寧以熱鉄，周匝纏身，終不敢以破戒之身，受於信心檀越衣服。

復次，善男子，菩薩摩訶薩復作是願。寧以此口呑熱鉄丸，終不敢以毀戒之口食於信心檀越飲食。

復次，善男子，菩薩摩訶薩復作是願。寧臥此身大熱鉄上，終不敢以破戒之身，受於信心檀越床敷臥具。

『梵網経』最古形　本文

復作是願。寧以此身受三百鉾刺身，終不破戒之身受信心檀越百味医薬。
復作是願。寧以此身投熱鉄鑊千劫，終不破戒之身受信心檀越千種房舎、屋宅、園林、田地。
復作是願。寧以鉄鎚打砕此身，従頭至足，令如微塵，終不以此破戒之身受信心檀越恭敬、礼拝。
復作是願。寧以百千熱鉄刀鉾挑其両目，終不破戒心視他好色。
復作是願。寧以百千鉄釘遍身劖刺耳根，経一劫二劫，終不以破戒心聴好音声。
復作是願。寧以百千刃刀割去其鼻，終不破戒心貪嗅諸香。
復作是願。寧以千刃刀割断其舌，終不以破戒之心食人百味浄食。
復作是願。寧以利斧斬破其身，終不以破戒心貪著好触。
復作是願。願一切人成仏。
菩薩若不発是願者，犯軽垢罪。〔一〇〇七下～一〇〇八上〕

【素材】〔影響〕〔解説〕〔引用〕

復次，善男子，菩薩摩訶薩復作是願。我寧以身，受三百鉾，終不敢以毀戒之身受於信心檀越医薬。
復次，善男子，菩薩摩訶薩復作是願。寧以此身投熱鉄鑊，不以破戒之身受於信心檀越房舎、屋宅。
復次，善男子，善（→菩）薩摩訶薩復作是願。寧以鉄搥打砕此身，従頭至足，令如微塵，不以破戒受諸刹利、婆羅門居士恭敬礼拝。
復次，善男子，菩薩摩訶薩復作是願。寧以熱鉄，挑其両目，不以染心視他好色。
復次，善男子，菩薩摩訶薩復作是願。寧以鉄錐，遍身攙刺，不以染心聴好音声。
復次，善男子，菩薩摩訶薩復作是願。寧以利刀割去其鼻，不以染心貪嗅諸香。
復次，善男子，菩薩摩訶薩復作是願。寧以利刀割裂其舌，不以染心貪著美味。
復次，善男子，菩薩摩訶薩復作是願。寧以利斧，斬斫其身，不以染心貪著諸触。何以故。以是因縁，能令行者，堕於地獄畜生餓鬼。迦葉，是名菩薩摩訶薩護持禁戒。菩薩摩訶薩，護持如是諸禁戒已，悉以施於一切衆生，以是因縁，願令衆生護持禁戒，得清浄戒、善戒、不缺戒、不析戒、大乗戒、不退戒、随順戒、畢竟戒，具足成就波羅蜜戒。（一二・四三三上〜中。望月一九四六・四六一〜六三。西本一九六〇・二九〜三〇）

〔77〕

〔第三十七軽戒〕

若仏子，常応二時頭陀，冬夏坐禅，結夏安居，常用楊枝、澡豆、三衣、瓶、鉢、坐具、錫杖、香爐、漉水嚢、手巾、刀子、火燧、鑷子、縄床、経、律、仏像、菩薩形像。而菩薩行頭陀時及遊方時，行来百里、千里，此十八種物常随其身。頭陀者，従正月十五日至三月十五日，八月十五日至十月十五日，是二時中，十八種物常随其身，如鳥之翼。若布薩日，新学菩薩，半月半月布薩，誦十重四十八軽戒時，於諸仏、菩薩形像前，一人布薩即一人誦，若二若三人，至百千人，亦一人誦。誦者高坐，聴者下坐，各各披九条、七条、五条袈裟。結夏安居，一一如法。若頭陀時，莫入難処。若国難、悪王、土地高下，草木深邃、師子、虎、狼、水、火、風，劫賊、道路毒蛇，一切難処，悉不得入。一切難処故，頭陀行道，乃至夏坐安居，是諸

【素材】曇無讖訳『大般涅槃経』

所受衣服纔足覆身，進止常与三衣鉢具，終不捨離，如鳥二翼。（一二・四三三上）

【素材】仏駄跋陀羅・法顕訳『摩訶僧祇律』

仏告諸比丘，当知如来応供第一楽人，出家離第一楽，而随所住処，常三衣倶持鉢乞食，譬如鳥之両翼恒与身倶。（二二・二九三下〜二九四上）

〔解説〕法蔵『梵網経菩薩戒本疏』

「若頭陀時」下，挙諸難処。略挙十二難処。一．国難悪王者，彼国王不信三宝，頭陀不得入彼界中。二．地有高下。三．草深林密。四．黒師子噉人。五．虎。六．狼。七．水。八．火。九．風。十．賊。十一．毒蛇所行之路。十二．総結一切難処。（四〇・六五一中）

	『梵網経』最古形　本文	【素材】〔影響〕〔解説〕〔引用〕
	難処，亦不得入此難処。況行頭陀者見難処。故入者，犯軽垢罪。〔一〇〇八上〕	
[78]	〔第三十八軽戒〕 若仏子，応如法次第坐。先受戒者在前坐，後受戒者在後坐，不問老少、比丘、比丘尼、貴人、国王、王子乃至黄門、奴婢，皆応先受戒者在前坐，後受戒者次第而坐，莫如外道、癡人。若老若少，無前無後，坐無次第，兵奴之法。我仏法中，先者先坐，後者後坐。而菩薩不次第坐，犯軽垢罪。〔一〇〇八中〕	【素材】鳩摩羅什訳『十誦律』 僧会法者，除月六斎日，余残僧会、僧事、僧坐処唱時，打揵椎時，諸比丘応速去，如法次第坐。応随法随比尼随仏教行，不軽上、中、下座，是名増会法。（二三・四二一下） 〔解説〕義寂『菩薩戒本疏』 「坐無次第，兵奴之法」者，兵奴強者為先，不以長幼次第。仏法道尊，不応如彼。（四〇・六八四）
[79]	〔第三十九軽戒〕 若仏子，常応教化一切衆生，建立僧房、山林、園、田，立作仏塔。冬夏安居、坐禅処所、一切行道処，皆応立之。而菩薩応為一切衆生講説大乗経律，若疾病、国難、賊難，父母、兄弟、和上、阿闍梨亡滅之日，及三七日、四、五七日，亦講大乗経律，而斎会求，行来持生，大火、大水所漂，黒風所吹船舫、江河、大海、羅刹之難，亦読誦、講説此経律，乃至一切罪報，三報、八難、七逆，杻	【素材】鳩摩羅什訳『妙法蓮華経』 設復有人，若有罪，若無罪，杻械枷鎖検繋其身，称観世音菩薩名者，皆悉断壊，即得解脱。（九・五六下） 【素材】偽経『仁王般若経』（鳩摩羅什訳） 大王，不但護福，亦護衆難。若疾病苦難，杻械、枷鎖検繋其身，破四重罪，作五逆因，作八難罪，行六道事，一切無量苦難，亦講此経，法用如上説。（八・八三〇上） 〔影響〕失訳『大仏頂広聚陀羅尼経』 若有人毎日常誦憶念及転読此心陀羅尼経者，得大延寿

械、枷鎖繫縛其身，多婬、多瞋、多愚癡、多疾病，皆応講此経律。而新学菩薩若不爾者，犯軽垢罪。〔一〇〇八中〕

[80]

是九戒応当学，敬心奉持。「梵坦品」当説。〔一〇〇八中〕

［第四十軽戒］

仏言，仏子，与人受戒時，不得簡択一切国王、王

功徳，広大如須弥山，得大文持，能除一切地獄、餓鬼、畜生、閻羅王界、三報、八難、七逆之罪，一切衆生聞此呪名，如前罪障，悉皆除滅。何呪如法受持。〔一九・一七二上〜中〕

［解説］明曠『天台菩薩戒疏』

「三報」者，一切之業並有三報。此身造業，即此身報，名為現報。此身造業，次生受報，名為生報。此世造業，二三生後，方受其報，名為後報。〔四〇・五九八中〕

［参考］東晋・慧遠『三報論』（『弘明集』巻）

経説業有三報。一曰現報，二曰生報，三曰後報。現報者，善悪始於此身，即此身受。生報者，来生便受。後報者，或経二生、三生、百生、千生，然後乃受。〔五二・三四中〕

［参考］道元『正法眼蔵』

梵網経中ニ冬安居アレトモ，ソノ法ツタハレス。〔八二・二六二上〕

【素材】偽経『仁王般若経』（鳩摩羅什訳）

願過去仏、現在仏、未来仏常説般若波羅蜜。願一切受

[81]

『梵網経』最古形　本文

子、大臣、百官、比丘、比丘尼、信男女、婬男女、十八天、無根、二根、黄門、奴婢、一切鬼神，尽得受戒，応教身所著袈裟，皆使壊色，与道相応，皆染使青、黄、赤、黒、紫色一切染衣，乃至臥具，尽以壊色，身所著衣，一切染色。若一切国土中国人所著衣服，比丘皆応与其国土衣服色異，与俗服有異。若欲受戒時，問言，「現身不作七逆罪耶」。菩薩法師不得与七逆人現身受戒。七逆者，出仏身血，殺父，母，殺和上，殺阿闍梨，破羯磨転法輪僧，殺聖人。若具七遮，即現身不得戒。余一切人，得受戒。出家人法，不向国王礼拜，不向父母礼拜，六親不敬，鬼神不礼，但解師語，有百里、千里来求法者，而菩薩法師以悪心、瞋心而不即与授一切衆生戒，犯軽垢罪。〔一〇〇八中～下〕

【素材】『影響』〔解説〕〔引用〕

持者比丘、比丘尼、信男、信女、所求如意常行般若波羅蜜。（八・八三〇下～八三一上）

【素材】『同』

復有百部楽聞是経，此諸鬼神護汝国土。大王，国土乱時，先鬼神乱，鬼神乱故万民乱。賊来劫国，百姓亡喪。臣君、太子、王子、百官共生是非。…，二十八宿星道日月失時失度…。（八・八三〇上）

【素材】曇無讖訳『大般涅槃経』

若得人身，受黄門形、女人、二根、無根、婬女。（一二・五〇七下）

【素材】曇無讖訳『優婆塞戒経』

願我後生，在在処処，不受女身、無根、二根、奴婢之身。（二四・一〇四〇中）

〔影響〕偽経『菩薩瓔珞本業経』

始行菩薩，若信男、若信女中，諸根不具、黄門、婬男、婬女、奴婢、変化人受得戒。（二四・一〇二〇中）

〔解説〕遁倫『瑜伽論記』

「七逆」者，出仏身血、殺父母、殺阿闍梨、破羯磨転法輪僧、殺聖人。若具七遮，即身不得戒。余一切人得受

戒。（四二・五三六下）

［解説］明曠『天台菩薩戒疏』

「破羯磨転法輪僧」者，仏滅度後，雖無別邪羯磨，破正羯磨，及破初転四諦之理，而為遮礙。亦此流類耳。（四〇・五九八下）

［解説］鳩摩羅什訳『十誦律』

一切不應作破僧。有二種。破羯磨、破輪僧。破羯磨者，若諸比丘一界内，別作布薩羯磨，是名破羯磨僧。破輪者，輪名八種聖道分。令人捨八聖道，入邪道中，是名破輪。（二三・四一七下）

［解説］法蔵『梵網経菩薩戒本疏』

言「一切衆生戒」者，有二義。一、不与彼一切求戒衆生之戒也。二、此是戒名，謂名菩薩戒為一切衆生戒。以此是一切衆生所応得戒故云也。（四〇・六五二中）

［82］

［第四十一軽戒］

若仏子，教化人起信心時，菩薩与他人作教戒法師者，見欲受戒人，応教請二師，和上、阿闍梨，二師応問言，「汝有七遮罪不」。若現身七遮，師不与受。無七遮者，得受。若有犯十戒者，教懺悔，在仏、菩薩形像前，日日六時，誦十戒四十八軽戒。

［解説］義寂『菩薩戒本疏』

「若犯四十八軽者，対手懺罪滅」者，謂対一人対手懺滅，還得清浄。手者，亦名対首，謂対一人合手懺謝，故云対手。面首相対，陳罪悔滅，故云対首。（四〇・六八六上）

［解説］法蔵『梵網経菩薩戒本疏』

『梵網経』最古形　本文

苦到礼三世千仏，得見好相者。若一七日、二、三七日，乃至一年，要見好相。相者，仏来摩頂，見光華、種種異相，便得滅罪。若無好相，雖懺無益。是現身亦不得戒，而得増受戒。若犯四十八軽戒者，対手懺罪滅，不同七遮。而教戒師，於是法中，一一好解。若不解大乗経律，若軽若重、是非之相，不解第一義諦、習種性、長養性、不可壊性、道性、正性，其中多少観行、出入十禅支，一切行法，一一不得此法中意。而菩薩為利養，為名聞故，悪求，貪利弟子，而詐現解一切経律，為供養故，是自欺詐，欺詐他人，故与人受戒者，犯軽垢罪。〔一〇〇八下～一〇〇九上〕

【素材】〔影響〕〔解説〕〔引用〕

「習種」是十住。「長養」是十行。「不壊」是十迴向金剛幢位。「道種」是十地，謂聖道治惑故云也。「正性」是仏位，正果顯故。（四〇・六五三上）

〔影響〕道世『法苑珠林』

又依『梵網経』云，「若教戒法師見欲受戒人，応教請二師，和尚、阿闍梨，二師応問言，『汝有七遮罪不』。若現身有七遮罪，師不与受。無七遮者，得受。若有犯十戒者，教懺悔。在仏菩薩形像前，日日六時，誦十戒、四十八軽戒。若敬礼三世千仏，得見好相。若一七日、二、三七日乃至一年，要見好相。仏来摩頂，見光華種種異相，便得滅罪。若無好相，雖懺無益。縦是現身亦不得戒，若曽受戒，或犯四十八軽戒者，対手懺罪滅，不同七遮。又若欲受戒時，問言，『現身不作七逆罪耶』。不得与七逆人受戒。七逆者，一、出仏身血，二、殺父，三、殺母，四、殺和尚，五、殺阿闍梨，六、破羯磨転法輪僧，七、殺聖人。若具七遮，即身不得戒。余一切人得受戒。出家人法，不向国王礼拜，不向父母礼拜，不向六親礼拜，不向鬼神礼拜。但解法師語、百里千里来求法者，而菩薩法師以悪心瞋心，而不即与授一切衆

生戒，犯軽垢罪」。（五三・九四〇中）

［解説］伝奥『梵網経記』

「若仏子，教化人起信心時，菩薩与他人作教戒法師者」。釈曰，或自教化，或別人教化，令起信心。…。「若見欲受戒人，応教請二師，和上、阿闍梨」。釈曰，今請釈迦為和尚已，為闍梨後問罪煉器。…初問遮罪，「二師応問言，「汝有七遮罪不」」。若現身有七遮罪者，師不応与受戒。若無七遮者，得与受戒」。二問重罪，…「若有犯十戒者，応教懺悔，在仏、菩薩形像前，日夜六時，誦十重四十八軽戒。苦到禮三世千仏，得見好相。若一七日，二三七日，乃至一年，要見好相。好相者，仏來摩頂，見光華、種種異相，便得滅罪」。釈曰，「三世千仏」者大略言之也。「種種異相」者，聖境多端故。「滅」者，此則旧戒却円，更不要受。後罪存戒，滅而可受。「若無好相，雖懺無益。是人現身亦不得戒，而得増受戒」。釈曰，「現身不得戒」者，不得旧戒。「得増受戒」者，「増」由重也。「得」与重受戒也。…下略…

（続蔵一、五九、五、四五九表上～裏上）

［解説］義寂『菩薩戒本疏』

「而得増受戒」者，旧作三解。一云，不得而強受，更増受戒罪。以違教故。二云，雖不得戒，而得増受戒之福。

	『梵網経』最古形　本文	【素材】『影響』［解説］［引用］
		三云，直是驚跪不得之辞耳。今謂，「而得増受戒」者，是許重受之言，謂犯十重，懺不得相，雖現身中不得本戒，而得更増重受新戒。（四〇・六八六上） ［解説］法蔵『梵網経菩薩戒本疏』 而得更受故，云「而得増受戒」，増受是重受也。（四〇・六五二下～六五三上）
[83]	［第四十二軽戒］ 若仏子，不得為利養，於未受菩薩戒者前、外道、悪人前，説此千仏戒。大邪見人前，亦不得説。除国王，余一切不得説。是悪人輩不受仏戒，名為畜生。生生不見三宝，如木石無心，名為外道、邪見人輩，木頭無異。而菩薩於是悪人前説七仏教戒者，犯軽垢罪。（一〇〇九上）	［解説］勝荘『梵網経菩薩戒本述記』 言「千仏戒」者，賢劫千仏。（続蔵一、六〇、二、一四九表上） ［影響］偽経『菩薩瓔珞本業経』（竺仏念訳） 仏子，若過去、未来、現在一切衆生不受是菩薩戒者，不名有情識者。畜生無異，不名為人。常離三宝海，非菩薩，非男非女，非鬼非人，名為畜生，名為邪見，名為外道，不近人情。（二四・一〇二一中）
[84]	［第四十三軽戒］ 若仏子，信心出家，受仏正戒，故起心毀犯聖戒者，不得受一切檀越供養，亦不得国王地上行，不得飲国王水。五千大鬼常遮其前，鬼言大賊。入房舎、城邑、宅中，鬼復常掃其脚迹，一切世人罵言	【素材】道宣『四分比丘尼鈔』 『比丘応供経』云，「若我弟子有受別請，定失四果，不名比丘道人，不名受檀越供養人。是人不得国王地上行，不得飲国王水。有五百大鬼常遮其前。是比丘七劫不見仏，不為授手，不得檀越之物。五百大神常随其後，言

仏法中賊。一切衆生，眼不欲見犯戒之人，畜生無異，木頭無異。若毀正戒者，犯軽垢罪。〔一〇〇九上〕

「仏法中大賊」。仏言，莫如外道，親近知識、国王、大臣前自唱言，我得真道，欲受別請。若我弟子受別請者，非仏弟子，非求道人。是空作，是計名，為畜生、地獄中人。不見千仏」。（続蔵一、六四、一、七七裏下）

【素材】円測『仁王経疏』

是故『比丘応供法行経』云，「若我弟子有受別請者，是人定失一果、二果、三果、四果，不名比丘。是其不得国王地行，不得飲食国王水。有五百大鬼常遮其前。是比丘七劫不見仏，仏不授手，不得受檀越物。五千大鬼常随其後，言「仏法中大賊」。諸比丘応作次第請僧，七仏法如是。次第僧中有仏化僧、四道果僧、菩薩僧、七賢僧、凡夫僧，欲使四方檀越得如是僧，故莫別受請」。具説如彼。……。『居士請僧福田経』大意亦同。（三三・四二六中～下）

【素材】法蔵『梵網経菩薩戒本疏』

『比丘応供法行経』云，「若我弟子有受別請者，是人定失一果、二果、三果、四果，不名比丘。是人不得国王地上行，不得飲国王水。有五百大鬼常遮其前。是比丘七劫不見仏，仏不授手，不得受檀越物。五千大鬼常随其後，言「仏法中大賊」。諸比丘不応作。次第僧中有仏化僧、四道果僧、菩薩僧、七賢僧、凡夫僧，欲使四方

【素材】〔影響〕［解説］［引用］

檀越得如是僧，故莫受別請」。又『居士請僧福田経』意亦同此。（四〇・六四七上。望月一九四六・四六四）

【素材】明曠『天台菩薩戒疏』引偽経『応供行経』

故『応供行経』云、「受別請者，定失四果，七劫不見仏。五百大鬼遮其前，五百大鬼随其後，為僧宝中有仏化僧、四道果僧、菩薩之僧、七賢僧、凡夫僧，欲令四方施主得如是制，不得受別請也」。（四〇・五九四上～中）

［参考］僧祐『出三蔵記集』新集疑経偽撰雑録

比丘応供法行経一巻〈此経前題云「羅什出」。祐案，経巻旧無訳名，兼羅什所出又無此経，故入疑録〉。（五五・三九上）

［解説］袾宏『菩薩戒経義疏発隠』

又「掃其脚迹」者，『経』言，「賢聖誦経行道之処，其地皆為金剛」。今此悪人遊行之処，其地皆悉穢染。鬼安得不掃其脚迹耶。（続蔵一、五九、五、四〇四表上）

〔影響〕偽経『菩薩瓔珞本業経』（竺仏念訳）

仏子，若過去、未来、現在一切衆生不受是菩薩戒者，不名有情識者。畜生無異，不名為人。常離三宝海，非菩薩，非男，非女，非鬼，非人，名為畜生，名為邪見，

名為外道，不近人情。（二四・一〇二一中）

［85］

［第四十四軽戒］

若仏子，常応一心受持、読誦，剥皮為紙，刺血為墨，以髄為水，折骨為筆，書写仏戒。木皮、角紙、絹，亦応悉書持，常以七宝、無価香華、一切雑宝為箱，盛経律巻。若不如法供養者，犯軽垢罪。〔一〇〇九上〕

【素材】曇無讖訳『大般涅槃経』

世尊，我於今者実能堪忍，剥皮為紙，刺血為墨，以髄為水，折骨為筆，書写如是大涅槃経。書已，読誦，令其通利，然後，為人広説其義。（一二・四四九上）

【素材】鳩摩羅什訳『大智度論』

受剥皮苦，出骨為筆，以血為墨，以皮為紙，書受経法。（二五・二六七下。西本一九六〇・三二）

【素材】『同』

我有仏所説一偈。汝能以皮為紙，以骨為筆，以血為墨，書写此偈，当以与汝。（二五・四一二上。西本一九六〇・三二）

【素材】鳩摩羅什訳『集一切福徳三昧経』

時天報言。汝今若能剥皮為紙，以血為墨，折骨為筆，書写此偈，乃当相与仏所説偈。……於此天所生師宗想，即以利刀自剥身皮，乾以為紙。復刺出血，用以為墨。復折其骨，削以為筆，合掌向天而作是言。天為我説仏所得偈。如先所勅，剥皮為紙，出血為墨，折骨為筆，我悉作已。（一二・九九五下～九九六上）

［引用］道世『法苑珠林』

	『梵網経』最古形　本文	【素材】『影響』［解説］［引用］
		是故『経』云，「若仏子，常応一心受持読誦此戒，剥皮為紙，刺血為墨，以髄為水，折骨為筆，書写仏戒。麻皮、穀紙、絹等亦応悉書持。常以七宝、無価香華、一切雑宝為箱，盛経律巻。若不如法供養者，犯軽垢罪」。（五三・九四二上）
［86］	［第四十五軽戒］ 若仏子，常起大悲心。若入一切城邑、舎宅，見一切衆生，唱言，「汝衆生，尽応受三帰、十戒」。若見牛、馬、猪、羊，一切畜生，応心念口言，「汝是畜生，発菩薩心」。而菩薩入一切処，山林川野，皆使一切衆生発菩提心。是菩薩若不教化衆生，犯軽垢罪。〔一〇〇九上～中〕	［参考］失訳『師子月仏本生経』 ……王所将余衆一万六千人皆発阿耨多羅三藐三菩提心。八万諸天亦倶発心。八万四千金色獼猴，聞昔因縁，慚愧自責，遶仏千匝，向仏懺悔，各各亦発無上菩提心，随寿長短，各自命終。命終之後，当生兜率天，値遇弥勒，復更増進，得不退転。爾時尊者摩訶迦葉見此事已，告諸大衆，「菩薩行浄，乃令畜生発於道心。婆須蜜多，尚能如是大為仏事。況余菩薩威徳無量」。時諸天子、山神、地神、天龍八部，見諸獼猴発菩提心，当生天上，得不退転，心生歓喜。（三・四四五下～四四六上）
［87］	［第四十六軽戒］ 若仏子，常行教化大悲心，入檀越、貴人家、一切衆中，不得立為白衣説法，応白衣衆前高座上坐，法師比丘不得地立為四衆白衣説法。若説法時，法	『影響』偽経『菩薩瓔珞本業経』（竺仏念訳） 仏子，受十戒已，復為聴者，教供養法師，常以天上無量華香、百千燈明、百千天衣瓔珞、百千妓楽、百味飲食、屋宅、経書，一切所須之物，皆悉給与，弘通法師，

師高坐，香華供養，四衆聴者下坐，如敬孝順父母，順師教，如事火婆羅門。其説法者若不如法，犯軽垢罪。〔一〇〇九中〕

当如敬仏，如事父母，如事火婆羅門法。（二四・一〇二二下）

［参考］仏陀耶舎・竺仏念訳『長阿含経』
知有孝順父母，敬順沙門婆羅門，宗事長老（一・一三四中）

［参考］『同』
孝順父母，敬事師長（一三四中）

［解説］智顗『菩薩戒義疏』
『爾雅』云，「善事父母為孝。孝即順也」。太史叔明用順釈孝。『孝経鈎命決』云，孝字訓究竟，是了悉。始終色養也。亦可訓度，度是儀法。温凊合儀也。（四〇・五七〇下）

［解説］与咸『菩薩戒本疏』
「事火婆羅門」，＊『栄鈔』云，「伽耶迦葉計執火，能変壊万物，有大功能。由是多不敢用。今敬法師之教，由彼之敬火也。（続蔵一、五九、四、三一八表下）
注　＊＝遇栄『梵網経律燈抄』四巻

［参考］竺仏念訳『出曜経』
如来教曰。当自守戒，猶若事火梵志，五処然火，昼夜承事，不失時節，香華繒綵事事供養。是故説曰。諸有知深法，不問老以少，審諦守戒信，猶祀火梵志。

『梵網経』最古形　本文

【素材】〔影響〕〔解説〕〔引用〕

帰命人中尊，亦如事火神。
諸有知深法，等覚之所説，審諦守戒信，猶祀火梵志。
（四・七七五上）

〔参考〕仏陀耶舎・竺仏念訳『長阿含経』
祭祀火為上。諷誦詩為上。人中王為上。衆流海為上。
（一・一〇一上）

〔参考〕僧伽提婆訳『増壱阿含経』
祠祀火為上，衆書頌為最。王為人中尊，衆流海為上。
（二・五八九中）

〔参考〕失訳『別訳雑阿含』
婆羅門経書，祠祀火為最。外道典籍中，婆比室為最。
於諸世人中，王者最為首。百川衆流中，巨海名為最。
（二・三九一中）

〔参考〕求那跋陀羅訳『過去現在因果経』
婆羅門法中，奉事火為最。一切衆流中，大海為其最。
（三・六四七中）

〔参考〕吉迦夜訳『方便心論』
如説晨朝礼敬，殺生祭祠，然衆香木，献諸油燈。如是
四種，名事火外道。（三二・二四上）

［88］

［第四十七軽戒］
若仏子，皆以信心受仏戒者，若国王、太子、百官、四部弟子，自恃高貴，破滅仏法戒律，明作制法，制我四部弟子，不聴出家行道，亦復不聴造立形像、仏塔、経律，破三宝之罪。而故作破法者，犯軽垢罪。
〔一〇〇九中〕

［第四十八軽戒］
若仏子，以好心出家，而為名聞、利養，於国王、百官前説仏戒，横与比丘、比丘尼、菩薩弟子繫縛，如師子身中虫自食師子，非外道、天魔破。若受仏戒者，応護仏戒，如念一子，如事父母。而聞外道、悪人以悪言謗仏戒時，如三百鉾刺心、千刀

［引用］道世『法苑珠林』
若仏子，常行教化，大悲心入檀越、貴人家、一切衆中，不得立為白衣説法，応白衣衆前高座上坐。法師不得地立為四衆白衣説法。若説法時，法師高座香華供養，四衆聴者，下坐如孝順父母。敬順師教，如事火婆羅門。其説法者，若不如法，犯軽垢罪。（五三・六四四中）

【素材】偽経『仁王般若経』（鳩摩羅什訳）
仏告波斯匿王。我誡勅汝等。吾滅度後，八十年、八百年、八千年中，無仏、無法、無僧、無信男、無信女時，此経三宝，付嘱諸国王、四部弟子，受持、読誦、解義，為三界衆生開空慧道，修七賢行、十善行，化一切衆生。後五濁世，比丘、比丘尼、四部弟子、天龍八部、一切神王、国王、大臣、太子、王子，自恃高貴，滅破吾法，明作制法，制我弟子比丘、比丘尼，不聴出家行道，亦復不聴造作仏像形、仏塔形，立統官制衆，安籍記僧，比丘地立，白衣高坐，兵奴為比丘，受別請法，知識比丘，共為一心親善，比丘為作斎会求福，如外道法，都非吾法。当知爾時正法将滅不久。
大王，壊乱吾道，是汝等作。自恃威力，制我四部弟子，百姓疾病無不苦難。是破国因縁，説五濁罪，窮劫不尽。

『梵網経』最古形　本文

万杖打拍其身，等無有異。寧自入地獄百劫，而不一聞悪言破仏戒之声。況自破仏戒，教人破法因縁，亦無孝順之心。若故作者，犯軽垢罪。〔一〇〇九中〕

〔比較――第四十七軽戒磧砂蔵本〕

若仏子，以信心受戒者，若国王、太子、百官、四部弟子，自恃高貴，破滅仏法戒律，明作制法，制我四部弟子，不聴出家行道，亦復不聴造立形像、仏塔、経律，立統制衆，安藉記僧，菩薩比丘地立，白衣高座，広行非法，如兵奴事主。而菩薩応受一切人供養。而反為官走使，非法非律。若国王、百官好心受仏戒者，莫作是破三宝之罪。而故作破者，犯軽垢罪。

【素材】『影響』〔解説〕〔引用〕

大王，法末世時，有諸比丘、四部弟子、国王、大臣，多作非法之行，横与仏法衆僧作大非法，作諸罪過非法非律，繋縛比丘，如獄囚法。当爾之時，法滅不久。

大王，我滅度後，未来世中，四部弟子、諸小国王、太子、王子，乃是住持護三宝者，転更滅破三宝，如師子身中虫自食師子，非外道也。多壊我仏法得大罪過，正教衰薄，民無正行，以漸為悪，其寿日減，至于百歳，人壊仏教，無復孝子，六親不和，天神不祐，疾疫悪鬼，日来侵害，災怪首尾，連禍縦横，死入地獄、餓鬼、畜生，若出為人兵奴果報，如響応声，如人夜書火滅字存，三界果報亦復如是。

大王，未来世中，一切国王、太子、王子、四部弟子，横与仏弟子書記制戒，如白衣法，如兵奴法，若我弟子比丘、比丘尼立籍為官所使，都非我弟子。是兵奴法。立統官，摂僧典，主僧籍。大小僧統，共相摂縛，如獄囚法、兵奴之法。当爾之時，仏法不久。

大王，未来世中，諸小国王、四部弟子，自作此罪，破国因縁，身自受之，非仏法僧。

大王，未来世中，流通此経。七仏法器、十方諸仏，常所行道。諸悪比丘，多求名利，於国王、太子、王子前，自説破仏法因縁，破国因縁。其王不別，信聴此語，横作法制，不依仏戒。是為破仏、破国因縁。当爾之時正法不久。

爾時十六大国王，聞仏七誡所説未来世事，悲啼涕出，声動三千，日月、五星、二十八宿，失光不現。時諸王等，各各至心受持仏語，不制四部弟子出家行道，当如仏教。（八・八三三中～下。望月一九四六・四六六～四六七）

【素材】『大宝積経』巻一一三，宝梁聚会（北涼・道龔訳『宝梁経』）

迦葉，譬如師子獣中之王，若其死已，虎狼鳥獣無有能得食其肉者。迦葉，師子身中自生諸虫還食其肉。迦葉，於我法中出如是等諸悪比丘，貪惜利養，為貪利所覆，不滅悪法，不修善法。（一一・六四〇下）

【素材】曇無讖訳『大般涅槃経』

迦毘羅城有釈種子，字悉達多，姓瞿曇氏，父名白浄。……於諸衆生其心平等，猶如父母等視一子。所有身心，衆中最勝。（一二・五四〇下）

【素材】『同』

有能深楽護持正法，我当敬重，如事父母。（一二・三六

	『梵網経』最古形　本文	【素材】【影響】〔解説〕〔引用〕
		七下） 【素材】法顕訳『大般泥洹経』 諸仏世尊無此苦念，視一切衆生，皆如一子。（一二・八六〇中） 【素材】道泰訳『入大乗論』 若誹謗摩訶衍者，是大過罪。汝今若言「此是魔説，仏所不説。然諸経中実無此語」，若但口言為大乗者是魔所説，終不可信。汝意若謂是仏説者，猶如師子身中生虫，則還食師子，三乗皆爾。不独大乗。是故当如（↓知）摩訶衍者，非魔所及，唯仏能説。（三二・三八下） 〔解説〕智顗『菩薩戒義疏』 不聴四部出家者，謂居士、居士婦、童男、童女。（四〇・五七九下）
[89]	是九戒応当学，敬心奉持。〔一〇〇九中〕	
[90]	諸仏子，是四十八軽戒，汝等受持，過去諸菩薩已誦，現在諸菩薩今誦。 仏子聴，十戒四十八戒，三世諸仏已誦、当誦、今誦。我今亦如是誦。〔一〇〇九中〕	

［91］

汝等一切大衆，若国王、王子、百官、比丘、比丘尼、信男、信女受持菩薩戒者，応受持、読誦、解説、書写仏性常住戒巻，流通三世一切衆生，化化不絶，得見千仏，仏仏授手，世世不堕悪道、八難，常生人道、天中。〔一〇〇九中～下〕

【素材】偽経『仁王般若経』（鳩摩羅什訳）

大王，国土乱時，先鬼神乱。鬼神乱故万民乱，賊来劫国，百姓亡喪，臣君、太子、王子、百官共生是非，天地怪異二十八宿，星道日月失時失度，多有賊起。（八・八三〇上）

【素材】鳩摩羅什訳『法華経』

若有受持、読誦、正憶念、解其義趣，如説修行，当知是人行普賢行。於無量無辺諸仏所深種善根。為諸如来手摩其頭。若但書写，是人命終，当生忉利天上。是時八万四千天女作衆伎楽而来迎之。其人即著七宝冠，於婇女中娯楽快楽。何況受持、読誦、正憶念、解其義趣，如説修行。若有人受持、読誦、解其義趣，是人命終，為千仏授手，令不恐怖不堕悪趣，即往兜率天上弥勒菩薩所。弥勒菩薩有三十二相，大菩薩衆所共囲繞，有百千万億天女眷属，而於中生，有如是等功徳利益。是故智者応当一心自書，若使人書，受持、読誦、正憶念，如説修行。（九・六一下）

［92］

我今在此樹下，略開七仏法戒。汝等当一心学波羅提木叉，歓喜奉行，如「無相天王品」勧学中一一已明。三千学時坐聴者，聞仏自誦，心心頂戴，喜

	『梵網経』最古形　本文	【素材】【影響】【解説】【引用】
	踊受持。〔一〇〇九下〕	〔解説〕智顗『菩薩戒義疏』「爾時釈迦」，第二章総流通一品。一巻戒本亦有闕者，是抄不尽耳。（四〇・五八〇上）
[93]	爾時釈迦牟尼仏，説上蓮華台蔵世界盧舎那仏「心地法門品」中「十無尽戒法品」竟，千百億釈迦亦如是説，従摩醯首羅天王宮，至此道樹，十住処説法品，為一切菩薩不可説大衆受持、読誦、解説其義亦如是。千百億世界、蓮華蔵世界、微塵世界、一切仏心蔵、地蔵、戒蔵、無量行願蔵、因果仏性常住蔵、如如一切仏説無量一切法蔵竟，千百億世界中，一切衆生受持，歓喜奉行。若広開心地相相，如「仏華光王品」中説。〔一〇〇九下〕	〔解説〕明曠『天台菩薩戒疏』「如如」者，総結上文。咸帰一理，理無差異，故曰「如如」。（四〇・六〇一下） 〔解説〕袾宏『梵網菩薩戒経義疏発隠』「相相」者，戒是心地之相。戒相総別，重重無尽，故云「相相」。（続蔵一、五九、五、四〇九裏下）
[94]	明人忍慧強，能持如是法，未成仏道間，安獲五種利。一者十方仏，愍念常守護。二者命終時，正見心歓喜。三者生生処，為浄菩薩友。四者功徳聚，戒度悉成就。五者今後世，性戒福慧満。此是仏行処，智者善思量。〔一〇〇九下～一〇一〇上〕	【素材】曇無讖訳『菩薩地持経』菩薩依此戒已，満足尸波羅蜜，得阿耨多羅三藐三菩提，乃至未成無上正覚，得五種福利。一者常為一切諸仏護念。二者終時其心歓喜。三者捨身在所生処，常与浄戒諸菩薩衆，為善知識。四者無量功徳聚，戒度成就。五者今世後世，性戒成就。（三〇・九一八上。望月一九四六・四六九，大野一九五四・二七八）
[95]	計我著相者，不能信是法。滅尽取証者，亦非下種	

	処。〔一〇一〇上〕	
[96]	欲長菩提苗，光明照世間。応当静観察。諸法真実相。〔一〇一〇上〕	[参考] 曇景訳『未曽有因縁経』 十善戒者，譬如穀苗，煩悩如草。草与正苗，互共相妨。欲長苗故，当除草穢。穀苗浄故，収実必多。穀実多故，終無飢乏。（一七・五七九下） [参考] 鳩摩羅什訳『大荘厳論経』 円満足眼者，示導於将来，勝妙之道者　又常能観察。諸法真実相，作大照明者，能除諸黒闇，能滅忿諍者。（四・三三四下）
[97]	不生亦不滅，不常復不断，不一又不異，不来亦不去。〔一〇一〇上〕	**【素材】** 鳩摩羅什訳『中論』 不生亦不滅，不常亦不断，不一亦不異，不来亦不出。能説是因縁，善滅諸戯論，我稽首礼仏，諸説中第一。（三〇・一中。大野一九五四・二七八）
[98]	如是一心中，方便勤荘厳，菩薩所応作，応当次第学。於学於無学，勿生分別想。是名第一道，亦名摩訶衍。一切戯論悪，悉由是処滅。諸仏薩婆若，悉由是処出。是故諸仏子，宜発大勇猛，於諸仏浄戒，護持如明珠。〔一〇一〇上〕	
[99]	過去諸菩薩，已於是中学，未来者当学，現在者今	

『梵網経』最古形　本文

学。〔一〇一〇上〕

[100]

此是仏行処，聖主所称歎。我已随順説，福徳無量聚，〔一〇一〇上〕

【素材】〔影響〕〔解説〕〔引用〕

〔参考〕鳩摩羅什訳『大智度論』

今五衆等諸法皆是空。何以故。聖主説故。聖有三種，下、中、上。仏為其主，如星宿月中日為其最，光明大故。仏得一切智慧故，名為聖主。聖主所説故，応当是実。（二五・三二六中）

〔解説〕慧因『梵網経菩薩戒注』

「我已随順説」，即是羅什順世称「我」，随順仏意，讃説宣行。（続蔵一、六〇、三、二九八表上）

〔解説〕与咸『梵網菩薩戒経疏註』

一、拠「我已随順説」，即知是仏説也。

二云，上句有「聖主所称歎」，不応仏自称也。蓋是什師誦訳時，作此偈，以為歎戒。而言「我」者，什師自謂也。此戒既是「聖主之所称歎」。我今依仏半月半月常説是戒，云「随順説」，即順聖主世尊之所説也。

今以経本不来難以考験，更請詳之。『蔵疏』解釈止於前段。流通「爾時釈迦」已下長行及偈頌，皆不解釈。

『栄鈔』云，准下経本更有十行長行、十四行偈頌，一切経本皆悉有之。今不釈者，縁此経文是経家叙致，古徳

	[101]
	迴以施衆生，共向一切智。願聞是法者，疾得成仏道。〔一〇一〇上〕
讃揚，義非緊急，略不釈之。今謂栄師無識之甚。経家乃結集家。若是経家故不釈者，前文稍有経家之辞，例不釈耶。既是結集経家，又安得与古徳讃揚為類，何不詳之如此。（続蔵一、五九、四、三三二表上）	

『梵網経』佚文

佚文（一）

又『梵網経』云，「爾時智者，向十方仏，為受戒人，唱説羯磨已，十方諸仏及諸菩薩遥見是人，生子想、弟想，咸皆垂心憐愍護念。由仏、菩薩遥護念故，使受戒之人功徳増長，不失善法，令受戒人挙身毛孔，従頂至足，如涼風入体，挙身悚慄。当知受者具其戒相冥中。爾時応有十方諸仏，以正法眼，見此行者有実真心。釈迦牟尼仏，於聖衆中応唱如是言，告諸大衆，『彼世界中，某甲国土某甲菩薩，従某甲智者請菩薩戒。此人無師，我為作師。憐愍故』」。

（道世『法苑珠林』四〇・九三九下）

『梵網経』云，「爾時智者，向十方仏，為受戒人，唱説羯磨已，十方諸仏及諸菩薩遥見是人，生子想、弟想，咸皆垂心，憐愍護念。由仏、菩薩遥護念故，使受戒之人功徳増長，不失善法，令受戒人挙身毛孔，従頂至足，如涼風入体，挙身悚慄。当知受者即具戒相冥中。爾時応有十方諸仏，以正法眼，見此行者有真実心。釈迦牟尼仏，於聖衆中応唱如是言，告諸大衆，『彼世界中，某甲国土某甲処所某甲菩薩，従某甲智者請菩薩戒。此人無師，我為作師。憐愍故』」。（道世『毘尼討要』続蔵一、七〇、二、一八三裏下～一八四表上）

佚文（二）

・「仏華光王品」，応是大本中也。本不同。「三千」者，是菩薩応学三千威儀。「三年」者，声聞五年，菩薩三年。

「三事」者，戒、定、慧也。（智顗『菩薩戒義疏』巻末。四〇・五八〇上）

・古経本有作「三年」者，有作「三事」者，写者之訛也。今本当云「三千」。例如前釈。後有偈文，疏鈔不解。今詳此偈，恐是什於大本余文誦出于此，非品内文。吾祖不解旧経亦有存不存者。既是経文兼録，与人習誦何妨。（与咸『梵網菩薩戒経疏註』続蔵一、五九、四・三二一表上）

関連伝承（一）妙海王，律蔵品

『梵網経』所説菩薩戒，是「律蔵品」中盧舎那仏与妙海王千子受戒法。経又云「八万四千威儀品当広説」。是知「律蔵品」止是略説。（『出家人受菩薩戒法巻第一』序一）

今謹按，什師所述法相出自『梵網経』「律蔵品」。什師秦弘始三年（四〇一）來達漢境，光顕大乗，匡維聖教，伝訳経論三百余巻。『梵網』一本，最後誦出，誓願弘宣。（智顗『菩薩戒義疏』四〇・五六三上）

『梵網』受法，是盧舎那仏為妙海王子受戒法。釈迦従舎那所受誦，次転与逸多菩薩，如是二十余菩薩次第相付，什師伝来，出「律蔵品」。（智顗『菩薩戒義疏』四〇・五六八上）

『梵網』所制，起盧舎那為妙海王子受菩薩戒。爾時諸大士，法須説此五十八種，故一時頓制也。『梵網』大本，一百一十二巻六十一。唯「第十菩薩心地品」什師誦出，上下両巻。上序菩薩階位，下明菩薩戒法。従大本出，序及流通皆闕，即別部外称菩薩戒経。（智顗『菩薩戒義疏』四〇・五六九中～下）

唯此『梵網経』，最後什自誦出，而共訳之。慧融等従筆受，亦同誦持，仍別録此下巻之中偈頌已後，所説戒相独為一巻，名作『梵網経盧舎那仏説菩薩十重四十八軽戒巻』。巻首別標当時受戒羯磨等事，仍云，「此羯磨出『梵網経』「律蔵品」内盧舎那仏為妙海王及王千子受菩薩戒法。其八百余人誦此戒本」也。（法蔵『梵網経菩薩戒本疏』四〇・六〇五中）

上巻明菩薩階位，下巻明菩薩律儀。纔翻訳，于時沙門慧融、道祥（ママ）等八百余人請従受戒。融等筆授，咸同誦持，仍於下巻偈頌之後，独為一軸。自云，「此等戒相，出自『梵網経』「律蔵品」内盧舎那仏為妙海王及王千子授菩薩戒法」。（明曠『天台菩薩戒疏』四〇・五八三下～五八四上）

関連伝承（二）師資相承

『梵網経』是七仏所説。釈迦牟尼仏至蓮華蔵荘厳世界海，従盧舎那仏所，還坐道場，結菩薩戒。初結戒，阿逸多菩薩憶持。阿逸多滅後，伝刪陀伽菩薩。刪陀伽滅後，伝智亮比丘。智亮滅後，伝仏寂菩薩。仏寂滅後，伝優陀菩薩。優陀滅後，伝妙質菩薩。妙質滅後，伝日耀菩薩。日耀滅後，伝拘樓沙菩薩。拘樓沙滅後，伝大長菩薩。大長滅後，伝棄利渠闍骨菩薩。棄利渠闍骨滅後，伝秘密菩薩。秘密滅後，伝阿毘陀置伽*娑菩薩。阿毘陀置伽*娑滅後，伝積稟陀菩薩。積稟陀滅後，伝菊花菩薩。菊花滅後，伝妙志菩薩。妙志滅後，伝伊羅**鉢菩薩。伊羅**鉢滅後，伝吼王菩薩。吼王滅後，伝花松菩薩。花松滅後，伝恭雅菩薩。恭雅滅後，此法流散，無的伝述。（『出家人受菩薩戒法巻第一』序一）

注　*「娑」，土橋一九六八録文「婆」は誤り。
**「鉢」，土橋一九六八録文「針」は誤り。

第五章　京都国立博物館蔵　天平勝宝九歳写本の録文

凡　例

一　京都国立博物館蔵梵網経写本B甲六四（重要文化財）の録文を示す。書写年代は奈良朝の天平勝宝九歳（西暦七五七年）であると跋文に明記される。

二　一行の字数は，写本の版式に従って十七文字とする。

三　本写本は墨筆の本文と墨筆または朱筆の欄外加筆とから成る。墨と朱を区別するため，墨の加筆はそのまま示し，朱の加筆は角括弧［　］を用いて示す。

四　欄外の上段と下段に時に示される割注は，写本の体裁に従って示した。

五　本文中の「。」はその箇所に文字を補うべきことを指示する写本の記号を示す。録文でも写本通りの表記に従う。これには墨筆の「。」と朱筆の「[。]」とが用いられる。

六　□は判読不明の一字を示す。字の全体は見えないが，判読の可能な字は梵のように囲み字で示す。

七　録文では可能な限り写本に近い字形を用いた。例えば通常の「陀」は「陁」，「爾」は「尒」と表記する。

八　朱筆で加筆された文字の発音および訓読を示す片仮名とヲコト点は，本釈文では敢えて割愛し，表記しない。

梵網經盧舎那佛説菩薩心地〔○〕［戒］品第十下巻
尒時盧舎那佛爲此大衆略開百千恒河沙
不可説法門中心地如毛頭許是過去一切
佛已説未來佛當説現在佛今説三世菩薩
已學當學今學我已百劫脩行是心地号吾
爲盧舎那汝諸佛轉我所説與一切衆生開
心地道時蓮華臺藏世界赫赫天光師子坐
上盧舎那佛放光光告千華上佛持我心地
［及］
法門品而去復轉爲千百億釋迦〔○〕一切衆生

戒本无所字

次第説我上心地法門品汝等受持讀誦一
心而行尒時千華上佛千百億釋迦從蓮華
藏世界赫赫師子坐起各各辞退擧身放不
可思議光光皆化无量佛一時以无量青黄
赤白華[供][養]□舎那佛[受]持上□□□□□
門品竟各各從此蓮華藏世界而沒沒已入
體性虚空華光三昧還本原世界閻浮提菩
提樹下從體性虚空華光三昧出出已方坐
金剛千光王坐［座］及妙光堂説十世界海復從

（座）坐起至帝釋宮説十住復至炎天中説十行
復從坐起至第四天中説十迴向復從坐起
至化樂天説十禪[定]復從坐起至他化天説
十地復至一禪中説十金剛復至二禪中説
十忍復至三禪中説十願復至四禪中摩醯
首羅天王宮説我本原蓮華藏世界盧舍那
佛所説心地法門品其餘千百億釋迦亦復
如是无二无□[如]賢劫品中説
尒時釋□從□現蓮華藏世[界]□□□□□

宮中説魔受化[經]已下生南閻浮提迦[夷]羅
國母名摩耶父字白淨吾名悉達七歳出家
三十成道号吾爲釋迦牟尼佛於寂滅道場
坐金剛華光坐（座）乃至摩醯首羅天王宮其中
次第十住處所説時佛觀諸大梵天王網羅
幢因爲説无量世界猶如網孔一一世界各
各不同別異无量佛教門亦復如是吾今來
此世界八千反爲此娑[婆]世界坐金剛「。」（花光王）（座）坐乃
至摩醯首羅天王宮爲是中一切大衆略開

心地竟復從天宮〔王〕下至閻浮提菩提樹下爲
此地上一切衆生凡夫癡闇之人說本盧舍
那佛心地中初發心中常所誦一戒光明金
剛寶戒是一□本原一切菩薩□□佛性
種子一□□□皆有佛性一切□□色心是
情是心皆入佛性戒中當當〔常〕有因故有當〔當〕
常住法身如是十波羅提木叉出於世界是
法戒是三世一切衆生頂戴受持吾今當爲
此大衆重說十无盡藏戒品〔。〕一切衆生戒本
〔是〕

原自性清淨
我今盧舍那　方坐蓮華臺　周匝千華上　復現千釋迦
一華百億國　一國一釋迦　各坐菩提樹　一時成佛道
如是千百億　盧舍那本身　千百億釋迦　各接微塵衆
俱來至我所　聽我誦佛戒　甘露門則開　是時千百億
還〔至〕去本道場　各坐菩提樹　誦我本師戒　十重四十八
戒如明日月　亦如□珞珠　微塵菩薩□　□是成□
是盧舍那誦　我□如是誦　汝新學菩□　□□受□□
受持是戒已　轉授諸衆生　諦聽我正誦　佛法中戒藏

波羅提木叉　大衆心諦信　汝是當成佛　我是已成佛
常作如是信　戒品已具足　一切有心者　皆應攝佛戒
衆生受佛戒　即入諸佛位　位同大覺已　真是諸佛子
大衆皆恭敬　至心聽我誦
尒時釋迦牟尼佛初坐菩提樹下成无上覺
初結菩薩波羅提木叉孝順父母師僧三寶
〔爲〕
孝順至道之法孝名〔。〕戒亦名制止〔。〕〔佛〕即口放无
故
量光明是時百万億大衆諸菩薩十八梵天
六欲天子十六大國王合掌至心聽佛誦一

切佛大。□戒佛告諸菩薩言我今半月半月自
誦諸佛法戒法〔汝〕等一切發心菩薩亦誦乃至
十發趣十長□十金剛十地諸□□□誦是
故戒光從口□有縁非无因故□□□青黄
赤白黒非色〔。〕〔非〕心法非有非无非因果法諸佛
之本原行菩薩〔。〕〔道〕之根本是大衆諸佛子之根
本是。大衆諸佛子應受持應〔。〕〔讀〕誦善學諸佛子
諦聽若受佛戒者國王王子百官宰相比丘
比丘尼十八梵天六欲天。子庶〔人〕民黄門婬男婬

女奴婢八部鬼神金剛神畜生乃至變化人
但解法師言（語）盡受得戒皆名第一清淨者佛
告諸佛子言有十重波羅提木叉若受菩薩
戒不誦此戒者非是菩薩非佛種子我亦如
是誦一切菩薩已學一切菩薩當學一切菩
薩今學我已略説波羅提木叉相貌應當學
敬心奉持諸[大][衆]我已説戒經序今問[諸]大
衆是中清淨不　（如是三説）
諸大衆是□□□清浄□然故□[事][如]是持

諸大衆是中波羅夷法半月半月戒經中説
〔依疏佛告下□有若字〕佛告〔。〕佛子若自煞教人煞方便煞讚歎煞見
〔異本初煞業有之〕作隨喜乃至咒煞〔因〕〔縁〕〔法〕〔業〕煞業煞法煞因煞縁乃至
〔正本初因字有之〕一切有命者不得故煞是菩薩應起常住慈
悲心孝順心方便救護而自恣心快意煞生
是菩薩波羅夷罪
若佛子自盜教人盜方便盜盜〔咒盜〕〔因〕〔縁〕〔法〕　業盜法盜因
盜縁〔業〕〔。。〕　咒盜　乃至鬼神有主劫賊物一切財物
一針一草不得故盜而菩薩應生佛性孝順

心慈悲心常助一切人生福生樂而反更盜
人［◦］〔財〕物是菩薩波羅夷罪
若佛子自婬教人婬乃至一切□□□□故
婬婬因婬業〔縁〕婬法婬縁〔業〕乃至畜生女諸天鬼
神女及非道行婬而菩薩應生孝順心救度
一切衆生［◦］〔淨〕法與人而反更起一切人婬不
擇畜生乃至母女姊妹六親行婬无慈悲心
是菩薩波羅夷罪
若佛子自妄語教人妄語方便妄語妄語因

妄語業〔縁〕妄語法妄語縁〔業〕乃至不見言見見言
正見
不見身心妄語而菩薩常生正語［◦］亦生衆生
正語正見而反更起一切衆生耶語耶見［◦］〔耶〕業
是菩薩波羅夷罪
若佛子自酤酒教人酤酒酤酒因酤酒業〔縁〕酤
酒法酤酒縁〔業〕□切酒不得故酤是酒起罪因
縁而菩薩應生一切衆生明達□□□□
生衆生顛倒□是菩薩波羅夷罪
不兩舌
若佛子口自説出家在家菩薩比丘比丘尼

罪過教人説罪過罪過因罪過業〔縁〕罪過法罪
過縁〔業〕而菩薩聞外道悪人及二乘悪人説佛
法中罪過〔。。〕非法非律常生悲心教化是悪人
輩令生大乘善信而菩薩反更自説佛法中
罪過是菩薩波羅夷罪

不綺語

若佛子口〔。〕自讃毀他亦教人自讃毀他毀他
因毀他業〔縁〕毀他法毀他縁〔業〕而菩薩常〔應〕。代一切
衆生受加毀辱悪事自向己好事與他人若
自揚己徳隱他人好事〔。〕〔令〕他人受毀者是菩薩

波羅夷罪

若佛子自慳教人慳慳因慳業〔縁〕慳[法]□縁〔業〕□
菩薩見一[切][貧]窮人來乞者隨[前][人][所]須一
切給與而菩薩悪心瞋心乃至不施一錢一
針一草有求法者不爲説一句一偈一微塵
許法而反更罵辱是菩薩波羅夷罪

若佛子自瞋教人瞋瞋因瞋業〔縁〕瞋法瞋縁〔業〕而
菩薩應生一切衆生中善根无諍之事常生
悲心而反更於一切衆生中乃至於非衆生

中以悪口罵辱加以手打及以刀仗意猶不
［求］
息前人未✓悔善言懺謝猶瞋不解是菩薩波
羅夷罪

不邪見
若佛子自謗三寶教人謗三寶因謗謗［縁］業謗
法謗縁［業］而菩薩見外及道以悪人一言謗□
音聲如三百鉾刺心況口自謗□□信心孝
順心而反更助悪人耶見人謗是菩薩波羅
夷罪

如是善學諸人［仁］者是菩薩十波羅提木叉應

當學於中不應一一犯如［。］是微塵許何況具
足犯十戒若有犯者不得現身發菩薩提心亦
失國王位轉輪王位亦失比丘比丘尼位亦
失十發赴［趣］十長養十金剛十地佛性常住妙
果一切皆墮［失］三悪道中二劫三劫不聞父母
三寶名字以是不應一一犯汝等一切諸菩
如
薩。今學已學當學已學［。］是十戒應當學敬心奉持

八万威儀品當廣明

佛告諸菩薩言已説十波羅提木叉竟。今問。

諸。大。衆。是。中。清。淨。不。如是主説
諸。大。衆。是。中。清。淨。嘿。然。故。是。事。□是持。佛。告
諸。菩。薩。布。薩。諸。大。衆。是。四十八輕。法。半。月。半。
月。戒。經。今當説若佛子欲受國王位時受轉
輪王位時百官受位時應先受菩薩戒一切
鬼神救護王身百官之身諸佛歡喜既得戒
已應生孝順心恭敬心見上坐和上阿闍梨
大同學同見同行者。應起承迎礼拜問訊而菩薩反生憍心癡心
慢心不起。承迎礼拜問訊一一不如法供養以自賣

身國城男女七寶百物而供給之若不尒者
犯輕垢罪
若佛子故飲酒而生酒過失无量罪若自身
手過酒器與人飲酒者五百世无手何況□
飲不得教一切人飲及一切衆□飲酒況自
飲酒若故自飲若教人飲者犯輕垢罪
若佛子故食宍一切宍不得食斷大慈悲性
種子一切衆生見而捨去。是故一切菩薩不得
食一切衆生肉食肉得无量罪若故食者犯

同學

輕垢罪
若佛子不得食五辛大蒜革葱慈葱蘭葱興
渠是五種一切食中不得食若故食者犯輕
垢罪
若佛子見一切衆生犯八戒五戒十戒毀禁
七逆八難一切犯戒罪應教懺悔而菩薩不
教懺悔[共]同住同僧利養而共布□⊟衆住□
戒而不舉其罪教令悔過者犯□□罪
若佛子見大乘法師大乘。同見同行者來入

醫藥 [地]

僧坊舍宅城邑若百里千里來者即起迎來
送去礼拜供養日日三時供養日食三兩金
百味飲食床坐[。]供事法師一切所須盡給與
之常請法師三時説法日日三時礼拜不生
瞋心患惱之心爲法滅身請法若不尒者犯
輕垢罪
若佛子一切處有講法毘尼經律大宅舍中
講法處是新學菩薩應持經律卷至法師所
聽受諮問若山林樹下僧[。]房中一切説法處

悉至聽受若不至彼聽受者犯輕垢罪
若佛子心背大乘常住經律□非佛説而受
持二乘聲聞外道惡見一切禁戒耶見經律
者犯輕垢罪
若佛子見一切疾病人。應供養如佛无異八福田
中看病福田第一福田若父母師僧弟子病
諸根不具百種病苦惱皆養令差而菩薩以
瞋恨心不至僧房中城邑曠野山林道路中
見病不救濟者犯輕垢罪

若佛子不得畜一切刀仗鬪戰弓箭鉾斧。之鬪戰
具及惡網羅煞生之器一切不得畜而菩薩乃
至煞父母尚不加報況煞一切衆生若故畜
刀仗者犯輕垢罪
如是十戒應當學敬心奉持如下六品。中當明廣開
佛言佛子爲利養惡心故通國使命軍陣合
會興帥相伐煞无量衆生而菩薩不得入軍中
往來況故作國賊若故作者□輕垢罪
若佛子故販賣良人奴婢六畜市易棺材板

木盛死之具尚。不。故。自作。况教人作犯輕垢罪

若佛子以惡心[。]若无事謗他良人善人法師師

僧國王貴人言犯七逆十重父母兄弟六親

中應生孝順心慈悲心而反更加於逆害墮

不如意處犯輕垢罪

若佛子以惡心故放大火焚燒山林曠野四

月乃至九月放火若燒他人家屋宅城邑僧

房田林[。]及鬼神官物一切有主物不得故燒

木

犯輕垢罪 若故燒者

以

臂

若佛子自佛弟子及外道惡[。]人六親一切善

知識應一一教受持大乘經律中教解義應□

使發菩提心十發趣心十長養心十金剛心一一解□

次第法用而菩薩以惡心瞋心横教二乘聲

聞戒。經律外道耶見論等犯輕垢罪

若佛子應。好心先學大乘威儀經律廣開解

義味見後新學菩薩有百里千里來求大乘

經律應如法爲説一切苦行若燒身燒臂燒

指若不燒身[。]指供養諸佛非出家菩薩乃至

然

餓虎狼口〔。〕師子口中〔。。〕一切餓鬼悉應捨身宍
手足而供養之。後一一次第爲説正法使心
開意解而菩薩爲利養故應答不答倒説經
律文字无前後〔无〕謗三寶説犯輕垢罪
若佛子自爲飲食錢物利養名譽故親近國
王王子大臣百官恃作刑勢乞索打拍牽挽
横取錢物一切求利[名]爲惡求□求教[他]□
求都无慈心无孝順心犯輕垢[罪]
若佛子學誦戒。者日夜六時持菩薩戒解其義

牽

誑

理佛性之性而菩薩不解一句一偈戒律因
縁詐言能解者即爲自欺誑亦欺〔。〕他人一一
不解一切法不知〔。。〕而爲他人作師授戒者犯
輕垢罪
若佛子以惡〔。〕故心見持戒比丘手捉香爐行菩
薩行而鬭遘兩頭謗欺賢人无惡不造犯輕
垢罪
若佛子以慈心故行放生業一切男子是我
父一切女人是我母我生生无不從之受生

故六道衆生皆是我父母而煞而食者即煞
我父母亦煞我故身一切地水是我先身□
切火風是我本體故常行放生□生受生若
見世人煞畜生時應方便救護解其苦難常
教化講説菩薩戒救度衆生若父母兄弟死
亡〔之〕七日請法師講菩薩戒經〔。。〕律追福資〔。〕其亡
者得見諸佛生人天上若不尒者犯輕垢罪
〔如〕〔。〕知是十戒應當學敬心奉持如滅罪品中已〔廣〕
明一一戒〔相〕佛言佛子以瞋報瞋以打報打若

煞父母兄弟六親不得加報若國主爲他人
煞者亦不得加報煞生報生不順孝道尚不
畜奴婢打拍罵辱日日起三業口罪无量況
故作七逆之罪而出。家。菩薩无慈報讎乃至
六〔中〕親〔報〕故作者犯輕垢罪
若佛子初始出家未有所解而自恃聰明有
智或恃高貴年宿或恃大姓高□大解大□
饒財七寶以此憍慢□□□受先學法師經
律其法師者或小姓年少卑門貧窮諸根不

具而實有徳一切經律盡解而新學菩薩不
得觀法師種姓惡過而不來諮受法師第一
義諦者犯輕垢罪
若佛子佛滅度後欲心以好心受菩薩戒時於
佛菩薩形像前自誓受戒當七日佛前懺悔
得見好相便得。戒若不得好相時以［。。］二七三
受
七乃至一年要得好相得好相已便得佛菩
薩形像前［。］受戒若不得好相雖佛像前受戒
［自誓此二字異本也］
不［。］得戒若現前先受菩薩戒法師前受戒時
名

不須要見好相是法師師［。］相授故不須好相
師
是以法師前受戒即得戒以生重心故便得
戒若千里内无能授戒師得佛菩薩形像前
受得戒而要見好相若法師自綺解經律大
倚
乘學戒與國王太子百官以爲善友而新學
菩薩來問若經義律義輕心惡心慢心。不好
二
答問者言而惡心［。。。。］犯輕垢罪
若佛子有佛經律大乘法正見正性正法身
而不能懃學脩習而不捨七寶反學耶見二

乘外道俗典阿毘曇雜律論書記是斷佛性鄣

若

道因縁非行菩薩道[。]者故作。者犯輕垢罪

為行法主

若佛子佛滅度後爲説法主。爲僧房主教化

主坐禪主行來主應生慈心善和鬪訟善守

三寶物莫无度用如自己有而反乱衆鬪諍

恣心用三寶物犯輕垢罪

在

若佛子先住。僧房中住後見客菩薩比丘來

入僧房舍宅城邑國王宅舍中乃至夏坐安

居處及大會中先住僧應迎來送去飲食供

養房舍臥具繩床事事給與若无物應賣自

身及男女身宍[。。]賣供給所須悉。以與之若有檀

越來請衆僧客僧有利養分僧房主應次第

差客僧受請而先住僧獨受請而不差客僧

房主得无量罪畜生无異非沙門非釋種性

犯輕垢罪

若佛子一切不得受別請利養入己而此利

養物。屬十方僧而別受請即取十方僧物入

己八福田[。]中諸佛聖人一一師僧父母病人物

自己用故^者^犯輕垢罪
若佛子有出家菩薩在家菩薩及一切檀越
請僧福田求願之時應入僧房問知事人今
欲次第請者即得十方賢聖僧而世人別請
五百羅漢菩薩僧不如僧次一凡夫僧若別
請僧者是外道法七佛无別請法不順孝道
若故別請僧者犯輕垢罪
若佛子以悪心故爲利養販賣男女色自手
作食自磨自舂占相男女解夢吉凶是男是

女咒術工巧調鷹方法和^合^百種毒藥千種毒
藥蚰毒生金銀[〇]^[毒]^蠱毒都无慈心犯輕垢罪［蠱］
若佛子以悪心故自身謗三寶詐現親附口　卅不敬好時戒
便説空行在有中爲白衣通致男女交會婬
色縛着於六齋日年三長齋^月^作煞生劫盜
破齋犯戒者犯輕垢罪^如^是十戒應當學敬心
奉持如[〇]制戒品中廣解
佛言佛子佛滅度後[〇]^於^悪世中若見外道一切
悪人劫賊賣佛菩薩父母形像販賣經律販

賣比丘比丘尼亦賣發心菩薩道人或爲官

使與一切人作奴婢者而菩薩見是事已應　生

[贖][神玉反][神蜀反]　慈心方便救護處處教化取物贖佛菩薩形

像及比丘比丘尼發心菩薩一切經律若不贖者犯輕

垢罪

秤　若佛子不得畜刀仗弓箭販賣輕稱小斗因

官形勢取人財物害心繫縛破壞成功長養

□　狐狸猪狗若故養畜者。犯輕垢罪

若佛子以惡心故觀一切男女等鬪軍陣兵

將　鬪。劫賊等鬪亦不得聽吹貝鼓角琴瑟箏笛　箜

得　箜篌歌叫伎樂之聲不聽。摴蒱圍碁波羅塞

拍毱 巨鳩反　戲彈碁六博。擲石投壺。牽道 八道行成抓鏡芝草

楊枝鉢盂髑髏而作卜筮不。得 作盜賊使命一　筮

作。　一不得。若故作者犯輕垢罪

若佛子護持禁戒行住坐臥日夜六時讀誦

是戒猶如金剛如帶持浮囊欲渡大海如草

繫比丘常生大乘善[信]住自知我是未成之佛

諸佛是已成之佛發菩提心念念不去心若

起一念二乘外道心者犯輕垢罪
若佛子常應念一切願孝順父母師［僧］衆三寶。願[得]
□師同學善［友］［。］知識常教我大[乘][經]律[十]發□
十長養十金剛十地使我開解如法脩行堅
持佛戒寧捨身命念念不去心若一切菩薩
不發是願者犯輕垢罪
若佛子發十大願已持佛禁戒作是願言寧
以此身投熾然猛火大坑刀山終不毀犯三
世諸佛經律與一切女人作不淨行復作是

願寧以熱鐵羅網千重周匝纏身終不［以］［。］破戒
之身受於信心檀越一切衣服復作是願寧
以此口呑熱鐵丸大流［猛］火經百千劫終不［以］破
戒之口食信心檀越百味飲食復作是願寧
[以]此身臥大猛火羅網熱鐵地上終不［以］破戒
[之]身受信心檀越百種床坐復作是願寧以
□身受三百鉾刺。心經。終不破戒之身[受]信心
[檀]越百味醫藥復作[是]願寧以此身投熱□
［錐］［胡涸反］［胡郭反］［斲也］錐。經百千劫終不［以］破戒之身受信心檀越千種房

鎚
舍屋宅薗林田地復作是願寧以鐵鐫。打碎
此身從頭至足令如微塵終不以此[。]破戒之
身受信心檀越恭敬礼拜復作是願寧以百
[挑][徒了反][吐凋反][撓也]千熱鐵刀鉾挑其兩目終不[以]破戒。之心視他好
[錐 准跪反]色復作是願寧以百千鐵錐遍身梚[。劖]刺耳根
[劖][鋤含反][鋤銜反]經一劫二劫終不以破戒。之心聽好音聲復作
□□[鹹□反][又七□]是願寧以百千刄刀割去其鼻終以不破戒之心
□記□　貪嗅諸香復作是願寧以。百千刄刀割斷其舌
[□人□反]終不以破戒之心食人百味淨食復作是願

寧以利斧斬破其身終不以破戒心貪着好
□復作是願願一切人衆生悉得成佛。菩薩若不發是
願者犯輕垢罪
若佛子常應二時頭陁冬夏坐禪結夏安居
常用楊枝澡[相]豆三衣瓶鉢坐具錫仗香爐漉
[鑷][尼輒反][黏□反]水嚢手巾刀子火燧鑷。于繩牀經律佛像菩薩
形像而菩薩行頭陁時及遊方時行來百里
千里此十八種物常隨其身頭陁者從正月
十五日至三月十五日八月十五日至十月

十五日是二時中（此）十八種物常隨其身如鳥
二翼若布薩日新學菩薩半月半月布薩誦
十重四十八輕戒時於諸佛菩薩形像前一
人布薩即一人誦若二人［○］及三人○（乃）至百千人
亦一人誦誦者高座聽者下坐各各披九條
□條五條袈裟結夏安居一一如法若頭陁
時莫入難處若國難惡王土地高下草木深
邃師子虎狼水火風○（難及以）劫賊道路毒虵一切難
處悉不得入一［○○○○］切難處若頭陁行道乃至夏

坐安居是諸難亦處○（皆）不得入［○○○○○］此難處況行頭
陁［○○○○］者見難處（若）［○○］故入者犯輕垢罪
若佛子應如法次第坐先受戒者在前坐後
受戒者在後坐不問老少比丘比丘尼貴人
國王王子乃至黄門奴婢皆應先受戒者在
前坐後受戒者次第而坐莫如外道癡人若
老若少无前无後坐无次第兵奴之法我佛
法中先者先坐後者後坐而菩薩不次第坐
犯輕垢罪

若佛子常應教化一切衆生建立僧房山林
薗田立作佛塔冬夏安居坐禪處所一切行
道處皆應立之而菩薩應爲一切衆生講説
大乘經律若病疾國難賊難父母兄弟和上
阿闍梨亡滅之日及三七日乃至七七日亦[讀誦]。講[説]
大乘經律[。]而齋會求福行來持生大火[所燒]。大水
所漂黒風所吹船舫江河大海羅刹之難亦
讀誦講説此經律乃至一切罪報三報。。八難[惡]
[七逆上][八難下]七逆杻械枷鎖繫縛其身多婬多瞋多愚癡

多疾病皆應[讀誦]。講。[説]此經律而新學菩薩若不尒
者犯輕垢罪
如是九戒應當學敬心奉持如梵坦[壇]品中當
廣説
佛言佛子與人受戒時不〔得〕簡擇一切國王
王子大臣百官比丘〔比〕丘〔尼〕信男女[信]婬〔男〕〔女〕[婬]
十八末[梵]无根二根黄門奴婢一切鬼神盡得
受戒應教身所着袈裟皆使壞色與道相應
皆染使青黄赤黒紫色一切染衣乃至臥具

盡以壞色身所着衣一切染色若一切國土

中國人所着衣服比丘比丘尼［◦◦◦］皆應與其國［◦

◦◦◦◦◦◦］
土衣服色異與俗服有異若欲受戒時師問言

汝
現身不作七逆罪耶菩薩法師不得與七逆

人現身受戒七逆者出佛身血煞父煞母煞

［磨］
和上煞阿闍梨破羯摩轉法輪僧煞聖人若

具七遮即身不得戒餘一切人［◦］［盡］得受戒出家

人法不向國王礼拜不向父□礼拜六親不

敬鬼神不礼但解［法］師語有百里千里來求□

者而菩薩法師以悪心瞋心而不即與授一

切衆生戒［者］犯輕垢罪

若佛子教化人起信心時菩薩與他人作教

戒法師者見欲受戒人應教請二師和上阿

闍梨二師應問言汝有七遮罪不若現身［有］七

遮師不［◦］［應］與受［◦］［戒］无七遮者得受若有犯十戒者

◦應
教懺悔在佛菩薩形像前日夜六時誦十重戒

四十八輕戒苦到礼三世千佛得見好相若

一七日二三七日乃至一年要見好相◦好相者

[明廣疏有滅字]

佛來摩頂見[若]光華種種異相便得滅罪若无
好相雖懺无益是[人。]現身亦不得戒[滅]而得增受
戒若犯四十八輕戒者對手懺罪滅不同□
遮而教戒師於是法中一一好解若不解□
乘經律若輕若重是非之相不解第一義諦
習種性長養性不可壞性道種性正法性其
中多少觀行出入十禪支一切行法一一不
得此法中意而菩薩爲利養爲故名聞故惡求
貪利弟子而詐現解一切經律爲。供。養。故。是

[詐。]
自欺詐。亦欺詐他人故與人受戒者犯輕垢罪
若佛子不得爲利養故於未受菩薩戒者前外
道惡人前説此千佛。大戒。邪見人前亦不得
説除國王餘一切不得説是惡人輩不受佛
戒名爲畜生生生不見三寶如木石无心名
爲外道邪見人輩木頭无□□□□□是□
人前説七佛教戒者犯輕〻
若佛子信心出家受佛正戒故起心毀□聖
戒者不得受一切檀越供養亦不得國王地

□

上行不得飲國王水五千大鬼常遮其前鬼
言大賊。（若）入房舍城邑宅中鬼復常掃其脚跡
一切世人罵詈（言）佛法中賊一切衆生眼不欲
見犯戒之人畜生无異木頭无異若毀正戒
者犯輕垢罪
若佛子常應一心受持讀誦（大乘經律）。剥皮爲紙刺血
爲墨以髓爲水折骨爲筆書寫佛戒木皮角。
紙絹（素竹帛）亦應悉書持常以七寶无價香華一切
雜寶爲箱盛。經律卷若不如法供養者犯輕

垢罪
（不化衆生戒 卌五）若佛子常起大悲心若入□□城邑□□□
一切衆生唱言汝（等）衆□盡應受三歸十戒□
見牛馬猪羊一切畜生應心念口言汝是畜
（提）生發菩薩心而菩薩入一切處山林川野皆
使一切衆生發菩薩心是菩薩若不（發）。教化衆
生。（心）犯輕垢罪
（□法乖□戒 □六）若佛子常行教化（起）。大悲心入檀越貴人家一
切衆中不得立爲白衣説法應白衣衆前高

座上坐法師比丘不得地立爲四衆白衣説[。。]
法若説法時法師高座香華供養四衆聽者
下坐如[。]敬孝順父母。[敬]順師教如事火婆羅門
其説法者若如[レ]不法。[説]犯輕垢罪

□□□[制]戒卌七
若佛子皆以□心受。□戒者□國王□子百□
四部弟子□□高貴滅□□□□□□□
法制我四部弟子不聽出家行道亦復不聽
造立形像佛塔經律。[是]破三寶之罪。[非法非律]而。[菩薩]故作破
法者犯輕垢罪

本

□戒四十八
若佛子以好心□家而爲名聞利養於國王
百官前説[七]佛戒横與比丘比丘尼菩薩[戒]弟子
。[作]繫縛如師子身中蟲自食師子肉非外道天
魔。[能]破。[壞]若受佛戒者應護佛戒如念一子如事
父母而聞外道□人以。[一]惡言謗佛戒時如三
百鉾剌心千万刀杖打柘其身等无有異寧
自入地獄百劫而不[。][用]一聞。[以一]惡言破佛戒之聲
何況自破佛戒教人破法因縁亦无孝順之
□若故作者犯輕垢□[如]是九戒應當學敬□

奉持

諸佛子是四十八輕□□等受持過去諸□

薩已誦現在諸菩薩今誦未來諸菩薩當誦 [學]

佛子諦聽此十重四十八輕戒三世諸佛已誦當誦 諸

今誦我今亦如是誦汝等一切大衆若國王

王子百官比丘比丘尼信男信女受持菩薩

戒者應受持讀誦解説書寫佛性常住戒卷

流通三世一切衆生化化不絶得見千佛佛

佛授手世世不墮惡道八難常生人道天中

我今在此樹下略開七佛法戒汝等當一心

學波羅提木叉敬心奉持行 歡喜

[。]諸大衆我已説四十八輕垢罪今問諸大衆

是中清淨不 如是三説 諸大衆是中清淨嘿然故是

事如是持[。]

如无相天王品勸學□一一已明三千學□

時坐聽者聞佛自誦心心頂戴喜踊受持 者□ 者□

尒時釋迦牟尼佛説上蓮華臺藏世界盧舍

那佛心地法門品中十无盡戒法品竟千百

億釋迦亦如是説從魔醯首羅天王宮至此
道樹。（下）十住處説法品爲一切菩薩不可説大
衆受持讀誦解説其義亦如是千百億世界
蓮華藏世界微塵世界一切佛心藏持地發[。][藏]
戒藏无量行願藏因果佛性常住藏如如一
切佛説无量一切法藏竟千百億世界中一
切衆生誦念[。。]受持歡□奉行
□廣開心□相相如佛華□□品。（七行中）説≡
□人忍慧强　能持如是法　未成佛道間　安獲五種利

一者十方佛　愍念常守護　二者命終時　正見心歡□
三者生生處　爲淨菩薩友　四者功徳聚　戒度悉成就
五者今後世　性戒福慧滿　此爲佛種子　智者善思量
計我着相田　不能□是法　滅受取證者　亦非下種處
欲長菩提苗　光明照世間　應當淨觀察　諸法真實相
不生亦不滅　不常復不斷　不一又不異　不來亦不去
如是一心中　方便□莊嚴　菩薩所應作　皆當次第學
於學於无學　勿生分別想　是名第一道　亦名摩訶衍
一切戲論惡　皆從是中滅　諸佛薩婆若　悉由是處出

是故諸佛子　宜發大勇猛　護持如明珠　過去諸菩□
已於是中學　未來者當學　現在者今學　此是佛行□
聖主所稱讚　我□隨順説　福徳无量聚　迴以□□□
共□一切智　願聞此法者　疾得成佛道

梵網經

天平勝寶九歳三月廿五日
知識願主僧靈春
沙弥願戒　日置石万呂
土師留女
土師□万呂
土師廣万呂

（以下別紙）

（朱印）

天保六年歳次乙未十一月一日奉修補了

高山禪念沙門慧友僧護享年六十一

施主能州沙門凝然法師也

第六章　『梵網経』の思想と修正の歴史——本書の新知見

ここまでの各章に示した資料に基づき，本章では，新たな知見を整理し提示したい。第一節では最古形の思想的・文化的特徴を考察する。第二節では，最古形に存在した欠点を，語彙と語法という観点から指摘する。第三節では，最古形と後の書換えを比較し，書換えの目的は何であったかについて私案を示す。

第一節　本経最古形の思想

第二章で「最古形」を提示したが，しかしそれを「原形」と混同してはならない。『梵網経』の原形を作った人々の意向や論点を生の形で知ることはできない。我々にできるのは，古写本・早期の注釈・後代の引用などの現存諸資料を駆使して，そこから知り得る限り最も早期の経本を「最古形」として示すことである。「最古形」が「原形」と同じでないことは，第四章末「『梵網経』佚文」から確かである。非常に早い年代の文献が本経からの引用ないし内容紹介として挙げるものの中に「最古形」のどの箇所にも含まれないものがあることを認めざるを得ない。しかし一方，最古形は原形に最も近い形である。そこに我々はどんな特色を見出せるだろうか。

「梵網」とは何か

多くの先行研究は，経名の「梵網」とは「大梵天の網」であり，帝釈網すなわちインドラ神の宮殿にかかる網と対比する意図を込めて「梵網」と命名されたと解釈する。しかしこの旧説には根本的な説明不足がある。再考すべき点は二点あろう。本経の経名解説と後の注釈内容の異同と，「梵」の意味とである。

まず第一点から検討しよう。『梵網経』という経名は経の中核となる教えと何ら関係しない。経中に「梵網」という語が現れるのは，下巻の次の一箇所のみである。

そのとき仏は，〔聴聞に訪れた〕諸々の大梵天王が網のかかった幢竿〔を携えて聴聞に来たの〕を見て，それに因んでこう説いた，——無数の世界は，幢竿の網の目と同じである。それぞれ世界は異なり，限りなく多様である〔ように〕，諸仏の教えの解き方も同じであると。

時仏観諸大梵天王網羅幢，因為説，無量世界猶如網孔，一一世界各各不同，別異無量，仏教門亦復如是。

ここで「諸々の大梵天王」の原文は「諸大梵天王」であり，「諸」は複数を示す。それ故，それは単数のブラフマー神（大梵天）のことではない。梵天王は複数であると経が明示するにもかかわらず，現代の一般的解釈は単数の大梵天の意味に解し，原文との齟齬にも触れない。これは説明不足と言うほかない。経名のこれまでの英訳は *Scripture of Brahmā's Net* や *Scripture of Brahma-Net Sutra* などであり，いずれも「梵」を梵天という神に解し，複数系を想定しない。仏訳は *Le Sūtra du Filet de Brahma*（de Groot 1893），*Sūtra de Filet de Brahmā*（Carré 2005）であり，梵を梵天の意味に解す点は英訳と同じい。「経」の訳にも問題がある。本経が中国の偽経であり，インド語原典など存在しなかったと想定しながら，「経」にサンスクリット語をあてはめて Sūtra と訳すことに，私は不自然さを感じる。本節で提起する問題は，こうした欧文訳の適切性の再検討でもある。

「網」とは，諸々の大梵天王たちの持つ「網羅幢」であり，その「網羅」には「網孔」があり，その網目の形の多様さに注意が向けられる。ちょうど幢竿上の網飾りの網目が様々な形であるように，衆生の機根や境遇も様々であるから，それら一切衆生を救うため，仏の教えも実に多種多様であるということを言い表している。

ではこの「網羅幢」の具体的形状はどのようであろうか。網を有する幢とは，最上部に網状の装飾が付いた幢竿であり，それは諸梵天王たちが説法の場に来たとき手に持っていた携行品であると解せられる。「幢」の用例は他の経典にも見られる。西晋・竺法護訳『普曜経』は「梵」と「幢幡」をこう説明する。

インドラ神とブラフマー神，その他何千何万の大勢の神々が花や香・様々な香・練香・傘蓋・幢竿を手に持って来訪し，空中に浮かんだまま，菩薩（ブッダの前身）に深く礼拝した。

天帝釈、梵与無数億百千諸天，手執華香，雑香、擣香、華蓋、幢幡，来住虚空，稽首菩薩。（三・五〇六下）

別の例としては劉宋・求那跋陀羅訳『過去現在因果経』に次のような一節がある。

そのとき〔無数の〕神々は天界の舞楽を奏で，花を散らして〔如来を〕褒め称え，天界の宝物でできた傘蓋と幢竿を持って空中に満ちあふれ，如来に敬意を表した。

是時諸天作天伎楽，散花焼香，歌唄讃歎，執天宝蓋及以幢幡，充塞虚空，供養如来。（三・六四二中）

『梵網経』の成立より後の文献だが，唐・地婆訶羅訳『証契大乗経』にも似た表現がある。

またさらに，その他の諸の偉大な天龍・ヤクシャ・ガンダルヴァ神……たちは各々様々な姿で，様々な衣装で，様々な冠の飾りで，様々な杖と様々な幢幟を持って聴法に来て，皆，集会の中に坐った。

及餘諸大天龍、夜叉、乾闥婆、……，種種形貌，種種衣服，種種冠飾，持種種仗、種種幢幟，倶来聴法，咸在会坐。（一六・六五三上）

以上の内容と一致して，幢が諸梵天王の携行品であることは『梵網経』の注釈にも以下のように確かめられる。

（一）諸の梵王たちがこの幢網を持って〔来集し，それを〕仏に捧げ，聴法した（唐・法蔵『梵網経菩薩戒本疏』以諸梵王持此幢網供仏聴法。四〇・六〇四中）

（二）諸の梵王たちは網のついた幢竿を持って〔来集し，それを〕仏に捧げ，聴法した（新羅・太賢『梵網経古迹記』諸梵王持羅網幢，供仏聴法。四〇・六九〇中）

（三）「梵網」の二字は喩えである。「梵」は梵王をいう。省略せずに言えば梵覧摩（ブラフマー）であり，ここ〔中国〕では「極めて清らか」という意味である。欲望の汚れを離れているから「極めて清らか」と名付ける。「網」とはその〔ブラフマー〕神の幢網である。その〔神〕はこの〔幢網〕を持って仏の集会を訪れ，〔それを〕仏に捧げ，聴法した。その時，仏はそれ（幢網を携えたブラフマー神の姿）を見て，喩えとして使ったのである。（伝奥『梵網経記』「梵網」両字是諭（喩）也。「梵」謂梵王，具云梵覧摩，此云極浄，離欲穢悪，得極浄名。「網」即彼天之幢網。以彼持此，至仏会中，供養聴法，時仏見之，因取為諭。続蔵一、五九、五、四三一裏下～四三二表上）

以上に示した『梵網経』本文の説明・注釈ならびに他経の用例は一貫した内容と理解できる。しかしすべての注釈の内容は一様でない。幾つかの注釈は経本来の内容から逸脱を示し始める。

年代的に最も古い注釈は隋・智顗説、唐・灌頂記『菩薩戒義疏』である。この注釈はしばしば経文の古い文言を残す点で価値が高い。しかし経典から乖離した解説を示すこともある。その一例が経名解説である。義疏は『梵網経』の経文を「上巻文言，『仏観大梵天王因陀羅網，千重文綵，不相障閡，為説無量世界猶如網目，一一世界各各不同，諸仏教門亦復如是」（四〇・五六九上）と解説する。問題は第一に，義疏が経典の文言を下巻でなく上巻の文とすること。第二に，義疏は「大梵天王」に「諸」字を付さない。第三に，網を「大梵天因陀羅網」即ち大ブラフマー神のインドラ網と説明する。この解釈は興味深いが，経典の原意としては承服しがたい。①

「網」を幢の上部に付いた飾りではなく，梵天王の宮殿を覆う大網とみる解釈もある。早い例として唐・杜順説、智儼撰『華厳一乗十玄門』の「『梵網経』の如きは即ち梵宮の羅網を取りて喩と為す」（四五・五一六中）がある。

次に第二点の「梵」の意味を再検討する試みに移ろう。上述の通り『梵網経』を素直に読む限り，経文の「諸大梵天王」は仏の説法を聴きに訪れた複数の神々を指し，単数のブラフマー神を意味し得ない。その場合，「梵」はどういう意味であろうか。まず押さえるべきは，『梵網経』下巻における「梵」の用例と意味であろう。上述の通り，「梵網」という経名に関係する「梵」の用例は一箇所しかないが，それ以外の意味で「梵」を用いる箇所はある。菩薩戒を受戒できる資格・条件を有する者たちのリストに含まれる「十八梵」である。②そのリストは下巻の序（十波羅夷より以前の箇所）に二度現れ，さらに第四十軽戒は同じ意味で「十八天」を一度用いる。それぞれの具体的な意味と文脈については第三章の和訳を参照されたい。「十八梵」と「十八天」は経の最古形で用いられ，後代，「十八梵天」と書換えられ，表記の統一が図られた（本章第六節参照）。いずれも実質的内容は同じである。「十八梵」は「六欲天」と併記される。「十八梵」は「色界」に住まう十八種の神々を指す。

我々の住む迷いの世界を，仏教では欲界・色界・無色界の「三界」（三層の〔迷いの〕領域）と言い表す。そのうち，欲心が残存する物質的世界を「欲界」（欲求の〔残っている〕領域）と称す。欲望の心は消え去ったけれどもなお物質的要素から成る世界を「色界」（〔欲求を離れた〕物質〔のみ〕の領域）と称す。そしてさらに高位の世界として，物質さえも消え去ったが迷いの中に留まっている状態を「無色界」（〔欲求も物質も離れた〕非物質的な〔純粋精神の〕の領域）と称す。第一の「欲界」はいずれの経典でも六種あることから「六欲天」（欲求の残っている六種の神々の領域）と呼び，第二の「色界」を「十八梵」――〈欲求なく〉物質のみから成る十八種の清らかな領域――と呼ぶ。第三の無色界は四種とするのが通例である。ちなみに色界を十八種とする文献は仏典の主流ではない。とりわけ「六欲天」と「十八梵」の二種を共に用いる経典は少ない。『梵網経』の最古形に二度現れるが，それ以前に同じ表記を用いるのは偽経『仁王般若経』がほとんど唯一である（八・八二五上、八二五中、八二五中、八二八中、八三〇下、八三四上、八三四上）。一般に『梵網経』は『仁王経』と共通する思想や文言を多く有することを考慮に入れると，「十八天」という表記も『仁王経』の影響である蓋然性が高い。

第四章[21]下段に示した吉蔵『仁王般若経疏』から分かるように，「十八梵」は色界に属する天であり，その数は全部で十八である。十八の中には名に「梵」を含むものも含まないものもあるが，それらすべては，ブラフマンという語の有する「清らか」「清浄」――欲望を離れた――という意味から「梵」と称される。類例として，たとえば梁代の梵語学を記す『翻梵語』は「梵行」（ブラフマ・チャリヤー，浄行）について，「訳して梵と曰う者は浄なり」（五四・一〇〇三下）と説明する。隋の智顗『妙法蓮華経玄義』も「『梵行』なる者は，梵は浄なり」と解説する（三三・七二四上）。南朝斉の僧宗は「梵天」という語を「梵なる者は浄を言う」と注釈する（『大般涅槃経集解』，三八・三九七上）。唐の円測も「梵天位」という語を，「梵は浄なり。已に清浄なる行位に住するが故に」（『仁王経疏』，三三・四二二上）と解説する。いずれも「梵行」「梵天」の「梵」を浄の意とする。

「梵」を清浄の意とする解釈は「梵網」に関する注釈に見出すこともできる。湛然は次のように解説する。

「梵網」は，清浄なる存在を正しく観察する網であり，諸の煩悩と一切衆生とをくまなく網にかける。

梵網者，正観清浄法網，網諸煩悩及一切衆生。（『維摩経略疏』三八・五八〇中）

ここで「梵」は清浄の意とされる。神としての梵天は特に関係づけられていないが，後代，注釈の多くは，「梵網」の「梵」を二通りに解釈する傾向を示した。新羅の義寂『菩薩戒本疏』はこう注釈する。


〔解釈一〕「梵網」は梵王の網をいう。それは因陀羅網〔が因陀羅（インドラ）の網であるの〕と同様である。その網の意味合いは，仏が法門（衆生を導く教えの入口）を観察する時に〔衆生の〕機根に応じて〔法門も〕実に様々だが理法はただ一つであるのに似ており，あたかも梵王の網が，網の孔は様々だが網はただ一つなのと同じである。それ故，譬喩で〔本経を〕「梵網」と名づけるのである。これは経典全体の名である。

〔解釈二〕もし戒本（下巻の十重四十八軽戒の条文）に即して「梵網」を解釈するならば，梵王の網は孔が多いが網は一つであるように，教王（＝仏）の戒法も同じと解すべきである。〔戒の〕事項に応じて罪に軽重の別があり条文も多いが，清らかなシーラ（戒）として，結局すべて唯一の道に帰す。それ故，喩えにより「梵網」と名づける。さらに戒は梵（清い）行いである。それまた仏法の網（規則）であるから「梵網」という。

「梵網」謂梵王網，如因陀羅網。其義相似仏観法門，随機無量，其理一統，如梵王網，孔雖無量，其網唯一，故従喩事名「梵網」也。此是一部通名。若就戒本釈「梵網」者，如梵王網孔多網一，法王戒法当知亦爾。雖復随事軽重多条，清浄尸羅終帰一道。是故従喩名曰「梵網」。又戒為梵行，亦是法網，故云「梵網」。（四〇・六六〇下）

義寂は大別して二つの解釈を示す。中国に伝来しなかった『梵網経』の大本の全体を通じた経名解説と，『梵網経』下巻に説かれる戒本——戒律条文集——に即しての経名解説とである。このうち，第二解釈は細分すると二通りの解釈になる。第二解釈前半では「梵」を梵王の意で解説するが，後半では「梵」を梵行と同義の「清い行い」と解釈する。こうした二重解釈は，上述した「梵」の二義性と軌を一にする。

類似の解説は，経文の「大梵天王」と「網」に関する南宋・与咸『梵網菩薩戒経疏註』の注釈にも見られる。

……梵王が仏のいます所にやってきたことから，仏は〔梵王の持つ〕網の目がはっきりして，妨げ合うことがないのを見たので，それ故，諸仏の世界はそれぞれ異なりながらも相互にまとまっていることを喩えるため，それ（梵王の網の様子）に即して経名を付けたのである。さらに，「梵」とは清らかさである（「梵者浄也」）。この清らかな網（「浄網」）を生死輪廻の海に向け，海の魚のごとき人間や神々をすくい上げて悟りの岸辺に渡すべく，このことに因んで経名を立てたという，まさにこのことを示そうと意図しているのだ。諸の梵天について細かに解き明かすことはこの経文の意図ではない。（第二章五七頁参考C，第四章[7]下段）

傍点箇所から分かるように，与咸も，梵王の持つ網と清らかな網の二通りに「梵」を解釈する。このような二重の解釈の背景的事情として，筆者は『梵網経』の編纂者の用いた語彙の曖昧性・非一貫性を想定したい。敢えて二重に解釈しなければ意味をとりにくい。上述の通り，「諸大梵天王」という語は聴法に訪れた神々を表すと取らざるを得ず，「十八梵」は十八種の浄らかな神々と解さざるを得ない。この曖昧性が二重解釈の背後にある。

「梵網」という語の由来についても再検討したい。「梵網」という語が漢訳大蔵経にほとんど見出せないことは大蔵経語句検索をすれば直ちに分かる。漢訳経典のうち，「梵網」という語を用いる唯一の例外は，『長阿含経』に収める「梵網経」のみであり，対応するパーリ語経典も存在し，その名はブラフマ・ジャーラ・スッタである。ここで当然ながらこの小乗経の名をもとに大乗の偽経『梵網経』が中国で作成された可能性も考えられる（白土一九七三）。しかしこの小乗経典が我々の主題とする大乗経典に及ぼした直接的影響があったかと問うならば，はなはだ疑問と言わざるを得ない。その理由は，小乗『梵網経』は，一名『梵網六十二見経』ともいうように誤った見解の弊害や束縛性を網に喩え，網に専ら否定的な意味を与える。これに対し，大乗『梵網経』は，衆生の多様性に適応して説かれる仏の対機説法の多様性や柔軟性を網に喩え，網に肯定的な意味を付与する。小乗『梵網経』では網は悪いものとみなす。大乗『梵網経』では逆に網は善いものの喩えである。さらに，小乗『梵網経』の経文に「網」は言及されるが，なぜ「梵」が付加されているかを経典の内容や原文から説明することは難しい。[3]

「梵網」は菩薩の名としても稀に用いられる。「梵網菩薩」の名は鳩摩羅什訳『維摩詰所説経』仏国品第一に現れ，サンスクリット語の原表記は brahmajālin（直訳は「梵網をもつ〔菩薩〕」「清浄な網をもつ〔菩薩〕」）である。同経の注釈である『注維摩詰経』の対応箇所には，漢訳者鳩摩羅什の自説として「什曰わく，『梵』とは〔慈・悲・喜・捨の〕四梵行なり。『網』は其の多きを言うなり」（三八・三三一中）と解説される。しかしこれが本稿主題である『梵網経』の名の起源と結びつく根拠は特に何も見出せない。

先行研究の指摘するもう一点は，『華厳経』に説かれるインドラ網から着想された可能性である。インドラ網は「因陀羅網」「帝釈網」「帝網」などと漢訳される，インドラ神の宮殿を覆う宝網である。宮沢賢治『インドラの網』の題材としても知られる。智顗『菩薩戒義疏』が梵網を大梵天の因陀羅網と解説することは上述の通りである。しかし智顗の『菩薩戒義疏』だけではない。インドラ網との関連は他の注釈も論じている。たとえば唐の法蔵『梵網経菩薩戒本疏』は「諸大梵王網羅幢」を注釈する中で梵網と因陀羅網の違いは何かと問い，自らこう説明する。

> 問い。本経の「梵網」と『華厳経』の因陀羅網の違いは何か。答え。かの経典では帝釈天（インドラ神）の網であり，本経では梵王（ブラフマー神）の網である。かの経典の網は宮殿上にかかり，本経の網は幢竿上にある。喩えの意図も異なる。かの経典では，宝石が網となり，〔それぞれの宝石が〕相互に映し出され，その像

が際限なく幾重にも重なる様を明らかにすることを趣意とする。本経では，網の目〔の形状〕が多種多様であり，どれひとつとて同じでないことを趣意とする。それ故〔両経の喩えの意図は〕異なるのである。

問，此中「梵網」与『華厳』中因陀羅網何別。答，彼是帝釈網，此是梵王網。彼網在殿，此網在幢。喩意亦別。彼取宝珠成網，互相影現，弁重重無尽。此取網孔差別不同義，故為異也。（四〇・六〇四下）

因陀羅網との相違を問題とするのは，梵網から因陀羅網を連想する人が当時多かったからであろう。『梵網経』で重要な役割を果たす盧舎那仏が仏駄跋陀羅訳『華厳経』に基づくと考えられることは，望月信亨（一九三〇、一九四六）や大野法道（一九三三、一九五四）ら多くの先行研究が指摘するところであり，筆者も異存はない。梵網とインドラ網の関係は無視できまい。だがそれを認めたとしても，『梵網経』下巻の核心である十重四十八軽戒の条文が「梵網」と何も関係しない以上，大乗戒経典を「梵網」と結びつけた強い理由や動機を未だ説明できない。

以上，『梵網経』の本文から知られる「梵網」の意味と「梵」の意味について先行研究の問題点と諸注釈の内容を見てきた。ここから次のような解釈を新たに提案できるのではないだろうか。第一に，経名「梵網」の「梵」は「諸大梵天王」と経典中に説明されている以上，「梵」は天界の神を意味するが，旧説のように単数形のブラフマー神と理解するのは不適切である。「諸」の付加は無視できないから，「梵」で示される神は複数である。第二に，経中で「梵」を用いるもう一つの用例は「十八梵」であり，これは色界十八天に住まう神を意味し，その場合，「梵」はブラフマー神という固有名詞でなく，欲望を離れた「清浄な神々」という意味と理解すべきであろう。経名の「梵網」は「清浄な神々の〔もつ幢竿の〕網」，さらにかみ砕いて説明すれば，「清浄な天界の神々が聴法に来訪した際に携えていた幢竿を飾る網のように様々な教えで衆生を救済する経典，と解釈したい。ここから経名英訳 *Scripture of the Pure Divinities' Netted* ［*Banners*］を新たに提案したい。

「仏性」

『梵網経』は第一義的には菩薩の行為を説く経典であるが，その一方で，あまり際立って表面化することはないものの，菩薩戒の思想を含意的に説く経典でもある。菩薩の実践と理念の両面を含むのである。理念に関わるものとして，「一切の衆生には仏性が備わっている。（一切衆生，皆有仏性。）」に代表される「仏性」を重視する考え方がある。仏性とは命あるすべての生き物に備わる，将来的に仏となることができる潜在的可能性である。単に「仏性」という語だけでなく，「仏性の種子」「仏性常住の妙果」「仏性常住の戒巻」などの表現でも繰り返し現れる。仏性思想は如来蔵思想と言い換えてもよい。この思想は大乗の中で遅れて形成されたため，訳経僧として名を馳せた鳩摩羅什（約三五〇～四〇九頃）は如来蔵思想を遂に知ることなく逝去した。如来蔵思想は，その直後，北涼の曇無讖や南朝宋の求那跋陀羅らの訳経事業によって一挙に中国全土に波及した。最初に漢訳された如来蔵経典は曇無讖訳『大般涅槃経』（四二一年漢訳）である。曇無讖訳『大般涅槃経』および同訳『菩薩地持経』は『梵網経』下巻のそこここで素材として大きな影響を与えた（具体的には第四章参照）。

一切の衆生（命あるもの）に仏性があるという立場では，迷える衆生と悟れる仏とを共に仏性をもつ点で等しいとみなす。衆生と仏の違いはただ一つ，仏性がまだ潜在的な休眠状態か，顕在化した覚醒状態かの差である。これを『梵網経』では次のような表現を用いて説き示す。

〔仏の言葉〕汝は将来に仏となるべき身，我は已に成仏せし身なり。（汝是當成仏，我是已成仏。序第九偈）

〔菩薩の言葉〕我はまだ未成就の仏（可能性としての仏）であり，諸仏はすでに成就せる仏（完成された仏）である。（我是未成之仏，諸仏是已成之仏。第三十四軽戒）

一切衆生を等しく見る立場は他のさまざまな局面にも及ぶ。それは動物の肉を食してはならぬという禁戒につながるが，別の観点とも関わるため，この点は後に改めて別に論じたい。もう一つの特徴は，一切衆生は等しいという立場から，動物と人間を截然と区別せず，つながりを認める点である。たとえば次のように説かれている。

もし牛や馬，猪，羊，その他どんな動物でも目にしたら，次のように心の中で念じ，言え，「汝は動物。菩薩の心を起こせ」と。そうして菩薩は，山林川野どんな所に入るときも，皆，すべての衆生に菩提心を起こさせよ。（若見牛、馬、猪、羊，一切畜生，応心念口言，「汝是畜生，発菩薩心」。而菩薩入一切處，山林川野，皆使一切衆生発菩提心。第四十五軽戒）

これと同じ理由により，本経は，畜生も救済すべき対象に含めた救済を説く。

仏戒を受ける者は，国王でも王子でも百官（様々な官僚）でも宰相でも，比丘でも比丘尼でも，十八〔天〕の清らかな〔神々〕でも，欲界六天〔の神々〕でも，庶民でも，去勢者でも，戒を破ったことのある男でも，戒を破ったことのある女でも，男奴隷・女奴隷でも，天龍八部衆でも，悪鬼や神々でも，金剛神でも，動物でも，果ては変化身に至るまで〔いかなる者であっても，自分に戒を授けてくれる〕法師の言う言葉の意味をきちんと分かれば，誰でもみな戒を身に備えることができ，この上なく清浄な者と呼ばれる。（若受仏戒者，国王、王子、百官、宰相、比丘、比丘尼、十八梵、六欲天、庶民、黄門、婬男、婬女、奴婢、八部、鬼神、金剛神、畜生乃至変化人，但解法師言，尽受得戒，皆名第一清浄者。）

「捨身」の是非

『梵網経』の名高い教説の一つに第十六軽戒がある。我が身の安全を惜しまずに「捨身」を実践し，仏・法・僧の三宝に敬意を示すためには自らの指や腕，体に火を点けて燈火となって三宝を供養せよと説く。[4] とりわけ注目を引く一文は，「若し身、臂、指を焼いて諸仏を供養せずんば出家菩薩に非ず――若不焼身、臂、指供養諸仏，非出家菩薩」である。この一文を第十六軽戒の文脈から抜き出して読めば，出家者の菩薩たるものは必ず身を焼いて燈火となる等の捨身をしなければならぬ，さもなくば菩薩にあらず，という激烈な内容と解される。実際，そう論ずる研究はかなりの数に上る。しかしながら，注釈者の説を読み，経文を改めて梵網戒の文脈から読み直すと，これまでの主張とは大きく異なる意味で解釈すべきことが分かる。第三章の和訳と重複するが，第十六軽戒の文脈全体を重視すれば次のように理解すべきである。

> 仏子たるものは優れた心で大乗の行い〔を説く〕経や律をまず先に教え，その趣旨を広く説明すべきである。その後，新学菩薩が百里，千里の彼方から来訪し，大乗の経や律を希求するのを見たら，その菩薩に，決められた通りに正しくすべての苦行を説明してやるべきである。〔苦行とはすなわち〕わが身を焼く，腕を焼く，指を焼くなど〔して諸仏に敬意を表すこと〕であり――もしわが身や腕や指を焼いて諸仏に敬意を表さなければ，出家菩薩ではない〔というのが諸経の趣旨であると教え〕――，ひいては飢餓に瀕した虎や狼の口やライオンの口の中にまで，そして一切の餓鬼にまで，わが身の肉や手や足をことごとく喜捨して敬意を表すこと〔を教える〕べきであり，その後で，一つ一つ順を追って，仏の正しい教えを説いてやり，〔衆生の〕心や思いが開かれ自由になるようにせよ。しかるに菩薩が利欲を貪るために，答えるべき問いに答えず，経や律の意味をまったく逆に誤解して説き示し，説法の言葉も支離滅裂となり，〔仏・法・僧の〕三宝を誹謗するならば，

軽垢罪にあたる。

若仏子，応好心先学大乗威儀経律，広開解義味，見後新学菩薩有百里、千里来求大乗経律，応如法為説一切苦行，若焼身、焼臂、焼指，―若不焼身、指供養諸仏，非出家菩薩―，乃至餓虎、狼口，師子口中、一切餓鬼，悉応捨身肉、手足，而供養之，後一一次第，為説正法，使心開意解。而菩薩為利養故，応答不答，倒説経律，文字無前無後，謗三宝説，犯軽垢罪。（第十六軽戒）

これは，本条の読みにくさを認めた上で，『梵網経』がしばしば戒条の途中に説明句を挿入することがあるのを勘案した現代語訳である。本経の趣旨は捨身せよでもなく，また捨身するなでもない。菩薩戒の基底となる考えは，大乗の教えを学びたいと思っている相手の状況をよく見ながら，相手に最も適切な形で教えよということである。「若し身、臂、指を焼いて諸仏を供養せずんば出家菩薩に非ず――若不焼身、臂、指供養諸仏，非出家菩薩」という一文は，梵網戒の戒条の中心ではない。経典の教えを紹介すべき場合に，経典には捨身せよという意味の事柄が説かれていると説明して相手にその意味を理解させよという点が肝要である。むしろ戒条として重要な箇所は，答えるべき時に答えず，間違った教えを他者に与えたりしてはいけない，もしそれを行えば菩薩戒に抵触するという点である。途中の一文のみに過敏に反応するのは適切ではないと筆者は思う。

注釈者の説としては，第二章の校本の第十六軽戒（一四二頁）に引用したように，義寂，明曠，与咸の説が注目に値する。今そのすべてを和訳で紹介することは控えるが，三者とも傾聴すべき内容である。義寂は，経文が捨身に言及する理由を，「まず苦行について説明し，その〔教えを乞いに来た者の〕真意を確かめる。その後で正しい教えを説き示してその者の理解を深めさせる。その者に大志とは何かを知らしめるために，苦行について説明して彼の真意を確かめる。彼に菩薩の偉業を起こさせるために，正しい教えを説き示して〔仏法に対する〕理解を深めさせる――初説苦事，以試其心。後説正法，以開其解。為欲知其大志，故説苦事以試心，為欲発其大行，故説正法以開解。」という。明曠は，捨身などすべきでないとの立場を表明し，「捨身して〔死んでしまった〕なら，いったい誰が法を説くのか――若即捨身，法為誰説。」と言い切る。与咸は，「菩薩がわが身に火を灯したり捨身したりするのは極端な例を敢えて述べた言葉であり，すべての菩薩が必ず捨身する必要があって〔捨身して〕はじめて菩薩となるというわけではない――菩薩焼身、捨身，即是極之辞。未必一切要須捨身，方成菩薩。」と解説する。これは自らが捨身したくないための言い逃れなどではない。経の意図を理解し，人に教えよという誡めである。⑤

菩薩となれる者たち

本経はあらゆる衆生（命ある生きもの）を区別せず，一切衆生が菩薩戒を受戒する資格を有すると説く。その最大の理由は，本章第一節に述べたように，本経は一切衆生悉有仏性という如来蔵思想を根本とするからである。その状況においては，受戒すべき衆生は畜生でも（第四十五軽戒），神々でもあり得ることが経典中に何度も説かれる。受戒儀礼に当たり，戒師となる先学菩薩が儀礼を進めるために述べる言葉や質問事項を理解する言語能力があれば，いかなる衆生も受戒する資格を有する。

このように本経は一切衆生を聴衆として説かれている。ただ，その一方で，一切衆生を表す表現には注目すべき語彙的特徴があるのも事実である。それは何かといえば，一切衆生を例示する場合にどのような種類の衆生を列挙するかである。具体的に言えば，本経の最古形は以下の一覧を呈示することで一切衆生の内容を列挙する。

〔a 受戒者の例〕　国王・王子・百官・宰相・比丘・比丘尼・十八梵・六欲天・庶民・黄門・婬男・婬女・奴婢・八部・鬼神・金剛神（…乃至…）変化人――序

〔b　受戒者の例〕　老少・比丘・比丘尼・貴人・国王・王子（…乃至…）黄門・奴婢——第三十八軽戒

〔c　受戒者の例〕　国王・王子・大臣・百官・比丘・比丘尼・信男女・婬男女・十八天・無根・二根・黄門・奴婢・一切鬼神——第四十軽戒

〔d　受戒者の例〕　国王・太子・百官・四部弟子——第四十七軽戒

〔e　一切大衆の例〕　国王・王子・百官・比丘・比丘尼・信男・信女——後

これら五種のリストのうち，前四種は受戒適格者のリストとして共通し，第五種の「一切大衆」も菩薩戒の教えを聴聞できる者のリストであるから，やはりほぼ同じ性格である。表現上の特徴として何があるかと言えば，まず社会の上層から下層の順に列挙する傾向がある。その意味で社会的上位者には国王・王子または太子・大臣・百官・宰相の順位が認められる。これらはすべて非出家者であり，実質的にみな男性と考えて差し支えあるまい。

在家社会の高位者に次いで比丘・比丘尼を挙げるのは意図的な排列順序を示すであろう。これは男性と女性の出家者と言い換えてもよい。出家教団には沙弥（男性見習い出家者）と沙弥尼・式叉摩尼（女性見習い出家者）もいるが，それに言及しないのは，比丘・比丘尼で出家を代表させようとする意図であろうか。

次は「十八梵」などの神か，在家社会の下層者かであるが，列順が一定しない（右掲〔a〕〔b〕〔c〕参照）。

さらに注目を引くのは，受戒可能な在家者として，信心をもつ「信男女」ないし「信男・信女」を挙げるのみならず，通常は破戒者として受戒対象から除外される「婬男女」ないし「婬男・婬女」をも菩薩戒を受ける資格のある者として列挙する点である（〔a〕〔c〕）。恐らくここに，菩薩とは何かについての本経独自の説が反映されている。小乗では仏教教団の中に歓迎されないような「婬男」「婬女」たちでも，仏性を有する以上，仏となる可能性があるから，菩薩戒を受けて向上すべき者の範疇に含めるべきであるという理念を垣間見ることができる。

「大乗経律」の思想

『梵網経』の特徴として，経の複数箇所において，梵網戒を単に菩薩の守るべき「戒」（習慣的行為の規範）としてのみならず，小乗における出家者教団規則である「律」（ヴィナヤ）に相当する大乗の規律として捉えようとする姿勢をも垣間見ることができる。端的に言えば，『梵網経』は大乗の律であると主張しようとする傾向である。これは仏教史上きわめて注目すべき独特の考え方である。広く知られている通り，大乗仏教には小乗部派――伝統的部派と言ってもよい――の律は存在したが，大乗の律は現れなかった。その理由は大別して二つあると考えられる。第一に，大乗僧といえども出家教団に入る際には何らかの小乗部派に所属してその部派の律を守る必要があったため，小乗の律を捨てたり否定したりすることができなかった。そして第二に，大乗の菩薩戒は「戒」（シーラ，習慣的行為，道徳的行動）であり，罰則規定を含む「律」（ヴィナヤ，共同生活を円滑にすすめるための具体的生活規則）ではなかったため，大乗の律を作成する必要はなかった。それ故，インド仏教で律といえば小乗ないし部派仏教のそれであり，大乗律は存在しなかった。これに対して中国仏教の経典目録には経に大乗経と小乗経の別，論に大乗論と小乗論の別があるのと同様に，律にも大乗律と小乗律があると解釈し，「大乗律」の存在を認めた。その大乗律の典型こそ，『梵網経』であった。このことを裏付ける経典目録は数多あるが，今はあえて一例に絞り，中国仏教経典目録の標準として扱われた唐・智昇撰『開元釈教録』巻十九の「大乗律二十六部五十四巻」に『梵網経』を挙げることを確認しておけば，ひとまず十分であろう（五五・六八九上）。

中国で『梵網経』が大乗律として扱われたことの背景としては『梵網経』編纂者自身がそう考えていたことを指摘することができる。本経下巻の最古形は次の箇所で「大乗経律」を菩薩戒の教説を説く経典の意味で用いる。

「経律（経と律）」　第七軽戒，第二十二軽戒・第二十三軽戒・第三十一軽戒・第三十七軽戒・第四十七軽戒

「経律巻（経巻や律巻）」　第四十四軽戒
「大乗経律」　第十五軽戒・第三十九軽戒・第四十一戒
「此経律」　第三十九戒
「菩薩戒経律（菩薩戒の経や律）」　第二十軽戒
「仏経律（仏の経や律）」　第二十四軽戒
「我大乗経律（我が大乗の経と律）」　第三十五軽戒
「大乗威儀経律（大乗の行い〔を説く〕経や律）」　第十六軽戒
「大乗常住経律（大乗の常住〔なる境地を説く〕経や律）」　第八軽戒
「三世諸仏経律（三世諸仏の経と律）」　第三十六軽戒

各用例と文意は第三章和訳を参照されたい。このうち「大乗経律（大乗の経律）」と「此経律（この経律）」は第三十九戒にそれぞれ二度ずつ現れ，そこで「経律」とりわけ「此経律」という語が何を意味するかといえば，それ以外の用例の場合のように経と律の二つと解するよりも，一概念として機能し，「この『梵網経』という経律」「大乗律を説くこの『梵網経』」を意味すると解釈するのが最も自然と私には思われる（第三章第三十九軽戒和訳注③）。

こうした「経律」という語の使い方から，中国で『梵網経』を編纂した人々には，大乗律を確立したいという思いがあったと考えられる。つまり『梵網経』作者は大乗の律を新たに創設したかった人々なのであった。[6]

出罪法

『梵網経』下巻の主要な内容は十重四十八軽戒の規定である。本経をひとたび離れてインド伝来の菩薩戒文献の内容を見てみると，『梵網経』が成立した約四五〇～八〇年頃より以前の中国ですでに知られていた菩薩戒の主要経典は，北涼・曇無讖訳『菩薩地持経』戒品と劉宋・求那跋摩訳『菩薩善戒経』（四三一年漢訳）であった。唐代に玄奘訳『瑜伽師地論』本地分菩薩地が漢訳されると，さらに内容更新され，普及した。漢訳に対応するサンスクリット語原典およびチベット語訳も現存する（船山二〇一一bと本書第一章第一節を参照）。『梵網経』の思想的側面との関連から今述べておきたいのは，出罪法，すなわち十重四十八軽を違犯した時にすべき対処法である。しかしこの点から『梵網経』を検討すると，論述の不明瞭を指摘せざるを得ない。重戒（波羅夷）と軽戒を犯した場合にどうすべきかを体系的に説く箇所が『梵網経』にないのである。ただ断片的説明はある。四十八軽戒を犯した時にすべき処置は第四十一軽戒中に「もし四十八軽戒に違犯したならば，誰か適切な一人の前で懺悔（対手懺＝対首懺）すると，罪が消える。――若犯四十八輕戒者，對手懺罪滅」と説かれる。つまり懺悔によって罪過から解放される（出罪）。懺悔とは犯した罪を言葉で明確に告白し，悔い改めることである。つまり四十八軽戒の違犯は，それを教団員全員の前でなく，また，仏や菩薩に対してでもなく，特定の誰か一人の前で懺悔すればよいと規定されている。では重罪からの出罪法はどうか。同じ第四十一軽戒中で『梵網経』はこう説明する。

もし十戒（本経の十波羅夷）に違犯したならば，懺悔して，仏像や菩薩像の前で毎日決まった時間に六回，十戒四十八軽戒を誦えよと教えよ。念入りに心をこめて三世の千仏に礼拝すると，〔仏の〕瑞祥を目の当たりにすることができる。〔できなければ〕七日あるいは十四日，二十一日，ないし一年に至るまで〔続け〕，瑞祥を目の当たりにすることが肝心である。――若有犯十戒者，教懺悔，在仏、菩薩形像前，日日六時，誦十戒四十八軽戒。苦到礼三世千仏，得見好相者。若一七日，二、三七日，乃至一年，要見好相。

これによれば重罪を犯した場合は，日に六度の決まった時間に，仏像や菩薩像の前で懺悔して，十重四十八軽戒を誦えること，それを仏の瑞祥を神秘体験できるまで，七日でも一年でも続けることが，重罪からの出罪法である。ただしこの記述には問題点が一つある。それは第四十一軽戒の全文を読めば明らかだが，この戒条は新たに菩薩戒を受けたい人がすでに重罪を犯していた場合に受戒に先立って行うべき事柄として説かれている。実はこの点は直前に示した四十八軽戒の出罪法も同じである。どちらも受戒儀礼に先立つ必要条件として説かれている。言い換えれば，すでに受戒を終えた人が罪を犯した時の対処法も同じかどうかは明記されていない。

因みに『菩薩地持経』に説かれる出罪法も紹介しておこう。同経によれば，菩薩が波羅夷を犯した場合の出罪法は，罪を犯した時の心の状態（煩悩の程度）に応じて三種に分かれる。（一）極度に強い邪心から波羅夷罪を故意に何度も犯した場合は，菩薩戒を失い，菩薩でなくなる。この場合，再受戒をする以外に対処法はない。（二）中程度の邪心から波羅夷を犯した場合は，三人もしくは三人以上の人間に向けて懺悔すべきである。（三）もし最も軽度の邪心から波羅夷を犯した場合は，一人の人間に向けて懺悔すればよい。もし懺悔を聴いてくれる人がいない時は，心を清らかに保ち，二度と同じ過ちを繰り返さないことを誓う。[7]——このように重罪に対する『菩薩地持経』の出罪法は，『梵網経』第四十一軽戒の説く内容と相当に乖離しているから，第四十一軽戒の内容が受戒儀礼以前の特殊な方法か，受戒後にも適用されるかを経文だけからはっきりさせることはできないという問題が残る。

「食肉」「五辛」を避ける理由

『梵網経』は東アジア仏教の食生活にも影響を与えた。「不酤酒戒」と通称される第五波羅夷は酒の販売を禁止する。曇無讖訳『優婆塞戒経』の第六重戒に由来する戒であり，在家菩薩を主たる対象とする。第二軽戒は飲酒を禁止する。第三軽戒は食肉を禁ずる。第四軽戒は「五辛」と呼ばれる五種の刺激性（「辛」）のある，強い臭の野菜を食すことを禁ずる。第二十軽戒は「放生――生き物を網や檻から解放」を説く。その中に，「一切男子は我が父，一切女人は我が母なり。我は生生に（輪廻転生する度に）之れより生を受けざる無し。故に六道の衆生は皆我が父母なり。而して殺して食らう者は即ち我が父母を殺し，亦た我が故身を殺すなり」という有名な文言がある。過去無限回の輪廻転生に思いを致すと，一切の衆生は無限の転生の中で必ず一回は我が父や母となったことがあるに違いないことがはっきり分かる（船山二〇〇二，三二七～二二五頁も参照）。それ故，現今の父母の肉を食すことが許されないのと同様に，動物の肉も，父母の過去身の現今の姿であるから，食してはならぬという論理である。以上の経文と素材は第四章[29][39][40][41][58]に示した。

このうち，肉食と五辛を忌避する理由に本経の特色がある。まず食肉禁止について，『梵網経』の説く内容は，本経独自の思想を表すというより，曇無讖訳『大般涅槃経』・法顕訳『大般泥洹経』・求那跋陀羅訳『央掘魔羅経』『楞伽阿跋多羅宝経』などの漢訳経典中に見られるのと同じ説を簡潔な文章でまとめたものである。これらに共通するのは如来蔵思想である。すなわち，一切の衆生には「仏性――将来ブッダとなれる素質，潜在能力」が備わっているから，仏を食さないのと同様，衆生の肉も食してはならぬという論理である。衆生の肉を食すのは自らの父母の肉を食すのと同じという表現は，求那跋陀羅訳『央掘魔羅経』の「一切衆生は，始め無き生死（＝輪廻）より生生輪転し，父母兄弟姉妹に非ざる無きこと，猶お伎児（演劇の役者）の変易して常無きが如し。自肉と他肉は則ち是れ一肉なり。是の故に諸仏は肉を食らわず」という一節と内容的に連関する（第四章[40]下段原文）。

食肉忌避の論理は，「五辛」を禁止する『梵網経』の摂食規定につながる。臭の強い野菜を食すことを避けよとの規制は『大般涅槃経』に基づく。しかし『大般涅槃経』は「五辛能葷，悉く之れを食らわず」と説くのみで五種を特定しないのに対し，『梵網経』は「五辛」を「大蒜・革葱・慈葱・蘭葱・興渠」の五種と明記する。五種野菜のリストは『梵網経』以前の経典に同定できない。ただ，『梵網経』の場合も五種の名は列挙するが，その一々の同定は困難だったらしく，注釈家たちの見解は一致しない。主な注釈の具体的文言は第四章［41］に掲げた。

本経の「五辛」説は忌避の理由にも特色を表す。本経成立後，数世紀経った頃から現代に至るまで，東アジアの仏教菜食主義者たちが「五辛」を忌避する理由として挙げるのは，単純化していえば，五辛を食すると精がつきすぎて修行の妨げになるという点である。しかし精力増進が修行を妨げるという理由はかなり後の時代に生まれた新たな理由付けだった。それより以前の『梵網経』原形作者の考えはまったく異なっていた。『梵網経』が臭の強い野菜を避ける理由は，食肉すると，食肉者の体から肉や血の臭を発するため，周囲の衆生が自分も食べられてしまうのではないかと恐れ，その菩薩から逃げ去って行き，そのため，菩薩が衆生済度をしようにも，誰も説法に耳を傾けなくなってしまうからである。要するに，食肉は仏法教化の第一歩である説法を不可能にするから避けよという論法である。まったく同じ理由により，菩薩が臭の強い野菜を食す場合も，その臭を嫌って周囲の者たちがみな離れ去ってしまうため，菩薩は説法や対話等の教化活動ができなくなってしまう。だから臭の強い野菜を食してはならぬというのである。これは精がつきすぎることとはまったく関係のない，本来の理由づけである。これが肉と五辛を避ける理由であることは，『梵網経』の文言が『大般涅槃経』に基づく表現であることを考えれば疑いを容れない。『大般涅槃経』で該当する文言については第四章［40］［41］下段を参照されたい。

中国仏教史において五辛の摂取を避ける理由が臭から欲望過多に変わった時期は『梵網経』より後であった。その早期の文献は唐代の偽経『首楞厳経』即ち『大仏頂如来密因修証了義諸菩薩万行首楞厳経』の一節である[8]。

> 一切の衆生は甘味を食すから生きながらえ，毒を食するから死ぬ。これら衆生たちが精神の統一を求めるなら，世間の五種の刺激性のある野菜を断つべきである。この五種の刺激性のある野菜は，加熱して食すと婬情を起こし，〔加熱せず〕生のまま摂ると興奮を強める。……（一切衆生食甘故生，食毒故死。是諸衆生求三摩提，当

断世間五種辛菜。是五種辛，熟食発婬，生啖増恚。一九・一四一下）

この経典は五辛の回避を説く経典としてしばしば言及されるが，「婬」や「恚（瞋）」を理由とする点は『梵網経』とまったく異なる。しかしこの理由の違いに注目した研究は稀なため，今ここで，大きな相違があることを強調したい。『大般涅槃経』およびそれを受ける偽経『梵網経』の示す回避理由がインド仏教の文脈で成り立つ理由であるのに対し，偽経『首楞厳経』の示す理由は，いわば後代に中国的に改変された理由付けなのである[9]。

このような理由の変化は『梵網経』の注釈にもみられる。まず，最初期の注釈『菩薩戒義疏』はいう。

第四の食五辛戒。〔これは〕葷菜の臭が教えを妨げるから規制する。

第四、食五辛戒。葷臭妨法，故制。（四〇・五七五上）

これは『梵網経』本来の理由付けである。これに対して後代の，たとえば与咸『梵網菩薩戒経疏註』は，『首楞厳経』を引用しながら欲望過多を五辛忌避の理由に挙げて次のようにいう。

〔五辛は〕刺激が強いので血色を強め興奮をかき立てる。それ故に抑制する必要がある。血色を強めるとは，『首楞厳経』〈巻八〉にいう，「この五種の刺激性のある野菜は，加熱して食すと婬情を起こし，生のまま摂ると興奮を強める。……」（辛故発色動恚，所以須制。云「発色」者，『楞厳経』云〈第八〉，「是五種辛，熟食発婬。生啗増恚。……」続蔵一、五九、三、二九三裏上）

与咸（一一六三卒）より前の時代に『首楞厳経』の注釈を著した子璿（九六五～一〇三八）は，「五辛なる者は，大蒜・茖葱・慈葱・蘭葱・興渠を謂う。是の五の性は熱，気は葷，味は辣なり。修行者食さば，能く法身を殺すこと，毒を食すが如きなり。故に須らく之れを断ずべし」という（『首楞厳義疏注経』巻八之一。三九・九二五中）。ここに『梵網経』への言及はないが，五辛の列挙が『梵網経』に基づくのは間違いない。一方，子璿前後の『梵網経』の注釈を検討すると，『梵網経』の五辛と『首楞厳経』を結びつける説明は，あくまで管見の限りにすぎないが，元照（一〇四八～一一一六）『四分律行事鈔資持記』（四〇・三七八中）頃が初例であり，以後，明清の梵網経注釈にしばしば見られるが，さかのぼって唐末までの注釈には見られない如くである。五辛を避ける理由として修行の妨げを挙げるのは『梵網経』の本来の編纂者の考えではなく，後代新たに発生した理由付けなのである。

菩薩の一年

本経は日々守るべき菩薩戒を十重四十八軽戒の各条を説示する体裁で説かれる。菩薩が守るべき戒は十重四十八軽戒に尽きる。ただし個々の戒条には一年のうち特定の日のみに行うべき行事と守るべき戒を示すものがある。では本経の教えを守る菩薩たちはどのような一年を過ごすのであろうか。この点を整理しておこう。

まず毎日決まった時間に行うべき行為は，日々六回，菩薩戒の内容と遵守を確認することである（第十八軽戒）。六回が具体的に何時かを経文は明記しないが，諸経典の通常の説明を当てはめるならば，六時とは昼間の朝・昼・晩と夜間の初夜・中夜・後夜を指す。従って，それぞれの時間帯の特定時刻に菩薩戒の確認をするのであろう。

半月ごとに布薩を行い，戒律遵守を点検する（第三十七軽戒）。通常，「布薩」とは部派（小乗）仏教の出家教団における共同生活規則『律』（『十誦律』『摩訶僧祇律』『四分律』など）に基づいて，半月ごとに出家者が集まり戒律遵守を確認する儀礼集会である。本経は布薩の内容を何も示さないが，恐らく部派仏教の『律』に対応するものとして

『梵網戒』の十重四十八軽戒を用い，その遵守を点検する集会を行うべしと説くのであろう。

六斎日の斎会および年の長斎月には殺生や盗みをはたらくべきでない（第三十軽戒）。経文は何も詳しく説明しないが，六朝仏教史の通例に従うとすれば，六斎日の斎会とは月の八日・十四日・十五日・二十三日・二十九日・三十日の六日に定期的に行う八関斎に違いない。年の長斎月も詳しい説明がないが，正月の一日から十五日，五月の一日から十五日，九月の一日から十五日の年三回に十五日ずつ八関斎を行う年三長斎のことに違いない。

「頭陀行」と呼ぶ厳しい修行をする時期と「坐禅」に集中する期間も定められている。春は正月十五日から三月十五日まで頭陀行し，夏は夏安居し，坐禅し，秋は八月十五日から十月十五日まで頭陀行し，冬は冬安居し，坐禅する（第三十七軽戒，第三十九軽戒）。夏安居の期間は明記されていないが，通例に従うとすれば，四月十六日から七月十五日までの三ヶ月が主であり，七月十五日には盂蘭盆会がある。冬安居についても，経中には内容の説明がない。通常，仏教で安居は夏と決まっているが，本経は冬安居なるものを設け，街に出かけず，寺内に留まるよう規定する。しかしその実態や期間については何も資料がないため不明である。本邦の道元禅師も本経の冬安居の内容は不明であり，日本に伝来しなかった習慣であると記している（第四章［79］下段参照）。

四月から九月の間は火事に注意する。他人の家屋や街，他者の所有物を焼失させてはいけない（第十四軽戒）。

父母兄弟の死亡日には法師を家に招いて菩薩戒の教えを講じ，その功徳を亡者に廻向し，彼らが人界や天上界に転生できるように心懸けるべしと第二十軽戒は説く。一方，重複する内容は第三十九軽戒にも見え，そこでは父母兄弟・自らの直接の師匠（和上）・様々な師匠（阿闍梨）の死亡日とその後二十一日か二十八日か三十五日の間，大乗を講じ斎会を行って福徳を求め，布教すべしと説く。これは物故者への追福に関する本経の規定である。

仏教的年中行事はこのほか，仏降誕日として四月八日または二月八日，成道日として十二月八日，入滅日として二月八日が六朝仏教で一般的だが，これらに関しては『梵網経』は何も触れない。

第二節　語彙と語法

次に本経最古形に極めて特徴的な語彙と文法表現について整理してみよう。結論を一部先取りすることになるが，本経最古形には一般諸経典では用いない特殊な語彙が認められ，その一部には我々にとってすっきり理解できないものも含まれる。代表として「若仏子」「心地」「孝」を以下にとりあげる。

「若仏子」

この語は十重四十八軽戒のほとんどすべての条の冒頭に現れ，他経にはまったく現れない，極めて特殊な語彙である。まず，「仏子」は「ブッダの息子」（buddha-putra）の意味で普通に解釈できる。とりわけ本経は如来蔵思想の立場からすべての衆生に仏性があるとするから，修行しつつある菩薩を「仏子」と呼ぶのは本経の意図と適合する。問題があるのは「若」である。日本仏教で「若仏子」を「若（も）し仏子」と訓む伝統宗派と「若（なんじ）仏子よ」と訓む伝統宗派とがあったことを知る者もいるであろう（長井一九三五、二六頁）。本経における「若仏子」に関する私見は拙稿（二〇一一a、一三〇～四六頁）第一節「『若仏子』の語例と意味」に記した通りである。その結論として筆者は，「若」を漢訳律文献にしばしば見られるサンスクリット語関係代名詞 yaḥ（one who … ある者が……）に意図的に擬した漢訳調の語句であると解釈する案を新たに提示した。この点に関する筆者の考えは今もまったく変わらない。ただし第三章に試みた現代語訳を作成する過程で，本経の「若仏子」には，各々の戒条の文脈に応じて，「もしある仏子が……したならば」と解釈するのが好い場合と，「仏子たるものは」（もし仏子であるならば，汝菩薩は……）と解釈する方が好ましい場合との二種があることを強く感じた。そのため，第三章の和訳では二種を適宜用いて訳した。これまでなされなかったこの新たな試みに対し，大方の批正を乞う次第である。

「心地」

この語は極めて特殊である。『梵網経』成立以前の時代に「心地」を用いる漢訳はほとんど存在しない。本経成立後の時代の漢訳では，唐・般若訳『大乗本生心地観経』に多く登場する以外は，諸経に散見される程度である。本経においても「心地法門品」「心地品」あるいはその変形が都合十三回用いられるのみであり，場所も下巻の冒頭および末尾に集中し，経の本体と言うべき十重四十八軽戒に「心地」はまったく現れない。それ故，「心地」の由来は依然として不明である。この語の素材となった可能性があるのは「意地」という語であろうか。「意地」は「意（こころ）という基盤」を意味する。一般に仏教教理学では「心」「意」「識」の三を同じものの別称とするから，「意地」と「心地」を同義とすれば，「心という〔あらゆる行為の〕基盤」と解されよう。

「孝」と「戒」

本経の有名な一節に「孝を名づけて戒と為し，また制止と名づく」がある。「孝（忠実に従うこと）」，それを『戒』と呼び，『制止（悪業の抑止）』とも呼ぶ」という意味である。「制止」は戒の通常の意味で理解できるが，「戒」と「孝」を同じとみなすのは異例である。本経は別の箇所で「孝」を「孝順」とも表現する。この語法には背景がある。四章[20]に示したように，通常「戒」と訳す原語「シーラ」（習慣的行為，道徳的行為の意）を「孝順」と訳す文献として失訳『那先比丘経』がある（『ミリンダ王の問い』の漢訳。三二・六九七上，七七七中）。「孝順」のこの特殊な用例はすでに先行研究⑩で着目されているが，そこでは『梵網経』と結びつけられていない。私見によれば，『那先比丘経』の訳例は「孝を名づけて戒と為す」の背景にある語例として注目に値する。

偽経は偽経を生む

第四章「『梵網経』下巻の素材と注解」の一覧表において，本経編纂の際に素材として使用されたと推定できる他経典の文言をなるたけ網羅的に列挙した。その中には先行研究ですでに指摘されているものもあるが，今回初めて指摘した素材も含む。素材経典について全体を見て気づくのは以下の三点である。

（一）『梵網経』下巻は曇無讖訳『菩薩地持経』『大般涅槃経』『優婆塞戒経』の文言を頻繁かつ暗黙裏に用いて『梵網経』を作っている。菩薩戒の教えを中国に最初に伝え，如来蔵思想を伝えた曇無讖の強い影響を感じる。

（二）素材と推定してよい経典のうち，成書年の明らかな漢訳経典の中では求那跋摩訳『菩薩善戒経』（四三一年）が最も新しい（四章[32][33]参照）。この年代を『梵網経』下巻成立の一応の上限として設定できることは指摘されている通りである（船山一九九六）。ただし，全面的に確実と断言できるわけではないものの，求那跋摩訳よりやや下る漢訳が素材となった可能性も考えられる。それは求那跋陀羅訳『勝鬘経』（四章[10][23][58]参照）と『央掘魔羅経』（[58]参照）である。『央掘魔羅経』の訳出年は不明だが，慧観「勝鬘経序」（『出三蔵記集』巻九。五五・六七中）によると，『勝鬘経』は劉宋の元嘉十三年（四三六）に訳された。それ故わずか五年の差だが，四三六年を本経成立の上限と見ることもできよう。いずれにせよ約四五〇～八〇年頃の成立とする旧説を根底から覆すものではない。

（三）すでに指摘されている通り，『梵網経』の素材経典は偽経を含む。具体的には『仁王般若経』の文言を複数箇所で暗黙裏に用いるほか，『居士請僧福田経』（[67]参照）と『比丘応供法行経』（[84]参照）がある。第一章に概説したように『仁王般若経』は『梵網経』と多くの共通性をもち，ほぼ同時または直後に成立した可能性がある。

第四章の一覧表は，さらに本経が後代に与えた影響にも注目すべき特徴があることを示す。本経を基に作成された偽経の発生である。具体的には南朝斉頃の偽経『菩薩瓔珞本業経』（約四八〇～五〇〇頃）と唐代の偽経『大乗瑜伽金剛性海曼殊室利千臂千鉢大教王経』である。後者は一般に唐・不空訳として大蔵経に収められるが偽経である複数の根拠が権田雷斧・望月信亨・小野玄妙によって指摘されている。[11]筆者も偽経説に賛同する。『仁王経』が『梵網経』に影響を与え，『梵網経』の文言を暗黙裏に使用して『菩薩瓔珞本業経』と『大乗瑜伽金剛性海曼殊室利千臂千鉢大教王経』ができたことは興味深い。この四経はみな偽経である。「偽経は偽経を生む」とさえ言えそうだ。偽経の内容には後代の偽経作者の気持ちをくすぐる何かがあるのだろうか。偽経と知らずに活用したのか，偽経と判断した故に利用したのか。興味は尽きないが，今は事実の指摘にとどめる。

本経の偽経的性格に絡む事柄として，本経特有の用語がある。まず第四十一軽戒の「七逆罪」がある。七項目の内容も明記し，菩薩戒を受持するための前提条件として「七逆罪」を犯していないことを必ず確認してから，その後で菩薩戒を授くべしと説く。「五逆」は諸経に説かれるが，「七逆」は本経独自の語である。また，第三十七軽戒では頭陀行と旅に携行すべき菩薩の生活必需品として「十八物」を説き，十八項目が何かも列挙されている。部派仏教の場合，比丘の携行品は「六物」（三種の衣・鉢・敷物・水漉し）である。十八を数えるのは本経独自の説である。さらに本章第一節に挙げた「冬安居」も本経独自の語彙である。これらは漢訳諸経典中にまったく類例を見出せないことから推測すると，偽経たる本経が新たに創成した用語の可能性を否定できないであろう。

『優婆塞五戒威儀経』

年代を確定し難い経典がさらにもう一つある。失訳『優婆塞五戒威儀経』（大正二四巻）である。四章一覧表の［31］～［35］［38］［44］［46］［60］［63］に破線を付して示したように『梵網経』と『優婆塞五戒威儀経』の文言に一致するものがある。経典目録は『優婆塞五戒威儀経』を劉宋・求那跋摩訳の漢訳経典として扱うが，実際は漢訳でなく，中国で編纂された経典であると確実に言える。大正蔵五頁程の分量だが，内容は優婆塞に限定されない出家菩薩・在家菩薩の守るべき菩薩戒を説く第一部（二四・一一一六下～一一一九下）と，優婆塞の守るべき行為規範二四項目を五種に大別し，それを「優婆塞五戒威儀」として説く第二部（一一一九下～二〇上）と，その他の雑多な戒律項目を説く第三部（一一二〇上～二一中）に区分できる。これら三部は一経典として統合すべき共通性を何ら持たない。『菩薩地持経』や『菩薩善戒経』と逐語的に同一の文言も決して少なくない。従って，三部全体を「優婆塞五戒威儀」としてまとめることはできず，中国で編纂された跡を濃厚に含む。そのうち第一部の一部が『梵網経』と関係するが，その成立年代が不明なため，一致する文言は『梵網経』からの影響か，逆に『梵網経』に影響を与えた先行文献かを確実に確定することができない。

先行研究も『優婆塞五戒威儀経』の扱いは不十分である。大野法道は『優婆塞五戒威儀経』の第一部を「中国編成」である『菩薩戒要義経』一巻（『出三蔵記集』巻四。五五・二三上）と推測し，そこで使用される「軽垢罪」という語が『梵網経』四十八軽戒で「軽垢罪」という語を用いる素材であろうと推測した（大野一九五四，四一七頁）。大野はさらに『優婆塞五戒威儀経』の第二部を中国成立と断定する（同八三五～三六頁）。しかし氏の推定根拠は明瞭でなく，中途半端の感を拭えない。氏の指摘する『優婆塞五戒威儀経』第一部の「軽垢罪」は，波羅夷以外の軽罪を「重垢罪」「軽垢罪」「不犯」の三種に分ける中の「軽垢罪」である。ところが『梵網経』は波羅夷以外の軽罪を「軽垢罪」と呼ぶ。つまり両経の用いる「軽垢罪」は，表記は一致するが，内容は異なる（船山二〇一四，二二一～二三頁）。しかし大野はこの点を考慮しないため，両経の影響関係に関する氏の推定にも疑念を払拭できない。『優婆塞五戒威儀経』第一部の存在を引用する早期の文献は唐・道世『法苑珠林』（五三・九四四上）であり，それ以前の文献から『優婆塞五戒威儀経』第一部の存在を裏付けることはできない。筆者の考えはあくまで印象の域を出ないが，『優婆塞五戒威儀経』第一部が曇無讖訳『菩薩地持経』と求那跋摩訳『菩薩善戒経』とに逐語的に一致する文言を含む事実から推測すると，『優婆塞五戒威儀経』第一部の編纂は『菩薩善戒経』の四三一年よりさらに後なのではないか。いずれにせよ『優婆塞五戒威儀経』に関しては今後の研究を俟ちたい。

第三節　『梵網経』の変遷

最古形の語法的問題──曖昧さと不統一

第二章に示した最古形と，後代六種の代表的写本・版本および二十三種の相違を網羅した〔校勘〕は，本経が実に夥しい数の異文を有することを如実に示す。その理由として要因を二つ想定できる。一つは意味内容に関わる不整合を解決しようとして試みられた書換えであり，もう一つは最古形に含まれていた表記の曖昧性ないし不統一性の解消を目指す書式的統一を意図した書換えである。

意味内容に関する不整合として，総じて梵網十重四十八軽戒が出家菩薩と在家菩薩を区別せず，両者を共に対象とする戒条の確立を目指したと思われるにもかかわらず，専ら出家菩薩を対象とする戒条と専ら在家菩薩を対象とする戒条とが混在することを指摘できる。言い換えれば，十波羅夷罪と四十八軽垢罪の五十八項目すべてを自らの守るべき戒条とする菩薩は現実にはいない。具体的には以下の戒条が該当する。

出家菩薩を対象とする戒条を最古形に求めるならば，第二十一軽戒（出家菩薩に対して報復行為を禁止），第二十二軽戒（出家直後の菩薩が守るべきこと），第二十六軽戒（寺院の僧坊に住まう出家菩薩が守るべきこと），第二十七軽戒（在家信者からの食事供養に関して出家菩薩が守るべきこと），第四十軽戒（授戒儀礼に関して実際には出家僧を授戒者に想定），第四十六軽戒（法を説く菩薩として比丘を想定）を指摘できる。

在家菩薩を想定する戒条としては，第五波羅夷（酒の販売を禁止），第一軽戒（世俗の職位を得る時に守るべきこと）を指摘できる。このほか，飲酒を禁ずる第二軽戒や，大乗法師に対する礼の作法を記す第六軽戒，第二十軽戒（戒条のすべてではないが，末尾に父母兄弟の死亡日に法師を招いて追福すべきことを説くのは在家菩薩を想定している）は，在家菩薩のみを対象に限定する戒条ではないが，実質的には出家者に該当する可能性は低い。

さらにまた，梵網戒の中には，日々守るべき戒でなく，ある特殊な状況における戒も含まれる。具体的には第四十軽戒（他者に菩薩戒を授ける時に守るべきこと），第四十一軽戒（他者に菩薩戒を授ける時に前提条件として先にすべきこと）である。いずれも新たに誰かが菩薩戒を受けたいと希求した場合の規定であり，毎日の生活に該当するものではない。各戒条の異文については第二章の〔校勘〕に詳細を示した。

以上は出家と在家を区別せずに等しい菩薩として見なすべしという梵網戒の理念から乖離する内容的不整合を示している。ただ，戒条の存在それ自体と関わり，その項目を削除することはできないため，後代の写本・版本でも抜本的改革を施すことなく，最古形の表記がほとんどそのまま保持された。

しかし右の戒条には，細かな修正を施して問題を解決しようとする姿勢を示す写本や版本を生み出したものもある。たとえば，第四十六軽戒の最古形「如敬孝順父母，順師教」は混乱しており，このままでは読めないし，本経の他の類似表現とも齟齬をきたすため，後代，「敬如孝順父母，順法師教」や「如孝順父母，敬順師教」などの書換えがなされた。また，第二十三軽戒の末尾には「言而悪心」の四字が最古形に存するが，読みにくく，文法的にも正確と言い難いため，後代のほとんどの写本・木版はこの四字を削除した。さらにまた，第二十一軽戒の「出家菩薩」という語を「菩薩」に書換えて在家菩薩をも対象に含むよう意味を改変した写本としてFとT*，同様に改変した木版としてJとLがある。しかしながら右掲諸戒条のうち，第二十一軽戒以外の戒条は一切菩薩を対象とするよう書換える試みはされなかった。つまり本書で検討した二十三種の写本・版本のうち，梵網戒五十八条のすべてを出家・在家を共に対象とするよう書換えたものは一つもない。

内容に関わる問題を含む語彙はほかにもある。第八軽戒と第十五軽戒の「二乗声聞」という語である。二乗とは大乗を除く声聞乗と独覚乗（＝縁覚乗）であるから，「二乗声聞」を二乗と声聞の併記と解することはできない。第八軽戒の「二乗声聞」を「二乗」（すなわち大乗以外の声聞乗と独覚乗の二乗）に書換える本（FとL）も出現したが例外にすぎない。第十五軽戒の「二乗声聞」は遂に変更されずに保たれた。問題は注釈家たちにも意識された。唐の伝奥は「ここでいう『二乗』は第二乗であり，縁覚のことを言う（二乗者，第二乗，謂縁覚也）」と解釈し，「二乗声聞」を縁覚乗と声聞乗の二乗と説明する（続蔵一、五九、五、四四八表上）。これなら整合性は得られるが，漢語の自然な読み方から離れた苦しい解釈である。与咸『梵網菩薩戒経疏註』巻六は，この伝奥説を紹介し，「この注釈は迂遠であり，そのような言い方はない。二乗という語が第二乗を意味することなどあり得ない（此釈疎遠，無此文体，不曾以二乗為第二乗也。続蔵一、五九、四、二九六表上）」と反駁する。

このように『梵網経』下巻の戒条には内容ないし思想と関係する不整合・不統一があるが，分量的観点からすれば，最古形において，より多くの不統一を示すのは，語彙や語法に関しての不統一，つまり書式の不統一である。その事例は八種に分類される。第一に，最古形には分かりにくい表現がある。たとえば第四軽戒で五辛の摂取を禁止する中に，「是五種，一切食中不得食」という表現が見られる。これは文脈を考えずに文字面だけから意味をとろうとするならば，これら五種（の野菜）はすべての食物の中で最も食してはならぬと理解することも不可能ではあるまい。しかし当該文脈で述べようとしているのはそのような意味でなく，「〔五辛を単独で食すべきでないのはもちろん〕どんな食事の中に混ぜて食することもしてはならぬ」という意味である。智顗や袾宏の注釈はそのように理解すべきことを明確に解説している（注釈原文は四章［41］下段を参照）。しかし「一切食中」をこのような意味に理解するのはかなり無理がある。原著者の言語的曖昧性を感じざるを得ない。

第二に，同様の不明瞭性が語法（文法）に現れた箇所もある。たとえば第九軽戒の最古形「一切疾病人供養如仏無異」は，一切の病人は仏陀と同じように供養する，という意味でなく，〔菩薩は〕どんな病人でも目撃したら，〔その病人を，あたかも〕仏を〔供養するのと〕同じように供養せよ，という意味である。しかし最古形の原文をこのような意味に解するのは困難である。それ故，後代，表現を書換えて文法的破綻を修正しようとするものが生まれた。JやQなどの木版は「見一切疾病人，応供養如仏無異」と書換え，FやHの写本やK2などの木版は「見一切疾病人，常応供養如仏無異」と書換えた。いずれも「一切疾病人」が主語と誤解されないための修正である。

第三に，最古形の語法的曖昧性を後代の写本・木版が訂正した箇所がある。第十三軽戒の最古形「父母、兄弟、六親中，応生孝順心、慈心」に文法的誤りはないが，二句の連携が曖昧なため，後の写本Fや木版K1JK2は「於父母、兄弟、六親中，応生…」と「於」を付加し，その句が孝順心の向かう対象であるという構文を明確にした。

第四に，最古形の文字が曖昧であり，それを後代の写本・木版が是正した箇所がある。第十二軽戒の最古形には，棺桶を作るための木材の意味で「官材」が使われたが，写本TとHおよびすべての木版は，同音の正確な文字を用いて「棺材」に改めた。第十五軽戒の最古形は「受持」を「受持させる」ないし「授けて保持させる」の意味で用いているが，後代の木版の中には，意味に即した最小限の訂正のため，「授持」に改めたものがある。これと同様の訂正として，第十八軽戒の最古形が「受戒」という語を，戒を受けるでなく，戒を授けるの意味で用いているため，意味が明瞭となるように「授戒」に改めた写本・木版が現れた。もちろん「受」は「受」「授」両方を意味するから最古形の表記は誤りではないが，最古形の意味に曖昧性が残ったのは確かである。

第五に，最古形の語法的不統一を後代に統一した箇所がある。本経は十箇または九箇の戒条ごとに「以上の十戒」ないし「以上の九戒」という語でまとめる形式をもつが，最古形の表記は「是十戒」と「如是十戒」を混ぜこぜに使っており，何ら誤りでないけれども語法的不統一の印象を読者に与える。K2など後代の木版にはそれらをすべて「如是十戒」と「如是九戒」に統一化したものがある。さらに別な例を挙げると，本経の最古形は「悪心から，悪心をもって」の意味で「以悪心」（第十三軽戒・第十九軽戒・第三十軽戒・第四十軽戒）と「以悪心故」（第十四軽戒・第二十九軽戒・第三十三軽戒）の両方を用いる。どちらも同じ意味だが，不統一性と三字句は不安定な印象があることから，後代，「以悪心故」に改める写本・木版も現れた。

第六に，最古形には句の呼応関係が明示されていないため，後代の写本や木版がそれを改善した箇所がある。たとえば第十一軽戒の最古形は「而菩薩不得入軍中往来，況故作国賊」に作り，後句の「況」と呼応する語が前句に存在しない。そこで呼応関係を明確化した「而菩薩尚不得入軍中往来，況故作国賊」という修正が現れた。

第七に，最古形には，条件節を「若」で始め，「者」で結ぶ場合とそうでない場合とがあり，一定しない。これは一句の字数——たとえば四字句を好む傾向など——とは関係しない。後代の写本や木版の中には，「若～者」の呼応関係を定型化して条件説の表記を統一させる傾向も生まれた。事例を簡単に挙げると，第三軽戒の最古形「若故食，犯軽垢罪。」を「若故食者，犯軽垢罪。」に書換えた例，第四軽戒の最古形「故食者，犯軽垢罪。」を「若故食者，犯軽垢罪。」に書換えた例，第十二軽戒の最古形「犯軽垢罪。」を「若故作者，犯軽垢罪。」に書換えた例，第十四軽戒の最古形「犯軽垢罪。」を「若故焼者，犯軽垢罪。」に書換えた例などがある。

第八に，字数の安定化を図って最古形の文言が書換えられた箇所がある。たとえば第六軽戒の最古形「為法滅身請法。」は，木版のK1K2ＰＱ等によって「為法滅身請法不懈。」と書換えられた。「不懈」を加えることで全体を八字とすることで，四字句を単位とする句作りが非常に多い仏典特有の文体に適う字数の安定化が図られたのであろう。

書換えの理由

前項において筆者は，本経の最古形には曖昧性や不統一性を露呈する語彙や語法があることを指摘し，その問題を解消すべく後代の人々が写本や版本において語彙や語法の統一化と明瞭化を図ったことを八点に分類して説明した。ここから書換えの生じた理由をまとめると，何が言えるだろうか。最古形に見られる曖昧な表現や表記の不統一は恐らく原形から最古形への移行期に生じたのではなく，そもそも原形に存在していた語彙や語法がそのまま最古形に反映されていると解釈したい。少なくとも筆者にはそれが最も自然な解釈であると考えられる。そうだとすれば，原形や最古形にはかなりの程度で表記に乱雑さがあったと言うことができるであろう。別の言い方をすれば，最古形は表記の統一に無頓着であった。書換えの理由は正にこの点と関係する。文章表現を雑なものから一貫性ある，すっきりと読みやすい表現に改めること，これが書換えの主な理由であったと思われる。思想をより明確化する意図も確かに働いたであろう。しかし分量的に大勢を占めた書換えは，思想内容よりも書式に関して語彙・語法の統一化を図ることに向けられたようである。

本経諸本と注釈の関係

本章を閉じるに当たり，最後に，本書で用いた写本・版本の特徴をもう一度振り返り，要点として押さえておくべき事柄を五点に分けて指摘する。

第一に，第一章第三節（二）に示したように，筆者は論文（二〇一〇）で『梵網経』の写本・版本を α型（古型）とβ型（新型）に二大別できることを指摘した。これを敷衍すると，今回参照した写本・版本は次のように分類される。

〔α型〕『出家人受菩薩戒法』（五一九年），中国国家図書館蔵 BD01972.2 の本文，中村不折旧蔵本，道宣『法苑珠林』引（ただし大正蔵版），奈良朝天平勝宝九歳写本の本文，高麗蔵初雕本，毘盧蔵版（開元寺版），思渓蔵版，磧砂蔵版，普寧寺版

〔β型〕房山石経唐刻本，法隆寺本，奈良朝天平勝宝九歳写本の欄外加筆，金蔵広勝寺本，高麗蔵再雕本，谷村文庫本，房山石経遼刻本，明洪武南蔵版，嘉興蔵版，江戸期安永四年版，チベット語訳，ウイグル語訳

Ch/U7729（Shogaito 2009：429）

このようにほぼ年代順に排列すると，β型の発生時期がおおよそ特定できそうである。すなわち房山石経唐刻本の作られた時期かその直前頃，すなわち七世紀末から八世紀初頭にβ型が世に現れた可能性が極めて高い。さらに注釈に目に転ずると，β型を示す早期の注釈は，法蔵（六四三～七一二）『梵網経菩薩戒本疏』や智周（六六八～七二三）『梵網経疏』，法銑（七一八～七七八）『梵網経菩薩戒疏』である（船山二〇一〇、一九五～九六頁）。法蔵以後はα型への注釈とβ型への注釈とが併存する状況となった。ここから分かるのは，β型の注釈の初出は恐らく法蔵であろうということであり，これもまたβ型の成立時期を補強する資料となる。

諸注釈のうち，最も早期の経本に基づくのは，智顗説・灌頂記『菩薩戒義疏』である。まず『菩薩戒義疏』はα型の経本に基づく点で古い伝統に基づく。異文の多い第四十七軽戒に関しても，文言を大幅に補足した後代の経本でなく，文言の短い古型に基づいている（船山二〇一四）。さらに注目すべきは第十五軽戒の注釈である。数ある注釈のうち，最古形の文言に基づいた注を施しているのは『菩薩戒義疏』のみである。以上三箇所は最も古い経本に基づく注釈であるという意味で『菩薩戒義疏』の価値を高めている。

改めて言うまでもなく，注釈家の説は経典本来の説と異なることがしばしばある。注釈家は「経典のよき解説者であり代弁者」であるが，それと同時に，経典には本来なかった視点をも組み込んで経典本来の思想を拡大解釈したり整理したという意味で「経典からの逸脱者」という側面をもあわせもつ。菩薩戒を規定した『梵網経』の場合，菩薩戒思想を説く他経典に見られる「三聚浄戒」――律儀戒・摂善法戒・摂衆生戒――という考え方や，仏身を三種かそれ以上に分類する説は，本経にはまったく説かれない。しかし注釈家たちは，しばしば『梵網経』の経文に「三聚浄戒」説をいかに体系的に取り込むかに腐心した。そして盧舎那仏・毘盧遮那仏・釈迦仏の三種を区分することによって本経が明確に言及する釈迦と盧舎那との関係を整合的に説明しようとした。盧舎那仏と毘盧遮那仏はサンスクリット語ではともにヴァイローチャナになるから，インド語文献ではこれを区別しないし，できない。両者を区別するのは，漢語における解釈——偽経的解釈と言ってもよい——にほかならないが，早くも智顗『菩薩戒義疏』や元暁『菩薩戒本私記』においてそれが顕在化し，「経典からの逸脱者」としての側面を示している。

指摘しておきたい第二点は，写本をひとまず考慮せずに木版のみに注目すると，古いα型を保持する版本として高麗蔵初雕本と毘盧蔵版（開元寺版，大正蔵校勘中「宮」本）がある。このことは，大正蔵の底本となった高麗蔵再雕本はβ型であるから，大正蔵の本文を『梵網経』の古形と誤解してはならないことをも意味する。

第三に，古型と新型の両方を留める写本がある。中国国家図書館蔵 BD01972.2 と，天平勝宝九歳写本の二写本である。特に後者の本文はα型を示し，その欄外に後人（年代未詳）がβ型の語句を加筆する。この書式もまた，α型が古く，β型が新しいことを裏付ける。本経に基づいて厳格な戒律を実践しようとした人々にとって，両写本の本文と欄外加筆は，一面において，当時の人々が「我々はいったいどちらを釈尊の説いた真説と受け止めればよいのだろうか」と困惑した状況を暗に示しているに違いない。梵網戒はそれ程に生活と密着していたのである。

第四に，第二章に高麗蔵初雕本の字句をすべて示したことも特筆したい。本経初雕本のかかえる基本的諸問題についてはFunayama（2015a）で主題として取り上げた通りだが，初雕本の全文を扱ったのは本書が初めてである。通常，高麗蔵初雕本と金蔵広勝寺本は北宋開宝蔵の覆刻と考えられている。それ故，初雕本と金蔵の書式と文字はほぼ同一（ただし金蔵は後代訂正した文字を一部含むので全同ではない）であるのが一般的だが，『梵網経』の初雕本は，その冒頭から書式が異なり，かつ内容的にも随所に金蔵との著しい相違を示す。この点をどう考えるべきかは現在未解決であるが，いずれにせよ初雕本は本経の現存最古の木版として大きな価値を有する。

最後に第五点として，天平勝宝九歳写本の意義を改めて確認しておきたい。この写本は天平勝宝九歳すなわち七五七年に筆写された日本の奈良朝写本である。しかしそれが日本で創作された文面でなく，中国伝来本に基づく写本であろうことは，他の写本の内容と比較すれば確実である。奈良に伝来するまでに要した時間を想定すると，この基になった中国写本の時期は七五七年より少なくとも二，三十年遡らせることができるのではないか。もしこう考えてよいとするならば，天平勝宝九歳写本の基づいた中国写本――唐代写本――は，おおよそ房山石刻唐本とほぼ同時代と言える。あるいはそれよりさらに遡らせて年代を想定することも不可能ではあるまい。

天平勝宝九歳写本の書換えの大きな特徴として，次のような長文の増広がある――「今問諸大衆，是中清浄不〈如是三説〉。／諸大衆，是中清浄，黙然故。是事如是持。仏言諸菩薩，布薩諸大衆，是四十八軽法，半月半月戒経，今当説」。これは，漢訳の声聞律の布薩儀礼に見られる文言を応用した表記である（船山二〇一四，注10）。一般に『梵網経』下巻において仏が聴衆に呼びかける場合は，「仏子」ないし「諸仏子」を用いる。ところが右の箇所では「諸大衆」が使われる。そして直後に「仏言諸菩薩」から始まる文がおかれる。従って写本を通読するときに分かるのは，諸大衆に問いかけをするのは仏以外の何者かであるということになってしまうが，これは内容的に不適切であるから，本写本のみに存在するこの箇所は梵網経本来の文でなく，後の増広とみるべきことが判明する。同箇所を扱う論述として船山（二〇一四，六～七頁，注一〇）も参照されたい。

なお，江戸時代の木版Ａについても付言したい。Ａの文字がＨ（法隆寺本）のみと合致する場合が三十一箇所，ＡとＨとＦ（房山唐刻）のみが合致する場合が十一箇所あった。法隆寺本の影響力の解明は将来の課題である。

参照の叶わぬ写本が多く存在したことも素直に認めねばならない。とりわけ正倉院中倉三四号の梵網経（八世紀，上下巻一貫書写の一巻本），石山寺蔵一切経四八―二の下巻写本（平安初期頃），醍醐寺蔵の福州東禅寺版の三点である。[12] これらを参照できなかったのは無念であり，もし叶うなら今後の研究で扱いたい。さらに木版に関しても思渓蔵版と普寧寺版については画像を入手することなく，大正蔵の校勘にそのまま従わざるを得なかった。また清代の乾隆版（一名は龍蔵）や現代の金蔵刻経処版を校勘に入れることもできなかった。すべての木版を校勘の対象とするのはあまりに煩瑣であるし，本書の主要課題が現代にまで至るすべての時代を対象とする調査ではなく，最古形を批判校訂本として示すことと，それが変わりゆく早期の実態に光を当てたかったからである。ただし，これらの弱みを認めつつも，本書で相当数の写本と早期の木版を用いることができたのは僥倖の至りである。系統に関する推定は，完璧ではなくとも大きく的を外してしまったのではないかと心配する必要はないと信ずる。

① ブラフマー神とインドラ神は別であるから，両者をつなげる説明には無理がある。明の袾宏『梵網菩薩戒経義疏発隠』は義疏説に基づき，因陀羅網を赤い珠の意に解し，「大梵天王の赤珠の羅網」と説明する。これは解釈の展開として興味深いが，経文の原意から益々遠ざかる感を否めない。

② ほかにも本経下巻は「梵坦品」（第三十九軽戒末）という形で「梵」を用いるが，これは『梵網経』大本の品名なので目下検討を要しない。

③ 末木文美士「『梵動経』解題」，丘山新・神塚淑子ほか『現代語訳「阿含経典」―長阿含経，第5巻』，平河出版社，二〇〇二，三～八頁。

④ 六朝時代の捨身の意義・分類・具体例については船山（二〇〇二）参照。

⑤ この意味で先行研究中には俄に受け入れ難いものもある。たとえば石井（一九九六）は法蔵『梵網経菩薩戒本疏』の特色を学ぶ上で多くの参考となるが，第十六軽戒の本文の解釈は受け入れ難い。

⑥ 大乗律の創設という観点から『梵網経』の編纂を解説する概説として船山（二〇一一b、二三一～三三頁）参照。

⑦ 『菩薩地持経』巻五戒品「若菩薩以増上煩悩犯波羅夷処法者，失律儀戒，応当更受。若中煩悩犯波羅夷処法者，当向三人，若過三人，長跪合掌，作突吉羅懺悔。称先所犯罪名，作是説言，……」（三〇・九一七上）。船山（二〇一一b、二三四頁）。

⑧ 『首楞厳経』が偽経であることを論じた先駆的研究として望月（一九四六）四九三～五〇九頁「唐懐廸訳と伝へられる大仏頂首楞厳経」参照。

⑨ たとえば下記の書は中国禅の『禅苑清規』の成立と背景を論ずる最近の研究として著名だが，禅が五辛を回避する理由として

『梵網経』と『首楞厳経』の関連箇所を挙げるのみであり，五辛回避の理由が根本的に違う点に注意が及んでいない。Yifa, *The Origins of Buddhist Monastic Codes in China : An Annotated Translation and Study of the* Chanyuan Qinggui, Honolulu : University of Hawai'i Press, 2002, pp. 55–57.

⑽　中村元・早島鏡正『ミリンダ王の問い１　インドとギリシアの対決』，東洋文庫，平凡社，一九六三，一〇五頁，注三三。

⑾　権田・望月・小野の関連研究は複数ある。具体的には船山（二〇一一b、二三九頁注二二）（二〇一三、一三九～四〇頁）参照。さらに，望月の指摘通り，『梵網経』の下巻ではなく，上巻についても夥しい分量の語彙が『大乗瑜伽金剛性海曼殊室利千臂千鉢大教王経』に見られる。

⑿　正倉院（一九九四、二四三頁、二五三頁）（二〇一四、五一頁），堀池（一九六八）。石山寺（一九八五、五一頁、一九二～九三頁）。醍醐寺（二〇一五、四六〇頁、目録番号二〇九五）。

第七章　結論——『梵網経』校本の意義

第一章で本経の概略とこれまでの研究史の要点をまとめ，特に第四節「本書の構成とねらい」に述べた事柄に即して，第六章でそれに対する筆者の回答を示した。検討結果として，声を大にして提起したい新たな点は，『梵網経』の研究と読解を『大正蔵』から解放し，木版より遥かに古い時代の諸写本と石刻本の精査を通して最古形の経本を策定し，それが徐々に書換えられ変化してゆく様子を早期発展史として構築することの必要性である。

特筆すべきは異文（variants 異読）の多さである。本経には異文が驚くほど多い。すでに述べたように本経とほぼ同じ長さをもつ異なる経典の異文数を比較すると，大正蔵の玄奘訳『大般若経』巻一の冒頭の大正蔵七頁分の異文数が二十四，同じく大正蔵七頁分の分量である求那跋陀羅訳『勝鬘経』一巻に含まれる異文数七十九に対し，本書第二章原文篇に記す『梵網経』の異文数は六百六十を超える。

強調しておきたいもう一点は，『梵網経』の写本・版本において書換えをした当事者たちは，注意散漫から文字を誤写したり書き間違えたりしたのではないことである。意図的に書換えたのである。書換えの意図は第六章第二節で分析した。本書の新たな『梵網経』校本は，これまで主流を占めてきた西洋的伝統に基づく写本の批判校訂の底に流れる写本の位置づけと一線を分かつ有効な視点を与えてくれる。

西洋的仏教文献学の場合，批判校訂本における異文（variants）は，原著者が残した原典――原形（the original text）――に対する写本筆記者の誤記（scribal mistakes）として扱うのが通例である。この傾向は，とりわけ著者が単一人に特定でき，かつ矛盾や不統一を嫌う思想的・理論的な著作である場合に顕著である。その一例として最近のインド仏教認識論・論理学の偉大な成果を挙げよう。チベットに秘蔵されていた天下孤独のサンスクリット語原典写本（十一世紀末）の校訂出版として，八世紀後半に活躍したジネーンドラブッディの著した注釈書『プラマーナ・サムッチャヤ・ティーカー（「知識論集成」の注釈）』がある。写本校訂を当初から導き最終的な出版を成し遂げたエルンスト・シュタインケルナー博士（現ウィーン大学名誉教授）は，校訂に当たって，写本が一点しかない際に特徴的に現れる誤写の問題と解決法を次のような書き出しで説き起こす。

> 我々の写本の歴史は，著者の自筆——もし本当にそれがあれば——から，もしくは最初の筆記者から始まる。複製を作る過程とともに誤写が始まり，繰り返され，そして更なる誤写がどんどん増えて行く。心と目と手の連携の欠如から伝承の誤りは生み出される。……写本筆記者の様々な書癖や筆記者の交替は伝承の突発事故を引き起こす。思うに，誤りはいずれも皆，それぞれの歴史をもつ個別の現象である。……（*Jinendrabuddhi's Viśālāmalavatī Pramāṇasamuccayaṭīkā, Chapter 1, Part I: Critical Edition*, by Ernst Steinkellner, Helmut Krasser, and Horst Lasic. China Tibetology Publishing House/Austrian Academy of Sciences Press, 2005, p.l.）

写本に誤りが生じ，誤写が増大する過程を説明しようとする著者の意図は痛い程よく分かる。ただ注意してほしい。これは著者が一人であることの確実な，インドの認識論・論理学に関する注釈を校訂する際に写本の誤写を扱う場合を述べている。著者が一人であって，複数人の著作でない場合，正しい，本来の語句は最初から決定している。原著者の語句のみが唯一の正しい，本来の語句である。写本を作成した筆記者が原著者とは異なる語句を筆記するならば，それは原著者の預かり知らぬ恣意的変更である以上，誤りであり，原形を復元する際，除去せねばならない。右の注釈は認識論・論理学という理論的な統一性ないし一貫性を重んずる。それ故，思想の統一性ないし一貫性という点から見る場合，統一を乱す語彙は誤りと判断される。要するに，批判校訂版の編者シュタインケルナーは，写本筆記者の誤字脱字はすべて，無意識に，間違って紛れ込んだ誤りとみなし，そうした写本の誤りを除去し訂正することで原典の姿を復元すべしという立場である。もし原典の文字と見なすべき表記と写本に相違があるなら写本の表記の方が誤りであると否定的に扱う傾向が強い。

誤解していただきたくないのだが，筆者はここに端的に表れるような西洋的な仏教文献学に異義を唱えようというのではない。批判校訂版の作成はこれまで同様に今後も積極的に推進すべき文献学の王道である。むしろ提起したいのは，右のような文献処理の基本的な方法論――一個人の頭の中にあった，論理的に一貫する内容の著作を校訂する際の写本の取り扱い方――は，他のすべての書物にも適用すべきなのだろうかという問いである。

『梵網経』の古写本・石刻・早期木版から知られる異文は意図的な書換えである。それを誤りとみなせば，「最古形」成立後の伝承者たちの解釈の揺れと多様性をばっさり切り捨て，そこには何の価値もないと否定することになる。しかし本経の異文の一つ一つは否定するにはあまりにも惜しい，経文を書換えた歴史の一齣一齣を如実に告げている。本経の書換えには，それまで伝承されてきた古い原文よりもよいテキストを作ろうという意図がありありと見て取れる場合が多い。この意味で『梵網経』の夥しい異文は後代の発展的解釈を示すものとして肯定的に捉えるべきである。本経が思想書でなく日々の行為規範を説く経典であり，かつ，恐らく複数の匿名著者による編纂だったと推定されることも，上掲シュタインケルナーの事例と区別すべき点である。

本書の示す新たな方法論は，第一章第四節で問題提起し，第二章原文篇の冒頭に説明し，さらに第三章現代語訳篇の注において最古形とその後の書換えの主なケースを示した通りである。『梵網経』は中国で編纂された偽作であるから，その原形をインドに遡ることはできない。しかし本書で試みたような方法で最古形を批判校訂版として示し，その後の書換えを経典の自律的発展史として肯定的に捉えることは，恐らく『金剛経』『法華経』などのインド大乗経典（スートラ）の歴史的展開を描写する場合も有益と思われるが，どうであろうか。匿名の複数人によって原形が編纂され，その後の数世紀にわたって書換えや加筆が行われ，かつ，いわゆる哲学的な理論書ではないという意味において，『梵網経』とインド大乗諸経典は，偽経か真経かの壁を越えた共通性を有するように思われる。しかし管見の及ぶ限り，これまでのインド仏教の経典研究は，敢えて極端な言い方をするなら，批判校訂版を作成し原形を示す――写本の異文から一つを原典復元の根拠として採用し，それ以外を後代の筆記者の誤りとして却下する――か，様々な伝承（recension）を伝承一，伝承二，……等として個別提示することを主眼とするかのいずれかであって，異なる伝承の相互関係を総合的に意義付けようとする方向にはまだ進んでいない印象がある。その方法論それ自体に問題があると主張したいのではない。もし更に研究の発展を見据えて今後の方法論を模索することがあるとすれば，『梵網経』に即した方法論にインドの経典なり漢訳経典なりの具体的事例に応じた変更を適宜加え，原形と後代の改変の双方に意義を見出すための方法を確立できないかを探るのも無駄であるまい。

『梵網経』の場合，その早期の形を示す複数写本，後の石刻本，更に後の木版本など二十種余りを精査することによって『梵網経』の最古形とその後の書換えの両方に注目し，文献学的最善の方策を追究した結果が本書である。ただし別の経典には別のよい研究方法もあろう。すべての文献に適用可能な唯一絶対の校本作成法などあり得ない。写本や版本の残存状況により，また，インド語経典に注目するか漢語経典に注目するかにより，あるいは異なる諸言語の文献に注目するかにより，それぞれ最適な方法は変わるであろうから，対象テキストの性格に応じて，その都度その事例に見合う最善の方法を模索すべきであろう。

最古形とその後の書換えを弁別することは，思想史的にも価値が高い。第一章で紹介した通り，現代において『梵網経』研究の基礎付けという偉業を成し遂げたのは望月信亨であった。彼の研究がなかったら，『梵網経』を偽経として扱うことも，成立当初の時代状況との関連に着目することも大幅に遅れたにちがいない。しかしその望月においても不十分な点がないわけではなかった。望月の時代には近代の大蔵経の収める木版諸本しか参照できなかったが故に，たとえば第四十七軽戒に関して『梵網経』の原著者の意図と後代の書換えの関係を正しく理解できず，間違った結論に終わった（船山二〇一四，一八～二一頁参照）。本経の最古形とその後の書換えを区別できるようになった今，後代に書換えられた新しい文言を原著者の思想と取り違える危険から我々はやっと解放されつつある。古いものは古いとして，新しいものは新しいものとして扱い，その間の思想や語句・語彙の相違を思想史的展開として捉えることができるようになった。これは本研究の一つの大きな利点と言ってよいだろう。

最後に大正蔵の電子化の今後に関して提案をしたい。本書で大正蔵に用いられた五種の木版（高麗蔵再雕本・開元寺版・思渓蔵版・普寧寺蔵版・嘉興蔵版）を活用し，大正蔵とその校勘には改善すべき問題があると気づいた。

第一に，本文――高麗蔵再雕本の複製――は誤植を含む。それに気づかない複数の研究者が誤植を含む文に訓読や現代語訳を施しているのは嘆かわしい。たとえば第四十一軽戒の中，正しくは「苦到」とあるべきで，「若到」は誤植である。これについては第三章の現代語訳に付した注記をあわせて参照されたい。冊子体の大正蔵は変えられないが，ウェブサイトの電子版を用いて冊子体の誤植を明記し，今後の状況を改善すべきであろう。

第二に，大正蔵の各頁の下部に示す校勘のうち，「宮」本（開元寺版，毘盧蔵版）に多くの誤りがあるのに，そのことを知る者はほとんどいない。大正蔵がおよそ一ヶ月に一冊という驚異的速度で出版されたことも一因となり，校勘に甘さと誤りを露呈することがある。『梵網経』下巻の場合，大正蔵校勘の誤りは三十三箇所に見られ，そのほとんどは「宮」本に関する誤りであるが，一部，「明」本（嘉興蔵版）にも誤りがある。その具体的箇所は，本書第二章原文篇の〔校勘〕において「★」を付して明記した。大正蔵七頁に三十三箇所の誤りがあること，つまり一頁平均四～五箇の誤りがあることは，大正蔵の研究および継承上，見過ごすべきでない。

ちなみに大正蔵の「宮」本の校勘に夥しい誤植が含まれることは，大正蔵に収める全経典について一般化すべき事柄ではなく，ある種の経典に集中的に現れる現象なのであろうという印象を筆者は抱いている。大正蔵の誤植に喚起を促す研究はほとんどないと言ってよいが，筆者自身はかつて『広弘明集』巻二七（大正蔵五二巻）を精査した結果，同巻に収める「統略浄住子浄行法門」（大正蔵十六頁足らず）の校勘に八十箇所以上の誤りがあることを指摘した。つまり一頁につき五箇の誤りがある計算である（船山徹『南斉・竟陵文宣王蕭子良撰『浄住子』の訳注作成を中心とする中国六朝仏教史の基礎研究』，平成十五年度～平成十七年度科学研究費助成金（基盤研究（C）（2）研究成果報告書，非売品，二〇〇六，八頁，三一五～一六頁）。

大正蔵の本文のみならず，校勘にも誤りや欠落がある場合は，ウェブサイトに誤植を明示し，今後の利用者が誤植に振り回される結果とならぬよう対処すべきである。大正蔵の不備を校勘まで含めて再調査するには，大正蔵編纂で使用された東京港区芝の増上寺の経蔵を実見するか，あるいはその大量の木版画像を入手することが不可欠であろう。現実にそれをできるのは日本在住の者であるまいか。今後の日本の大蔵経研究を見据えた聊かの提言である。

参考文献――『梵網経』の主な研究書と論文

池田一九七〇　池田魯参「菩薩戒思想の形成と展開」、『駒澤大学仏教学部研究紀要』二八、一九七〇、一〇六～二五頁（再録、森一九九三、四四一～七〇頁）。

石井一九九六　石井公成「華厳教学の帰結――法蔵の菩薩戒観」、石井公成『華厳思想の研究』、春秋社、一九九六、三三二～六〇頁（石井一九九〇改稿）。

石田一九七一　石田瑞麿『梵網経』、大蔵出版、一九七一。

――一九七二　同「『梵網戒経』の注釈について」、石田瑞麿『日本仏教思想研究2　戒律の研究下』、法蔵館、一九八六、九一～一〇七頁（原載『佐藤密雄博士古稀記念、仏教思想論集』、山喜房仏書林、一九七二）。

――一九八六　同『日本仏教思想史研究1　戒律の研究　上』、法蔵館、一九八六。

石山寺一九八五　『石山寺古経聚英』、法蔵館、一九八五。

磯部二〇〇五　磯部彰（編）『台東区立書道博物館所蔵　中村不折旧蔵禹域墨書集成』、全三冊、二玄社、二〇〇五。

岩崎一九八九　岩崎日出男「善無畏三蔵の在唐中における活動について――菩薩戒授与の活動を中心として」、『東洋の思想と宗教』六、一九八九、三七～五二頁。

恵谷一九三七　恵谷隆戒「新出の唐法銑撰梵網経疏巻上之上に就いて」、『日華仏教研究会年報』二、一九三七、一八三～二二二頁。

演培一九七八　演培法師釈、釈能度記《梵網経菩薩戒本講記》、台北・天華出版、一九八九（一九七八）。

王建光二〇〇五　王建光（訳注）《新訳梵網経》、台北・三民書局、二〇〇五。

大槻二〇〇三　大槻信「京都大学所蔵の高山寺本――書物と目録」、『静脩』三九―四、二〇〇三、六～一〇頁。

大槻ほか二〇一五　『本を伝える――高山寺本と修復』（平成二十七年度京都大学図書館機構貴重書公開展示図録）、京都大学図書館機構、二〇一五。

大野一九二九　大野法道「梵網経の形相」、『大正大学々報』五、一九二九、一八～四〇頁。

――一九三三　同『涅槃経・遺教経・梵網経講義』、名著普及会、一九七六（『大蔵經講座、五』、東方書院、一九三三）。

――一九三五　同「梵網経菩薩戒序について」、『大正大学々報』二一―二三、一九三五、一一五～二四頁。

――一九四〇　同『梵網経』、富山房、一九四〇。

――一九五四　同『大乗戒経の研究』、理想社、一九五四（再版、山喜房仏書林、一九六三）。

阿純章二〇〇四a　阿純章「天台智顗の菩薩戒――大乗戒と小乗戒に対する見方を中心に」、『天台学報』四六、二〇〇四、七五～八二頁。

――二〇〇四b　同「天台智顗における菩薩戒思想の形成」、『東洋の思想と宗教』二一、二〇〇四、四四～六八頁。

――二〇〇五　同「受菩薩戒儀の変遷――召請三宝の作法を中心に」、『東アジア仏教研究』三、二〇〇五、二七～四四頁。

――二〇〇六　同「受菩薩戒儀及び受八斎戒儀の変遷」、小林正美（編）『道教の斎法儀礼の思想史的研究』、知泉書館、二〇〇六、三三五～九五頁。

霍熙亮一九八七a　霍熙亮〈安西楡林窟第32窟的《梵網経変》〉、《敦煌研究》一九八七年三期、二四～三四頁。

――一九八七b　同〈敦煌石窟的《梵網経変》〉、敦煌研究院（編）《楡林窟研究論文集》、上冊、上海・上海辞書出版社、二〇一一、二七六～九八頁（原載《1987敦煌石窟研究討論会文集、石窟考古編》、遼寧美術出版社、一九九〇）。

勝野二〇〇八　谷玄昭（監修）、勝野隆広（訳編）『傍訳梵網経』、四季社、二〇〇八。

加藤一九三〇　加藤観澄「梵網経解題」、『国訳一切経、律部十二』、大東出版社、一九三〇、三〇七～一二頁。

鎌田一九九〇　鎌田茂雄『中国仏教史第四巻、南北朝の仏教』、東京大学出版会、一九九〇、第四章第五節「第四章第五節　護国経典の成立――仁王般若波羅蜜経」二四四～五二頁。同第六節「戒律関係の疑経」二五二～六四頁。

神谷一九一三　神谷大周（述）清水信順（編）『梵網菩薩戒経和解――説教先陣』、東京・清水信順、一九一三。

河上二〇一一　河上麻由子『古代アジア世界の対外交渉と仏教』、山川出版社、二〇一一。

季芳桐一九九七　季芳桐（釈訳）《仏説梵網経》、台北・仏光文化事業有限公司、一九九七。

北塔二〇〇二　北塔光昇『天台菩薩戒義疏講読、上』、永田文昌堂、二〇〇二。

――二〇〇四　同『天台菩薩戒義疏講読、下』、永田文昌堂、二〇〇四。

――二〇〇八　同「『菩薩戒義疏』における戒体説について」、『印度哲学仏教学』二三、二〇〇八、二二一～三二頁。

木村一九八〇　木村宣彰「菩薩戒本持犯要記について」、『印度学仏教学研究』二八―二、一九八〇、三〇五～〇九頁。

――一九八一　同「多羅戒本と達摩戒本」、木村宣彰『中国仏教思想研究』、法蔵館、二〇〇九、三九八～四二二頁（原載、佐々木教悟（編）『戒律思想の研究』、平楽寺書店、一九八一、四七九～五〇七頁。再録、森一九九三、四一九～四〇頁）。

屈大成二〇〇七a　屈大成〈従古文献記載論《梵網経》之真偽〉、《普門学報》三八、二〇〇七、一七七～九八頁。

――二〇〇七b　同〈従文本論《梵網経》之真偽〉、《普門学報》三九、二〇〇七、一九七～二三三頁。

宮内省一九三〇　宮内省図書寮『図書寮漢籍善本書目』附録〈大蔵経細目〉，一九三〇。

来馬一九一九　来馬琢道（編）『禅門曹洞宗典』、鴻盟社、一九一九、一二一～六一頁「梵網経」（訓読）。

グローナー一九九四　ポール・グローナー「『梵網経』と日本天台における僧侶の戒行――安然『普通授菩薩戒広釈』の研究」、『論叢アジアの仏教と思想』三、一九九四、一一七～七五頁。

――二〇一五　同（大鹿眞央訳）「仏教の東流と竜巻・湧き水・逆流――戒律とその伝受」、新川登亀男（編）『仏教文明の転回と表現――文字・言語・造形と思想』、勉誠出版、二〇一五、三〇九～四二頁。

桑田・角田一九一〇　桑田寛随・角田俊徹（共編）『浄土宗勤行用集』、法之巻、名古屋・其中堂、一九一〇、一～六五頁。

広化一九八一a　釈広化（訳述）〈梵網経菩薩戒本講義――講於南普陀仏学院〉、《内明》一一二、一九八一、三〇～三二頁。

――一九八一b　同〈梵網経菩薩戒本講義――講於南普陀仏学院（続完）〉、《内明》一一三、一九八一、三二～三三頁、二二頁。

――一九八一c　同〈梵網経菩薩戒本講義（二）――講於南普陀仏学院〉、《内明》一一七、一九八一、三三～三七頁。

国図二〇〇六　中国国家図書館（編）・任継愈（主編）『中国国家図書館蔵敦煌遺書』二七、北京・北京図書館出版社、二〇〇六。

国訳一九三〇　『国訳一切経、律部十二』、大東出版社、一九三〇、三一三～五二頁（加藤観澄訳）。

小寺一九七四　小寺文頴「凝然大徳にみられる利渉戒疏」、『印度学仏教学研究』二二―二、一九七四、六九一～六九七頁。

齋藤二〇〇八　齋藤智寛「『梵網経』と密教――S2272V「金剛界心印儀」の翻刻紹介にちなんで」、『敦煌写本研究年報』二、二〇〇八、二三～四六頁。

境野一九一八　境野黄洋「梵網経解題」、『国訳大蔵経第三巻』、国民文庫刊行会、一九一八、一～一二頁（訓読一

～三七頁、原文一～一二頁）。

佐藤一九二九　佐藤哲英「瓔珞経の成立に関する研究（正・続）」、『龍谷大学論叢』二八四、一九二九、一〇八～一二一頁、二八五、一九二九、九〇～一二五頁（再録、佐藤哲英『続・天台大師の研究――天台智顗をめぐる諸問題』、百華苑、一九八一、七二～一一二頁）。

――一九五〇　同「三諦三観思想の起原及び発達」、『日本仏教学会年報』一五、一九五〇、一九五～二二五頁（再録、佐藤哲英『天台大師の研究』、百華苑、一九六一。関口真大（編）『止観の研究』、岩波書店、一九七五）。

――一九五二　同「天台大師の三諦三観思想」、『印度学仏教学研究』一―一、一九五四、五五～六四頁。

――一九六一　同『天台大師の研究――智顗の著作に関する基礎的研究』、百華苑、一九六一。

慈海一八九六　釈慈海（編輯）『訓訳梵網菩薩戒経』、東京十善会、一八九六。

正倉院一九九四　正倉院事務所（編）『正倉院宝物4　中倉Ⅰ』、毎日新聞社、一九九四。

――二〇一四　奈良国立博物館（編）『天皇皇后両陛下傘寿記念、第六十六回「正倉院展」目録』、仏教美術協会、二〇一四、五〇～五三頁。

白土一九六九　白土わか「梵網経研究序説」、『大谷大学研究年報』二二、一九六九、一〇五～五三頁。

――一九七二　同「梵網経の形態」、『仏教学セミナー』一六、一九七二、三〇～四二頁。

――一九七三　同「梵網経と阿含部梵網経についての試論」、『大谷学報』五三―二、一九七三、一四～二四頁。

任京美二〇〇五　任京美「『梵網経』における「自誓受戒」について」、『印度学仏教学研究』五四―一、二〇〇五、五一二～〇九頁。

砂山一九七三　砂山稔「曇曜と浄度三昧経――東アジア仏教理解の一環として」、『日本中国学会報』二五、一九七三、四一～五九頁。

諏訪一九八八　諏訪義純「中国仏教徒の生活倫理規範の形成序説――肉・葷の禁忌を中心として」、同『中国中世仏教史研究』、大東出版社、一九八八、三九～二〇一頁。

――一九九七　同『中国南朝仏教史の研究』、法蔵館、一九九七。

醍醐寺二〇一五　総本山醍醐寺（編）『醍醐寺叢書，目録篇，醍醐寺蔵宋版一切経目録，第二冊』、汲古書院、二〇一五。

戴伝江二〇一〇　頼永海（主編）・戴伝江（訳注）《梵網経》、北京・中華書局、二〇一〇。

竹田一九七二　竹田暢典「宗祖以前における梵経変の受容」、『天台学報』一四、一九七二、一二七～三四頁（再録『竹田暢典先生著作集（二）仏教学関係論文』、常不軽会、一九九九、二〇六～一六頁）。

――一九八〇　同「梵網経における四衆の意義」、『印度学仏教学研究』二八―二、一九八〇、一三～一七頁（再録『竹田暢典先生著作集（一）仏教学関係論文』、常不軽会、一九九九、四二九～三六頁）。

田中一九七四　田中塊堂『日本写経綜鑑』、思文閣、一九七四（『古写経綜鑑』鵤故郷社一九四二年初版、『日本写経綜鑑』三明社一九五三年増訂）。

智学二〇〇六　釈智学〈石壁伝奥――高僧補叙之一〉、《正観雑誌》三九、二〇〇六、八五～一四三頁。

張・孟二〇一五　張涌泉・孟雪〈国図蔵《梵網経》敦煌残巻綴合研究〉、復旦大学出土文献与古文字研究中心（編）《出土文献与古文字研究》第六輯、上海古籍出版社、二〇一五、七九一～八二四頁。

土橋一九六八　土橋秀高「ペリオ本「出家人受菩薩戒法」について」、土橋秀高『戒律の研究、上巻』、永田文昌堂、一九八〇、八三一～八六頁（原載『仏教学研究』二五・二六、一九六八、九三～一四八頁）。

――一九八〇　同「敦煌本にみられる種々の菩薩戒儀――スタイン本を中心として」、土橋秀高『戒律の研究、上巻』、永田文昌堂、一九八〇、五〇六～六六〇頁。

寺井二〇一六　寺井良宣『天台円頓戒思想の成立と展開』、法蔵館、二〇一六、第二部第一章「天台『菩薩戒義

疏』における五戒の解釈」、同第二章「天台『菩薩戒義疏』にみる「菩薩戒」注解の特色」、同第三章「天台『菩薩戒義疏』の「四十八軽戒」釈」、同「結語」、二五五〜三七二頁。

東博一九九九　『法隆寺献納宝物特別調査概報XIX 仏画写経貼交屏風2、平成10年度』、東京国立博物館（編・発行）。

湯用彤一九三八　湯用彤《漢魏両晋南北朝仏教史》（上・下）、商務印書館、一九三八。

釋舎一九九〇a　釋舎幸紀「梵網経と梵経変——孝順心と慈悲心を中心として」、『高田短期大学紀要』八、一九九〇、二一〜五二頁。

——一九九〇b　同「孝順と慈悲の問題——梵網経を中心として」、『仏教学研究』四五・四六、一九九〇、五二〜六九頁。

——二〇〇三　同「孝順と慈悲の問題（二）」、『瓜生津隆真博士退職記念論集、仏教から真宗へ』、永田文昌堂、二〇〇三、七一〜八八頁。

長井一九三五　長井真琴『聖典講義——梵網経』、日本放送出版協会、一九三五。

——一九五八　同『仏教戒律の真髄——梵網経講話』、大蔵出版、一九五八。

永井一九八七　永井政之「ペリオ三七七七［五辛文書］私考」、『印度学仏教学研究』三六—一、一九八七、一一一〜一一八頁。

中西二〇一一　中西俊英「天竺寺法詵の教学とその背景——『梵網経疏』断簡を中心に」、『印度学仏教学研究』五九—二、二〇一一、一〇二〇〜二七頁。

西本一九六〇　西本龍山「梵網経戒相の批判研究」、『印度学仏教学研究』八—二、一九六〇、二五〜三一頁。

白聖一九六三　白聖法師《仏説梵網経菩薩戒本講記》、台北・中国仏教雑誌社、一九六三（台北・仏陀教育基金会、二〇一二）。

裕一九二七　裕慈弘（編）『天台宗聖典』、明治書院、一九二七、四八三～五一八頁「梵網菩薩戒経」。

東野二〇一〇　東野治之「唐僧法進撰『梵網経註』の史料的意義」、『仏教文学』三四、二〇一〇、一四九～五七頁。

廣岡二〇一六　廣岡義隆「梵網経（霊春願経）」、上代文献を読む会（編）『上代写経識語注釈』、勉誠出版、二〇一六、三四五～四九頁。

藤井一九九七　藤井教公「天台智顗と『梵網経』」、『印度学仏教学研究』四五―二、一九九七、二四一～四七頁。

布施一九五五　布施浩岳「菩薩戒の精神とその発達」、『印度学仏教学研究』三―二、一九五五、二八四～八七頁。

船山一九九六　船山徹「疑経『梵網経』成立の諸問題」、『仏教史学研究』三九―一、一九九六、五四～七八頁。

――二〇〇二　同「捨身の思想――六朝仏教史の一断面」、『東方学報』京都七四、二〇〇二、三五八～一一頁。

――二〇一〇　同「梵網経諸本の二系統」、『東方学報』京都八五、二〇一〇、一七九～二一一頁。

――二〇一一a　同「梵網経下巻先行説の再検討」、麥谷邦夫（編）『三教交渉論叢続編』、京都大学人文科学研究所、二〇一一、一二七～五六頁。

――二〇一一b　同「大乗戒――インドから中国へ」、『シリーズ大乗仏教第三巻、大乗仏教の実践』、春秋社、二〇一一、二〇五～四〇頁。

――二〇一三　同『仏典はどう漢訳されたのか――スートラが経典になるとき』、岩波書店、二〇一三。

――二〇一四　同「『梵網経』の初期の形態をめぐって」、『東アジア仏教研究』一二、二〇一四、三～二五頁。

房山二　中国仏教協会・中国仏教図書文物館（編）『房山石経、隋唐刻経2』、華夏出版社。

――一四　『同、遼金刻経14』。

方二〇一〇　方広錩（整理者）〈五辛経（擬）〉、同（主編）《蔵外仏教文獻、第二編、総十五輯》、北京・中国人民大学出版社、二〇一〇、二一七～二一一頁。

堀池一九六八　堀池春峰「正倉院御物・梵網経と十八種物」、『日本歴史』二四七、一九六八、二五～三四頁（再録、『南都仏教史の研究、上、東大寺篇』、法蔵館、一九八二、三四六～五九頁）。

前田一九九二　前田崇「チベット訳『梵網経盧舎那仏説菩薩心地戒品』」、『天台学報』三四、一九九二、八九～九四頁。

増山一九三二　増山顕珠「梵網経成立考（上）」、『龍谷大学論叢』二四七、一九三二、四三～五九頁。

水野弘元一九七二　水野弘元「南山道宣と大乗戒」、森一九九三、四八五～五一〇頁（原載『金沢文庫研究紀要』九、一九七二、一～二〇頁）。

――一九八四　同「五十二位等の菩薩階位説」、『仏教学』一八、一九八四、一～二八頁。

水野荘平二〇一一　水野荘平「南北朝時代における中国撰述経典の成立について――『仁王般若経』の成立を中心にして」、『日本仏教学会年報』七七、二〇一一、八九～一〇九頁。

村上二〇一一　村上明也「『菩薩戒義疏』と『梵網経』との関連性」、『印度学仏教学研究』六〇―一、二〇一一、四六～五一頁。

村田二〇一三　村田みお「血字経の淵源と意義」、『中国思想史研究』三四、二〇一三、一八七～二〇七頁。

望月一九一七　望月信亨「疑似経と偽妄経――仁王経、梵網経、瓔珞経」、『仏書研究』三二、一九一七、一～四頁。

――一九二八　同「仁王般若波羅蜜経の真偽」、『大正大学々報』三、一九二八、一二～二六頁。

――一九三〇　同『浄土教の起原及発達』、共立社、一九三〇、一四〇～五五頁「仁王般若波羅蜜経」、一五五～八四頁「梵網経」、一八四～九六頁「菩薩瓔珞本業経」。

――一九四六　同『仏教経典成立史論』、法蔵館、一九四六、四二五～八四頁、「護国并大乗戒及び菩薩修道の階位關係の疑偽経」。

森一九九三　森章司（編）『戒律の世界』、渓水社、一九九三。

守屋一九五四　『守屋コレクション、宸翰古経目録』、京都国立博物館、一九五四。

――一九六四　『守屋孝蔵氏蒐集、古経図録』、京都国立博物館、一九六四。

山部二〇〇〇　山部能宜「『梵網経』における好相行の研究――特に禅観経典との関連性に着目して」、荒牧典俊（編）『北朝隋唐中国仏教思想史』、法藏館、二〇〇〇、二〇五～二六九頁。

吉川・船山二〇〇九　吉川忠夫・船山徹（訳注）『高僧伝（二）』、岩波文庫、岩波書店、二〇〇九。

――二〇一〇　同『高僧伝（四）』、岩波文庫、岩波書店、二〇一〇。

吉津一九八八　吉津宜英「法蔵の『梵網経菩薩戒本疏』について」、『鎌田茂雄博士還暦記念論集、中国の仏教と文化』、大蔵出版、一九八八、二六五～八九頁。

――一九八九　同「法蔵以前の『梵網経』諸注釈書について」、『駒澤大学仏教学部研究紀要』四七、一九八九、九四～一一九頁。

――一九九一　同『華厳一乗思想の研究』、大東出版社、一九九一、五六三～六八〇頁、第八章「法蔵の『梵網経疏』の成立と展開」。

李二〇〇九†　李円浄居士（編）《梵網経菩薩戒本彙解》、台北・仏陀教育基金会、二〇〇九。

Benn 1998　Benn, James A., "Where Text Meets Flesh：Burning the Body as an Apocryphal Practice in Chinese Buddhism," *History of Religions* 37-4, 1998, pp. 295–322.

――2009　Id., "The Lotus Sūtra and Self-immolation." In *Readings of the Lotus Sutra*, edited by Jacqueline I. Stone and Stephen F. Teiser, New York：Columbia University Press, 2009, pp. 107–131.

Brahma 1981　*The Buddha Speaks the Brahma Net Sutra：Commentary by Elder Master Hui Seng*（慧僧法師講於萬佛城

法界大學養秋堂、佛說梵網經講錄), 2 parts, California : Dharma Realm Buddhist University Buddhist Text Translation Society, Part 1 1981, Part 2 1982.

——1998 *Brahma Net Sutra : Moral Code of the Bodhisattvas*, 2d edition, Sutra Translation Committee of the United States and Canada, New York, 1998.

Carré 2005 Carré, Patrick, *Soûtra du Filet de Brahmâ, traduction du chinois*, Trésors du bouddhisme, Paris : Fayard, 2005.

Cho 2004 Cho, Eun-su 趙恩秀, "Fanwang jing (Brahmā's Net Sūtra)." In *Encyclopedia of Buddhism*, edited by Robert E. Buswell, Jr., New York : Macmillan Reference USA, 2004, pp. 281–282.

——2009 Id., "Pŏmmanggyŏng Ibon ŭl t'onghan Koryŏ daejanggyŏng kwa Donhwang yusŏ pigyo yŏn'gu 梵網經異本을통한 高麗大藏經 서비교연구 (Various Recensions of the *Brahma's Net Sutra* Concentrating on the Tripitaka Koreana and Dunhuang Manuscripts)," *Pojo Sasang* 32, 2009, pp. 155–188.

Funayama 2004 Funayama Toru, "The Acceptance of Buddhist Precepts by Chinese in the Fifth Century," *Journal of Asian History* (ed. by Denis Sinor) 38–2, 2004, pp. 97–120.

——2012 Id., "Guṇavarman and Some of the Earliest Examples of Ordination Platforms (jietan) in China." In *Images, Relics, and Legends : The Formation and Transformation of Buddhist Sacred Sites*, edited by James A. Benn, Jinhua Chen, and James Robson, Oakville : Mosaic Press, 2012, pp. 21–45.

——2013 Id., "Buddhist Theories of Bodhisattva Practice as Adopted by Daoists," *Cahiers d'Extrême-Asie* 20 (2011), 2013, pp. 15–33.

——2015a Id., "The *Fanwang jing* (*Scripture of Brahma's Net*) in the First Edition of the Korean Canon : A Preliminary Survey," *Zinbun : Annals of the Institute for Research in Humanities, Kyoto University* 45, 2015, pp. 1–25.

——2015b Id., "Chinese Buddhist Apocrypha." In *Brill's Encyclopedia of Buddhism. Volume I : Literature and Languages*, compiled by Jonathan A. Silk (Editor-in-chief) et al., Leiden/Boston : Brill, 2015, pp. 283–291.

Greene 2016 Greene, Eric M., "A Reassessment of the Early History of Chinese Buddhist Vegetarianism," *Asia Major. Third Series*, 24–1, 2016, pp. 1–43.

Groner 1990 Groner, Paul, "The *Fan-wang ching* and Monastic Discipline in Japanese Tendai : A Study of Annen's *Futsū jubosatsukai kōshaku*." In *Chinese Buddhist Apocrypha*, edited by Robert E. Buswell, Jr., Honolulu : University of Hawaii Press, pp. 251–290.

de Groot 1893 de Groot, Jan J. M., *Le code du Mahâyâna en Chine : son influence sur la vie monacale et sur le monde laïque*, Amsterdam : Johannes Müller, 1893.

Klein 2006 Klein, Christoph, ""The Epitome of the Ascetic Life" : The Controversy over Self-Mortification and Ritual Suicide as Ascetic Practices in East Asian Buddhism." In *Asceticism and Its Critics : Historical Accounts and Comparative Perspectives*, edited by Oliver Freiberger, Oxford University Press, 2006, pp. 153–177.

Muller 2012 Muller, A. Charles, 梵網経古迹記 *Exposition of the Sutra of Brahma's Net*. Collected Works of Korean Buddhism 11. Seoul : Jogye Order of Korean Buddhism, 2012.

Shōgaito 2009 Shōgaito, Masahiro (庄垣内正弘), "The Fanwangjing 梵網経 (*Brahmajāla-sūtra*) : A Chinese Text Transcribed in the Uighur Script." In《突厥語文学研究——耿世民教授80華誕きねん文集 (Studies in Turkic Philology : Festschrift in Honour of the 80th Birthday of Professor Geng Shimin)》, edited by 張定京,

阿不都熱西提，亜庫甫（Zhang Dingjing and Abdurishid Yakup），中央民族大学出版社（Minzu University Press），2009, pp. 426–434.

Yoshida 2008 Yoshida, Yutaka（吉田豊），“The Brahmajāla-sūtra in Sogdian.” In *Silk Road Studies XIV. Aspects of Research into Central Asian Buddhism : In Memoriam Kōgi Kudara*, edited by Peter Zieme, Brepols, 2008, pp. 461–474.

——2015 Id., “A Handlist of Buddhist Sogdian Texts,”『京都大学文学部研究紀要』54, 2015, pp. 167–180.

覚盛願経『梵網経』下巻初探

唐招提寺中興祖の覚盛（一一九四〜一二四九）が晩年の寛元元年（一二四三）に書写した覚盛願経に『四分律』『梵網経』『法華経』があり，いずれも国の重要文化財に指定されている。筆者は『東アジア仏教の生活規則『梵網経』──最古の形と発展の歴史』（二〇一七）を上梓する機に恵まれ，木版大蔵経の成立以前に作られた『梵網経』早期写本のうち，我が国の写本として，京都国立博物館蔵天平勝宝九歳写本（七五七年，下巻のみ）と東京国立博物館蔵法隆寺旧蔵写本（九世紀頃）を重視し，前者の『梵網経』下巻全体の録文を示した。本稿は小著執筆中に閲覧できなかった，もう一つ重要な，覚盛願経『梵網経』下巻の写本系統を『梵網経』早期伝播史の観点から検討する。

小論は望月信亨（一九四六）及び以後の文献研究に基づく文献学的写本研究であり，覚盛の思想史的意義を正面から論ずるものではないが，石田瑞麿（一九五四）・上田霊城（一九七五）・蓑輪顕量（一九九八）・細川涼一（二〇〇三）を始めとする鎌倉期戒律復興の優れた研究と何らかの形で聊かでも関連あらんことを願う。

本稿を執筆するに当たり，覚盛願経『梵網経』を実見する機会を与えて下さり，重要な写本を主題とする論文を草することを御認め下さった律宗管長唐招提寺八十八世長老西山明彦師に衷心より御礼申し上げる。

一　覚盛願経『梵網経』下巻の概観

覚盛願経は鎌倉時代の寛元元年（一二四三）に書写され，『四分戒本』一帖，『梵網経』二帖，『法華経』十帖が現存する。『梵網経』下巻は一行十七文字の粘葉装である。まずその特徴を，文字の特徴と内容の特徴の二面から概観する。

写本の文字に見られる特徴

下巻の全体に認められる写本の文字の特徴として，以下の五点を挙げ得る。

第一に写本は墨書され，朱筆の書き込み・訓点・日本語の発音を示す仮名表記・欄外書き込みの類いはない。

第二に文字の訂正法に特徴がある。本写本には文字の削除と語順の入れ替えを「□。□□□□」のように「。」で挿入を，「✓」で削除を指示する例が二箇所にある。順に次の通り。

覚盛原文「汝諸仏転。所説与一切衆生我開心地道」　→訂正後「汝諸仏，転我所説，与一切衆生開心地道」

覚盛原文「而反更助悪人邪見。謗是人菩薩波羅夷罪」→訂正後「而反更助悪人・邪見人謗，是菩薩波羅夷罪」

両例とも訂正は一行十七字に収まり，欄外に施した訂正でないことは，覚盛自身が書写中に気づき，改めたことを示す。同様の修正が覚盛以前の中国・日本にあるかどうか，筆者には定かでないが，本写本の特徴としてともかく注目される。

第三に，文字表記を統一する傾向を指摘できる。例えば「蓮華」と「蓮花」のように「華」と「花」は意味を変えずに交替可能な字であるが，本写本の場合は表記を「華」で統一し，「花」を用いない。

第四に，上記第三とは対蹠的に，幾つかの字には異体字も用いられる。例えば「無」と「无」の併用は諸経の木版大蔵経本や写本の一部に確認できることが知られており，本写本にも現れる。本写本にはさらに「禮」「礼」（第四十軽戒），「光」「光」（巻下冒頭），「煞」「殺」（第一波羅夷，第四十軽戒）の併用が見られる。

第五に，若干の誤字を含む。一種は字形の類似による誤記であり，「天王宮」を「天王空」と書き誤る例が下巻冒頭にある。もう一種は日本語で同音の別字による誤記であり，「好事」を「好自」と書き誤る例が第七波羅夷にある。

内容の特徴

内容的特徴は三種ある。第一に，覚盛本は二巻より成る。『梵網経』は上巻に十発趣心・十長養心・十金剛心・十地の四十位の菩薩修行段階を説く。下巻は菩薩の守るべき戒律として十波羅夷（重罪）と四十八軽戒（軽垢戒，軽度の違反）から成る十重四十八軽戒の戒条を説く。中国・日本で重視されたのは専ら下巻である。『梵網経』は漢訳経典でなく，中国で編纂された（望月一九四六，本書第四章）。船山（二〇一一）に詳説したように，上下両巻は同時成立でなく，まず下巻が四五〇～四八〇年頃の間に成立した後，下巻とは別の撰者が上巻を付加——下限は法経等撰『衆経目録』の成立した隋の開皇十四年（五九四）——したとみなすべき証拠が複数ある。

第二の特徴は下巻末尾に見られる。覚盛願経の経文は次の通り。

尒時釋迦牟尼佛，説上蓮華臺藏世界盧舍那佛「心地法門品」中「十無盡戒法品」竟，千百億釋迦亦如是説，從摩醯首羅天王宮至此道樹下，十住處説法品，爲一切菩薩不可説大衆，受持・讀誦・解説其義亦如是，千百億世界蓮華藏世界微塵世界一切佛心藏・地藏・戒藏・無量行願藏・因果佛性常住藏・如如一切佛説无量一切法藏竟，千百億世界中一切衆生受持，歡喜奉行，若廣開心地相相，如「佛華光王七行品」中説。

梵網經盧舍那佛説菩薩心地品卷下

『梵網経』写本・版本・注釈の多くは，「仏華光王七行品」或いは対応する品名に言及した後，「明人忍慧強」の句で始まり「疾得成仏道」の句で終わる五言四句の十四偈が続き，最後に尾題を記すが，覚盛本はこの十四偈を欠く。

この点をもう少し詳しく説明しておこう。覚盛以前の全資料を網羅的に示すことはできないが，主なものに限って整理すると次のように言える。すなわち下巻末尾十四偈を有するものが大半なのに対し，十四偈を含まない写本の数は限られる。年代は下るが，木版本のうち十四偈を有さない最古のものは高麗蔵初雕本（十一世紀）である。

一方，注釈に目を転じ，十四偈の文言を注釈に含めないものを年代順に列挙すると，智顗説・灌頂記『菩薩戒義疏』，新羅の義寂『菩薩戒本疏』の疏に引用する経文（次節略号「義寂疏経」，七世紀中葉～八世紀初頭），唐の法蔵『梵網経菩薩戒本疏』（七世紀末～八世紀初頭頃），新羅の太賢『梵網経古迹記』（八世紀中葉か），唐の明曠『天台菩薩戒疏』（成書七七七年），奈良の善珠『梵網経略疏』（八世紀），唐の伝奥『梵網経記』（九世紀か）がある。他方，十四偈を注釈するものを年代順に列挙すると，北宋の慧因『梵網経菩薩戒注』と北宋～南宋の与咸『梵網菩薩戒経疏註』がある（注釈の年代と特徴については本書一九～二八頁「主な注釈」参照）。慧因と与咸は年代が下るから，写本における十四偈の有無をも合わせて勘案すると，『梵網経』のより早期の形は下巻末尾十四偈を持たず，ある程度後に十四偈が遅れて付加された可能性が高い。もしこの想定が許されるなら，覚盛本が末尾十四偈を欠くことは，『梵網経』の諸本形成過程における，より古い伝統を示す早期の一例として意義深い。

末尾十四偈を注釈するか否かは，当該注釈がその十四偈を『梵網経』の本文の一部と見なしていたか否かという問題と直結する。十四偈のうち，第十三・十四偈は，「此れは是れ仏の行処，聖主の称歎する所なり。我已に随順して説けり。福徳の無量聚をば，迴らして以て衆生に施し，共に一切智に向かわん。願わくは是の法を聞く者，疾かに仏道を成ずるを得んことを」（原文「此是佛行處，聖主所稱歎。我已随順説，福徳無量聚，迴以施衆生，共向一切智。願聞是法者，疾得成佛道」）とあり，第十三偈中に仏を指す「聖主」に言及する「我」は，仏とは別人である。この偈は『梵網経』の本文と区別すべき第三者の作った偈（伝統的には漢訳者鳩摩羅什の作った偈とみなされる）とする説を，唐の慧因『梵網経菩薩戒注』や宋の与咸『菩薩戒本疏』は明記する（その原文は本書四二〇頁参照）。

第三に，以前より筆者が注目している二系統すなわち『梵網経』の系統を古い系統と新しい系統に大別する際に注目すべき字句について述べる。それは十重四十八軽戒のうちの十重すなわち十種の波羅夷罪に共通して現れる。第一波羅夷（殺戒）を元に説明すると，『梵網経』諸本と諸注釈より分かる第一波羅夷の最古形の条文は次の通り。

〔最古形―原文〕　佛告佛子，若自殺，教人殺，方便讃歎殺，見作隨喜，乃至呪殺，殺業・殺法・殺因・殺縁。乃至一切有命者，不得故殺。是菩薩應起常住慈悲心・孝順心，方便救護，而自恣心快意殺生，是菩薩波羅夷罪。

〔最古形―和訳〕　仏は仏子に告げた。――もし自らの手で〔生き物を〕殺し，他人に殺すよう教唆し，手立てを講じて殺しを褒め称え，〔他人が殺しを〕するのを見てそれを喜び，果ては呪い殺すに及ぶまでのことをすれば，殺しという行為と，殺しの方法，殺しの直接的原因，殺しの間接的原因が〔成立する〕。命あるすべてのものに至るまで，意図的に殺してはならない。菩薩というものは常に慈悲心と，敬愛し遵守する心を起こし，手立てを講じて〔生き物を〕救護すべきであるのに，かえって逆に自分の勝手な思いから喜んで生き物を殺すならば，菩薩の波羅夷罪である。

（さらに本書二九二～二九三頁の和訳と注も参照）

ここに「殺業・殺法・殺因・殺縁」の語が見られることに注目したい。比較のため覚盛本を挙げると以下の通り。

〔覚盛本―原文〕　若佛子，若自殺，教人殺，方便煞，讃歎煞，見作隨喜，乃至呪煞，煞因・煞縁・煞法・煞業。乃至一切有命者，不得故煞。是菩薩應起常住慈悲心・孝順心，方便救護，而反更自恣心快意煞生，是菩薩波羅夷罪。

〔覚盛本―和訳〕　仏子よ，もし自らの手で〔生き物を〕殺し，他人に殺すよう教唆し，手立てを講じて殺し，殺害を褒め称え，〔他人が殺しを〕するのを見てそれを喜び，果ては呪い殺すに及ぶまでのことをすれば，殺しの直接的原因と，殺しの間接的原因，殺しの方法，殺しという行為が〔成立する〕。（下略）

古型α（西暦七〇〇年以前より存在）	新型β（西暦七〇〇年前後に発生し，後に優勢化）
～業～法～因～縁（第一波羅夷と第二波羅夷のみ） ～因～業～法～縁（第三波羅夷から第十波羅夷）	～因～縁～法～業（第一波羅夷から第十波羅夷すべて）

最古形の「～業・～法・～因・～縁」の語順と異なり，覚盛本は「～因・～縁・～法・～業」の語順である。この語順は条文の内容に深刻な相違を引き起こすものではなく，あくまで表記形式に関する相違に過ぎない。しかし筆者はこの相違に気づき論文（二〇一二）を書いてより以来，様々な写本や注釈を継続的に精査しているが，今に至るまで一見些末に見えるこの相違が『梵網経』諸本を古型αと新型βに大別する決め手になるという仮説を否定する原資料はなく，逆に仮説の確実性が益々高まっている。細かなことを言えば，十波羅夷のうち，古型αは第一・第二波羅夷と第三～第十波羅夷の語順表記が異なるのに対し，新型βは十波羅夷に一貫して同じ語順表記を用いる。年代は，新型βの登場は西暦七〇〇年前後である。それを示す原資料は八世紀初頭頃の房山石経唐刻本『梵網経』及び相前後する時代に撰述された法蔵（六四三～七一二）の注釈『梵網経菩薩戒本疏』である。これより以前に新型βが存在した形跡はない。七〇〇年頃を境に，それ以後の時代に新型βの経本と注釈が作成され始めた一方で，古型αの経本も消失することなく存続した。つまり七〇〇年頃より以前は古型αのみが存在し，以後には古型αと新型βが併存しつつ，新型βがより優勢化する時代となった（本書二一〇～二一一頁，四九四～四九五頁）。

二　対校本

覚盛本の特徴をさらに解明するため，覚盛本とそれ以前の諸本の文字の共通性と相違性に注目し，覚盛本を『梵網経』諸本形成史の中に位置づけてみたい。まずその作業の基礎として，覚盛本と対校する際に有益な資料として使用すべき諸本を列挙し，年代その他を略述する。覚盛本の特徴を知るために対校本として用いる十八種を大凡の年代順に排列すると左記の通りである。十八種のうち「金蔵」「思渓」「毘盧」「麗初」「麗再」は各々の大蔵経に収める『梵網経』を指す。大蔵経史の詳細については竺沙（二〇〇〇）を参照されたい。

（略称）　（説明——書名，所蔵者，年代，研究，古型α・新型βの別，一行字数など）

北京　中国国家図書館蔵敦煌寫本「梵網経盧舎那仏説菩薩心地品第十下」（擬題）BD01972.2号。中国国家図書館（編）・任継愈（主編）『中国国家図書館敦煌遺書』第二十七冊，北京・北京図書館出版社，二〇〇六，二七八～二八六頁。〔原文〕（本書三三～二七三頁）。首尾欠。七～八世紀頃（『中国国家図書館敦煌遺書』第二十七冊，附録目録一二～一三頁に依る）。古型α。一行十七字。

北京＊　北京本の欄外補正。「北京」以後である以外の正確な年代は不明。古型α。

中村　中村不折（一八六六～一九四三）旧蔵本。東京・書道博物館蔵。首欠。尾題『梵網経心地品第十下巻』。〔原文〕磯部彰（編）『台東区立書道博物館所蔵中村不折旧蔵禹域墨書集成』全三冊，東京・二玄社，二〇〇五，巻上，二七二～二七七頁。（本書三三～二七三頁「『梵網経』下巻の本文——最古形と後代の書換え」）。本写本は尾題後に武成二年（五六〇）の紀年を有するが，別筆であるなど幾つかの問題が残る（Funayama 2015：8 n. 17）。古型α。一行十七字。

中村＊　中村本の欄外補正。「中村」以後である以外の正確な年代は不明。古型α。

天平　天平勝宝九歳書写『梵網経盧舎那仏説菩薩心地本第十下巻』。京都国立博物館蔵。奈良写本。跋文紀年「天平勝宝九歳（七五七）三月廿五日」。重要文化財。〔原文〕（本書二三三～二七三頁「『梵網経』下巻の本文――最古形と後代の書換え」，四二五～四五六頁「京都国立博物館蔵　天平勝宝九歳写本の録文」）。〔研究〕船山（二〇一〇），廣岡（二〇一六）。古型α。一行十七字。

天平＊　天平本の欄外補正。「天平」以後である以外の正確な年代は不明。〔研究〕船山（二〇一〇，一九一～一九二頁）。新型β。

房山　房山石刻唐刻梵網経。八世紀初頭～中葉頃。〔原文〕中国仏教協会・中国仏教図書文物館（編）『房山石経，隋唐刻経2』，北京・華夏出版社，七一号，四七九～四八一頁。船山（二〇一七，三三～二七三頁）。年代は確定できないが，唐の長安年間（七〇一～八〇五）頃とする説がある（船山二〇一〇，一八一頁）。新型β。

義寂疏経　義寂『梵網経本疏』の疏中に先行して排列される「梵網経」の経文。本来は義寂疏に別人が付加した経文。〔原文〕義寂『菩薩戒本疏』三巻，大正新脩大蔵経（以下「大正蔵」と略記）巻四十，一八一四号。本疏大正蔵本は経文の引用と義寂の疏を節毎に区切って示すが，本来，疏は経文の引用を含まず，疏の二大系統分類は古型αであるのに対し，分節毎に疏に先行して引用される経文（＝義寂経文）は新型β（船山二〇一〇，一九四～一九五頁）。義寂経文はさらに後代に付された。

善珠疏経　善珠（七二三～九七）『梵網経略疏』四巻の疏文に引用される「梵網経」の経文。『日本大蔵経』律蔵部大乗律章疏一，一～九一頁。『日本大蔵経』に収める『梵網経略疏』は本来の善珠疏と後代に付加した経文の会本である。経文（＝善珠経疏）は新型βであるのに対し，善珠疏は古型α。

善珠経文　善珠『梵網経略疏』四巻（巻上本・巻上末・巻下本・巻下末，一名『梵網経略抄』）の疏文に先行して排列される「梵網経」の経文。善珠疏に別人が付加した経文。前項参照。

最澄　最澄（七六七／七六六～八二二）『顕戒論』三巻に引用される「梵網経」の経文。〔原本〕『大正蔵』巻七十四、二三七六号。弘仁一一年（八二〇）成書。

法隆寺　法隆寺献納宝物。東京国立博物館蔵、紺紙金字梵網経。九世紀平安写本。重要文化財。〔原文〕「e国宝」（http://www.emuseum.jp/）。（本書三三一～二七三頁）。新型β。一行十七字。

麗初　高麗蔵初雕本（一〇一一頃～一〇八七）『梵網経盧舎那仏説菩薩心地品第十〈巻下〉』。京都・南禅寺蔵。〔原文〕『高麗大蔵経初刻本輯刊第二十冊』、西南師範大学出版社・人民出版社、二〇一二、四三二～四五七頁。（本書三三一～二七三頁）。〔研究〕Funayama（2015）、船山（二〇一七）。古型α。一行十四字。

毘盧　毘盧経＝開元寺版（福建省福州市）。『仏説梵網経巻下〈九〉……菩薩心地品之下』。尾題『梵網経巻下』。〔原文〕（本書三三一～二七三頁）＝『大正蔵』校勘（宮）本。古型α。一行十七字。

金蔵　金蔵広勝寺本（一一四九～七三年頃）『梵網経盧舎那仏説菩薩心地戒品第十〈巻下〉』。〔原文〕『中華大蔵経』巻二十四所収、五七五号。新型β。一行十四字。

思渓　思渓大蔵経（中国浙江省湖州市）。筆者未見。大正蔵本梵網経の脚注校勘「（宋）本」に従う。『縁山三大蔵総目録』「其宋本者、湖州路思溪法寶寺彫刻南宋理宋嘉熈三年（一二三九）版也」（『昭和法蔵総目録』第二巻・一頁中段）＝『大正蔵』梵網経校勘（宋）本。古型α。一行十七字。

覚盛　覚盛願経『梵網経』下巻。寛元元年（一二四三）書写。唐招提寺蔵。重要文化財。新型β。一行十七字。

麗再　高麗蔵再雕本（一二三六～五一）『梵網経盧舎那仏説菩薩心地戒品第十〈巻下〉』。〔原文〕高麗大蔵経五二七号。（本書三三一～二七三頁）＝『大正蔵』本文。新型β。一行十四字。

元亨元年（一三二一）七月筆写『梵網経盧舎那仏説菩薩心地法門品巻十』。国立国会図書館蔵，WA3—30。〔原文〕国立国会図書館デジタルコレクション（http://dl.ndl.go.jp/info:ndljp/pid/2540631）。同ウェブサイトは内題を「梵網経盧舎那仏説菩薩心地戒品巻十」とするけれども，内題は「梵網経盧舎那仏説菩薩心地法門品巻十」と判読できる。尾題「菩薩戒本経」。尾題後に「元亨元年七月　日綱維鏡誉」と紀年される。下巻のみ。新型β。一行十七字。

三　覚盛本の系譜

前節の基礎情報に基づいて覚盛写本の系譜を探ってみたい。言うまでもなく本来は「覚盛」すべての文言を他の諸本と比較した上で系譜を検討するのが理想であるが，紙幅の制限と煩を避ける理由から，筆者が下巻全体の異文（異読）を調査した結果，系譜の特徴が比較的明瞭に示していると判断した四箇所に限って原文を扱うものとする。

【資料一】第四十一軽戒

第一の資料は，十重四十八軽戒の第四十一軽戒である。最初に「覚盛」の原文を提示し，他本に異文を有する文言三十箇所を傍線と囲み数字で示し，数字の順に異文を示す。

〔覚盛〕若佛子，教化人起信心時，菩薩與他人作教戒①法師者，見欲受戒人②，應教請二師，和上③・阿闍梨。二師應問言，汝有七遮罪不。若現身有七遮④，師不應與受戒⑤。無⑥七遮者，得受⑦。若有犯十戒者，應⑧教懺悔，在佛・菩薩形像前、日夜⑨六時、誦十重⑩四十八輕戒、苦到礼三世千佛、得見好相⑪。若一七日・二三七日⑫、乃至一年、要見好相。好相者⑬、佛來摩頂、見光華⑭・種種異相、便得滅罪。若無好相、雖懺無益。是人⑮現身亦不得戒、而得增受戒⑯。若犯四十八輕戒者、對首⑰懺滅罪⑱、不同七遮。而教戒師⑲、於是法中、一一好解。若不解大乘經律、若輕㉓若重・是非⑳之相、不解第一義諦・習種性・長養性・不可壞性㉑・道種性・正法性㉒、其中多少觀行・出入十禪支、一切行法、一一不得此法中意。而菩薩爲利養故㉔、爲名聞故㉕、惡求㉖、貪利弟子、而詐㉗現解一切經律㉘、是自欺詐、亦欺詐他人㉙、故與他人受戒者㉚、犯輕垢罪。

（和訳本書三一七～三一九頁参照）

①「戒」北京・中村・天平・房山・法隆寺・義寂経文・善珠経文・毘盧・思渓，覚盛・元亨，「誡」麗初・金蔵・麗再。②「戒人」北京・中村・天平・最澄・法隆寺・義寂経文・善珠経文・麗初・毘盧・金蔵・思渓・覚盛・麗再・元亨，「人戒」房山。③「上」北京・中村・天平・房山・善珠疏経・最澄・法隆寺・義寂経文・善珠経文・麗初・毘盧・思渓・覚盛・麗再・元亨，「尚」金蔵。④「有七遮」房山・北京＊・最澄・天平＊・善珠経文・麗初・毘盧・金蔵・思渓・覚盛・麗再・元亨，「七遮」北京・中村・天平，「有七遮罪者」法隆寺・義寂経文。⑤「不應與受戒」房山・法隆寺・天平＊・義寂経文・善珠経文・麗初・毘盧・金蔵・覚盛・麗再・元亨，「不與受」北京・中村・天平・毘盧。⑥「無」北京・中村・天平・房山・最澄・善珠経文・麗初・毘盧・金蔵・思渓・覚盛・麗再・元亨，「若無」法隆寺・義寂経文。⑦「得受」北京・中村・天平・房山・最澄・善珠経文・麗初・金蔵・覚盛・麗再・元亨，「得與受戒」法隆寺・義寂経文。⑧「應教」房山・法隆寺・北京＊・天平＊・最澄・義寂経文・善珠経文・麗初・金蔵・覚盛・麗再・元亨，「教」北京・中村・天平・毘盧・思渓。⑨「日夜」天平・房山・法隆寺・最澄・義寂経文・善珠経文・金蔵・覚盛・麗再・元亨，「日日」北京・中村・麗初。⑩「十重」房山・法隆寺・北京＊・天平＊・最澄・義寂経文・善珠経文・金蔵・覚盛・麗再・元亨，「十戒」中村・天平・毘盧・思渓。⑪「好相」天平・房山・最澄・法隆寺・義寂経文・善珠経文・麗初・金蔵・覚盛・麗再・元亨，「好相者」北京・中村・毘盧・思渓。⑫「二三七日」北京・中村・天平・房山・義寂経文・善珠経文・麗初・毘盧・金蔵・覚盛・麗再・元亨，「二七日三七日」法隆寺・最澄。⑬「好相者」天平・房山・義寂経文・善珠経文・麗初・金蔵・覚盛・麗再，

「相者」北京・中村・天平・法隆寺・毘盧・元亨。⑭「見光華」北京・中村・最澄・義寂経文・善珠経文・麗初・毘盧・思渓・覚盛，「見光花」房山，「見光見華」天平・法隆寺・金蔵・麗再，「若見光華」北京＊・大平＊，「若見光花」元亨。⑮「是人」房山・最澄・法隆寺・北京＊・天平＊・義寂経文・善珠経文・麗初・毘盧・金蔵・思渓・覚盛・麗再・元亨，「是」北京・中村・天平。⑯「増受戒」中村・天平・最澄・義寂経文・善珠経文・金蔵・覚盛・麗再・元亨，「増受」善珠疏経，「増長戒」北京，「増益戒」房山，「増長受戒」毘盧・思渓，「増益受戒」法隆寺，「増益受戒善」麗初。⑰「對首懺」最澄・善珠経文・金蔵・思渓・覚盛・麗再・元亨，「對手懺」北京・天平・麗初・毘盧，「對手懺悔」房山・金蔵・思渓・麗再，「對首懺悔」義寂経文。⑱「滅罪」覚盛，「罪滅」北京・天平・最澄・善珠経文・麗初・毘盧・金蔵・思渓・麗再・元亨，「滅」中村・房山，「罪便得滅」法隆寺・義寂経文。⑲「教戒」北京・中村・天平・房山・善珠経文・麗初・毘盧・思渓・覚盛，「教誡」義寂経文・金蔵・麗再・元亨。⑳「是非」中村・天平・房山・最澄・法隆寺・北京＊・義寂経文・善珠経文・麗初・毘盧・金蔵・思渓・覚盛・麗再・元亨，「是非是非」北京。㉑「不可壊性」北京・中村・天平・房山・善珠疏経・最澄・義寂経文・善珠経文・麗初・金蔵・覚盛・麗再・元亨，「性種性不可壊性」法隆寺・毘盧・思渓。㉒「道種性正法性」天平・房山・最澄・法隆寺・北京＊・義寂経文・善珠経文・麗初・毘盧・金蔵・思渓・覚盛・元亨，「道性正性」北京・中村，「道種性正性」麗再。善珠疏経「道種姓〔ママ〕」「正法性」。㉓「一切」北京・中村・天平・房山・最澄・法隆寺・義寂経文・善珠経文・麗初・毘盧・金蔵・思渓・覚盛・麗再・元亨，「於一切」北京＊。㉔「爲利養故」房山・最澄・法隆寺・天平＊・義寂経文・善珠経文・金蔵・覚盛・麗再・元亨，「爲利養」北京・中村・天平・麗初・毘盧・思渓。㉕「爲名聞」北京・天平・房山・最澄・法隆寺・麗初・毘盧・金蔵・思渓・覚盛・麗再・元亨，「爲名聲」中村。㉖「悪求」北京・中村・天平・最澄・善珠経文・毘盧・思渓・覚盛・元亨，「悪求多求」房山・法隆寺・北京＊・義寂経文・麗初・金蔵・麗再。㉗「詐」北京・天平・房山・最澄・法隆寺・義寂経文・善珠経文・麗初・毘盧・金蔵・思渓・覚盛・麗再・元亨，「作」中村。㉘「經律」房山・最澄・義寂経文・善珠経文・金蔵・覚盛・元亨，「經律爲供養故」北京・中村・天平・法隆寺・麗初・毘盧・思渓・麗再。㉙「亦欺詐他人」房山・最澄・法隆寺・北京＊・天平＊・義寂経文・善珠経文・麗初・毘盧・金蔵・思渓・覚盛・麗再・元亨，「欺詐他人」北京・中村・天平。㉚「故與他人受」房山・覚盛，「故與人受」北京・中村・天平・

最澄・法隆寺・善珠経文・麗初・毘盧・金蔵・思渓・麗再・元亨，「若故與人受」北京＊，「故與人授」義寂経文。

右に示した異文三十箇所の系統分類を試みる。覚盛が参照できた文献を考えると，「北京」と「中村」は中国に存在した以上，覚盛は自ら参照できなかったに違いない。従ってそれを除外して他本の年代を考慮すると，異文全三十箇所のうち，「覚盛」と同系異文の日本写本の初出が「天平」であるものが十八箇所ある（①②③⑥⑦⑨⑪⑫⑬⑯⑲⑳㉑㉒㉓㉕㉖㉗）。このように**【資料一】**覚盛本における異文の半数以上が「天平」と繋がることは見逃せない。

他の十二箇所に関しては，「法隆寺」は「覚盛」と不一致の場合が多いので検討から外して「房山」「最澄」「天平＊」との異同のみを検討すると，「房山」「最澄」「天平＊」の三が「覚盛」と一致する場合が六箇所（④⑧⑩⑮㉔㉙），「房山」「天平＊」の二が「覚盛」と一致する場合が一箇所（⑤），「房山」「最澄」の二が「覚盛」と一致する場合が一箇所（㉘），「房山」のみが「覚盛」と一致する場合が一箇所（㉚），「最澄」のみと一致する場合が二箇所（⑭⑰），「房山」「最澄」「天平＊」のいずれとも不一致で「覚盛」が独立した異文である場合が一箇所（⑱）ある。

異文の系統分類は以上のようになる。問題は二つある。第一は「房山」が北京近郊の房山に石刻されたものであり，それが日本に伝来した証しを得ることができないこと，第二は「房山」「最澄」「天平＊」の年代関係を確定できないことである。房山唐刻本の年代は長安年間（七〇一～七〇五）頃とする説が有力であり，「最澄」すなわち『顕戒論』の成書は八二〇年であるから両者の前後関係は明らかである。一方，七五七年の「天平」の欄外に修正を加筆した「天平＊」は七五七年以後であるのは確実であるが，「最澄」との前後関係を決めることができない。つまり，三者の年代順序は「房山」→「最澄」→「天平＊」か，「房山」→「天平＊」→「最澄」かのいずれかである。

【資料二】第二十三軽戒

資料一と同様に第二十三軽戒の原文と校勘二十箇所を示すと左記の通りである。

〔覚盛〕若佛子，佛滅度後，欲以好心①受菩薩戒時，於佛②・菩薩形像前自誓受戒，當③七日佛前懺悔，得見好相，便得戒④。若不得好相，應⑤二七・三七⑥，乃至一年，要得好相。得好相已，便得佛・菩薩形像前受戒⑦。若不得好相，雖佛像前受戒，不名⑧得戒。若現前⑨先受菩薩戒法師前受戒時，不須要見好相。是法師⑩，師師相⑪授故，不須好相。是以法師前受戒，即得戒。以生重心故⑫，便得戒。若千里内無能授戒師⑬，得佛・菩薩形像前受得戒⑭，而要見好相。若法師自倚解⑮經律⑯・大乘學戒，與國王・太子⑰・百官以爲善友，而新學菩薩來問若經義・律義，輕心・悪心・慢心，一一不好答問⑱者⑲，犯輕垢罪⑳。

（本書三〇三～三〇五頁の訳注も参照）

①「欲以好心」最澄・天平＊・義寂経文・善珠経文・麗初・毘盧・金蔵・思渓・覚盛・元亨，「欲好心」房山・法隆寺，「欲心好心」北京・中村・天平・麗再。②「佛」北京・中村・天平・房山・最澄・義寂経文・善珠経文・麗初・毘盧・金蔵・思渓・覚盛・麗再・元亨，「諸佛」法隆寺。③「當」北京・中村・天平・房山・最澄・善珠経文・麗初・毘盧・金蔵・思渓・覚盛・麗再・元亨，「當以」法隆寺・義寂経文。④「得戒」北京・中村・天平・房山・麗初・毘盧・金蔵・思渓・覚盛・麗再，「得受戒」最澄・法隆寺・北京＊・天平＊・善珠経文・元亨。⑤「好相應」金蔵・覚盛・麗再・元亨，「好相時以」北京・中村・天平・義寂経文・善珠経文・毘盧・思渓，「好時」天平＊，「好相時應以」房山・法隆寺・麗初，「好相」最澄。⑥「三七」北京・中村・天平・房山・最澄・法隆寺・義寂経文・善珠経文・麗初・毘盧・金蔵・思渓・覚盛・麗再・元亨，「三七日」北京＊。⑦「受戒」北京・中村・天平・房山・法隆寺・義寂経文・麗初・毘盧・金蔵・思渓・覚盛・麗再，「自誓受戒」最澄・善珠受戒・元亨。⑧「不名」最澄・法隆寺・天平＊・義寂経文・善珠経文・覚盛・元亨，「不」北京・中村・天平・房山・麗初・毘盧・金蔵・思渓・麗再。⑨「若現前」北京・中村・天平・房山・最澄・法隆寺・善珠経

文・麗初・毘盧・金蔵・思渓・覚盛・麗再・元亨，「若」義寂経文。⑩「是」北京・中村・天平・房山・善珠経文・麗初・毘盧・思渓・覚盛・元亨，「何以故是」最澄・法隆寺・金蔵，「何以故以是」麗再。⑪「師師」北京・房山・最澄・義寂経文・善珠経文・麗初・毘盧・金蔵・思渓・覚盛・麗再・元亨，「師」中村・天平。⑫「以生重心」北京・中村・天平・最澄・義寂経文・善珠経文・麗初・金蔵・覚盛・麗再・元亨，「已生至重心」房山，「以生至重心」毘盧・思渓，「以生生至重心」法隆寺。⑬「授」中村・天平・最澄・義寂経文・善珠経文・麗初・毘盧・金蔵・思渓・覚盛・麗再・元亨，「受」北京・房山・法隆寺。⑭「受得戒」北京・中村・天平・房山・善珠経文・覚盛・元亨，「自誓受戒」法隆寺・麗初・毘盧・思渓・義寂経文，「受戒」最澄・金蔵・麗再。⑮「自倚」房山・最澄・天平＊・義寂経文・善珠経文・麗初・毘盧・金蔵・思渓・覚盛・麗再・元亨，「自猗」法隆寺・北京＊，「自綺」天平，「身猗」中村，「□猗」北京。⑯「經律」中村・天平・房山・最澄・法隆寺・義寂経文・善珠経文・麗初・毘盧・金蔵・思渓・覚盛・麗再・元亨，「經戒」北京。⑰「太」北京・中村・天平・房山・最澄・法隆寺・義寂経文・毘盧・金蔵・思渓・覚盛・麗再・元亨，「大」麗初，「王」善珠経文。⑱「一一不」房山・最澄・義寂経文・善珠経文・覚盛・元亨，「不」北京・中村・天平，「不一一」法隆寺・北京＊・麗初・毘盧・金蔵・思渓・麗再。⑲「者」房山・最澄・法隆寺・天平＊・毘盧・金蔵・思渓・覚盛・麗再・元亨，「者言而悪心」北京・中村・天平・麗初。⑳「罪」北京・中村・天平・房山・最澄・義寂経文・善珠経文・麗初・毘盧・金蔵・思渓・覚盛・麗再・元亨，「羅」法隆寺。

これら異文全二十箇所のうち，「天平」を日本写本における覚盛と同系初出とする例は十三箇所ある（②③④⑥⑦⑨⑩⑫⑬⑭⑯⑰⑳）。他の七箇所のうち，「房山」「最澄」「天平＊」の三と「覚盛」が一致するのは一箇所（⑮），「房山」と「最澄」の二が「覚盛」と一致する例が三箇所（⑪⑱⑲），「最澄」と「天平＊」の二が「覚盛」と一致する例が二箇所である（①⑧）。そして三者と一致せず「覚盛」の文言が独立する場合が一箇所ある（⑤）。

【資料二】の場合と同じく，「天平」を初出とする例が最も多く，それ以外は「房山」と同系の異本を有する写本が日本に存在したかと疑われる。そして「房山」と「最澄」が一致する例が都合四例あることも注目される。

【資料三】第一軽戒

第三の資料として第一軽戒の原文と校勘六箇所を掲げる。

〔覚盛〕若佛子①、欲受國王位時・受轉輪王位時・百官受位時，應先受菩薩戒。一切鬼神，救護王身・百官之身，諸佛歡喜。既得戒已，應生②孝順心③・恭敬心，見上座④・和上⑤・阿闍梨・大同學・同見同行者，應起承迎，禮拜問訊。而菩薩反生憍心・癡心・慢心，不起承迎禮拜⑥，一一不如法，供養以自賣身・國城・男女・七寶・百物，而供給之，若不尒者，犯輕垢罪。

（和訳は本書二九二～二九三頁を比較参照）

①「若佛子」北京・中村・天平・房山・法隆寺・善珠経文・麗初・毘盧・金蔵・思渓・覚盛・元亨，「佛言佛子」義寂経文，「佛言若佛子」麗再。②「應生」天平・義寂経文・善珠経文・覚盛・元亨，「生」北京・中村・房山・法隆寺・麗初・毘盧・金蔵・思渓・麗再。③「孝順心」北京・中村・天平・房山・善珠疏経・法隆寺・義寂経文・善珠経文・麗初・毘盧・金蔵・思渓・覚盛・麗再・元亨，「孝順」中村。④「上座」中村・天平・房山・善珠疏経・法隆寺・義寂経文・善珠経文・麗初・毘盧・金蔵・思渓・覚盛・麗再・元亨，「上坐」北京。⑤「和上」北京・中村・天平・善珠疏経・法隆寺・義寂経文・善珠経文・麗初・毘盧・思渓・覚盛・麗再・元亨，「和尚」房山・金蔵。⑥「大同學同見同行者應起承迎禮拜問訊而菩薩反生憍心癡心慢心不起承迎禮拜」房山・覚盛・麗再，「大同學同見同行者而菩薩反生憍心癡心慢心不起迎禮拜」天平，「大同學同見同行者應起承迎禮拜問訊而菩薩反生憍心慢心癡心瞋心不起承迎禮拜」法隆寺・金蔵，「大德同學同見同行者應承迎禮拜問訊而菩薩反生憍心癡心慢心不起承迎禮拜」思渓，「大同學同見同行者應承迎禮拜問訊而菩薩反生憍心癡心慢心不起承迎禮拜」麗初，「大同學同見同行者應起承迎禮拜問訊而菩薩反生憍心慢心癡心瞋心不起承迎禮拜問訊」義寂経文，「同學同見同行

者應起承迎禮拜問訊而菩薩反生憍心癡心慢心不起承迎禮拜」善珠経文，「大同學同見同行者應起承迎禮拜問訊而菩薩反生憍心癡心慢心不起承迎禮拜問訊」元亨，「大同學不起迎禮拜」北京・中村，「大同學不起承迎禮拜」毘盧，「大同學同見同行者應起不起承迎禮拜」北京＊。善珠疏経「同學同見同行」「慢心慢心癡心」。

この資料における「天平」と「覚盛」の一致は決定的であるが，ただ，異文の性格を勘案すると，個々に大きな相違は見出せないことも留意せねばなるまい。⑥の箇所は，それぞれ少しずつ書き換えられた諸本が存在したことを示すが，「覚盛」と一致する「麗再」はほぼ同時代直後に成立したから覚盛写経の素材とはなり得ない。そうであれば，やはりここでも「房山」と「覚盛」の何らかの繋がりを想定せざるを得まい。

【資料四】下巻末尾

最後に第四の資料として，下巻末尾の集結部を材料として比較検討する。下巻末には末尾十四偈を有する本と有さない本があることを第二節の「内容の特徴」に述べたが，これに関する詳細を⑬に記す。

〔覚盛〕　……千百億釋迦①亦如是説，從摩醯②首羅天王宮，至此道樹下，十住處説法品③。爲一切菩薩不可説大衆④受持・讀誦・解説其義亦如是。千百億世界⑤・蓮華藏世界・微塵世界⑥一切佛心藏・地藏・戒藏⑦・無量行願藏⑧・因果佛性常住藏・如如⑨一切佛説無量一切法藏竟，千百億世界中，一切衆生受持⑩，歡喜奉行。若廣開心地相相，如「佛華光王七行品⑪」⑫中説。⑬

梵網經盧舍那佛説菩薩心地品巻下⑭　（和訳本書三二五～三二七頁参照）

①「迦」北京・中村・天平・房山・法隆寺・中倉・義寂経文・善珠経文・麗初・毘盧・金蔵・思渓・覚盛・麗再・元亨，「迦牟○」石山。②「摩」北京・中村・房山・法隆寺・中倉・石山・義寂経文・善珠経文・麗初・毘盧・金蔵・思渓・覚盛・麗再・元亨，「魔」天平。③「樹下十住處」天平＊・中倉・石山・義寂経文・善珠経文・麗初・金蔵・覚盛・元亨，「樹十住處」北京・中村・天平・房山・麗再，「樹下住處」法隆寺・毘盧・思渓。④「大衆」北京・天平・房山・法隆寺・中倉・石山・義寂経文・善珠経文・麗初・毘盧・金蔵・思渓・覚盛・麗再・元亨，「大衆也」中村。⑤「千百億」中村・天平・房山・法隆寺・中倉・石山・義寂経文・善珠経文・麗初・毘盧・金蔵・思渓・覚盛・麗再・元亨，「百千億」北京。⑥「微塵」北京・天平・房山・法隆寺・中倉・石山・義寂経文・善珠経文・麗初・毘盧・金蔵・思渓・覚盛・麗再・元亨，「微塵數」中村。⑦「地藏戒藏」北京・中村・房山・善珠疏経・法隆寺・天平＊・中倉・石山・義寂経文・善珠経文・麗初・毘盧・金蔵・思渓・覚盛・麗再・元亨，「地持發戒藏」天平。⑧「無量行願藏」北京・中村・大平・房山・法隆寺・中倉・石山・義寂経文・麗初・毘盧・金蔵・思渓・覚盛・麗再・元亨，「行願藏」善珠経文。⑨「如如」北京・天平・房山・善珠疏経・法隆寺・中倉・石山・義寂経文・善珠経文・金蔵・覚盛・麗再・元亨，「如是如」中村，「如是」麗初・毘盧・思渓。⑩「受持」中村・房山・法隆寺・中倉・石山・義寂経文・麗初・毘盧・金蔵・思渓・覚盛・麗再，「誦念受持」天平・善珠経文・元亨，「□□」北京。⑪「若」北京・中村・法隆寺・中倉・石山・義寂経文・善珠経文・麗初・毘盧・金蔵・覚盛・麗再・元亨，「如」房山，「□」天平。⑫「佛華光王七行品中」中倉・石山・義寂経文・善珠経文・覚盛・元亨（佛華光王七行品中），「佛花光王七行品中」麗初，「佛華光王品中」中村・法隆寺・毘盧・思渓・麗再，「佛化光王品中」房山，「佛華光□王品」天平，「佛華光□王七行品中」天平＊。⑬本文末と尾題の間に十四偈をもたない形式のものは，中倉・石山・麗初・覚盛・元亨。さらに義寂疏と善珠疏の両方は，十四偈を解説する疏文が全くない。逆に十四偈を有するのは天平・房山・法隆寺・義寂経文・善珠経文・毘盧・金蔵・思渓・麗再。北京と中村は尾欠のため不明。⑭「梵網經盧舍那佛説菩薩心地品巻下」覚盛，「梵網經盧舍那佛説菩薩心地戒品」中倉，「梵網經菩薩心地品巻下」金蔵，「梵網經盧舍那佛説菩薩心地戒品第十〈之下〉」麗再，「梵網經心地品第十下巻」中村，「梵網經」天平，「梵網經一巻」房山，「梵網經巻下」法隆寺・石山・麗初・

毘盧・思渓，「菩薩戒本経」善珠経文・元亨，「菩薩戒經終」義寂経文。

この資料に関しては，下巻末に限り画像が出版公開されている下記二写本を校勘に補記することができた。

石山　「石山寺一切経」墨印『梵網経』巻下，平安時代初期。一行十七字。〔巻末原文〕『石山寺古経聚英』，京都・法藏館，一九八五，五一頁，一切経48—2。

中倉　正倉院中倉34『梵網経』。一行十七字。合巻経（上下二巻を一巻とする）。〔巻末原文〕『東瀛珠光第四巻』，宮内省御蔵版，東京・審美書院，一九〇八，第二百十四『梵網経』。また，正倉院事務所（編）『正倉院寶物4　中倉Ⅰ』，東京・毎日新聞社，一九九四，二四三頁も参照。本写本の想定年代には，奈良時代とする説と平安時代とする説があるが，確実な想定年代は現時点では十分に確立していない如くである。

本稿における最終の具体的事例検討となる**【資料四】**は，経本の全貌を見ることはできないが，幸いにして下巻末尾のみ白黒写真が出版公開されているので参照できる。異本全十四箇所中，六箇所が「天平」と「覚盛」の緊密な連関を示す。その割合は五割に僅かに及ばないが，ここでも「天平」との強い結び付きを確認できる。

では「天平」と一致しない他の八例はどうか。「中倉」「石山」の二素材を加えることができるため，比較の結果が上記三資料とやや異なりを示す。七箇所中，三箇所（②⑫⑭）で「覚盛」と異なる「法隆寺」を除外した上で「房山」「天平＊」「中倉」「石山」の四本と「覚盛」の異同を調べると，「中倉」「石山」と一致するのは二例ある（⑪⑫）。「房山」「中倉」「石山」と一致するのも三例ある（②⑩⑬）。そして「房山」「天平＊」「中倉」「石山」の四本と一致する例が一つ（⑦），「天平＊」「中倉」「石山」の三本と一致する例が一つ（③）存在する。最後に示した尾題⑭は諸本それぞれ異なるから決定的なことは言えないが，「覚盛」と最も近似するのは「戒」一字のみ多い「中倉」であり，「覚盛」と「中倉」の関連を見ることができる。一方，「房山」「法隆寺」「石山」は「覚盛」の文言と異なる。

結

本稿は，覚盛願経『梵網経』下巻に見られる特徴を検討する初の試みとして，覚盛願経本の概略と写本系譜を扱った。

第三節【資料一，二，三，四】から言える覚盛本とその前後の時代の写本の関係を整理してみよう。

まず最初に，時間系列とは逆になるが，覚盛願経『梵網経』下巻の文言が後代に与えた影響について述べる。巻下の全体にわたり後代の大蔵経諸本をも含めて異文を比べると，かなりの高率で覚盛本とほぼ同じ読みを示す覚盛以後の本が一つある。それは「元亨」すなわち元亨元年（一三二一）に筆写された国立国会図書館蔵本である。その文字が覚盛本とかなりの高率で一致することは，第三節【資料一，二，三，四】を逐一検討すれば確かである。

次に，「覚盛」と同系の異文を遡ると，「天平」を源とする事例が圧倒的に多い。その数は全体の半数を超える。このことは「天平」写本それ自体を鎌倉期の覚盛が参照したことを意味するのでなく，恐らくは「天平」に基づく写本がその後数世紀にわたり連綿と作られ，覚盛の時代まで影響を及ぼしたことを告げるのであろう。

【資料四】のみに活用し得た「中倉」が「覚盛」と一致する例も決して無視できない。あくまで想像の域を出ないが，もし将来「中倉」のすべての文字を参照できるようになれば，【資料一，二，三】においても，仮に全面的一致でなく，多くの一致に止まるとしても，「中倉」と「覚盛」の一致を検証できるのではないだろうか。

【資料四】の異文十三箇所について「房山」と「中倉」の一致・不一致を調べると，一致するのは十例，不一致は三例である。「房山」と「中倉」が完全に一致するわけでないのは明白である。しかし一方，⑦⑩の二例は，中国写本である「北京」「中村」を除く場合，これまた中国の石刻である「房山」が最も古い覚盛と一致する。【資料一，二，三】の異文においても，【資料一㉚】と【資料三⑥】の二例は，「房山」のみが「覚盛」と一致し，【資料二⑪⑮⑱⑲】の四例では「房山」が「覚盛」と一致する諸本中の最古本であった。このような六例の場合，もし「中倉」の異文を実見することができるようになれば，六例中には「中倉」を付加できる場合も恐らくあり得よう。

要するに，現時点では確定的に断言できないが，「中倉」及び「石山」の文字すべてを参看可能になれば，日本に伝来した明証のない「房山」を「覚盛」の源とするのでなく，「中倉」を「覚盛」と同系異文の日本における最古本とみなすべき事例が増えるかも知れない。本稿は敢えて無理な説を立てず，不明な点は不明なままとして，次の三点を結論とする。

一，覚盛願経『梵網経』下巻に特徴的な文字の大半は天平勝宝九歳（七五七）の奈良写本まで遡れる。

二，日本に伝来したかどうか明証のない房山唐刻本（八世紀初頭頃）が覚盛本の源かも知れない事例もある。しかしその場合，房山唐刻本ないし同系別本が日本に伝来していたかどうかを合わせて検討する必要がある。

三，現時点では正倉院中倉『梵網経』と石山寺『梵網経』の全文を参照できないが，将来もし参照可能になれば，両本とくに中倉本が覚盛願経『梵網経』下巻の写本系譜をさらに綿密に考える際，有力な資料となると予想される。

本邦の貴重な『梵網経』写本が必ずや将来すべて公開されんことを願いつつ小論の結びとしたい。

略号と研究

石田瑞麿（一九五四）「覚盛の律宗復興について」，『印度學佛教學研究』二―二。

上田霊城（一九七五）「鎌倉仏教における戒律の宗派化」，『密教文化』一一二。

竺沙雅章（二〇〇〇）「仏教伝来――大蔵経編纂」，『大谷大学通信』五〇（再録『仏教伝来』，大谷大学広報委員会（編），京都・大谷大学，二〇〇一）。

廣岡義隆（二〇一六）上代文献を読む会（編）『上代写経識語注釈』，東京・勉誠出版，三四五～三四九頁「梵網経（霊春願経）」廣岡義隆執筆。

船山徹（二〇一〇）「梵網経諸本の二系統」，『東方学報』京都八五。

船山徹（二〇一一）「梵網経下巻先行説の再検討」，麥谷邦夫（編）『三教交渉論叢続編』，京都・京都大学人文科学研究所。

Funayama Toru（2015）"The *Fanwang jing*（*Scripture of Brahma's Net*）in the First Edition of the Korean Canon: A Preliminary Survey," *Zinbun: Annals of the Institute for Research in Humanities, Kyoto University* 45.

細川涼一（二〇〇三）「覚盛・尊円・覚如の遁世――中世南都の戒律復興運動の一節」，佛教史学会編『仏教の歴史的・地域的展開：佛教史学会五十周年記念論集』，京都・法藏館。

蓑輪顕量（一九九八）『中世初期南都戒律復興の研究』，京都・法藏館。

望月信亨（一九四六）『仏教経典成立史論』，京都・法藏館，四二五～四八四頁「護国弁大乗戒及び菩薩修道の階位関係の疑偽経」。

初出：『覚盛上人御忌記念　唐招提寺の伝統と戒律』（律宗戒学院，二〇一九）

あとがき

『梵網経』の版本問題の重要性に気づき，十世紀末に木版大蔵経が成立する以前の本経伝承について調査を始めるきっかけを与えてくれたのは，ドイツのハイデルベルク学術アカデミーにてロタル・レダローゼ博士 Prof. Dr. Lothar Ledderose（ハイデルベルク大学名誉教授）が主導する共同研究であった。石経（石刻経典）の実態解明と資料公開を目指すこの組織の研究成果は，『中国仏教石経 *Buddhist Stone Sutras in China*』という書名で，現在，山東省篇の第一巻・第二巻，四川省篇の第一巻・第二巻・第三巻が出版され，今後も陸続たる出版が期待される。筆者は二〇〇八年に始めてこの共同研究における経典英訳作業に招かれ，一ヶ月のあいだ集中的に数名の人たちと英訳と注を作成する作業に携わった。その後も数回にわたり各一ヶ月の作業をすることができたのは，まこと貴重な体験であった。共同研究に参加するうちに，私個人の関心も『梵網経』の房山石経唐刻本に向かい，筆者なりにたどり着いた成果をまとめたものが本書である。レダローゼ先生に巡り会う機会がなかったら石刻当時の生々しい文字の姿やその時代状況等に眼を向けることはできなかったにちがいない。朝から晩まで同じ部屋で漢字を読む作業の楽しさを教えてくれたＬＬ先生，そして仲間たち，とりわけ Tsai Sueyling 蔡穂玲，Claudia Wenzel, Paul Copp, Ryan Overbey に対し，当時を思い出しつつ，深く感謝を申し上げる。

本書をまとめる最終的機縁は，科学研究費助成金基盤研究C研究課題名「東アジア仏教の大乗戒根本経典『梵網経』の最新の写本・版本情報に基づく校訂本作成」（二〇一三年四月～二〇一六年三月，研究代表者・船山徹，研究分担者なし）によって与えられ，三年の間に大きな進捗を遂げた。その過程において当時京都大学大学院文学研究科の大学院生であった古勝亮，高務祐輝，林玄海，中山慧輝，岡田英作の五人から大蔵経電子入力作業の協力を一部得たことは，本書の屋台骨を作る上で有難いことであった。ここに五人の名を記し謝意を表する。ただ，本書の最終的入力と原稿作成はすべて船山本人の手になるものであり，校正もまた然りである。本書に誤りがあるとすれば，それはすべて船山が責を負うこと言うまでもない。本書はさらに科研費基盤研究S「仏教学新知識基盤の構築―次世代人文学の先進的モデルの提示」（研究代表者・下田正弘）における研究分担者としての研究成果でもある。

望月信亨以来の諸研究が示すように『梵網経』が偽経であることは間違いない。これほどまでに異文（異読，ヴァリアント）を多く含む経典も例外的と言ってよいだろう。『梵網経』の経文に修正を施した中国人たちは，なぜこれほどまで夥しい変更を加えたのか。思うに，本経を日々の生活規範とする人々にとって，本経は偽経ではなく，紛れもなく釈尊の真説として深い敬意をもって受容されたにちがいない。もしそうならば，彼らは釈尊の言葉にも多くの誤りがあると考えて修正を試みたのだろうか。多分そうではあるまい。確たる根拠を示すことはできないが，本書の全体を整理して感じるのは，経文に変更を加えた後代の人々の心にあったのは，彼らの参照した『梵網経』は釈尊の語が伝承されるうちに誤字脱字を含むことになった伝世本であるとの意識であり，それに改変を施した理由は，仏説に異義を唱えるのでなく，不正確な表記を含む歪曲した経文を，釈迦牟尼が説いた本来の表記に戻したいという意識に基づいていたのではないか。私にはどうやらこの可能性が高いように感じられる。

版下の書式設定と校正にあたり，様々なところで臨川書店編集部の工藤健太さんに助けられた。各章を読み比べ，不備を忌憚なく指摘してくださった工藤さんに深くお礼を申し上げる。

二〇一七年一月　京都岩倉の寓居にて

船山　徹

増補改訂版のあとがき

本書の初版を上梓したのは，わたくしが『梵網経』について初めて草した小論「疑経『梵網経』成立の諸問題」（一九九六）を発表してから二十年余りを経た，二〇一七年三月であった。仕事の区切りとしてひとまずの研究成果をまとめることができ，喜びを感じた。その後，国の内外で数回，『梵網経』について講演する機会に恵まれ，その度に本書を自ら手に取り読み返してみたところ，特に第二章の原文校訂に表記の不統一と記入漏れが多いのに気付き，残念に思い，修訂本を出版したいと願うようになった。

それと相前後する頃，わたくしは更に二つの事柄に恵まれた。

一つは，唐招提寺中興の祖，覚盛がその晩年の一二四三年に筆写した『梵網経』写本（重要文化財）を実見する機会を初めて得たことである。成果を小論「覚盛願経『梵網経』初探」にまとめたのは二〇一九年五月十九日であった。もう一つ，昨年四月初旬に二日間，浄土真宗の九州教務所（久留米市）の公開講座にて話す機会を与えられた。その講演録「『梵網経』の教えを今に活かす」は，九州教学研究所『衆會』二七号に掲載された。

本書においてわたくしは，『梵網経』の写本および版本約二十種を取り上げ，この経典が数世紀にわたり中国で実に様々な異本を産出したことを文献学的に追究したが，その一方で，本経の宗教的な教えは，昨年初めより今に至るウクライナ戦争とも深く関わることから，教理と信仰という別の観点から『梵網経』の教えを照出したいとも思った。そのような内容の講演を認めて下さった九州教学研究所の皆様方に，ここに深く感謝を表する。

本第二版は，第二章を中心に誤植等の表記の不具合をなるべく訂正したという意味で改訂版であり，覚盛願経の新研究を加えたという意味で増補版である。

本書を通して漢字文化圏における大乗戒の歴史の深みを知って頂ければ幸甚である。

二〇二三年一月

TABLE OF CONTENTS

The Scripture of the Pure Divinities' Netted [Banners] (Fanwang jing), a Mahayana Code for Daily Life in East Asian Buddhism:

The Oldest Form and Its Historical Evolution

The Second Edition, Revised and Enlarged

by

FUNAYAMA Toru

RINSEN BOOK CO.

Kyoto, March 2023

船山　徹（ふなやま　とおる）

1961年栃木県生まれ。京都大学大学院文学研究科博士後期課程中退。京都大学人文科学研究所教授。プリンストン大学，ハーヴァード大学，ライデン大学，スタンフォード大学等において客員教授を歴任。専門は仏教学。主な著作に『仏教漢語 語義解釈―漢字で深める仏教理解』（臨川書店，2022），『婆藪槃豆伝―インド仏教思想家ヴァスバンドゥの伝記』（法藏館，2021），『菩薩として生きる』（臨川書店，2020），『仏教の聖者―史実と願望の記録』（臨川書店，2019），『六朝隋唐仏教展開史』（法藏館，2019），『東アジア仏教の生活規則梵網経―最古の形と発展の歴史』（臨川書店，2017），『仏典はどう漢訳されたのか―スートラが経典になるとき』（岩波書店，2013），『高僧伝（一）～（四）』（吉川忠夫氏と共訳，岩波文庫，岩波書店，2009-10）などがある。

増補改訂 東アジア仏教の生活規則 梵網経
最古の形と発展の歴史

二〇二三年三月三十一日　初版発行

著　者　船　山　　徹
発行者　片　岡　　敦
印刷製本　亜細亜印刷株式会社

発行所　606-8204 京都市左京区田中下柳町八番地
株式会社 臨　川　書　店
電話（〇七五）七二一―七一一一
郵便振替　〇一〇七〇―二―八〇〇

落丁本・乱丁本はお取替えいたします
定価はカバーに表示してあります

ISBN978-4-653-04475-8 C3015